Klaus Harpprecht:

Amerikaner

Freunde, Fremde, ferne Nachbarn

Eine private Galerie

Deutscher
Taschenbuch
Verlag

dtv

Ungekürzte Ausgabe
November 1986
Deutscher Taschenbuch Verlag GmbH & Co. KG,
München

Lizenzausgabe mit freundlicher Genehmigung der
Deutschen Verlags-Anstalt GmbH, Stuttgart
ISBN 3-421-06214-5
Umschlaggestaltung: Celestino Piatti
Umschlagfoto: Bull Carter/The Image Bank, München
Gesamtherstellung: C. H. Beck'sche Buchdruckerei,
Nördlingen
Printed in Germany · ISBN 3-423-10671-9

Das Buch

»Die amerikanische Epoche der deutschen Nachkriegsgeschichte neigt sich zum Ende. Die moralische und geistige Autorität, die den Vereinigten Staaten nach der Katastrophe des Dritten Reiches so selbstverständlich zuerkannt wurde, scheint dahin zu sein, unwiederbringlich.« In der Bundesrepublik breiten sich, vor allem bei der jungen Generation, antiamerikanische Ressentiments aus. Man scheint nicht mehr sehen zu wollen, daß Amerika noch etwas anderes ist als eine Weltmacht, die über nukleare Bomben und Raketen verfügt. Dieser Tendenz möchte Klaus Harpprecht, intimer Kenner Amerikas und der Amerikaner, durch dieses Buch entgegenwirken. Mit seinen Essays und Reportagen versucht er, den »Medienvorhang der Klischees und die Barrieren der Vorurteile beiseitezuschieben« und durch liebevoll gezeichnete Porträts amerikanischer Menschen uns den fernen Nachbarn jenseits des Atlantik ans Herz zu legen. Es entsteht ein höchst anschauliches Bild der amerikanischen Gesellschaft in ihrer oft wiedersprüchlichen Vielschichtigkeit, wie es nur ein kritischer Freund zeichnen kann, dem daran liegt, einen verkannten Freund auch anderen liebenswert zu machen.

Der Autor

Klaus Harpprecht, 1927 in Stuttgart geboren, wandte sich nach Kriegsdienst, Gefangenschaft und Studium dem Journalismus zu, wurde Redakteur bei ›Christ und Welt‹ und vertrat das Blatt seit 1952 als Bonner Korrespondent. 1960 ging Harpprecht als Filmproduzent in die USA und wurde ZDF-Korrespondent in Washington. Später war er Leiter des S. Fischer Verlags und geschäftsführender Redakteur des ›Monat‹. Willy Brandt berief ihn zum Berater und »Chef der Schreibstube« ins Bundeskanzleramt. Zwischen 1960 und 1981 hielt er sich rund zwölf Jahre in Washington als Korrespondent und Filmautor auf. Er veröffentlichte u. a.: ›Viele Grüße an die Freiheit‹ (1966), ›Beschädigte Paradiese‹ (1966), ›Willy Brandt‹ (1970), ›Deutsche Themen‹ (1974) und ›Der fremde Freund‹ (1982).

Inhalt

Für Santa Christina,
unsere Wahltochter in Santo Domingo,
und
für Charlotte,
unsere Patentochter in Paris

I

Wir sind wer – aber was?
Einige Ansichten aus Stuttgart
Statt eines Vorworts

Soll man Stuttgart eine hübsche Stadt nennen? Die Metropole der Schwaben hat ihre Vorzüge. Sie strotzt vor Reichtum. Den Bürgern befiehlt eine alte puritanische Pflicht, mit ihrem Wohlstand nicht zu prahlen. Indessen, die Illusion der Unscheinbarkeit, hinter der sich so viel solider Besitz verbirgt, gelingt ihnen nicht mehr mit der kargen Selbstverständlichkeit, die ihre Großväter der Welt demonstrierten. Sie holen den Sechszylinder oder den blitzenden Rennwagen keineswegs nur aus der Garage, wenn sie an Orten so lockerer Sitten wie Düsseldorf oder Hamburg ihre Kreditwürdigkeit vorzeigen wollen. Sie begeben sich nicht mehr per Straßenbahn zum Büro, das sie noch immer unweigerlich das »Geschäft« nennen, auch wenn sie keinen Handel herkömmlicher und ordinärer Art betreiben, sondern wichtigen Abteilungen bei IBM, Mercedes oder im Kultusministerium vorstehen. Das schwäbische Geschäft leitet sich, völlig korrekt, von »Schaffen« her, dem wichtigsten Element schwäbischen Daseins. Sie sagen es sich selber nach und hören es von anderen gern. Es ist allerdings die Frage, ob die Schafferei heutzutage vor allem die landesübliche Arbeitsamkeit meint oder eher die Anschafferei, die sich auch in Stuttgart nicht verheimlichen läßt. Man soll sie sehen.

Die Stadt ist neu. Baustellen, die das Auge verletzen und den Verkehr aufhalten, sind kaum mehr wahrzunehmen. Die Narben des Krieges scheinen verheilt zu sein. Niemand käme in den Sinn, daß mehr als die Hälfte der öffentlichen Gebäude und der Wohnhäuser vor vierzig Jahren in Schutt und Asche lagen. Eine gemäßigte und ein wenig langweilige Modernität fügt sich ohne Störung den sorgsam geputzten historischen Fassaden an. Selbst der Rathausplatz, den man als einen Inbegriff phantasieloser Spießerei verspotten mochte, erwarb eine gewisse Patina. Die Jahre der Restauration gelangen zur Würde.

Der Fremde, der in jener Stadt einst zuhaus war, beobachtete eines schönen Sommertages eine junge Dame von dunkler Hautfarbe, die mit heiterem Staunen über den betriebsamen Markt ging: eine amerikanische Touristin. Vielleicht fühlte sie sich im Gewoge der weißen Gesichter ein wenig verloren, doch sie lächelte tapfer wie ein modischer Engel und bestaunte die bunten Gebirge der Früchte aus aller Herren Länder. Von daheim war sie die klinische Ordnung der »Supermarkets« gewohnt. Sie horchte in das Sprachgewirr der Verkäufer, die ihre Waren anpriesen: urschwäbische Laute, die sich mit italienischem oder spanischem, türkischem oder griechischem Deutsch vermischten. Sie verstand kein Wort. Es wäre ihr nicht in den Sinn gekommen, daß sie nicht allesamt Deutsche seien: die bäuerischen Herren, die robusten Damen, die Händler, die Kunden. Selbst in dem Mann mit dem martialischen schwarzen Schnurrbart und den dunklen Augen hätte sie keinen »Ausländer« vermutet, sondern vielleicht einen Deutschen balkanischer Herkunft. Die Frauen mit den Kopftüchern? Sie konnten einer strengen Sekte angehören, die ihren Mitgliedern eine besondere Tracht anempfiehlt wie die »Schwarzen Moslems« ihren Töchtern, die sich stets mit einer makellos weißen Kopfbedeckung zeigen. Warum sollten sie nicht Deutsche sein? In Amerika begegnete man den wunderlichsten Gestalten, deren Voreltern aus Ländern stammten, deren Namen in der Geographiestunde zu lernen sind, falls man aufmerkt: Aserbeidschan oder Albanien, Finnland oder Galizien, Äthiopien, Ghana . . . Die junge Frau sah bei ihren Wegen durch New York oder bei kleinen Ausflügen nach Philadelphia schönen Greisen mit schwarzen Hüten und wallenden Bärten nach, die mit einer Art Kaftan bekleidet waren: Es konnten orthodoxe Juden sein oder auch Angehörige einer urprotestantischen Gemeinschaft, die auf ihren Höfen und in ihren Bethäusern einen alten deutschen Dialekt sprachen. Sie sind, das verstand sie von Kind auf, allesamt Amerikaner. Sie unterscheiden sich, in den Augen jener jungen Frau, zwar durch ihre Hautfarbe: weiß, schwarz, rot oder gelb, doch alle Nuancen des Regenbogens könnten an ihrem Amerikanertum nichts ändern.

Die Schwarzen, wohl auch die Roten und Gelben, focht manchmal ein Zweifel an, ob es ihnen erlaubt sei, so amerikanisch zu sein wie die Weißen. Aber nun, auch das hatte sie gelernt, durften und sollten sie auf ihr gleiches Recht pochen. Es gab Augenblicke, in denen sie selber, diese schöne Person, ihres Amerikanertums nicht völlig sicher sein mochte. Seit ihrem Ausflug nach Europa wußte sie es besser. Wenn sie in New York »wir« sagte, meinte sie ihre Familie, ihre Nachbarschaft, die schwarzen Bürger, vielleicht ihre Kirche oder das Heer der Millionen, die man arm nennt.

Doch als sie auf eine Stuttgarter Hauswand gesprüht – nicht weit von der Universität – die Parole »Ami go home« las, fuhr sie zusammen. Ein Anflug der Panik überfiel sie, dann eine stumme Lähmung, wie zuhaus, wenn sie auf das offene Ressentiment eines weißen Mitbürgers stieß. Ihr Lächeln gefror. Sollte sie ihren Koffer packen und die nächste Maschine nach New York nehmen? Sie blieb nach ihrer Gewohnheit keine Minute in einer Gesellschaft, in der sie nicht willkommen war. Wenn sie Vorurteilen begegnete, machte sie auf dem Absatz kehrt und ließ eine Spur der Verachtung zurück.

Sie zähmte ihre Stuttgarter Furcht. Sie gewöhnte sich an die glotzenden Blicke der deutschen Herren, die sich an ihrem exotischen Bild festzusaugen schienen. In Amerika gilt es als unhöflich, eine Frau anzustarren, ob schwarz oder weiß. Die Deutschen, dachte sie, könnten sich in den Jahrzehnten nach dem Krieg daran gewöhnt haben, daß andere Menschen anders aussehen als sie selber. »Das ist wahr«, sagte ihr eine Freundin mit einem Unterton von schmeichelndem Spott, »aber schwarze Schönheiten kreuzen nicht alle Tage den Weg unserer deutschen Herren. Es mag sein, daß sie sich mit uns langweilen, ihren Fräuleins.«

Der Amerikanerin fiel keine Antwort ein. Sie dachte, diese starrenden Augen könnten am Ende mehr ausdrücken als blankes Begehren. Vielleicht Neugier und Abwehr, Anziehung und Abstoßung, beides zugleich? Davon verstand sie nichts. Das war nicht ihr Land. Sie erinnerte sich an die Botschaft, vermutlich von Studenten geschrieben, die Amerikaner sollten sich aus Deutschland so rasch wie möglich davonscheren. »Wie geht das zu?« fragte sie ihre Freunde. »Bei uns schreiben die Zeitungen, wir unterhielten seit dem Zweiten Weltkrieg eine Armee von dreihunderttausend Soldaten in der Bundesrepublik, die viel Geld koste. Sie befände sich auf Wunsch der Deutschen im fremden Land. Es sei ihr Auftrag, die Deutschen, die Westeuropäer und schließlich Amerika zu schützen.« Sie sagte: »Ich nehme an, die meisten dieser jungen Leute wären lieber zuhause.«

Das »Ami go home« dürfe sie nicht wörtlich nehmen, redeten ihr die Freunde zu. Auf dem engen Territorium der Bundesrepublik stapelten sich aber tausend nukleare Sprengköpfe, und ihre Regierung schickte immer neue, immer schrecklichere Waffen über den Atlantik, während die Batterien sowjetischer Raketen dieses gleiche Stück Erde bedrohten. Viele Deutsche, junge Leute vor allem, betrachteten den angeblichen Schutz durch immer monströsere Vernichtungsmittel als die größere Gefahr; sie zögen die Schutzlosigkeit vor. Mit den GI's, die zum Dienst nach Deutschland kommandiert seien, habe die Auflehnung gegen die Politik der Vereinigten Staaten nichts zu schaffen. Liebe sie, eine schwarze Frau, am Ende Ronald Reagan, den greisen Cowboy?

Nein, sie liebte ihn nicht. Auch der Heilige Geist hätte sie nicht dazu überreden können, ihn und seine Republikaner jemals zu wählen. Dennoch, Unbehagen setzte sich in ihrer Seele fest. Warum schrieben die Parolensprüher nicht »Nieder mit Reagan« und »Zum Teufel mit den Pershings«? Sie sagten »Ami ...«. Gehörte sie nicht dazu? Und die GI's, die angeblich nichts anderes als Sympathie und Freundschaft verdienten?

Wenn sie nun »wir« sagte, ließ sie keine Täuschung mehr zu: Sie meinte die GI's und sich selber, Jesse Jackson und den rotnackigen Rancher, der einen Augenblick zögerte, ehe er einem schwarzen Mitbürger die Hand gab (weil die Haut abfärben könnte), Mister Mondale und in Gottes Namen Ronald Reagan – wir Amerikaner.

Die Schatten der Kränkung streiften ihr Gemüt nur selten. Es gab zuviel in der fremden Stadt, das des Staunens wert war: die Statuen koketter Nymphen, die, halb verschämt, halb lockend, aus dem Gebüsch des Gartens am Theater zu treten schienen, um ihre Füße in dem Weiher zu netzen, in dem Kinder und Erwachsene ihre elektronisch gesteuerten Schiffchen kreuzen ließen. Ein schöner, milder Sommer. Die Luft war leicht, und an den Abenden fiel von den Hügeln mit ihren Wäldern und Weinbergen ein kühler Hauch ins Tal, nach dem man in New York vergebens lechzte. Niemand schien sich in den Straßen, in den Parks zu fürchten. Keine sichernden Blicke, die anzeigten, daß man auf der Hut sein müsse, nicht einmal in der Nacht. Sie genoß das heitere Bild junger Menschen, die in den Anlagen am See ihre Stühle zusammenrückten und von weiß der Himmel welchen Abenteuern daherschwadronierten. Alte Leute, die still ihre Zeitungen lasen. Väter, die brave Familien spazieren führten. Darüber die harmonisch gegliederte Fassade des Schlosses, das ihr so groß dünkte wie das von Versailles und doch nur einem kleinen Fürsten gehörte, von dem in ihren Geschichtsbüchern kein Wort zu lesen war.

So viel Geschichte auf ein paar Metern übereinandergehäuft, so viel Vergangenheit und dennoch eine gleißende Modernität. Die einschüchternde Sauberkeit, die in Amerikas Städten in der Regel nicht anzutreffen ist, nicht in New York, nicht in Washington, nicht in Atlanta. Weiter im Westen, in Cincinnati vielleicht – dort nahm sie einen Ordnungssinn wahr, der nicht ganz so strikt sein mochte.

Stuttgart und Cincinnati ... Sie lächelte. Zwei Städte in zwei Welten. Dennoch schien ihr ein Vergleich nicht unzulässig: die Mischung von Alt und Neu, Industrie und mittelständischer Tüchtigkeit, von Traditionsbewußtsein und Neuerungswille, beide Städte von grünen Hügeln eingefaßt. Überdies war Cincinnati voll von Deutschen. Hieß nicht eines seiner Quartiere »Over the Rhine«? Der Neckar, dieses armselige Rinnsal, drängte keine Erinnerung an den Ohio-River auf. Dafür hatte Cincinnati keine Weinberge, die in die Stadt wuchsen, und Stuttgart keine Schwarzen, die in der Schwesterstadt fünfzehn Prozent der Bevölkerung ausmachen. »Das«, sagte einer der Freunde, »entspricht fast dem Anteil der Ausländer bei uns«.

Spürte sie einen winzigen Stich von Heimweh? Sie würgte eine Sekunde, blinzelte eine Träne fort und fragte forsch, wie ihre deutschen Freunde nur die ewig gleichen weißen Gesichter ertrügen, die so selten lachten. Seltsame Betroffenheit lähmte das Gespräch. »Wie das?« riefen die jungen Deutschen. »Wir lachen nicht? Wir dachten, schwarze Amerikaner hätten nichts zu lachen.«

Grämliche Verletztheit zog einige Mundwinkel nach unten. Sie hatten sich auf ein schwieriges Gelände begeben. Zweifel an ihrem Humor beleidigen die gutartigsten Völkerschaften. »Wir können unsere gute Laune vielleicht nicht zur Schau tragen wie andere«, meinte ein blondes Mädchen, doch eine kleine Aufwallung von Ärger stieg auch ihr ins Gesicht. Die Schultern der jungen Männer hatten sich ein wenig zusammengeschoben. Sie drückten das Kinn härter an den Kehlkopf, und sie räusperten sich, ehe sie sprachen. Das Strahlen in den Augen war erloschen. Wie hübsch die Freunde noch vor einer Minute waren, dachte die Amerikanerin. Nun schien ein kaum merklicher Krampf die Züge zu verschließen.

Die junge Frau aus New York spürte, daß der Mantel des Wohlwollens dünn war. Man mußte vorsichtig mit ihm umgehen. Er konnte rasch zerreißen. Sie begriff, daß jede unbehutsame Regung bedrohlich sei. Das war sie nicht gewohnt. Warum fiel keinem ein schneller Scherz ein? Warum löste sich die lauernde Stille nicht in ein Lachen auf, das signalisierte, daß kein Ernstfall eingetreten sei? Sie fand das Wort, das präzise beschrieb, was sie vermißte: Spontaneität.

Sie erinnerte sich, daß sie auf dem weiten und generös angelegten Platz vor dem Schloß einem anderen schwarzen Gesicht begegnet war: Es gehörte einem jungen Soldaten, der mit großen, ausholenden Schritten über die Steinplatten ging, entspannt, unbesorgt, seines Körpers, seiner Gesten sicher. Als er näherkam, lächelte er ihr zu. Leise rief er: »Hi, sister, are you okay?«

»Yes, brother«, hatte sie geantwortet. »I'm alright and I'm enjoying myself.«

Sie tauschten nur diese kleinen Sätze, die nicht viel besagten. Durch den Rest des Tages begleitete sie eine Wärme, in der sie sich geborgen fühlte wie zuhaus unter ihren Geschwistern oder in der Gemeinschaft ihrer kleinen Kirche.

Hätte sie die Reise in die schwäbische Hauptstadt einige Monate später unternommen, wäre ihr statt des »soul-brothers« womöglich ein leiblicher Bruder über den Weg gelaufen: der Sergeant, der schon einmal drei Jahre bei der amerikanischen Armee in Deutschland gedient hatte, im grauen Bremerhaven. Er war froh, wieder in der Heimat zu sein. Doch er meldete sich bald danach ein zweites Mal zum Dienst im Ausland, weil er den besseren Sold dringend brauchte. Für einen Unteroffizier war es nicht leicht, eine fünfköpfige Familie durchzubringen.

In Bremerhaven lebten sie so isoliert wie fast alle Amerikaner. Sie selber machten nur geringe Anstrengungen, Freunde zu gewinnen. Waren schwarze Gesichter in deutschen Häusern willkommen? Sie wußten es nicht. Es gingen Gerüchte um, daß schwarze GI's aus Gaststätten und Nachtclubs gewiesen würden. Das konnte ihnen auch in Amerika widerfahren. Aber dort hatten sie, wenn sie aufbegehrten, das Gesetz im Rücken. In Deutschland waren sie Gäste. Gern gesehene Gäste? Verbündete? Freunde? Ein junger Mensch, vielleicht erhitzt von einer Demonstration, brüllte ihnen ein Wort nach, das sie nicht verstanden. Später übersetzte ihnen jemand die Bedeutung: Besatzer ... Also waren sie nicht mehr willkommen, nicht bei allen. Der Sergeant ging von nun an aufmerksamer durch die Straßen, vorsichtiger, höflicher, mit einem Hauch von Geniertheit.

Seine schöne Schwester flog ein paar Tage nach der schwierigen Konversation mit ihren schwäbischen Altersgenossen davon. Sie hielt sich eine Woche in Paris auf und war, amerikanischen Kinderträumen gehorsam, von jeder Regung des Lebens in Frankreich entzückt. In den Straßen sah sie so viele Menschen ihrer Hautfarbe. Sie schienen ohne Arg und Bedrückung ihren Geschäften nachzugehen. Von der harten Fremdenfeindlichkeit, die in den Vororten der großen Städte umging, berichtete ihr keiner. Sie versuchte mit schwarzen Passanten ins Gespräch zu kommen und war erstaunt, daß sie nicht auf englisch, sondern in einem gutturalen Französisch antworteten. Auch das fand sie entschuldbar. Den Franzosen verzeihen die Amerikaner viel.

Der Fremde, den seine Arbeit von Zeit zu Zeit nach Stuttgart beordert, dachte indessen darüber nach, ob es angebracht sei, den Sergeanten mit jungen Leuten bekanntzumachen, mit denen er sich seit ihren Studententagen gelegentlich unterhielt. »Warum nicht?« sagte Carlos, ein halber Knabe noch, mit den lustigsten Locken, die ein progressiver Coiffeur einem frechen Junglehrer andrehen konnte, ohne ihm beim Direktor, dem Elternrat und den ernsteren seiner Schüler Ungemach zu bereiten. »Dem armen Kerl ist vielleicht beschissen zumut: tagaus, tagein in Uniform unter anderen Uniformierten, dazu verurteilt, für Reagan und seine Bluthunde die Drecksarbeit zu machen – das kann kein Vergnügen sein.«

»Der Sergeant sieht das vielleicht anders«, bemerkte der Fremde behutsam. »Der ist nicht ungern Soldat. Bei der Armee hat er die Chance, einen Beruf zu lernen, Elektronik zum Beispiel, und er wird obendrein dafür bezahlt. Reagan liebt er wohl kaum. Aber er ist, wie die meisten schwarzen Amerikaner, ein guter Patriot.«

Der Kleine lief rot an. »Schwarz und patriotisch?« rief er. »Das Fernsehen, das drüben von gemeingefährlicher Torheit zu sein scheint, hat offensichtlich alle Köpfe verkleistert, selbst die der Schwarzen. Wenn sie eines Tages aufwachen, werden sie vielleicht begreifen, wohin sie gehören: nämlich auf die Seite der Opfer. Sie selber sind die ersten Opfer der Imperialisten.«

»Die Wirklichkeit ist komplizierter«, wandte der Fremde betreten ein. »Die Geschichte der Schwarzen war bitter. Das gleiche Recht, das sie sich in den vergangenen Jahrzehnten erkämpften, steht oft nur auf dem Papier. Aber sie sind selbstbewußt geworden. Sie sind stolzer, ehrgeiziger, aggressiver, als es ihre Väter jemals zu hoffen wagten. Sie wissen, was sie erreicht haben. Sie drängen weiter nach vorn. Sie müssen entschlossener lernen als andere, brauchen mehr Fleiß, Disziplin und eine größere Portion Courage – wie die Frauen in Deutschland, die eine Karriere im Kopf haben. Die Chancen sind noch immer und noch für lange Zeit ungerecht verteilt. Ein arbeitsloser Teenager in New York hat Glück, wenn er einen Job an der Tankstelle findet. Anderen gelingt der Sprung von der Highschool zum College. Sie sind Pfadfinder. Sie schlagen kleine Breschen in die Mauern der Gesellschaft. Sie brechen Stein um Stein, um den Durchlaß zu verbreitern. Sie sind nicht länger vereinzelte und heroische Beispiele. Sie sind eine Macht. Sie allein können die Lage der schwarzen Unterschicht verändern. Sie sind entschlossen, genau das zu tun – wie die liberale Elite des weißen Mittelstands das Geschick des weißen Proletariats zu wenden vermochte.«

Der Lockenkopf schwieg und schaute trotzig in seine Teetasse. Der Fremde rührte in seiner. Er sagte: »Überdies würden die schwarzen Amerikaner mit niemandem tauschen, auch wenn sie es könnten. Sie haben erfahren, oft schmerzlich, daß sie mit den Afrikanern nichts mehr gemein haben als die Farbe der Haut. Lateinamerika ist ihnen fremd. Ich hörte noch keinen, der den Wunsch äußerte, Deutscher zu werden.«

Carlos lachte. Dann drängte wieder der Zorn in seine Stimme: »Sie gehörten aber eher zu uns als zu den Yankees. Wir verteidigen ihre wahren Interessen.«

»Das mag so sein«, sagte der Fremde. »Sie empfinden anders, sie fühlen sich angegriffen, wenn der gute Wille ihres Landes in Zweifel gezogen wird – Reagan hin oder her. Von Zeit zu Zeit spricht der eine oder andere aus, was sie für gewöhnlich taktvoll verschweigen: daß die Sklaverei eines der großen Verbrechen der Menschheit gewesen sei und die Unterdrückung der Minderheiten ein täglicher Verrat Amerikas an seinen eigenen Idealen, doch sie vergessen nicht, wie die Deutschen mit ihren jüdischen Bürgern verfahren seien. Den großen Mord, wenigstens den, habe Amerika sich nicht vorzuwerfen.«

»Hiroshima!« rief Carlos.

»Ja«, sagte der Fremde. »Hiroshima war ein Verbrechen. Doch glaubten viele, die eine entsetzliche Bombe werde den Krieg beenden und damit hunderttausende von Menschenleben bewahren. Vielleicht glaubte Präsident Truman es selber. Ich weiß es nicht.«

»Aber zu uns spricht man nur über Auschwitz ... und die Indianer?« fragte der Kleine leise und scharf. »Ja«, antwortete der Fremde, »das ist eine Schuld, untilgbar wie alle Schuld. Die Massaker und Vernichtungsaktionen lassen sich dennoch kaum mit Auschwitz vergleichen. Sie waren nicht von dem Willen zur Ausrottung eines Volkes, einer Rasse diktiert. Immerhin leben heute, schätzt man, annähernd so viele Indianer in den Vereinigten Staaten wie zur Zeit der Entdeckung des Kontinents. Das macht die geschehenen Grausamkeiten nicht geringer.«

»Vielleicht«, fügte er hinzu, »ist es nicht unsere Sache, Amerika eine Aufrechnung zu präsentieren. Vielleicht böten sich deutschen Rundfunkredakteuren noch dringendere Aufgaben, als ihren Hörern wöchentlich dreimal das Indianerschicksal in die Ohren zu walken, weil es so einfach ist, über Untaten zu reden, mit denen wir nichts zu schaffen hatten.«

Der Fremde hatte keine Neigung, das Gespräch fortzusetzen. Wie oft hatte er sich mit Auseinandersetzungen dieser Art gequält? Er begann an ihnen zu ermüden. Sie schienen ihm ein verzerrter Spiegel der Konversationen zu sein, die er auf der anderen Seite des Atlantiks hundertfach mit Amerikanern führte. Geduldig und beharrlich, gelegentlich zornig, hatte er drüben seinen Freunden zu erklären versucht, ein differenzierteres Urteil, zumal über die jüngere Generation der Deutschen, sei dringend angebracht, wenn man wahrhaftige

Partnerschaft wünsche. Die Mehrzahl der Bürger in der Bundesrepublik sei 1945 – sofern auf der Welt – des Lesens und Schreibens noch nicht kundig gewesen. Man dürfe den guten Willen nicht verstören, wolle man die Deutschen nicht in eine neue und gefährliche Isolation treiben. Kaum ein Volk in der Geschichte habe seine Verantwortung, aller Verdrängung zum Trotz, so entschieden auf sich genommen. Dies müsse man respektieren.

Der Fremde argumentierte guten Glaubens, sicher, daß die jungen Deutschen gegen die Versuchung des Ressentiments gewappnet seien. Hatten sie es nicht zuwege gebracht, den Wall der überkommenen Vorurteile gegen »die Russen« zu durchbrechen, in die sich die Älteren so angstvoll verkrallten? Lief nicht eine Welle des Enthusiasmus für die Sache der Polen durch's Land, auch wenn die Deutschen, Gefangene ihrer spröden Zurückhaltung, nicht in lärmenden Massendemonstrationen durch die Straßen zogen wie die jungen Italiener oder Franzosen? Schickten sie nicht Millionen von Paketen getreulich nach Warschau und Posen, nach Danzig und Radom? Hatten die Heere der Vertriebenen nicht den Verlust der Heimat mit beispielloser Disziplin auf sich genommen? Schworen nicht ihre offiziellen Organisationen feierlich jedem Gedanken an Gewalt und Vergeltung ab? Hatten sie nicht allesamt, auch die Opfer des Bombenkrieges, mit den Verlusten zu leben gelernt, ohne jene Bitterkeiten wuchern zu lassen, von denen die Seelen der Bürger nach dem Ersten Weltkrieg vergiftet wurden? Bewiesen sie nicht, von Wahl zu Wahl, eine demokratische Vernunft, die dazu einlud, ihnen endlich Vertrauen zu schenken? Hatten sie nicht die Hysterie der Terroristenfurcht nach langen Krämpfen abgeschüttelt? Zeigte ihre Presse nicht eine geschärfte Wachsamkeit für die bürgerlichen Freiheiten, mit denen es nicht in allen Staaten, selbst des Westens, ähnlich gut bestellt sei wie in der Bundesrepublik – wenn auch, im Bonner Staat und anderswo, längst nicht gut genug? Habe diese zweite Demokratie nicht ihre Reifeprüfung bestanden?

Oft antwortete dem Fremden ein bedächtiges Nicken. Er war nicht immer gewiß, ob er die Schranken der Skepsis beiseite zu räumen vermochte. Er konnte auch nicht genau unterscheiden, ob der zaghafte Beifall der Studenten dieser und jener Universität, der Mitglieder der »Cultural Association« von Austin, Texas, oder des »World

Affairs Club« von San Francisco nur höflich war oder Zustimmung ausdrückte. Er vergaß nicht, mit welcher Dankbarkeit er jedes Lächeln auffing, das ihm aus einer fast tausendköpfigen Menge im Ballsaal des Hilton-Hotels zugeworfen wurde: aus einem jüdischen Publikum, das eine Stunde zuvor mit ohnmächtiger Erschütterung Szenen aus den Konzentrationslagern auf der Leinwand gesehen hatte.

Verlor sich seine Bitte um ein gerechtes Urteil über die Deutschen, die (wie er selber) eine Uniform der Wehrmacht getragen hatten, in der tiefen Erregung? Wurde sein Wunsch, man möge den neuen Generationen die Hand nicht verweigern, von einigen freien Seelen verstanden? Er wußte es nicht. Der Abend ging für ihn in einer grauen Erschöpfung unter.

Nun warb er unter den jungen Deutschen um Gerechtigkeit für die Amerikaner. Die Ironie der Lage stimmte ihn nicht heiter. In einer Redaktion fragte ihn, ohne Gutartigkeit, ein halbgarer Kollege, ob er jenes unglückselige Land, die Vereinigten Staaten, noch immer liebe. Ja, sagte er, es sei ihm nicht weniger liebenswert als Deutschland oder Frankreich – soweit Länder und Nationen mit Liebe bedacht werden könnten, hätte er hinzufügen müssen, da er kollektiven Zuneigungen nicht weniger mißtraute als kollektiven Ressentiments.

Ihn überraschte der defensive Ton, den er in seiner Stimme zu erkennen meinte. Er beobachtete, daß er sich tatsächlich in nahezu jeder Diskussion – ob mit Studenten oder den Gästen der Amerikahäuser, auch in Fernsehstudios – zur Verteidigung Amerikas und der Amerikaner gezwungen sah. Selbst sein Hinweis, daß sich jede Kritik an den Vereinigten Staaten aus amerikanischen Quellen nähre, aus dem besessenen Wahrheitseifer der Presse und den Untersuchungsausschüssen des Kongresses, machte nicht den geringsten Eindruck.

Ein Star der deutschen Publizistik nannte den Präsidenten der Vereinigten Staaten vor Millionen Zuschauern einen Cretin. Er sprach von Jimmy Carter. Über Ronald Reagan drückte sich jener Kollege nachsichtiger aus. Der Fremde brachte für Präsident Reagan nur mäßige Achtung und wenig Vertrauen auf. Einen Cretin hätte er den Californier nicht heißen mögen. Doch das stand nicht zur Debatte. Takt und Vernunft schienen vielmehr zu gebieten, Amerika und seine Chefs nicht für die ideologischen Verspannungen der deutschen Debatte büßen zu lassen. Er hielt dies für unklug. Die Vereinigten Staaten begegnen den Deutschen, alles in allem, wohlwollend und generös.

Aber ist es auch wahr? War der Fremde nicht wenige Wochen zuvor in einen bitteren Streit mit Intellektuellen neukonservativen Schlages geraten, die ihm europäischen Hochmut vorwarfen, weil er Bedenken gegen die Außenpolitik Ronald Reagans anzumelden gewagt hatte? Brüllte ihn nicht in der Sauna ein brillanter Mitarbeiter der Ford-Foundation – er schätzte ihn als einen friedfertigen Menschen – mit heiserer Entrüstung an, Willy Brandts Absage an die Pershing-Strategie sei Verrat an den heiligsten Gütern der Demokratie und des freiheitlichen Sozialismus? Hatte er nicht seinen amerikanischen Freunden, ob sie es hören wollten oder nicht, mit der Bitte in den Ohren gelegen, sie sollten den Aufstand der jungen Deutschen gegen Ronald Reagans martialische und bornierte Rhetorik nicht als Anti-Amerikanismus interpretieren?

Täuschte er sich nicht? Er schaute in das hübsche Gesicht des Junglehrers Carlos, und er verstand wohl, daß dieser lebhafte junge Mensch von seinen Schülern geliebt wurde. Wenn sein Gemüt nicht von Zorn und fanatischem Eifer verstellt war, strahlte er ein heiteres Temperament aus, dessen Charme sich niemand so leicht entzog. Er gehörte nicht zu den verstörten Engeln, die schlechte Laune als eine Maske linker Tugendhaftigkeit vor sich her trugen. Er hielt die Fähigkeit zur Begeisterung nicht für unerlaubt. Er schwärmte von Büchern, wie es der Fremde getan hatte, als sich ihm nach dem Krieg die Welt der Literatur öffnete, die so lange ausgesperrt war. Carlos, der Lockenkopf, ließ seine Schüler Aufsätze nach den gängigen Beispielen der Trivialautoren schreiben, damit sie lernten, vor Klischees auf der Hut zu sein. Er spielte mit ihnen Theater. Er nahm sich für ihre Sorgen Zeit. Er verbot sich auch nicht den Mund, wenn politische Fragen gestellt wurden.

Seinem Direktor mutete er gelegentliche Anfälle von Verzweiflung zu, doch er ließ sich durch seine Sympathie für den alten Herrn nicht zu duckender Rücksicht verführen. Autorität schüchterte ihn nicht ein. Er verbarg nicht, daß er in allen Demonstrationen mitgelaufen war, die wirkliches oder vermeintliches Unrecht anklagten. Allerdings räumte er ein, die stumpfsinnig skandierten Sprechchöre seien ihm auf die Nerven gegangen, ja es habe ihn nach allzu ausführlichen Orgien gemeinsamen Gebrülls eine Art von Maulsperre befallen. Zum anderen machte er kein Hehl daraus, daß ihm die verspießerte Umständlichkeit der staatstreuen und braven Sozialdemokraten wenig behage. War er grün? Links-grün? Rot-grün?

Den Fremden scherte es nicht. Das ist einer, dachte er oft, der sich nicht mit dünnlippiger Entschlossenheit anpassen wird wie so mancher der 68er, aus deren einst so verwilderten Zügen sich allzu rasch das ordentliche Bild des deutschen Regierungsrates herausschälte. Dieser, dachte der Fremde, wird seine Überzeugungen – ob richtig oder falsch – so billig nicht dahingeben.

Er sah zur Piazza vor dem Restaurant hinaus, mit einigem Vergnügen an der Architektur, die unaufwendig modern und doch nicht ohne Anmut war, von der Stirnseite her von der klassizistischen Säulenreihe beschirmt, die vom alten »Königsbau« übriggeblieben war – ein schöner Akzent, nicht mehr. Der Fremde mochte ihn nicht aristokratisch nennen, vielmehr schienen ihm die Säulen solide und grundbürgerlich zu sein, wie es dem Geist der Stadt entsprach. Er lächelte, als er die wilhelminische Fassade des alten »Hotel Marquardt« wiedererkannte. Das war, als er – dreizehn- oder vierzehnjährig – seine ersten Ausflüge in die Stadt unternehmen durfte, der Hort der Großen Welt. Dort pflegten die Mitglieder des württembergischen Adels abzusteigen, rotgesichtige Herren und meist rundliche Damen, von denen der Knabe nicht ahnte, wie bürgerlich auch sie in Wirklichkeit waren, nur mit aufwendigen Titeln behängt. Sie bewohnten bescheidene Landschlößchen weit hinter dem Wald.

Dann fiel ihm ein, daß er bei seinen Wanderungen durch die unzerstörten Straßen und Gassen Stuttgarts, es war 1941, einer alten Frau begegnete, die einen gelben Stern an ihrem Mantel trug. Er erinnerte sich, daß ihm eine unbestimmbare Angst ins Herz fuhr. Vielleicht war sie nur ein Reflex der Furcht, die er in den Augen der alten Frau wahrzunehmen glaubte. Sie streifte ihn mit einem eiligen Blick und schlurfte davon. Er war, ohne es recht zu bemerken, für einen Augenblick stehengeblieben und hatte ihr nachgestarrt. Beunruhigt und auf eine undeutliche Weise beschämt ging er schließlich weiter.

Man müßte, dachte er, den Lockenkopf nach seinen Eltern fragen:

rechtschaffene und biedere Leute, in eher kleinen Verhältnissen lebend, die seinem Studium nur widerwillig zugestimmt hatten. Ihnen wäre es lieber gewesen, hätte er einen handwerklichen Beruf gewählt. Immerhin, Gymnasiallehrer – auch das gilt in Schwaben als ordentlicher Stand. Daran konnte keiner Anstoß nehmen. Man zählte mit dieser Profession nachgerade zu den besseren Leuten. Krieg und Zerstörung hatten ein stilles Bewußtsein für die Unterschiede der Klassen nicht völlig ausgelöscht. Sie waren in Schwaben feiner als anderswo und durchaus nicht nur von Besitz oder Geld bestimmt. Das so oft und zu Recht gerühmte Gleichmaß des sozialen Geländes, das einem heimlichen Egalitarismus entsprach, offenbarte dem genaueren Blick einige Höhen und Tiefen, die weder Krieg noch Zerstörung, weder der Zustrom von Millionen Flüchtlingen noch die Ankunft der »Ausländer« einzuebnen vermochten.

Die Eltern waren stolz auf den Sohn. Sie schätzten sich glücklich, daß er dank seiner Talente und einer Portion Glück nicht arbeitslos geblieben war wie so viele seiner Kollegen. Der Fremde hätte gern mehr über die Eltern erfahren. Der Vater war vermutlich nicht viel älter als er selber, vielleicht drei oder vier Jahre: Also marschierte auch er einst mit den Pimpfen und in der Hitlerjugend. Unlustig? Oder mit dem frischen Idealismus, mit dem sich der Sohn in die Wortschlachten für seine gerechte Sache stürzte? Und die Mutter? BDM-Führerin? Ohne Zweifel hübsch, falls Carlos nach ihr geraten war, trotz der unkleidsamen Uniform. Konnte man ihrem einladenden Lachen widerstehen, wenn sie mit der Winterhilfsbüchse fröhlich klappernd vor dem Rathaus stand? Sprach sie zu Hause vor ihren streng protestantisch-kleinlich-rechtschaffenen, ja störrischen Eltern nicht mit ansteckender Bewunderung von den großen Leistungen, die der Führer vollbracht hatte? Fiel sie nicht das Grauen an, wenn sie im »NS-Kurier« vom Martyrium der Volksdeutschen im Sudetenland und in Posen las? Überkam sie kein Frösteln, wenn sie im Rundfunk Berichte vom Terror der »roten Kommissare« hörte? Sprang nicht ihr Herz auf, als mit Fanfaren der Fall von Paris gemeldet wurde? Hörte sie nicht fort, als die Eltern flüsternd bemerkten, der Herr Pfarrer sei von SA-Rabauken bedroht worden? Als der Vater beim Abendbrot kommentarlos feststellte, den Viehjuden Hermann hätten sie nun auch abgeholt? Fuhr sie vielleicht trotzig auf: Sie könne mit Leuten kein Mitleid haben, die das deutsche Volk lang genug um Geld und Gut betrogen hätten? Wies die Mutter sie zurecht, grob wie selten: Halt's Maul, davon weißt du nichts?

So mag es gewesen sein, vielleicht auch nicht. Ob der Lockenkopf jemals versuchte, sich ein Bild von der Jugend seiner Eltern zu machen? Ob er die Notwendigkeit spürte, den Berg der vorgefertigten Urteile abzutragen, um ihrer Realität näherzukommen? Ahnte er, daß er daraus dieses und jenes über sich selber lernen könnte?

Nein, dachte der Fremde, dieser Wunsch hat sich bisher in dem jungen Mann wohl kaum geregt. Er stellte ein paar tastende Fragen. Der Lockenkopf blickte auf, für eine Minute verwirrt, dann verhärtete sich sein Blick. »Ah, darauf läuft es wieder hinaus. Weil wir unsere Vergangenheit haben, ist es uns untersagt, das neue Unrecht beim Namen zu nennen? Darum hat jede Kritik an Amerika und den Amerikanern zu schweigen?«

Seine Augen verengten sich. »Ich denke nicht daran, ein Blatt vor den Mund zu nehmen. Ich sehe in den Amerikanern nicht die Befreier. Sie haben uns nicht mehr und nicht weniger befreit als die Russen. Sie haben übrigens auch nicht viel weniger vergewaltigt als die anderen. Sie kamen nach Europa, um ihre Interessen zu sichern. Ihre Kumpane von der deutschen Industrie ließen die Farce eines Gerichtsverfahrens über sich ergehen, wurden ohne Zeitverlust wieder freigelassen, um Hand in Hand mit den Kapitalisten der Vereinigten Staaten so schnell wie möglich wieder aufzurüsten. Die Bundesrepublik ist nichts anderes als eine komfortable Kolonie der Amerikaner. Wir sollen helfen, ihr Glacis zu schützen, damit sie sich unbehelligt auf Zentralamerika stürzen können wie vorher auf Vietnam. Die Deutschen haben ein zweites Mal die Mitläufer zu spielen, und die Moral-Apostel im Weißen Haus reiben sich die Hände.«

»Die Amis«, rief er, »kämpften im Zweiten Weltkrieg nicht gegen den Faschismus, sondern für ihre eigensüchtigen Ziele. Sie haben sich geweigert, die Schienenwege nach Auschwitz zu bombardieren. Manchen war es vermutlich willkommen, daß Hitler die Juden dezimierte. In den Vereinigten Staaten blüht munter der alte Antisemitismus – wie der Antikommunismus auch. Der Zionismus ist ein handliches Instrument. Vor dem Rassismus der Rotnacken sind alle gleich: Schwarze, Mexikaner, Araber – alles, was keine weiße Haut trägt und nicht Jimmy Carters fromme Hymnen singt.«

Carlos brach plötzlich ab. Der Fremde winkte den Kellner und bat um die Rechnung. Es gab nichts mehr zu reden. Er war müde. Der Lockenkopf schaute ihn mit erschrockenen Augen an. Das mit den Juden, sagte er, tue ihm leid.

Der Fremde glaubte das wohl. Aber was half es? Er schüttelte sein Erschrecken nicht ab. Daß solche Gedanken umgingen in einem so jungen, so begabten, so liebenswerten Kopf: dies allein schien ihm wichtig. Woher flogen jener Generation die absurden Gerüchte zu? Wo sammelten sie die neu-alten Mythen auf? Stammten sie aus obskuren Pamphleten? Untergründig östliche Einflüsse (aber der Lockenkopf nahm von der Sowjetunion keine Kenntnis, sie langweilte ihn bloß)? Aus mißverstandenen Zeitungsberichten? Übertrug sich auf heimlichen Wegen das pervertierte Weltbild der Eltern am Ende doch auf die Kinder? Wurde das Hemd – aus Rechts mach' Links, aus Links mach' Rechts – im Gang der Jahrzehnte nur dahin und dorthin gewendet? Gab es viele wie Carlos? Warum fraß sich solche Dunkelheit im Gehirn dieses liebenswerten jungen Menschen fest? Wie trug sich dies alles zu im ausgeglichenen sozialen Gefüge von Schwaben, das man so gern ein Kernland der deutschen Vernunft nennt?

Nein, dachte der Fremde, als er über den nächtlichen Schloßplatz ging, es gibt wohl nicht viele, die in diesen Sumpf gerieten, noch nicht. Aber eine Handvoll ist mehr als genug. Sie zeigt eine Veränderung an. Vor einem Jahrzehnt hätte kaum ein Deutscher wie dieser junge Mensch gesprochen, womöglich auch kein hartköpfiges Mitglied der NPD. Hätte es keiner gewagt? Verbot man es sich bloß, so zu denken? Tabuisierung? Verdrängung? Oder gab man sich Mühe, jene düsteren Ungeheuerlichkeiten auszutreiben? Fühlten sich damals die Deutschen, auch die jungen, auch in der schärfsten Opposition, in der Welt der liberalen Demokratien geborgen? Hatte man nicht dort – im »Westen«, unter den Völkern der Aufklärung – eine neue geistige und moralische Heimat gesucht, in der man sich ein für allemal anzusiedeln wünschte?

Wo liegt nun Deutschland? Wo liegt, um bescheiden und realistisch zu sein, die Bundesrepublik? Noch immer vor Ort: fest, wie man es feierlich ausdrückt, in der atlantischen und europäischen

Gemeinschaft verankert? Was sonst? Die Wahlen gaben keine Signale, die ein kommendes Beben anzeigten. Die Stabilität der deutschen Demokratie braucht keine Vergleiche zu scheuen.

Sah der Fremde Gespenster? Hörte er nächtliche Stimmen, die vielleicht nur seinen eigenen Alpträumen entstammten?

Die Gespräche waren keine Sinnestäuschungen. Sie fanden statt. Als er drei Jahre zuvor in einem großen Hamburger Blatt, das ein Paradefeld deutscher Weltläufigkeit ist, auf das Phänomen des Anti-Amerikanismus verwies, der damals in manchen intellektuellen Zirkeln ins Kraut zu schießen begann, wies man ihn streng zurecht: Seine Eindrücke nährten sich aus schierer Phantasie und womöglich aus den Vorurteilen, die er aus den Vereinigten Staaten mitgebracht habe. Indessen häuften sich Symptome der Veränderung. Wann kamen sie auf? Wodurch? Warum? Vietnam, Watergate, der unglückliche Carter und danach Ronald Reagan?

Ist das alles, oder bereitet sich, in der nachgeborenen Generation, ein murrender Aufstand der Besiegten gegen die Sieger vor, gewaltlos, doch ebenso friedlos, den die Väter und Mütter nicht riskieren konnten und wollten, weil sie zu bitter geschlagen und moralisch zu tief gedemütigt waren? Außerdem waren sie dankbar. Sie waren noch einmal davongekommen. Sie hatten überlebt. Die Strafe der Sieger fiel milde aus, wenigstens in West-Deutschland. Die Besatzungsmächte halfen ihnen schließlich auf die Beine. Sie wurden ermutigt, einen demokratischen Staat zu etablieren, dessen Bürger all jene Rechte und Freiheiten besitzen, die sich die Liberalen und die Begründer der Arbeiterbewegung erträumt hatten, als sie den zähen Kampf gegen die verkarstete Obrigkeit der Duodezfürstentümer und danach des bismarckisch-wilhelminischen Reiches begannen. Sie wurden Akteure und Zeugen einer Leistung, für die es in der deutschen Geschichte keinen Vergleich gab. Nicht der Alte Fritz, nicht Maria-Theresia, nicht Bismarck, nicht Ebert, nicht Hindenburg, nicht Hitler hatten dies zuwege gebracht: die Begründung einer Gesellschaft ohne Hunger und materielle Not. Das war die Leistung nüchterner und – alles in allem – bescheidener Demokraten.

Sie mag nicht dauern. Aber es gab sie. Warum sprach der Lockenkopf von ihr nur mit Verachtung und Haß? Vermittelte sie ihm nicht die Chance, sich nach seiner Begabung zu bilden? Den Beruf zu finden, der ihn erfüllt? Mit Lust an dem Reichtum einer Kultur teilzunehmen, die einst wohl substanzkräftiger war und die schöneren Blüten trieb, doch immer noch war sie energisch und rührig genug, alle möglichen Türen zur Welt aufzuschließen, ihren Bildern, ihrer Musik, ihren Tänzen, ihrer Freude, ihrer Trauer, ihrer Verzweiflung und ihrem Lebenswillen. Auch in dieser schwäbischen Metropole, die von Tradition und Solidität mehr hält als von schroffer Neuerung und wuchernder Vitalität. Sie nähme nach ihrer Gemütslage lieber ein bißchen Langeweile in Kauf. Aber sie ertrug es, obschon murrend und niemals zu lang, daß ihr von ungemütlichen Kultur-Dirigenten und Theater-Direktoren der linke Moralmarsch geblasen wurde. Wenn es die Herren Regisseure zu arg trieben, wurden sie sanft oder unsanft vor die Tür gesetzt, doch ihre Nachfolger gingen in der Regel auch nicht zimperlich ans Werk. Hätten die Stuttgarter den Peymann nicht verjagt, der mit seinem Ensemble nach Bochum verzog, wäre Stuttgart mit Kleists »Hermannschlacht« in die Zeitungen geraten, eine deutsche, allzu deutsche Premiere nach 1945. War es bloßer Zufall, daß ein spekulativer und konfuser Kopf das Stück zu jenem Zeitpunkt aus der Abstellkammer holte, in die es gehörte: der miserable Streich eines Genies, das nicht auf der Höhe seiner selbst war, eine kompositorische Katastrophe, als solche nicht glanzvoll, ein Schauermärchen voll Tücke und verquälter Poesie, peinlich, pueril, an den Rand gefüllt von Ressentiments, Goethe zu Recht verhaßt? Der schlaue Peymann ging vorsichtig mit dem Monstrum um, spielte die teutonische Wut herunter, flocht Ironie ein, die bei Kleist nicht existiert; zugleich blies er schwadronierend ganze Nebelfelder vor sich her, in denen die Nachtgestalten antirömischer Partisanen, romantische Nationalisten, die Schillschen Offiziere, Hölderlin, Che Guevara, Baader und Meinhof durcheinander torkelten, allesamt Kinder der schönen Sehnsucht zum Tode, die der Regisseur so oft zitierte. Der Skandal wurde nicht einmal bemerkt.

Der Fremde dachte, die Deutschen hätten solche Anfechtungen endlich hinter sich gelassen. Täuschte er sich? Was mochte aus den Kellern und Requisitenkammern des deutschen Seelentheaters noch alles hervorquellen – in Bochum, im klaustrophobischen Berlin, in den Quartieren der Hamburger Halbseide, im Bayerischen Komödienstadl oder im soliden Stuttgart?

Die Hauptstadt der Schwaben, dachte er, sieht Zürich nun nachgerade zum Verwechseln ähnlich. Sie ist nur neuer, blankgeputzter, von der Geschichte einen Hauch weiter entrückt, fast so wohlständig. Freilich, es fehlt die Weite des Sees, die erfrischende Markierung der Limmat. Dafür besitzt Stuttgart die generösen Räume des Schloßplatzes und der Theateranlagen, die neue Galerie mit ihrem munter verspielten Traditionalismus, das restaurierte Schloß außerdem, das die Schwaben nach 1945 abreißen wollten, weil der teure Aufbau ihrer Spargesinnung widersprach.

Ein schönes Schloß, selbst für Präsident François Mitterand nicht unangemessen, für das demokratisch-egalitäre Württemberg vielleicht ein bißchen zu aufwendig. Oder? Der letzte König mochte es so empfinden. Wilhelm hieß er, wie sein preußischer Namensvetter, doch er brauchte keinen aufgezwirbelten Schnurrbart und keinen Adlerhelm, um sich seinem Volk glaubwürdig darzustellen. Er hielt von der Berliner Operette, zu der Preußen verkommen war, nicht allzu viel. Er wollte nicht mehr scheinen, als er war: der Erste Bürger seines Landes, nicht weniger und nicht mehr, der im Gehrock seinen Spitzerhund spazierenführte und artig den Hut lüftete, wenn ihn einer der Untertanen mit einem freundlichen »Grüß Gott, Herr König« begrüßte. Manche Sozialdemokraten hätten den alten Herrn nach ihrer sogenannten Revolution im Jahre 1918 gern zum ersten Präsidenten der württembergischen Republik gemacht. Der König fand an diesem Einfall keinen Geschmack.

Ganz so bieder, wie die Anekdote geht, ging es wohl nicht zu. Man soll der schwäbischen Gemütlichkeit nicht über den Weg trauen. Eine lauernde Tüchtigkeit, immer auf dem Sprung, meldete gewiß schon damals den Anspruch auf einen besonderen Rang unter den Deutschen an: die klitzekleine Großmacht des Fleißes und eines geradezu ruchlosen Erfindergeistes, der vor nichts zurückschreckte. Daß die Guillotine und die Spaltung der Atome keine Früchte des schwäbischen Genius waren, ist erstaunlich. Immerhin glückte dem Stuttgarter Handwerk die Konstruktion eines Spezialkäfigs, in dem man den Leichnam eines Gehenkten diebessicher am Galgen baumeln lassen konnte: Er hieß Jud Süß.

Dem Fremden, der sich den pausbäckigen Reizen Stuttgarts keineswegs versagte, war die Gemütlichkeit in der Tat nicht ganz geheuer.

Er dachte an den Lockenkopf und schritt an jenem Abend traurig zu seinem Hotel zurück. Die Völkerverständigung, die sogenannte, ist ein schwieriges Geschäft, dachte er. Sie hat ihre Tücken. Den Seelen gelingt eine Grenzüberschreitung nur selten. Können Völker, überlegte er weiter (und nicht zum ersten Mal), einander verstehen? Gewiß sind sie zu kollektiven Mißverständnissen fähig. Das weiß man aus der Geschichte. Die Unterschiede der Charaktere (falls man von ihnen reden darf) werden gern als »Völkerpsychologie« gedeutet. Pompöser Unsinn, an dem sich jeder mitschuldig macht, Tag für Tag, am Stammtisch und im Gespräch der Parteien. Er nahm sich selber nicht aus. Stereotypen, Klischees, Generalisierungen, Vor- und Kollektivurteile. Könnte er von sich behaupten, er habe diesen Versuchungen gründlich genug abgeschworen? Nein, dachte er, leider nicht, obschon er wußte, wieviel Elend von jenen faulen Verleugnungen der Realität immer aufs neue gestiftet wird.

Anderntags flog er zurück nach New York. Die Reise währte, wie üblich, gute acht Stunden. Sie schien ihm länger als jemals zuvor. Amerika, dachte er, ist uns wieder um ein gutes Stück entrückt. Es ist uns fremder und nicht vertrauter geworden. Es mag an Amerika liegen, und es liegt auch an uns. Manchmal vergessen wir, daß dort drüben Menschen wohnen.

II

Traumgespräch
oder
Ein Abend im Hause C.

Der Reichtum hängt nicht wie eine Fahne aus den adretten Häusern zwischen der 57. und 85. Straße Ost in Manhattan. Demonstrativen Aufwand treibt man eher in den victorianischen und neoklassizistischen Palästen an Madison und Park Avenue, natürlich auch an der Fünften, wo die schönen Witwen weiträumige Apartments besitzen, die für eine Million schon lang nicht mehr zu haben sind; dafür kosten sie an die zwei- bis dreitausend Dollar im Monat bloß an Unterhalt. Teure Anwälte, Ex-Präsidenten, Vorsitzende von Aufsichtsräten, Dirigenten von Weltrang trifft man dort an, auch Botschafter bei den Vereinten Nationen, Generalkonsuln mittlerer und größerer Staaten, denen die nationale Dienstpflicht befiehlt, über ihre Verhältnisse zu leben. Was für ein Glück, wenn die Herren wenigstens mit aristokratischen Titeln ausgestattet sind, die ihnen bei der Gesellschaft von New York einen Hauch von Begehrlichkeit verleihen, so unscheinbar ihre geistige oder physische Ausstattung sonst auch sein mag.

Sie reden selber gern, mit hochgezogenen Augenbrauen, von Snobismus und Talmi: Als wären sie nicht das Wesen jeder Gesellschaft, die sich als Elite aufführt. In der Epoche der großen Finanzmagnaten, der Eisenbahn- und Ölbarone von New York verhielt sich das nicht anders als in den Salons von Paris zu Zeiten des zweiten Napoleon und in den goldenen Jahrzehnten der Dritten Republik. Alter Adel oder neuer, ererbtes Geld oder kürzlich erworbenes: die Hierarchie des Dünkels und der Vorurteile mochte in der Welt Marcel Prousts zarter und ziselierter sein als im New York der Morgans und der Vanderbilts und Rockefellers, doch sie war nicht weniger grausam und töricht. Die amerikanischen Prinzen, denen niemand ein baufälliges Schloß vermachte, stellten ihre Imitationen von Marlborough Castle und des Trianon an die Küste von Newport, Rhode Island, stolze Rheinburgen ans Ufer des Hudson-River, ja der Zeitungskönig Hearst ließ Stein für Stein ein frühgotisches Kloster von 1141 A. D. in Spanien abbrechen und sorgsam numeriert über den Ozean verschiffen. Es lagerte lang irgendwo in der Bronx und fand 1951, gottlob, nach komplizierter Puzzle-Arbeit in North Miami Beach eine subtropische Heimat. Man durfte die Kopiersucht dieser strotzenden Geschlechter belächeln, aber sie pflanzten mit ihren Prahlereien dennoch einen Begriff von europäischer Geschichte in Amerika ein.

Die Schriftstellerin Edith Wharton entwarf in ihrem Roman »Das Zeitalter der Unschuld« ein geniales Porträt jener Welt, in der es nicht immer so laut und aufwendig zuging. Es gab einen Kern der Stille: jener puritanischen Bescheidung, die dem eigenen Gepränge hartnäckig widersprach. Die Mitglieder der großen Familien trugen ihn wie eine mahnende Schuld durch ihr Leben. Sie flüsterte ihnen zu, Verschwendung sei Gott nicht wohlgefällig, der Herr wende seine Liebe eher den Armen zu, die in Zucht und Tugend ihr täglich Brot verdienten. Darum übertrafen sie einander in ihren so glanzvollen Wettbewerben der Wohltätigkeit, breiteten alle Güter der Erde in ihren caritativen Basaren aus, schrieben Schecks aus, stickten und strickten, tanzten auf ihren Bällen in steifen Hemdbrüsten und eng geschnürten Korsetts bis zur Erschöpfung – für jene, die im Elend lagen. Sie stifteten Hospitäler und Universitäten, Kirchen, Museen, Asyle. Sie gaben Millionen leichthändig dahin, oft rascher, als diese verdient waren. Bei den Rockefellers sang man baptistische Choräle vor Tisch.

Der schwelgerische und manchmal robuste Glitter jener Gesellschaft ist lang schon erloschen. Die Witwen mit blau-weißen Haaren und die kleinen Exzellenzen des diplomatischen Corps' werfen oft unsichere Blicke an die hohen Decken mit den reichen Stukkaturen, denn sie fürchten, nicht immer zu Unrecht, daß sie den goldenen Rahmen nicht ausfüllen könnten. Die Pracht hängt manchmal wie ein zu weit geschnittener Kragen um ihre Hälse. Sie vermuten, wiederum nicht zu Unrecht, daß sich Amerika, selbst New York und seine sogenannte Gesellschaft, in Wirklichkeit irgendwo anders befände, nicht bei ihnen.

Es ist wahr, die wichtigeren Leute, die gelegentlich auch die besseren sind, wohnen lieber in den schmalen Häusern der Seitenstraßen, deren Ornamentik zurückhaltend ist. Auch dort wölbt sich ein kleiner Baldachin über dem Eingang, öffnet ein livrierter Concierge und fragt, wer wen zu sehen wünscht, ehe er sich ans Haustelefon begibt, um den Gast zu annoncieren. Selten nur öffnet ein Hausmädchen mit weißem Häubchen die Tür zum Apartment. Zu festlichen Dîners bemüht man geliehenes Personal. Es ist nicht üblich, daß der Hausherr die Drinks, die Hausfrau den Braten serviert. Im Gegenteil, man darf solche Intimität als eine Auszeichnung betrachten: kleines Essen »strikt unter uns«.

Unser Freund C. zum Beispiel jongliert virtuos die Gläser und Flaschen, er läßt die Eiswürfel klirren und stellt auf Verlangen die exotischsten Mixturen her, »Side-Cars« oder »Manhattan«. Doch solche Herausforderungen sind rar geworden. Es sprach sich herum, daß ein Glas herben Weißweins oder gar nur ein sprudelndes Perrier die gesünderen Apéritifs seien – und soviel schicker außerdem. Das französische Mineralwasser holte, dank einer raffinierten Werbekampagne, nahezu den Ruf des schönsten Champagners ein. Es wird mit der gleichen Verzückung wie das Produkt der Witwe Cliquot geschlürft. Ein hübscher Gesprächsstoff. Unser Freund C. kommentiert das Mirakel, das so neu nicht mehr ist, mit ein paar Sätzen gutartigen Spottes. Seine Tätigkeit als Barmann hält ihn nicht davon ab, die Gäste aufs angeregteste zu unterhalten. Er beherrscht die Kennworte, an denen sich die Konversation vorzugsweise entzündet: das Tennis-Turnier des Kennedy-Clans zugunsten der Restauration von Slum-Quartieren draußen in Brooklyn, bei dem sich Jahr für Jahr die Prominenz getreulich sammelt, um sich an brillanten oder komisch-kläglichen Vorstellungen der Politiker und Filmstars am Netz zu ergötzen. Wer sah Norman Mailers jüngste Eskapaden am Fernsehschirm? Wer las die Memoiren von Lauren Bacall oder, besser noch, das hübsche Buch, das man als ein literarisches Triptychon bezeichnen könnte: ein Tripel-Porträt der Damen Peabody, Tree und Fitzgerald: Großmutter, Mutter und Tochter, das mit soviel taktvoller Indiskretion geschrieben war?

Was für ein Trio: die alte Mrs. Peabody, Witwe des anglikanischen Bischofs von Boston, die hoch in den Siebzigern in jeder Bürgerrechtsdemonstration mitmarschierte, sich in Florida verhaften und mit zwanzig zeternden schwarzen Frauen in eine Zelle sperren ließ.

Ihre Tochter, Marietta Tree, auch sie seit Jahrzehnten eine prächtige Witwe: Ihr Verstorbener war ein angesehenes Mitglied des englischen Unterhauses, überdies steinreich. Mrs. Tree befreundete sich danach mit Adlai Stevenson, diente mit ihm Seit' an Seit' bei den Vereinten Nationen, ehe der glänzende Mann an ihrer Seite verstarb; in erster Ehe jedoch gehörte sie Mister Fitzgerald an, der zusammen mit Allen Dulles die CIA begründete, nach den erstaunlichsten Kriegsabenteuern im Geheimdienst. Aus jener Heirat stammt ihre Tochter Frances, eine etwas blasse Schönheit, die einst über Nacht durch das gescheiteste und geschliffenste Buch über Vietnam jungen Ruhm erlangte. Leider versäumte sie, die versprochene Biographie ihres Vaters abzuliefern. Der konservative Papa, ein Stratege des Kalten Krieges, und die linksliberale Tochter – man könnte die psychologisch-intellektuelle Spannung jenes Buches geradezu ideal nennen, würde es nur endlich geschrieben! »Franky!« rief C., einen Anflug von Melancholie in seinem Lächeln: »Wie attraktiv das Mädchen selbst im ›battledress‹ und unterm Stahlhelm war. Eine glänzende Reporterin. Sie schrieb das gesamte Corps der männlichen Korrespondenten über den Haufen. Außerdem wußte sie mehr über Vietnam als wir alle miteinander: Journalisten, Diplomaten, Militärs, Geheimdienstler, denn ihr war rechtzeitig eingefallen, daß man französische Bücher über Indochina lesen sollte, ehe man in den Dschungel ging. Die Franzosen hatten sich, anders als wir, mit der Kultur, der Religion, den täglichen Gewohnheiten, den Mythen und Märchen, der Geschichte der Vietnamesen beschäftigt ...«

Einer der Gäste warf trocken ein: »Trotzdem haben auch sie ihren Krieg verloren.«

Der Autor der kleinen Bosheit könnte Cyrus Vance gewesen sein, ein ruhiger Mann, der sich selten ins Gespräch mischte. Er lauschte aufmerksam, das eine Ohr leicht eingeknickt wie ein gutartiger englischer Jagdhund, und musterte die Party freundlich. Die Fenster standen offen. Der Herbsttag hatte sich abgekühlt. Eine staubrote Sonne streifte mit ein paar Strahlen die Gläser und verkroch sich zwischen den Hochhäusern. September 1976. Jimmy Carter, der wunderliche Prediger aus Georgia, führte einen ungewöhnlichen Wahlkampf, der mehr dem Missions-Feldzug eines Wanderpredigers als einer politischen Kampagne zu gleichen schien. Vance, sagte man, setze auf den Unbekannten. Aber keine Politik schon beim Apéritif!

Mit dem Stichwort »Vietnam« war die Versammlung in die gefährliche Nähe einer Kontroverse geraten. Unser Freund C. fing die kaum wahrnehmbare Verstörung mit seinen beherzten Schwärmereien für das Mädchen Franky, nun eine etablierte Schriftstellerin, elegant und menschlich auf. Er pries ihren Stil, die Präzision ihrer Phrasierung, ihre Neigung zu kleinen Sottisen. Ihr, sagte er, sei die Begegnung mit Frankreichs Intellektuellen gut bekommen; das könne man nicht von allen Amerikanern behaupten. So viele führten sich hernach französischer auf als die Franzosen, schmückten sich mit Leihgaben aus der anderen Sprache, gürteten sich einen Hochmut um, der nicht französisch sei, sondern nur töricht. Sie seien um so gereizter, wenn sie hernach entdeckten, daß die Franzosen an der Imitation nicht den geringsten Geschmack fänden. Ohnedies sei das Verhältnis beider Völker schwierig: Wohl gebe es eine Art Urliebe zwischen Frankreich und den Vereinigten Staaten, die zwischen den chronischen Krisen immer wieder sichtbar werde. Hier wie dort empfinde man die historische Zusammengehörigkeit, die sich freilich nur in Katastrophen bewähre. Die elementare Sympathie sei auf eine gegenseitige Verständnislosigkeit gegründet, die sich wohl niemals überwinden lasse.

C. lachte. Er wußte, wovon er sprach. Er hatte lange Jahre in Paris gelebt und sich die fremde Sprache beinahe akzentlos angeeignet. Er kannte die Literatur, die Kunst, die Politik Frankreichs so gut wie die des eigenen Landes. Er sah überdies aus wie ein Franzose: dunkelhaarig, klare Stirn, lebhafte Mimik, kluge Augen, die sich tief im Gesicht versteckten. Wenn er die Brille abnahm, wirkte er wie ein jüngerer Bruder von Mendes-France, gottlob mit kleineren und hübscheren Ohren. Er wäre der Mann, der das große Buch über Jeffersons Pariser Jahre, besser noch: über die Verwandtschaften und drastischen Differenzen der Französischen und der Amerikanischen Revolution schreiben sollte – wenn er nur endlich schriebe und sich nicht in tausend Geschäften internationaler Gesprächskreise zerriebe!

Ein weißhaariger Herr, rund und dickschädelig, schwer in den Bewegungen seines mächtigen Körpers, langsam und leise, wenn er sprach, schien die Aperçus über Frankreich und Amerika in seinen Händen zu wiegen, die ineinandergelegt eine dicke Schüssel formten. »Mit den Briten«, sagte der Herr, »ist es umgekehrt: Wir verstehen einander eher zu gut und haben darum solche Mühsal mit der Sympathie.«

»Das ist der Ire, der sich hier zu Wort meldet«, rief C., »und der Mittelwestler dazu!« George Ball, stellvertretender Außenminister unter John F. Kennedy und Lyndon B. Johnson, der eigentliche Chef des State Department, später Vorstandsmitglied des großen Finanzhauses Lehmann Bros., hielt dem Einwurf seine englischen und deutschen Vorfahren entgegen, doch wichtiger schien ihm der Hinweis auf die Herkunft aus dem Mittleren Westen zu sein.

»So geht mein Ruf zum Teufel, ich sei der Inbegriff des Ostküsten-Establishments«, sagte er voller Behagen. Der Gedanke machte ihn fröhlich. »Falls es diese Elite überhaupt gibt«, fügte er hinzu, »rekrutiert sie sich gewiß zu drei Vierteln aus Leuten meiner Art, die eines Tages der Zufall nach New York oder Washington verschlug.«

Es ist wahr, seit Franklin D. Roosevelts Präsidentschaft delegierte das neu-englische Patriziertum nur noch versprengte Spätkömmlinge in die Führungsschichten der Nation. »Einem Mann, der in Iowa aufwuchs, dem Herzland des Mittleren Westens«, sagte Ball, »kleben selbst in Manhattan die Erdschollen an den Schuhen. Unsere Metropole war Chicago, nicht New York. Eine prägende Stadt, von der sich die meisten Amerikaner und Europäer ihr Bild nach Gangsterfilmen und Fernsehserien machen. Kaum einer weiß, daß Chicago eine solide und bürgerliche Kultur besaß. Sie trieb nicht die schönen Blüten der Degeneration von New York, London oder Paris, aber sie hatte ihre eigene Vitalität. Männer wie Adlai Stevenson, vielleicht der sensibelste Politiker Amerikas in diesem Jahrhundert, war ganz vom wetterfesten Geist Chicagos geprägt. Er stammte aus dem ländlichen Illinois. In Europa, auch hier, gilt Stevenson dennoch als der klassische Intellektuelle der Ostküste. Dabei sind Zweifel erlaubt, ob er tatsächlich ein Intellektueller war oder eher ein scharfsinniger Anwalt, gebildet, gewissenhaft, instinktbestimmt, ein Mann, der zeit seiner Tage zuerst und zuletzt die Politik im Kopf hatte.«

Ball sah zu Vance hinüber. »Cy, Sie kommen aus dem Süden. Das haben fast alle vergessen. Also sind Sie ein anderes Beispiel für die merkwürdige Komposition dieser sogenannten Elite.« Cyrus Vance gab durch zwei drollige Sätze zu erkennen, daß er den »Southern drawl«, jenen singenden Akzent des Südens, noch immer beherrsche. »Kein Wunder«, spottete Ball, »daß der Texaner Johnson Sie so tief ins Herz geschlossen hatte und Jimmy Carter sich Ihnen mit unwiderstehlichen Avancen nähert.«

»Ich kann mich meiner Haut wehren«, antwortete Vance behutsam. Auf den Parties von Washington und New York ging seit geraumer Zeit die Vermutung um, die Freunde Ball und Vance konkurrierten um die Leitung des Außenministeriums, falls Jimmy Carter der Einzug ins Weiße Haus gelinge.

C., hellwach wie immer, lenkte die Unterhaltung mit Verve an der Klippe vorbei. »Kommt denn keine Seele in diesem Raum aus New York?« fragte er, einen heiseren Fanfarenklang in der Stimme: »Ich wenigstens wurde in New Jersey geboren, keineswegs dort, wo es am hübschesten ist. Ich konnte, wenn ich aus unserer Dachkammer lugte, immerhin die Skyline von Manhattan ahnen.«

Der Gewerkschaftsführer Lane Kirkland, ein schwerer Mann, rief voller Spott, man möge – wenn man es gut mit der Stadt meine – New York keinesfalls den New Yorkern überlassen, von Washington nicht zu reden. Er sei im Süden zur Welt gekommen und bleibe ein Südstaatler für den Rest seiner Tage. Am liebsten würde er die Flagge der Konföderation vor seinem Haus in der Hauptstadt hissen. Bis heute habe er mit dem Norden keinen ganzen Frieden gemacht. Allein darum müsse man Carter den Wahlsieg wünschen: der erste Mann des Südens im Weißen Haus seit dem bitteren Krieg, den er, man verstehe, nicht den Bürgerkrieg, sondern den Krieg zwischen den Staaten nenne. Keiner stieß sich an den listigen Übertreibungen des Arbeiterführers (er war damals noch nicht Vorsitzender, sondern Schatzmeister des Dachverbands AFL/CIO), der seine empfindsame und ironische Intelligenz gern in der statuarischen Sprache verbarg, die auf Gewerkschaftspodien gesprochen wurde.

»Hier ist ein New Yorker«, sagte schließlich der Schriftsteller, ein wenig schüchtern, fast verlegen, »allerdings einer aus Brooklyn, für den der Weg nach Manhattan weiter war als für George Ball der Anmarsch aus Iowa oder für Cy Vance der Anlauf aus Georgia.«

Das Lächeln geriet dem Kollegen, den wir Milton X. nennen wollen, nicht ohne ein Element von Säuerlichkeit, obwohl er sich, als er zu reden begann, so energisch aufsetzte, als habe er sich selber einen elektrischen Schlag versetzt. In dem rundlichen Gesicht schien gütiges Gefallen am Wohlbefinden seiner Umgebung mit einem ängstlichen Befremden zu kämpfen. Die klugen Augen suchten das Mienenspiel der anderen Gäste ab, als seien sie einer unnennbaren Gefahr gewärtig, gegen die man gewappnet sein mußte.

Die Vorsicht war übertrieben. In jener Gesellschaft fand sich keiner, der die aggressive Intelligenz des Schriftstellers nicht respektiert, ja bewundert hätte. Er selber wies gern darauf hin, unter welchen Mühen (und mit wieviel Glück) er sich aus der stickigen Enge eines kleinbürgerlichen Vorstadtmilieus in den ersten Rang der Publizistik der Weltstadt vorgearbeitet hatte: ehrgeizig und sensibel zugleich, kämpferisch und auf eine treuherzige Art rechtschaffen, verletzlich und verletzend, wenn ihn der Eifer fortriß, in der Regel rasch zur Versöhnung bereit, da sein Herz nach einer harmonischen Welt verlangte, in der das Lamm friedlich neben dem Löwen lagert. Er wollte, vielleicht war dies sein Ungemach, am liebsten beides sein: Löwe und Lamm. Es schien ihn immer aufs neue zu überraschen, daß er so selten in Frieden mit sich selber lebte.

Milton versuchte seine empfindsamen Züge in eine Folie der Kühle zu hüllen. Was mahnte ihn, wachsam zu sein? Jene Party war in vieler Hinsicht *seine* Welt: zwei formidable Repräsentanten der liberalen Elite, die spätestens seit Franklin D. Roosevelt, in Wirklichkeit aber viel früher in der Geschichte Amerikas: seit Thomas Jefferson das Bündnis mit den Minderheiten gesucht hatte, denn ihre Vision von der großen Demokratie ließ es nicht zu, daß die Schwachen, die Anderen, die Wenigen als Bürger minderen Rechts betrachtet wurden, durch ihr Außenseitertum zur Heimatlosigkeit in der Gesellschaft verurteilt. Die alte Allianz zwischen dem Establishment und den Minoritäten zeigte neuerdings Sprünge, doch sie galt noch immer. Bedrohlicher schien Milton, der eine geschärfte Witterung für den Richtungswechsel sozialer Bewegungen besaß, vermutlich die Solidarität der Minderheiten untereinander. Ihm fiel plötzlich auf, daß sich kein Schwarzer unter den Gästen befand, auch nicht »the token black«, der Vorzeige-Schwarze, der kaum irgendwo fehlte: ein Diplomat aus der Vertretung bei den Vereinten Nationen, ein Theologie-Professor, ein Literaturkritiker, der mit dem psychologischen Realismus des neunzehnten Jahrhunderts vertrauter war als mit den experimentellen Unternehmungen afro-amerikanischer Dichtung.

Der letzte der erwarteten Freunde war eingetroffen: ein eleganter, fast zierlicher Mann, dunkelhaarig, mit grauen Strähnen, die sein Alter diskret betonten, die Züge lebhaft und verschlossen zugleich. Er sprach wenig, doch seine knappen Sätze signalisierten, daß er es gewohnt war, komplizierte Rechnungen entschlossen auf einen klaren Nenner zu bringen. Schimmerte durch die Melodie seiner Sprache die Andeutung eines deutschen Akzents? Kein Vergleich mit den knorrig-fränkischen Lauten, die sich so unauslöschlich im Englisch Henry Kissingers festgesetzt hatten. Es brauchte gespitzte Ohren, um die Herkunft Michael Blumenthals zu erraten. Der Chef der Bendix Corporation war nicht, wie der große Henry, als Kind in die Vereinigten Staaten gekommen. Seine Familie überwinterte während der Kriegsjahre in Shanghai, das ein exotisches und schäbiges Exil war. Er war zwanzig, ehe ihm – als Kohlenschipper oder Küchenhilfe – die Überfahrt auf einem alten Kasten nach Californien glückte. Jeden Pfennig seines Studiums erarbeitete er sich in den unterschiedlichsten Jobs, als Croupier und Handlanger. Nun galt er, die Eingeweihten wußten es, als Carters Anwärter für das Amt des Finanzministers.

Die Dame des Hauses bat zu Tisch. Sie nahm die Gelegenheit wahr, heitere Beschwerde zu führen, daß sie das einzige weibliche Wesen sei, das in diesem Kreis geduldet werde, dabei hätten die Herren allesamt Frauen zuhaus, die nicht auf den Kopf gefallen seien, womöglich sogar eine Spur gescheiter als sie selber. Sie fügte die Erklärung für den Frevel hinzu: Der Tisch sei leider nicht groß genug für acht Paare. Ein andermal, wenn sich Gäste aus Deutschland einfänden, würden *nur* die Frauen gebeten, damit deren Bild von Amerika die notwendigen Korrekturen erfahre. Sie werde für alle anderen reden und sich nicht zum Schweigen bringen lassen.

Ihre Augen funkelten, und die Nasenflügel bebten ein wenig vor Lust an der kunstvollen Erregung, die sie hochzuwirbeln versuchte. Sie übernahm das Präsidium. Aus der Küche lugte ein philippinisches

Mädchen, um zu prüfen, wie lange die Herrschaften wohl mit ihrer Pâté beschäftigt seien.

»Keine Frauen, keine Schwarzen«, wollte Milton sagen, doch er verwehrte sich die Entgleisung. Verwegene Flucht in die Ironie hätte womöglich alles nur schlimmer gemacht. In solche Lagen geriet er des öfteren, und sie quälten ihn lange Tage. So schwieg er, doch die Peinlichkeit, der er entkommen war, ließ ihn selbst im Schweigen ein wenig rot werden. Wie hätten die beiden großen liberalen Schildträger – in Paris würde man sie Barone der Politik nennen – auf seinen Scherz anders als mit einem höflich-verwirrten, vielleicht sogar ärgerlichen Lächeln reagieren sollen?

Die Pastete war delikat. Doch allemal, wenn Milton die Gabel zum Mund führte, spürte er einen winzigen Stich. Wann, fragte er sich, würde einer der beiden Deutschen auf die »Negerfrage« zu sprechen kommen, wie sie das schwarze Problem beharrlich nannten. Sie wußten nicht – wollten sie es nicht wissen? –, daß diese Formel verpönt war, da die Schwarzen die verbale Nachbarschaft von »negro« und »nigger« scheuten. »The Negro Problem ... *Ich* nenne es beim Namen«, dachte Milton, »absichtsvoll oder auch ruchlos, ganz wie man will, weil *ich* der Heuchelei der Liberalen mit ihren sanft blutenden Herzen entwachsen bin, weil mich keine Schuldgefühle beuteln, weil ich in der Tat mein Lebtag lang an keinem Neger schuldig wurde, weil ich keinem etwas schulde, nicht einmal das Schwarze unter dem Nagel, falls dieses Bild erlaubt ist. Eher schulden einige rüde Negerknaben, die meine Kindertage in Brooklyn terrorisierten, *mir* eine Wiedergutmachung. Zwischen Negern und Juden gibt es kein Konto. Aber das geht die Deutschen nichts an. Sie haben sich auf keinen Fall moralisierend einzumischen. Sie sollen sich, wenn sie mitreden wollen, an unsere Normen halten. Meine Neger müssen ihre Schwarzen sein, punktum.«

Sie wurden als Amerika-Experten betrachtet, die beiden Deutschen, aber das waren nahezu alle Zeitgenossen aus Hamburg, Bonn oder Frankfurt, die in New York an Land gingen. Es würde sich herausstellen, ob sie diesen Titel verdienten. Milton lächelte für einen Moment: Wenn sie sich *nicht* nach dem Stand der »Negerfrage« erkundigten, dann könnte man vielleicht daraus schließen, daß sie Amerika gut genug kannten, die Diskussion des leidigen Problems den Amerikanern selber zu überlassen. Solche Disziplin bewies kaum einer der Besucher aus Deutschland, die er auf Parties und Konferenzen traf. Im Gegenteil: sie demonstrierten eine merkwürdige Insistenz, sich in Amerikas Debatte über den Rassismus zu stürzen – fast immer, das versteht sich, auf der Seite der Schwarzen, an Liberalität und Fortschrittlichkeit von keinem zu übertreffen. Das, dachte Milton, ist deren Wiedergutmachung an sich selber. Mit kaum unterdrückter Genugtuung rieben sie ihren Gesprächspartnern ein, daß auch die Haltung der Juden gegenüber den Schwarzen nicht überall mehr solidarisch und eindeutig sei. War ihm nicht ein junger Mensch, jungsozialistisch oder rotgrün, mit einem Zitat ins Gesicht gefahren, das von Milton selber stammte: aus einem melancholischen und, wie er glaubte, couragierten Aufsatz, in dem er beschrieben hatte, von welchen Spannungen die Koexistenz der beiden Minderheiten seit jeher geprägt war – nicht im hehren Raum akademischer Erörterungen, sondern in der alltäglichen Nachbarschaft?

Niemand hatte dies vor ihm mit solcher Klarheit zu sagen gewagt. Die Schwierigkeiten waren lang von der Gemeinsamkeit beider Eliten, der jüdischen und der schwarzen, überdeckt, die verstanden, daß die Bürgerrechte unteilbar sein müssen. Die politische und rechtliche Gleichstellung war nun gesichert, zur sozialen blieb ein langer Weg – und dort kollidierten die konkreten Interessen.

Wie verständlich, sagte Milton zu sich selber, daß sich die schwarzen Mieter in den Slums darüber beklagten, die weißen »landlords«, unter ihnen viele Juden, ließen ihre Häuser verkommen. Keiner klärt sie darüber auf, daß die Mieteinnahmen längst nicht genügen, um auch nur die dringendsten Reparaturen zu bezahlen. Die meisten der Hausbesitzer würden ihre verrotteten Kästen nur zu gern los, aber die Schwarzen hatten selten das Geld, sie zu kaufen. Eine nahezu ausweglose Lage. Dennoch, es war unverantwortlich, daß einige der radikalen Sprecher der Schwarzen antisemitische Ressentiments hochzupeitschen versuchten. Ihre Agitation hatte nichts mit dem mörderischen Rassismus europäischer Herkunft zu tun, sondern nährte sich – eher altmodisch – aus religiösen Vorurteilen, dem strengen und gemütsstarken, manchmal geradezu kindlich-enthusiastischen Protestantismus, der die Mehrheit der Schwarzen bindet: »Zu ihrem und vor allem unserem Glück.«

Einer der Deutschen hatte nicht nach dem »Negerproblem«, sondern nach der Arbeitslosigkeit unter den jungen Menschen in den Großstädten gefragt. Man lese erschreckende Zahlen: zwanzig Prozent, unter Minderheiten sogar an die vierzig Prozent. »Immerhin«, dachte Milton, »attackiert der Herr aus Bonn die Sache aus der Flanke und nicht frontal.«

Hochgezwirbelte Augenbrauen, die wie kleine Hörnchen in die Stirn ragten, verliehen dem Gesicht des Gastes einen Ausdruck von hartgesottener Pfiffigkeit, so sehr er sich, angesichts der bedeutenden Gesprächspartner, auch bemühte, seinen starken Zügen einen Ausdruck von Andacht aufzusetzen.

Kirkland, der Gewerkschaftsmann, packte den Stier bei den Hörnern: Es sei bedrückend, so viele junge Leute herumlungern zu sehen. Niemand dürfe die Sorge geringachten. Man werde das komplexe Problem nicht von heute auf morgen aus der Welt schaffen. Viele Industrien seien aus den großen Städten verzogen, um den hohen Steuern, den hohen Löhnen, dem Verkehrschaos zu entgehen. Manche der traditionellen Betriebe kapitulierten vor der Konkurrenz. Das treffe besonders jene Schichten am härtesten, die von den letzten großen Konjunkturen, zumal im Zweiten Weltkrieg, aus dem ländlichen Süden herbeigelockt worden seien. Das Wachsen der Dienstleistungen gleiche das Elend ein wenig aus. Nichts solle verharmlost, aber auch nichts dramatisiert werden: Ein guter Teil der Jugendarbeitslosigkeit werde im Gang der Jahre vom Markt allmählich aufgesogen, entgegen allen Prognosen, sonst müßten die Raten der Erwerbslosen im Erwachsenenalter sehr viel höher sein. Trotzdem: die Restauration der großen Städte, eine Renaissance ihrer Produktivität sei die dringendste innere Aufgabe der Vereinigten Staaten. Man rede, einmal mehr, von der Notwendigkeit eines »Marshall-Plans für die Städte«. Er sah, mit einer Prise Spott, zu Vance und Blumenthal hinüber. »Vielleicht hat Jimmy Carter das Zeug, den bombastischen Worten eine Tat folgen zu lassen?«

Blumenthal bemerkte knapp, das werde teurer als der Aufbau Europas. Dort habe, nach dem Krieg, die Marshall-Hilfe vor allem eine Initialzündung gegeben, die aktivierte, was an Kapital und Energie übriggeblieben oder nachgewachsen sei – mehr Energie als Kapital, ganz gewiß. Dies habe sich als ein Vorteil erwiesen. Die

Erwartungen seien bescheiden, Leistungswille und Sparsamkeit um so größer gewesen. In den Vereinigten Staaten fange man nirgendwo, auch nicht in der verkommensten Großstadt, gleichsam von Null an. Flocht er ein Wort über den Vietnam-Krieg ein, der schließlich bezahlt werden müsse? Milton war sich nicht sicher; einen Augenblick hatte man oben und unten am Tisch separate Gespräche geführt.

Vance schien sich im Knäuel der urbanen Interessen auszukennen. Als einer der Deutschen sein Erstaunen andeutete, da er Vance, nach den Stationen seiner Karriere, eher als Fachmann der Verteidigungs- und Außenpolitik betrachtet hatte, erinnerte der Gastgeber daran, daß Cyrus Vance 1967 von Präsident Johnson ins brennende Detroit entsandt worden war, um das Kommando über die Nationalgarde zu übernehmen und den schwarzen Aufstand niederzuschlagen. Vance fügte einen kargen Kommentar hinzu: Er habe sich damals bemüht, die nötige Härte zu demonstrieren und dennoch so wenig Blut wie möglich zu vergießen. Dies sei ihm, gottlob, geglückt, weil er sofort Verhandlungen mit den Sprechern der wichtigsten schwarzen Gruppen aufgenommen habe. Vielleicht sei ihm die Herkunft aus dem Süden zum Vorteil geworden: Man sei dort unten mit der Mentalität der Schwarzen besser vertraut als im liberalen Norden – trotz der uralten Spannungen. Nachbarschaft bewirke immer eine gewisse Intimität, selbst in der Feindseligkeit. Das trage nun, da gleiches Recht endlich Gesetz sei, in den Südstaaten gute Früchte. »Dort mußte man das Zusammenleben nicht von Grund auf lernen. Der industrielle Norden, obwohl er theoretisch mehr Freiheiten bietet, ist für viele Schwarze eine fremde Welt, in der sie sich nicht zuhaus fühlen. Man hat wenig getan, ihnen ein Gefühl der Zugehörigkeit zu vermitteln.« In Detroit habe er dafür gesorgt, daß die Schwarzen unter den Streitkräften der Polizei, auch bei den Offizieren, vertreten seien, wie es ihrem Anteil in der Bevölkerung entspreche. Eines nicht zu fernen Tages werde man auch dort einen schwarzen Bürgermeister wählen. (So geschah es – wie in vielen großen Städten des Mittleren Westens, des Ostens, des Südens.)

Milton bewunderte das Bravourstück von Detroit. Er hielt es für angebracht, daß Vance der Sprung in die Leitung des State Department gelinge. Dennoch mischte sich eine Spur des Unbehagens in seinen Wunsch, daß Männer dieses Schlages, die seine Freunde waren, nach dem Fiasko Richard Nixons in Washington wieder für liberale Gewissenhaftigkeit und intellektuelle Qualität sorgten. Es war an der Zeit – nach Watergate und Vietnam.

Vietnam, dachte Milton: Besetzten die beiden, Vance und Ball, nicht entscheidende Positionen in der Regierung der Vereinigten Staaten, als das Land in jenes schreckliche Abenteuer glitt? Aber war es ein Abenteuer? Hatte Amerika nicht die Pflicht, Südvietnam zu Hilfe zu eilen, so korrupt das Regime in Saigon gewesen sein mag? Gab es ein Recht, jenes Land den Nationalkommunisten widerstandslos zu überlassen? Er selber hatte sich voller Skepsis über den schmutzigen Krieg geäußert, der vielleicht so schmutzig nicht war, sondern eine Tragödie wie jeder Krieg, in dem es weder Siegern noch Besiegten erspart blieb, Unrecht zu tun. Er schärfte sich ein, gründlich über das moralische Debakel nachzudenken, vielleicht sogar darüber zu schreiben.

Was für eine ironische Verkehrung der Fronten, dachte er traurig: Vance und Ball, die damals ein gutes Stück Mitverantwortung trugen, lehnten sich nun aufs heftigste gegen den vermeintlichen Irrtum auf, der auch ihr eigener war. »Und ich, damals voller Mißtrauen, beginne nun, Lyndon B. Johnson zu begreifen ...« Vance diente als Staatssekretär im Pentagon. Ihm mochte man zugute halten, daß er sich von der Computerstrategie seines Chefs Robert McNamara nicht fortreißen ließ und rechtzeitig seinen Hut nahm. Wichtiger: er führte gegen Ende der sechziger Jahre die Waffenstillstands- und Friedensgespräche in Paris, die Henry Kissinger danach in einem virtuosen Akt weltpolitischer Zauberei zu Ende brachte, wenngleich zu keinem guten, da Südvietnam trotz aller Beschwörungen geopfert wurde, wie es der geprügelte Staatspräsident Thieu genau genug geahnt hatte (und Henry Kissinger vermutlich auch). George Ball vertrat die Politik Lyndon B. Johnsons nach außen mit nie wankender Loyalität, doch nach seinem Rücktritt wurde offenbar, daß er vor jenem Krieg in präzisen Memoranden ein ums andere Mal gewarnt hatte. Ihm hörte der Texaner wenigstens zu. Er suchte ihn nicht mit den Ressentiments heim, die der nasale Hochmut der Intellektuellen von Georgetown und Harvard in seiner unsicheren Seele aufstachelte. Er verzieh Ball sogar die guten Manieren, vielleicht weil er hinter der weltmännischen Erscheinung des Diplomaten die Solidität des Mannes aus

Iowa spürte. Vielleicht, dachte Milton, war es ein Glück, daß Johnson niemals George Balls Wohnung betrat: Die Bücherwände in allen Zimmern, die alten englischen und französischen Möbel – kein Museumsstück darunter, allesamt Stücke, mit denen man gut und gern lebt: jene Kultur, an der nichts aufgesetzt war, hätte den Texaner verstören müssen.

Milton schätzte den Bürgergeist dieses Mannes. Ihm war nicht entgangen, daß Ball auch ein heimlicher Literat war, nicht weniger belesen als er selber (vielleicht kannte er sich bei den Klassikern eher noch besser aus), in seiner Bildung und intellektuellen Brillanz dem alten Dean Acheson ebenbürtig – nur längst nicht so arrogant. »Ball ist«, dachte Milton, »Europa so nahe wie ich. Oder näher?«

Der Herr aus Bonn mit den gezwirbelten Brauen sprach von der Mühsal, den europäischen Institutionen neues Leben einzuhauchen. Die Briten hätten nicht den geringsten Impuls für die politische Stärkung der Gemeinschaft eingebracht. Insofern sei zu fragen, ob Präsident Pompidou und Kanzler Brandt gut beraten gewesen seien, England die Tür zum Kontinent zu öffnen. Wenn sich in der alten Welt eine produktive Vitalität rege, nähre sie sich ausschließlich aus der Verständigung zwischen Franzosen und Deutschen.

Ball schüttelte den schweren weißen Kopf und rückte die Brille zurecht: Man dürfe nicht vergessen, daß es de Gaulle gewesen sei, der den politischen Willen der Gemeinschaft gelähmt habe. Jenes Europa, dem die Briten beitraten, habe mit dem Konzept Jean Monnets nicht mehr viel zu schaffen. Ein alter Zorn schien in ihm aufzusteigen. Die Briten enttäuschten auch ihn, aber de Gaulle könne er nicht verzeihen, daß er Frankreich und mit ihm die anderen Staaten Westeuropas in den Aberglauben nationaler Souveränität zurückgestoßen habe – ein übermächtiges Gespenst aus dem neunzehnten Jahrhundert.

Die Deutschen am Tisch meldeten Widerspruch an: Immerhin habe der General die engste Verknüpfung der französischen und der deutschen Politik gesucht, wobei ihm, kein Zweifel, der Führungsauftrag Frankreichs selbstverständlich gewesen sei. Ließ sich nicht auch darin ein Schritt über den traditionellen Begriff der Souveränität hinaus erkennen? Die Rücksicht auf Amerika habe damals die Deutschen, ob konservativ oder sozialdemokratisch, davon abgehalten, de Gaulle zu folgen. Die »Atlantiker« hätten die »Gaullisten« besiegt.

Ball stimmte knurrend zu. Er selber hatte das Seine beigetragen, die allzu innige Verknüpfung zwischen der Bundesrepublik und Charles de Gaulles Frankreich zu verhindern, da er um die Existenz der NATO fürchtete. Die Deutschen fragten nicht danach, ob ihn damals, in der Glorie der Kennedy-Jahre, nicht ein eher persönliches, wenn auch nobles Motiv bewegt hatte: George Ball war der Urvertraute Jean Monnets. Er arbeitete mit dem genialen Technokraten schon während des Krieges zusammen. Bei ihren Kamingesprächen in Washington und auf langen Spazierwegen entstanden die Konzepte für ein vereintes Europa, das nach dem Krieg begründet werden müsse. George Ball beriet seinen Freund bei den Entwürfen der Verträge über die Montanunion, die europäische Verteidigungsgemeinschaft, die Zoll- und Wirtschaftsunion. Wenn Monnet der Vater des neuen Europa war, dann mußte George Ball sein Pate genannt werden.

Wer sprach von Italien? Wer warf das Stichwort »Eurokommunismus« in die Debatte? War es Milton? Das hätte nahegelegen. Manchmal, in pathetischen Momenten, verkündete er, sein Herz schlage noch immer links. Er besaß niemals ein Parteibuch der KP. Er trieb sich nicht allzu oft bei den Trotzkisten oder den anderen Sekten mit ihren flatternden Ideologien herum. Doch er war völlig davon überzeugt, daß auch er als junger Mensch »radikal« gewesen sein müsse: zornig, mit den Verhältnissen hadernd. Wie anders? Er war armer Leute Kind. Er hatte als Student, nein, nicht gehungert, aber die Bitterkeit des Mangels erfahren. Er war noch immer guten Glaubens, daß sich der Reichtum Amerikas gerechter verteilen lasse. Sollte er als »demokratischer Sozialist« firmieren, wie so viele seiner Freunde? Sozialismus: Wenn er wüßte, was das sei, wäre auch er Sozialist, soll Willy Brandt gesagt haben, der einst in der Bedrängnis Berlins Miltons Held war. Ein geistreiches und wahrhaftiges Wort. Was könnte ein aufgeklärter Bürger dieser Epoche anderes sein als wenigstens Sozialdemokrat? Sollte er – wie mancher der alten und neuen Gefährten – das Preislied des Kapitalismus singen? Die Heimkehr zu den traditionellen Tugenden, die Amerika »großgemacht« haben? Ließ sich mit ihnen dieses späte Jahrhundert bestehen?

Es ist kompliziert, dachte Milton: Man darf es als Glücksfall betrachten, daß die Mehrheit der amerikanischen Bürger für theoretische Konzepte nicht das geringste Interesse aufbrachte. Ihr Bedarf an Ideologie ist rasch gedeckt. Dafür sorgten im wesentlichen die Pastoren.

Das hübsche philippinische Mädchen trug den Braten ab und stellte die Dessertteller bereit.

Sozialismus? Eurokommunismus? Der Herr aus Bonn stürzte sich mit Elan ins Gespräch. Sein Englisch entsprach nicht dem Standard der Königin, wie die feinen Leute auch in Amerika sagen, doch ihm stand ein reiches Vokabular zur Verfügung, das er effektiv und rücksichtslos nutzte. Sein Akzent war dick und unbefangen: In Hollywood, dachte Milton, wäre er als Teutone vom Dienst jederzeit willkommen. Was konnte er dafür? Der Herr aus Bonn sprach wie Miltons Großvater, womöglich härter, östlicher, russischer. Der Deutsche geht mit unserer Sprache um, notierte Milton in seinem Gedächtnis, wie ein Kosak mit einer störrischen Mähre, eher: wie mit rohem Fleisch, das die Krieger jenes Reitervolks einst unter ihre Sättel legten, um es weichzuwalken.

Keiner der Herren verzog eine Miene. Sie kannten die Welt. Sie waren Zeugen der erstaunlichsten Martyrien, denen ihre Muttersprache ausgesetzt wurde. Sie lauschten höflich. Niemand unterbrach die rollende Suada. Wenn sich, fast bittend, ein Mund zu einer Frage öffnen wollte, säbelte der Herr aus Bonn den Einwurf nieder, noch ehe er geäußert war. Die Amerikaner, sagte er, sollten endlich lernen, über den Schatten ihrer Vorurteile zu springen. Henry Kissinger habe es seinen Diplomaten in Rom nachdrücklich untersagt, sich auf politische Unterhaltungen mit den Kommunisten einzulassen, ja man schreibe ihm die Äußerung zu, die Eurokommunisten seien die gefährlichsten aller Gegner, weil sie sich wie zivilisierte Bürger des Westens zu geben wüßten. Mitgliedern des Zentralkomitees der italienischen Partei sei die Einreise in die Vereinigten Staaten untersagt worden, obschon sie von den Universitäten Harvard und Yale, Princeton und womöglich auch Berkeley zu öffentlichen Diskussionen eingeladen waren. Gleichzeitig habe man den Faschistenchef Almirante ungeschoren ins Land gelassen, ja ihm einen Informationsbesuch bei Kissingers Nationalem Sicherheitsrat im Weißen Haus zugestanden.

Die Herren wiegten bedenklich die Köpfe. Dies konnten sie nicht billigen. Der Gast aus Bonn sprach noch immer voller Leidenschaft. Durch seine professorale Lust an der Belehrung blinkte gelegentlich eine Art schalkhafter Schlauheit, die dank ihrer Naivität nicht unliebenswürdig wirkte. Er hatte recht: Die skeptisch-gescheiten Genossen in der Via delle Botteghe Oscure, dem Hauptquartier der KPI, stellten sich der Welt human dar, und sie waren meist gut gelaunt, womöglich liberaler als die ehrgeizigen Stars der Sozialisten mit ihren Eitelkeiten oder die grauen Funktionäre der italienischen Sozialdemokratie. Sie wirkten unorthodox, und man konnte sich ihrer Führung getrost überlassen, wenn man die besten und preiswertesten Restaurants von Rom aufzusuchen gedachte. Ohne den stillen Segen der Amerikaner wollten sie keinesfalls an die Macht. Es war ihnen vielleicht nicht unlieb, daß sie auf diesen lang, wenn nicht vergebens warten müßten. Sie fühlten sich dem Westen zugehörig, gewiß mehr als dem roten Imperium. Ihre Existenz war ein Stachel im Fleisch der sogenannten Bruderparteien. Sie erzwang eine permanente Diskussion und ermutigte den Dissens. Es gab Anlaß zu der Meinung, daß sie von den regierenden Greisen im Kreml mehr gefürchtet wurden als alle Raketen. Eine sowjetische Vorherrschaft in Europa – das wäre ihr Untergang. War es nicht so?

Die amerikanischen Zuhörer wechselten, als säßen sie nicht bequem, des öfteren ihre Lage auf den Stühlen. Warum hatte sich dieser Deutsche mit dem viereckigen Kinn und den gezwirbelten Brauen, der russischer wirkte als Botschafter Dobrynin, mit solchem Ungestüm in sein Thema verrannt?

Er sagte es ihnen: Der Westen müßte sich auf ein neues Selbstbewußtsein besinnen. Sei die Demokratie nicht vitaler und attraktiver als der verrottete Kommunismus, der an seiner ideologischen Auszehrung dahinsieche und sich nur noch auf die Disziplin eines autoritären Militärstaates verlassen könne? Habe man nicht am Beispiel Portugals erfahren, was ein selbstsicherer Westen vermöge? Henry Kissinger sei nach dem Sturz der Erben des Salazar-Regimes kopflos bereit gewesen, das Land verloren zu geben. Die portugiesischen Sozialisten – von den Deutschen, den Franzosen, den Schweden unterstützt – hätten die Lage gewendet und die Kommunisten in den Winkel gejagt, in den sie gehörten. In Griechenland sei der demokratische Wille mit den faschistischen Obristen fertig geworden, trotz

Kissingers Bedenken. Henry der Große begreife das gewandelte Europa nicht, weil sein Bild von der Alten Welt von Bismarcks Kategorien geprägt sei. Bismarck und nicht Metternich wohlgemerkt!

Cyrus Vance sah den Herrn aus Bonn aufmerksam an. Hatte er die Mahnung verstanden? Die Dame des Hauses jedoch, die ihr Temperament lang gezügelt hatte, erkundigte sich, ob der Gast in seiner hymnischen Ansprache nicht von einer Neigung zur Romantik fortgetragen worden sei. Hinter ihrem stetigen Lächeln geriet sie in eine kleine herzhafte Wut. »Die Polen, die Tschechen, die Ungarn«, rief sie, »vermutlich auch Ihre Landsleute hinter der Elbe, engagieren sich kaum enthusiastisch für den Eurokommunismus – oder irgendeine Variation des bankrotten Systems –, sondern sie wünschen die Kommunisten zum Teufel!« Wellen der Erregung eilten über ihren Mund. »Schon«, sagte der Herr aus Bonn. »Aber wie sollen sie die loswerden, Madam?« Ohne Krieg sei der kollektive Ausbruch aus dem Gefängnis kaum denkbar. Die Gastgeberin entgegnete knapp, das sei kein Grund, mit den Volksfeinden faule Kompromisse zu schließen. Sie goß Kaffee nach.

Kirkland, der Gewerkschafter, bemerkte mit seinem ruhigen Baß, man möge dies nicht vergessen: Es seien die Sowjetfunktionäre gewesen, die den mörderischen Verrat an der Arbeiterklasse begangen hätten, brutaler, als es amerikanischen oder europäischen Konzernherren jemals eingefallen wäre.

George Ball schien sich mehr für seinen Nachtisch zu interessieren. Nach einer Weile blickte er auf. Die blauen Augen waren zu zwei Schlitzen verengt. Die Schwierigkeit der amerikanischen Außenpolitik, sagte er gepreßt, sei es von jeher gewesen, daß sie den Konsens der Mehrheit brauche. Die aber habe sich stets mit den inneren Problemen des Landes beschäftigt, obschon sie wisse, daß es keinen Weg zurück ins Idyll der Isolation gebe. Die Mehrheit wolle ein starkes Amerika, doch am liebsten eines, das nicht zu tief in die Händel der Welt verstrickt sei. Darum sei es für die Bürger der Vereinigten Staaten noch immer so mühsam, sich in den Wirrnissen der zerrissenen und unübersichtlichen politischen Landschaft Europas zurechtzufinden. Wie immer der künftige Präsident seine Ziele abstecke: er müsse den Konsens schaffen. Kissinger habe dies nie begriffen. Er bleibe ein Kabinettspolitiker par excellence, Artist einer Geheim-Diplomatie, die ängstlich und eifersüchtig die Rätsel der Welt vor den Augen des Volkes verberge. »Sein Nachfolger wird es nicht leicht haben«, setzte er nach einer Pause hinzu und lachte zu Vance hinüber.

Milton betrachtete den wuchtigen Schädel des Herrn aus Bonn. »Die Deutschen«, dachte er, »werden offensichtlich wieder von ihrer Sucht nach Veränderungen überwältigt. Es geht ihnen besser, als sie es nach ihrer Katastrophe erwarten durften. Warum können sie die Verhältnisse nicht auf sich beruhen lassen, wenigstens für eine lange, sehr lange Weile? Nichts anderes ist die Absicht ihrer Ostpolitik, ob via Rom oder im Direktverkehr mit Moskau initiiert: die Dinge in Bewegung zu bringen, wie sie es ausdrücken.« Wandel durch Annäherung, nannte es Egon Bahr, der wie ein kleiner, nach links versprengter Vetter Henry Kissingers aussieht: Wenn nicht gegen die Sowjets, dann vielleicht mit den Sowjets ...? Was ist ihr Ziel? Die Wiedervereinigung? Von der sprechen sie nur wie von einer fernen Vision. Was mag ihr Motiv sein? Das schlechte Gewissen gegenüber ihren Landsleuten, die sie stets als ihre Brüder und Schwestern zitieren? Oder brauchen sie die Unruhe? Um ihrer selbst willen? Ist ihnen der Wohlstand langweilig geworden? Regt sich von neuem ihr ›tragisches Lebensgefühl‹? Gewinnt Richard Wagner, der kleine taktlose Sachse, wieder seine alte Zaubermacht? Stürzt sich jenes seltsame Volk noch einmal in die Wonnen seiner Depression? Kulturpessimismus, Spengler, von dem kaum jemand mehr als den Titel gelesen hat (er ist auch unlesbar)? Untergang des Abendlandes? Götterdämmerung für unsere degenerierte Welt? Lust an der Apokalypse? Hochgefühl der Verzweiflung?«

»Nichts daran ist mir fremd«, dachte Milton. »Die deutschen Depressionen sind die grauen Schwestern jedes Intellektuellen, wo immer er sich aufhält. Doch man muß sie in Schach halten. Man muß auf der Hut sein.«

Später, beim Abschied, bemerkte unser Freund C., der Herr aus Bonn habe eine erstaunliche Dynamik vorgeführt. Sein intellektueller Elan sei beeindruckend. In der amerikanischen Politik würde es ein Mann solchen Temperaments nicht leicht haben. Was für eine Erfrischung! Dem Gast aus der Bundeshauptstadt waren die schmeichelnden Worte nicht entgangen. Er überhörte die sanften Zweifel, die sie umhüllten. Er hob siegesbewußt die starken Augenbrauen und küßte der Dame des Hauses mit dem Eifer eines polnischen Ulanen-Rittmeisters die Hand. Draußen, auf dem Weg zum Hotel, stellte er fest, der Abend sei wohl ein Erfolg gewesen. »Ja«, sagte der andere Deutsche, »das war er in mancher Hinsicht.« Nicht allzu oft ergebe sich die Gelegenheit, mit Schlüsselfiguren einer künftigen amerikanischen Regierung ein Abendessen lang plaudern zu können.

»Was für eine Unterhaltung!« schwärmte der Herr aus Bonn, während die beiden tüchtig ausschritten. »Ein Traumgespräch!« Die Nacht war kühl. Sie behielten die späten Passanten im Auge, wie es in Manhattan empfehlenswert ist, doch hatten sie, wie es schien, kein Ohr für die scharfen und halb geflüsterten Zurufe dunkler Damen, die an ihnen vorbeistrichen. »Want company, sweety?« Sie waren müde und dachten an ihre Brieftaschen. Aber Milton, der Publizist, fragte der Herr aus Bonn, sei der nicht eher kühl, ja abweisend? Täusche er sich? Das sei wohl wahr, sagte der andere Deutsche, Milton habe sich zurückgehalten.

»Hat er etwas gegen uns?« »Das vielleicht nicht«, sagte der andere. Indes, er schüttle ein gewisses Mißtrauen nicht ohne weiteres ab. Vielleicht erkenne er in den Gästen aus Deutschland manche seiner eigenen Züge, auf amerikanische Weise gezähmt.

»Was heißt das? Rede ich wie ein Barbar?«

»Keineswegs«, sagte der andere, »nur wie ein Deutscher, der von Zeit zu Zeit der Welt Bescheid sagt, wo es längs geht.«

Die beiden schwiegen. Dann erörterten sie, ob eine Abendgesellschaft von gleicher Qualität in Bonn denkbar sei. Damit hatten sie ihre Mühe.

»Was ist der Unterschied?« fragte der Herr aus der Bundeshauptstadt. »Die Bildung? Die Entspanntheit? Die Höflichkeit?«

»Es ist das Lachen«, sagte der andere. »Es ist die Freundlichkeit. Das Wohlwollen. Es ist die Zivilität.«

Unterdessen haben Cyrus Vance und George Ball ihre Memoiren geschrieben: gewissenhaft karg der eine, geistreich, voller Charme und Welterfahrung der andere. Die Brauen des Herrn aus Bonn sind ergraut. Er macht noch immer ein bißchen Geschichte, selten Geschichten. Man sagt, er sei gelassener, skeptischer, menschlicher geworden, auch er.

III

Der Mann aus Syracuse

Die Suite im »Delmonico« war teuer. Der Fremde wagt sich an den exakten Preis nicht zu erinnern. Indessen gab es für Geld und gute Worte kein passables Hotelzimmer in Manhattan. Kongresse überschwemmten New York. Gemeinschaftsselige Herren aus Omaha (Nebraska), El Paso (Texas), Topeka (Kansas) besetzten mit krähender Fröhlichkeit alle Flure, trugen Erkennungsschilder am Revers, Firmenschilder, bunte Bändchen. Ihre Gesichter waren gerötet. Sie hatten starke Stimmen. Die Beglückung rascher Freundschaften und ihre unschuldige Begeisterung für Beruf, Verband und Vaterland setzten erstaunliche Energien frei, von denen die Fahrstühle schneller als üblich von Stockwerk zu Stockwerk durch die Hochhäuser getrieben zu werden schienen.

Irrläufer der allgemeinen Geselligkeit hatten in der Nacht zuvor auch im Notquartier des Fremden an der 90. Straße West Schnaps und eilige Liebe gefunden. Zuhälter führten auf den Gängen der Absteige in scharfem Spanisch Regie. Die puertoricanischen Mädchen gehorchten mit einer Art von harter Trauer. Den Fremden störte das Hasten von Tür zu Tür nicht zu sehr. Doch das Laken war schmutzig. Als er um drei Uhr früh Licht machte, sah er ein paar Wanzen, die der Schein der nackten Birne verwirrte. Er beschloß, das Lokal zu wechseln, und nichts war ihm zu teuer, um auf sanften, reinlichen Kissen noch ein paar Stunden Schlaf zu finden. Mit einer Portion Glück und viel Geld gelangte er in die Suite des »Delmonico«.

Die Zimmer des Apartments waren nur flüchtig aufgeräumt, doch das Bett frisch bezogen. Als er am Morgen das Frühstück einnahm, stellte er fest, daß sein Vorgänger die Suite hastig geräumt hatte. Auf dem Schreibtisch lagen Zettel des Hotels, auf denen telefonische Nachrichten notiert waren. »Call your wife« – eine Nummer in Syracuse, Upstate New York. Auch dieser Herr kam aus der Provinz, freilich auf Umwegen. Neben dem Papierkorb fand sich der Gepäckanhänger einer lateinamerikanischen Fluglinie: Bestimmungsort John F. Kennedy Airport via Mexico City.

Neugier wurde wach. Unter dem Fernsehapparat entdeckte der Fremde eine bolivianische Zeitung, zwei Tage alt. Im »Wall Street Journal« des Vortages waren Nachrichten, die von heftigen Bewegungen des Kupferkurses sprachen, mit dem Kugelschreiber markiert. Dies deckte sich mit einer Telefonnotiz: »Call Mr. Dawson, Lehmann Bros.« Während der Fremde eine zweite Tasse Kaffee trank, resümierte er: Der Vorbewohner der Suite – Geschäftsmann aus Syracuse, verheiratet, im Kupferhandel tätig, nicht ohne Einfluß, da er mit einer der mächtigsten Finanzfirmen von Wall Street in Verbindung stand – hatte auf der Rückkehr aus La Paz in diesem Apartment eine halbe Nacht lang Station gemacht. Plötzlich entschloß er sich zur Abreise, vielleicht von einer Minute zur anderen. Eine private, eine berufliche Krise?

Im Badezimmer hing noch das zu starke Parfüm seines Rasierwassers. Im Waschbecken ein paar graubraune Haare. So konnte er nicht mehr ganz jung sein. Haarausfall und eine teure Suite ließen auf jene mittleren Jahre schließen, in denen das Leben die Mühen des Jungseins mit ersten Erfolgen belohnt und den Erfolg zugleich mit ersten Melancholien des Alterns bestraft. Es gab keinen Zweifel, daß die Frau des Mannes mehr als einen Nerz besäße; vermutlich hatte er ihr von einer seiner Südamerika-Reisen einen Vicuna-Mantel mitgebracht. Zwei Kinder, höchstens drei. Ein geräumiges Haus in einem Vorort von Syracuse, mehrere Kamine, gewiß auch eine Bibliothek. Darauf konnte mit einiger Sicherheit geschlossen werden – neben den Zeitungen hatte er die letzte Ausgabe des »New Yorker« hinterlassen. An den Wänden Bilder von mäßiger Modernität. In der Garage zwei Autos, vielleicht auch drei: ein Mercedes oder Lincoln (auf keinen Fall ein Cadillac, obwohl das Parfüm des Rasierwassers verdächtig war, doch der »New Yorker« sprach dagegen), ein »station wagon« für die Familie, vielleicht ein Volkswagen, falls eines der Kinder älter als sechzehn war. Am Samstag Golf. Am Sonntagvormittag zur Kirche –

presbyterianisch, anglikanisch, kaum katholisch, gewiß nicht baptistisch. Eine geordnete Existenz. Oder?

Der Vorgänger begann den Fremden zu langweilen. So ging er hinüber ins Schlafzimmer, um sich anzuziehen. Auf der Kommode weitere Nachrichten der Telefonzentrale, die er zuvor übersehen hatte. Wenigstens fünfmal die Nummer der Frau in Syracuse. Dreimal die Notiz »Call Mr. Pleasants«. Der Fremde suchte den Namen im Telefonbuch: Ein Mr. Pleasants residierte in einer Anwaltskanzlei an der Park Avenue in Höhe der Vierzigsten Straße. Die Nummern stimmten überein. Eine Krise.

Die hektischen Anrufe der Frau und Signale des Anwalts schienen nicht ohne Beziehung zu sein. War ihr während der langen Reise ihres Mannes ein hübscher Dozent für englische Literatur über den Weg gelaufen? Ein Kapellmeister? Tröstete sie sich mit einem häuslicheren Kollegen aus der Firma? Ihrem Arzt? Einem Nachbarn?

Andere Schlüsse waren möglich. Hatte der Kupferhändler gedroht, nicht mehr zu seiner Familie heimzukehren? Hatte er es satt, sich von seiner Tochter mürrisch über ihre verfrühten Dates mit überfetten Knaben aufklären zu lassen? War ihm der Gedanke an die Akne seines Sohnes unerträglich geworden? Rebellierte er gegen die Routine des beruflichen Alltags: die Sitzungen, die sich durch lange Vormittage schleppten, die Essensverabredungen mit allzu heiteren Feinden im Management seines Betriebs? Revolte gegen Golfplatz und Country-Club? Gegen das rotbraun gefärbte Haar seiner Frau, die noch immer darauf bestand, mit ihm zu schlafen, nach so vielen Jahrzehnten?

Der Fremde öffnete die Vorhänge. Der Tag versprach die metallene Klarheit des Herbstes in Neu-England: ein Himmel, dessen kaltes Blau in der Nacht wie durch Eis gesiebt war, weißgelbe Sonne, ein kräftiger Wind, federnde Energie in den Schritten der Passanten, die zehn Stockwerke unter ihm ihren Büros zustrebten.

Die Seele des Vorgängers, dachte der Fremde, mochte noch in den Anden zappeln, als er gestern per Jet in Manhattan eintraf. Kehrte er, bei der hastigen Abreise, vielleicht gar nicht nach Syracuse heim? Entschloß er sich – alle Proteste seiner Frau und die Beschwörungen seines Anwalts mißachtend – zur unverzüglichen Rückkehr nach Süden? Gab es dort ein junges Wesen mit dunklen Augen, einer

Stimme von lateinischer Wärme und fließenden Bewegungen, die ihn ahnen ließen, wie verspannt das Geflecht nordischer Nerven ist?

Das Leben dieses Menschen ging den Fremden nichts an: Die Probleme des Herrn waren nicht die seinen. Der Kupferhandel interessierte ihn einen Dreck. Nichts zog ihn nach Syracuse, aber auch nichts nach La Paz. Die Krise einer Vorstadtehe konnte ihn kaltlassen.

Dennoch fing er an, jenes unbekannte Geschick zu berühren. Ein paar Telefonzettel, der Gepäckschein einer Luftfahrtlinie, Zeitungen, der Geruch eines Rasierwassers (das vielleicht, fiel ihm ein, aus La Paz stammte, ein Geschenk des jungen Wesens mit den fließenden Bewegungen?). Hinweise von dürftiger Beschaffenheit, die für einen Augenblick die Lust am Detektivspiel geweckt hatten.

Der Fremde entschloß sich, seinen Tag zu beginnen. Indessen fiel sein Blick auf das zweite Telefon am Bett. Ein anderer Zettel: »Call Monika GR 3-7581.« Gramercy. Nummern mit diesen Kennbuchstaben gehören zu Greenwich Village. Die Freundin, dachte er. Am Ende eine der jungen Deutschen, die von Kind auf den Soldatensender AFN hörten; die darauf bestanden, nur echte Jeans von Levi's zu tragen und T-Shirts einer westlichen Universität; die mit zwölf, noch vor dem ersten Rendezvous, beschlossen, Amerika zu erkunden und nach dem Abitur keinen langen Abschied von den Eltern nahmen. Über New York gelangten sie selten hinaus. Wenn ihre Karriere als Fotomodell scheiterte, fanden sie bescheidene Posten in einem Public Relations-Unternehmen, als Sekretärin in einem Maklerbüro, in der Not als Verkäuferin bei Bloomingdale's.

Gramercy ... GR 3-7581. Der Fremde steckte den Zettel in die Tasche. Die Nummer konnte der Schlüssel sein – aber wozu? Dem kleinen eitlen Aufstand eines Mannes in mittleren Jahren gegen die Resignation? Gegen das stumpfe Grau, in dem manchmal schon am Frühstückstisch die Freude am beginnenden Tag wie in einer Straßenpfütze versank? Gegen den Widerwillen, mit dem er manchmal die Gesichter seiner Kollegen in den Planungskonferenzen musterte? Gegen die Unlust, mit der er den Stand seines Kontos prüfte? Gegen den Ärger, der ihm ins Blut fuhr, wenn ihn seine Frau an den Freitags-Cocktail bei den Nachbarn erinnerte? Gegen die Hast auf den Flugplätzen und das schäbige Rokoko der Hotelzimmer, die zwischen

Santiago und Toronto allesamt von ein und derselben Dekorationsfirma eingerichtet zu sein schienen? Gegen die freundliche Feierlichkeit, die er in sein Gesicht zwang, wenn er dem Pfarrer nach dem Gottesdienst die Hand drückte? Gegen die flüchtigen Berührungen, die sich auf seinen Reisen ergaben, wenn er für eine Stunde die Wärme eines gleichgültigen Körpers suchte? Gegen die Angst, die manchmal für fünf Minuten wie ein Krampf über ihn kam und um die sich sein Arzt nicht kümmern wollte? Gegen die Furcht, daß morgen, nein, heute nacht, alles zu Ende sein könnte? Oder den depressiven und wilden Wunsch, daß es endlich vorbei sein möge, lieber heute nacht als morgen?

Gramercy 3-7581. Der Fremde trug die Nummer wie das Pfand einer fernen Brüderlichkeit durch den Tag. Am Abend rief er an.

IV

Lilien auf dem Felde

»Mecklenburg's« hieß das Gasthaus im Umkreis der Universität, das es vielleicht heute noch gibt: ein Biergarten von der schönen und altmodischen Art, in dem stämmige Kellnerinnen schwere Tabletts mit Kartoffelsalat und fetten Würsten voller Elan an die Tische schleppten. Der Schaum des »Budweiser« oder »Michelob« quoll appetitlich über den Rand der Krüge, die man »steins« nennt.

Man trank, man lachte, die jungen Leute streckten voller Behagen ihre Füße mit den weißen Tennisschuhen aus. Bunte Lampions schaukelten an den Drähten. Der leichte Nachtwind konnte die lastende Hitze des Tages nicht verscheuchen, auch hier droben nicht, auf einem der Hügel über der Stadt Cincinnati: Sie würde noch Tage und Wochen flimmernd über dem Ohio-Fluß und in den Straßen hängen, bis endlich aus den dunkelgrünen Bergen von Kentucky ein tropisches Gewitter herabfegte.

Die deutschen Siedler, die vor mehr als eineinhalb Jahrhunderten ihre Häuschen in der Umgebung des alten Forts der Pioniere bauten, mochte die sanfte Wölbung der Höhen über dem Stromufer wohl an die Heimat erinnern: »Over the Rhine« tauften sie ihr Viertel, das hernach durch schmucke victorianische Residenzen eine gewisse Würde gewann. Längst zogen dort die schwarzen Mitbürger ein, deren quirlendes und deftiges Dasein dem alten Quartier eine Art von kolonialem Charme verlieh. Die Deutschen kapitulierten, wie überall, vor dem Ungemach des Alltags im Innern der Städte, dem Verkehr, dem Lärm, dem Dreck und der sengenden Hitze. Sie strebten in die Vororte. Nur ihre Kirchen ließen sie nicht völlig im Stich. An einer roten Backsteinfassade, die man zuhaus als wilhelminisch bezeichnen würde, ließ sich noch die Inschrift »Evangelisch-reformierte Gemeinde« erkennen.

Sie waren übrigens in der Mehrzahl katholisch, die Deutschen, wie die irischen Stadtgenossen auch. Das Glaubensbekenntnis, das sie einander verband, überredete die konkurrierenden Gruppen nicht, christlichen Frieden miteinander zu halten. Vielmehr wurden für sie getrennte Messen gelesen, da der gemeinsame Gottesdienst oft in vehementen Schlägereien endete. Vermutlich trieb das Bier, das sie beide liebten, die Iren und die Deutschen, einen unfrommen Haß in die Köpfe. Sie teilten auch die Liebe zur Musik. Kaum drei Jahrzehnte nach der Begründung des Ortes schmetterten sie in gewaltigen Chören Händels »Messias«. Seitdem wurde alle Jahre ein Sängerfest gefeiert, zu dem Ensembles aus ganz Amerika herbeieilten.

Der Gang der Zeit stiftete eine Art von Harmonie, in der sich Toleranz und Gleichgültigkeit mischten. Die Deutschen begruben manchen hoffärtigen Stolz, und die Iren lernten, ihr jähes Temperament zu zügeln. Außerdem wurden sie durch die Ansiedlung im Umland von den Reibungen und Reizungen der allzu engen Nachbarschaften befreit. Die Schwarzen, von den Industrien herbeigelockt, erbten schöne Wohnungen für billige Preise. Unterdessen wurde der Zauber der alten Häuser wieder entdeckt. Ganze Straßenzüge hat man mit beträchtlichem Aufwand blitzblank restauriert – und trotzdem die schwarzen Bürger nicht ausgetrieben.

Cincinnati ist eine konservative Stadt, doch in ihr gedieh auch eine kernige, grundvernünftige Liberalität. Eine vitale Lust am Neuen gibt sich selbstbewußt zu erkennen, niemals zu laut und selten auf Kosten des Alten, das die Bewahrung lohnt.

Die Generation der Urgroßeltern schien dies nicht anders zu empfinden: Sie erlaubte am Rande des alten Stadtkerns den Bau zweier mächtiger Fabriken, deren ornamentierte Fassaden eine Kostbarkeit geworden sind, doch das weiße Kolonialschlößchen in der Mitte mit seinen gemütlichen Säulen und den französischen Fenstern mußte nicht weichen. Der erste Bankier der Stadt, ein deutsch-jüdischer Herr namens Baum, hatte es in den dreißiger Jahren des vergangenen Jahrhunderts errichtet. Dann fiel es der Familie Taft zu, aus der ein Präsident (der dickste in der Geschichte der Vereinigten Staaten) und einige Senatoren hervorgingen: die bedeutendste politische Dynastie des Mittleren Westens.

Der letzte Taft, der Ohio auf dem Capitol vertrat, war ein schüchterner und schmaler Herr, der den Schatten seines großen Vaters niemals völlig abzuschütteln vermochte, jenes konservativen Republikaners, der gegen den Kriegshelden Dwight D. Eisenhower mit seinem Siegerlächeln 1952 um die Präsidentschaft kämpfte. Der Name des Sohnes stand für kein Gesetz, das man eine parlamentarische Großtat nennen konnte. Er ragte nicht – wie der Vater – als Garant einer überparteilichen Außenpolitik oder als Organisator entscheidender Majoritäten im Kongreß heraus. Er erfüllte, wie man so sagt, seine Pflicht. Wenn er in den Heimatbezirken um Stimmen warb, trat er bescheiden, ja ein wenig gehemmt auf.

Der Fremde wurde eines Tages gewahr, daß ihn die brausenden Begrüßungsreden und der Tusch der Kapelle ein wenig erröten ließen. Aber er beobachtete auch, daß der Senator zu Beginn einer der Versammlungen eine hochragende Frau in einem schlichten Sommerkleid an ihren Platz geleitete. Die breite Krempe ihres Hutes, der vergangenen Moden entstammte, erlaubte es nur selten, die verbrauchten und unruhigen Züge eines einst sehr schönen Gesichts zu erkennen. Seltsam verknorpelte Hände verkrampften sich in ihrem Schoß. Reden und Gesänge nahm sie bewegungslos hin. Am Ende führte sie der Senator zu diesem und jenem wichtigen Mann, um Grüße zu tauschen. Sie lächelte scheu und sprach wenig. Später am Abend deutete Robert Taft beiläufig an, seine Frau sei krank, doch er halte es für wichtig, sie dann und wann aus der Abgeschiedenheit ihrer täglichen Welt zu holen, damit sie sich der Menschen nicht völlig entwöhne. Er bemerkte dies nüchtern, ohne sentimentalen Aufwand, ein wenig linkisch, als schulde er eine Erklärung für die Merkwürdigkeit der Szene. Dem Fremden war nicht entgangen, daß der Senator mitten in seiner kurzen Rede oft besorgt zu der Frau hinüber sah. Der behutsame Takt des Politikers berührte sein Gemüt. Er war ein wenig traurig, als er in der Zeitung las, Mr. Taft sei in den Vorwahlen für die Senatskandidatur unterlegen und werde nicht mehr in die Hauptstadt zurückkehren, in der er Ohio zwölf Jahre lang repräsentiert hatte – mit Anstand, dem vor allem.

Die wirtschaftliche Macht der Familie mag welk geworden sein.

Gehört ihr noch das weiße Schlößchen, das ihren Namen trägt? Es ist lang schon ein Museum, unaufwendig und kostbar, bescheiden und voller Schätze: zwei oder drei Rembrandts, die gelegentlich gestohlen und auf wundersame Weise wiedergefunden werden, Porträts von Frans Hals, Gainsboroughs, Turners, manches von dem jüngeren François Millet, dazu Chinoiserien und hübscher Schnickschnack – keine der Pilgerstätten der Weltkunst wie die Sammlungen in Chicago oder Cleveland. Ein neuer Museumskomplex samt Kunst- und Musikschule wurde droben in Mount Adams, hoch über dem Fluß, in einen weiten Park gestellt: eine der eindrucksvollsten Kollektionen amerikanischer und europäischer Moderne vom Zweiten Weltkrieg an.

Mr. Fleischman, das Oberhaupt eines Lebensmittel- und Spirituosenkonzerns, brachte seine Erwerbungen in die Sammlung ein. Er war zeit seiner Tage zwischen San Francisco, Tokio, Berlin, Paris und New York unterwegs, um junge Talente auszuspähen: ein verspäteter Bohémien, der sich um Spesen nicht zu sorgen brauchte, untersetzt und behende, neugierig, alle intellektuellen und ästhetischen Bewegungen der Zeit registrierend, die Augen immer wach auf der Suche nach schönen Bildern und schönen Knaben. »Chunky« riefen ihn seine Freunde und die Mitglieder des kleinen Trosses, mit dem er von Kontinent zu Kontinent eilte, selten auf seinem Besitz an der Golfküste Floridas pausierend. Auch dort wich seine Rastlosigkeit nicht. Er arrangierte rauschende Feste, auf denen Champagner und der älteste Whisky Amerikas getrunken wurden, lud zu Exkursionen auf seiner voluminösen Yacht, die den stetigen Dienst von acht Matrosen verlangte, zu Autofahrten in die Sumpf- und Urwelt der Everglades, freilich auch zu ruhiger Betrachtung von Graphiken und Gemälden. Die Geschäfte brauchten ihn kaum. Die Familie schien seine Anwesenheit nur gelegentlich zu fordern. Mr. Fleischman starb, nicht alt, an einem versagenden Herzen in Indien, unweit des hübschen Prinzen, von dem man sagte, ihm habe seine letzte Passion gegolten.

Seine Kinder nahmen, vermutlich gelassener, das Interesse an den Künsten auf. Sie gehören zu dem Kreis aufgeklärter Bürger Cincinnatis, die das Vergnügen an Bildern, Theater, Musik und Tanz unters Volk zu bringen versuchen. Vielleicht regten sie die Darbietungen auf dem Fountain Square inmitten der Stadt an, die zwischen Mai und Oktober täglich das Personal der umliegenden Bürohäuser und Geschäfte in jenem Revier zur Mittagszeit unterhält. Es treten Jazzgruppen und Schmachtsänger auf, die Herren des klassischen »Barbershop Quartets« mit den quellenden Tenören und dem blökenden Baß, allesamt im gestreiften Jackett und kreisrunden Strohhüten. Kabarett gibt es zu sehen, Theatersketche, kleine Revuen und altmodisches Vaudeville. Auf den Treppen, den Brüstungen der Mauern, am Brunnenrand und auf dem flachen Boden hocken die Buchhalter und Sekretärinnen, die Manager und Verkäufer, ihr Sandwich kauend, weiß und schwarz und braun, Touristen dazwischen: Sie lauschen, sie lachen, sie applaudieren, sie setzen, wenn die Kunst es verlangt, auch eine Spur von Andacht in ihre Gesichter.

Der Fremde wünschte, diese und jene europäische Provinzstadt würde ihre Bürger mit gleichem Elan zur Teilnahme an den Künsten ermutigen wie Cincinnati, die Stadt hinter den Bergen, von den Snobs in New York, Boston und Washington als kulturelle Wüste verachtet. Was für ein Irrtum. Wohl können nicht alle künstlerischen Unternehmungen die strengen Maßstäbe der Kritik bestehen, was immer die sein mögen. Wer will, darf die vitale Naivität dieser und jener Anstrengung mit Spott überziehen. Weiß man denn stets so sicher zu sagen, was gut und was schlecht ist? Zählt die Freude am Versuch schließlich nichts? Die schwarzen Knaben zum Beispiel, die eines Mittags unermüdlich auf ihre Buschtrommeln einklopften und ihnen die erstaunlichsten Rhythmen entlockten, zärtlich und mitunter gewaltsam: Sie waren Meister ihres Fachs, das an keinem klassischen Konservatorium gelehrt wird. Die Luft stand still. In den winzigen Intervallen tropften die Töne als Echo von den Mauern der Hochhäuser zurück auf den Platz, vermischten sich mit den prasselnden Wassern des Brunnens, den Rufen aus dem Publikum und dem Greinen einiger unmutiger Säuglinge.

Den beiden Tänzern, Mädchen und Mann, lief der Schweiß in Strömen vom Gesicht. Die schwarzen Trikots klebten an den Körpern. Mit unverzagter Energie jagten sie in langen Sprüngen über die Betonplatten, umschlangen einander, lösten sich, kauerten für ein paar Sekunden in regungsloser Trauer, sprangen auf und hüpften wie ausgelassene Kinder, tauchten unter die eigene Grätsche, bildeten Brücken aus Brust, Bauch und Beinen, rollten über die Köpfe und schüttelten die Arme, als quäle sie ein vergeblicher Zorn.

Tanzten sie gut, tanzten sie schlecht? Sie tanzten, daran war kein Zweifel, mit dramatischer Hingebung und ungestümem Ausdruck. Sie tanzten ein Programm, das Ophelias Klage oder Klingsors Garten, vielleicht auch Victorias Abschied oder der Tod eines Jägers heißen konnte – darauf kam es nicht an. Ihre Botschaft waren die Freude am Spiel der Körper und der Wille, ihre schwelgerischen, wenn auch nicht präzisen Gefühle an das Publikum weiterzugeben.

Die Zuschauer schätzten den Einsatz. Bei den mächtigsten Sprüngen vergaßen sie manchmal das Kauen, und am Ende klatschten sie kräftig. Die beiden aber waren grau vor Erschöpfung. Die Augen strahlten dankbar. Das Mädchen warf die dunklen Locken zurück, die der Schweiß schwer gemacht hatte: »We hope«, sagte sie, »that we taught some self-expression with our dances.« Wie sollte man's übersetzen? »Self-expression« war in jenen Tagen das große und immer richtige Wort, so gängig und bedeutungsvoll wie die »Selbstverwirklichung« der Deutschen, die alles und nichts besagt. Das Mächen im klatschnassen Trikot, das die schönen Formen nicht verbarg, hätte in Wahrheit auf das Pathos jener Allerweltsformel verzichten können. Die junge Frau tanzte sich selber, und den stumpfesten Blicken wurde offenbar, daß sie eine starke Person war. Der junge Mann mit dem kahlgeschorenen langen Kopf und den regelmäßigen Zügen bemerkte, sie beide und die Trommler hätten diese Vorstellung mit gutem Erfolg in Schulen, in Gärten von Krankenhäusern, ja in Gefängnishöfen dargeboten. Sie gehörten zu einer Schar junger Leute, die sich vornahmen, Kunst in alle Ecken und Winkel der Stadt zu tragen, vom Busbahnhof bis zum Kongreß der Zahnmediziner, Amateure und Professionelle, von der Verwaltung aufs erfreulichste unterstützt.

Am Abend in »Mecklenburg's« Garten berichtete Boris, der heiterste Erfolg der Truppe sei ein grandioses Happening in den Depots der städtischen Verkehrslinien gewesen: Musik, Theater, Tanz, Dixie, Bluegrass und Jazz, Clownerien und Rezitationen – ein wirbelndes Chaos, das die Zuschauer Stunden und Stunden in Atem gehalten habe, vom Abend bis zum Morgen. Danach hätten sie weitergespielt in den Bussen, die unausgeschlafene Arbeiter und mürrische Bürokraten in die Fabriken und an ihre Schreibtische karrten. Wie die Werktätigen, die sogenannten, plötzlich erwachten! Wie zuerst eine

Spur von Mißmut, dann überraschtes Staunen und schließlich ein Lächeln in die Gesichter getreten sei! An den Nachmittagen hätten sie das Experiment gelegentlich wiederholt, damit das schaffende Volk, das sogenannte, besser gelaunt zu seinen Familien zurückgelange. Der Fremde bemerkte, Cincinnati mit seinen vierhunderttausend Menschen gelte anderswo in den Vereinigten Staaten als eine überdimensionale Kleinstadt. In den dreißiger Jahren habe das Symphonie-Orchester einigen Ruhm genossen, der nun wieder aufgeputzt werde. Die Oper besitze eine schöne Tradition, doch sie spiele nur drei Monate im Jahr, weil vermutlich das Geld für eine längere Saison nicht reiche. Dennoch: »Das ist ein grundbürgerliches Gemeinwesen, solide, behäbig, ein bißchen schwer, in mancher Hinsicht durchaus deutsch.«

Boris lachte sein helles, halb knaben-, halb mädchenhaftes Lachen. »Ah, die Deutschen!« rief er. »Ich liebe ihre Solidität!« Der junge Mensch trug ein schneeweißes Hemd mit hübschen Rüschen und leicht gebauschten Ärmeln, weiße Sommerjeans, so knapp wie möglich geschneidert, die das Spiel jedes Muskels durchscheinen ließen. »Unsere Deutschen!« rief er mit ausladender Gebärde: »Wenn ihr nüchterner Einfluß dieser Stadt nicht hülfe, ihre Finanzen in Ordnung zu halten, ginge der Kunst und damit auch uns über kurz oder lang der Atem aus.«

Es ist wahr. Cincinnati krümmte sich viele Jahrzehnte unter dem Elend von Mißwirtschaft und Korruption, bis eine Allianz von jungen Reformern und resoluten Konservativen eine Administration etablierte, die streng und liberal zugleich ist. »Ich bewundere die deutsche Ordnung«, sagte Boris. »Als Junge war ich für einen Sommer bei unseren Verwandten in Krefeld. Der Onkel, ein mittlerer Unternehmer, schien mir der Inbegriff des Preußen zu sein: ein schöner und großer Mann, karg und präzis. Er brachte mir Respekt vor der Disziplin bei, übrigens ohne Brutalität. Ich lernte sogar die Arbeit zu schätzen.«

In seiner Stimme blitzte eine Prise Spott auf, kein Hohn. Die Verwirrung des Fremden bereitete ihm ein kleines und aufsässiges Vergnügen. Wie das? dachte der Gast: Dieser hübsche Kunstmensch, dandyhaft und leicht parfümiert, auf eine fast schamlose Weise entspannt, würde von jedem deutschen Regierungsrat als offene

Provokation betrachtet. Doch zum anderen: Hätte er in einer adretten Uniform nicht gute Figur gemacht, zum Beispiel als kaiserlicher Kadett in Berlin-Lichterfelde? Der Alte Fritz, ging dem Fremden durch den Kopf, würde an ihm sein Vergnügen gefunden haben. Das männliche Preußentum, dachte er weiter, war so eindeutig nicht. Es hatte seine eigene Ambiguität.

Ordnung, Disziplin, Courage – keineswegs widersprachen sie romantischer Irrwischerei, heimlichen Verschwärmtheiten, femininen Empfindsamkeiten. Preußische Gefährdungen des Gemüts, von Kleist bis Wilhelm Zwo, Seelchen und morsches Mark. Unsere Fahnenjunker und Fähnriche mit ihren schlanken, zarten Gestalten!, dachte der Fremde belustigt. Was mögen sie bei der Kerze oder einer Laterne auf ihren kargen Stuben gelesen haben? Nicht nur Hölderlin oder Nietzsche, den Blick auf Langemark gerichtet, Gott bewahre, auch nicht immerzu Stefan George, sondern vielleicht auch Hofmannsthal, die sanften Poeme des Loris, Rilke, den vor allem, Schnitzlers frühe Dramen, den »Reigen«, bei dem so wenig zu lesen und so vieles auszumalen war, womöglich schon die ersten Romane Hermann Hesses, jene Konfessionen eines beladenen, schweren, von Sehnsüchten und Rebellionen zerklüfteten Schwabengemüts.

Das Stichwort Hesse mußte fallen. Der junge Mann in »Mecklenburg's« Gartenrestaurant nannte sich Boris Goldmund. Er schwor, das und nichts anderes stehe in Paß und Führerschein. Er legte die Beweise vor. Nein, der Name sei nicht eine Eingebung des Hesse-Kults gewesen, dem sich die Jugend Amerikas seit mehr als zwei Jahrzehnten hingibt, den »Steppenwolf« wie die Fibel einer sensuellen Renaissance und »Siddharta« wie den Katechismus östlicher Weisheit seelenvoll buchstabierend. Stand in seiner Geburtsurkunde wahr und wirklich »Goldmund«? Der Fremde erfuhr es nie. War es wichtig? Er ließ die Frage auf sich beruhen. Boris sagte mit freundlicher Ironie: »Meine Beziehungen zu Narziß sind, das versteht sich, nicht völlig problemlos. Indes, wir können miteinander leben.«

Die Tänzerin bestellte bei einem flinken Studentenkellner mit blond-verschwitzten Haaren eine Weißweinschorle, die in Amerika »spritzer« heißt. Sie folgte der Unterhaltung mit nachlässiger Geduld. Sie war müde. Sie gähnte. Sie führte nicht die Hand diskret vor den Mund. Sie zeigte Zähne, die bemerkenswert regelmäßig, stark und gesund zu sein schienen – wann singt ein Dichter das Lob der amerikanischen Zahnkultur? –, zeigte Zunge und Gaumen, ächzte ein wenig, nicht unmusikalisch. Sie war erschöpft. Sie fühlte sich wohl. Ein leichtes, schwarzes Kleid hing locker um ihre Glieder. Sie hatte sich weit nach hinten gelehnt, die Knie gespreizt. Sie schien ihrer selbst und ihres Körpers sicher zu sein. Lang, sagte sie, werde sie nicht mehr ausharren, so freundlich der Abend sei, ihr Tag beginne um sieben Uhr früh. Um neun müsse sie bei der Arbeit erscheinen.

»Welcher?« fragte der Fremde. »Theater? Ballett? Schuldienst? Krankenhaus? Sozialamt? Was?«

»Nichts davon«, antwortete sie sachlich. Sie sei Friseuse und Kosmetikerin. Natürlich sagte sie »Coiffeuse«, in fast korrekter Betonung, und sie gebrauchte auch das amerikanische Kunstwort »beautician«, das sich umständlich als »Verschönerin« eindeutschen ließe. Sie lachte mit einer vollen, dunklen Stimme, klingend, ein wenig glockenhaft. »I'm working in a beauty-shop, one of the best in town, doesn't it show?« Sie warf die Pracht ihrer dicken, langen, schwarz-braun gelockten Mähne in den Nacken – wie ein routiniertes Model unter dem Fön des Photographen. Ihre kosmetischen Künste hatte sie mit Zurückhaltung genutzt: ein Hauch von Rouge auf den ohnedies ausgeprägten und hochgestellten Backenknochen, ein bißchen Mascara, schwarze Tusche unter den Augen, die so weit auseinanderstanden wie bei Mrs. Jacqueline Onassis verwitwete Kennedy, kein Lippenstift auf dem großen Mund.

Der Löwenkopf, die Augen, die erhöhten Wangen: Sie sieht aus, dachte der Fremde, wie eine ägyptische Prinzessin. Beim Tanz auf dem Fountain Square, als sie ihr schweißnasses Gesicht in so expressiven Grimassen verstellte, wirkte sie eher wie eine Verrückte. Bizarre Schönheit. Aber war sie denn schön? Ging von ihr nicht eher ein seltsamer und exotischer Reiz aus, ein Hauch von Hexenhaftigkeit, ohne Tücke, ohne düstere List, unbekümmerte Sinnlichkeit mit einem unangefochtenen Enthusiasmus vermengend? Sie hat Kraft, dachte der Fremde, sie hat Persönlichkeit, Magie, in der sich Femininität und eine Art von kindhafter Frische vereinen.

Wo lernte sie tanzen? »Bei mir selber«, sagte sie leichthin. »Mich drängte es, meine Energien, meine Emotionen, meinen Körper zu aktivieren. Ich frisiere Frauen. Sie sind, fast ausnahmslos, zu passiven

Kreaturen verkommen. Lockenwickler, Schminke, im äußersten Fall ein bißchen Schönheitsgymnastik – ich sehe, wie sie sich mit ihren Gesichtern, mit ihren Körpern, mit ihren Gefühlen, ihrer Seele langweilen.«

Sie besuchte einen Kursus, in dem Jazztanz gelehrt wurde. Sie begann, am Abend nach der Arbeit, ihre Jogging-Runden im Park von Mount Adams zu drehen. Sie begegnete Boris und seinen Freunden. Sie versuchte die ersten Tanzbewegungen zuhaus vor dem Spiegel nach den üblichen Klassikerplatten, an denen sie Geschmack hatte: Bachs Toccata und Fuge in d-Moll, von Stokovsky für großes Orchester gesetzt, den Kanon von Pachelbel, natürlich die Mondscheinsonate und natürlich Strawinsky – das übliche Repertoire. Boris stöberte irgendwo im Getto die schwarzen Trommelknaben auf. In der jungen Frau regte sich die ägyptische Seele. Oder?

»Nichts von Ägypten!« rief sie. Die Müdigkeit war fortgeschüttelt. »Ich bin, soweit ich es weiß, eine russisch-jüdische und irische Mixtur.« Eine aparte Kombination, dachte der Fremde. Sie könnte für ein explosives Talent verantwortlich sein. Das, dachte er weiter, ist vielleicht Amerikas entscheidender Vorzug: die unendliche Variation der ethnischen, kulturellen, religiösen Elemente, die Vielzahl der Charaktere und Farben, die Konfrontation, die Integration so vieler Spannungen, der Reichtum von Anziehung und Abstoßung, die immer neue Verschlingung der Möglichkeiten. Was für ein Konzert, dachte er, mit wievielen Stimmen, was für eine menschliche Polyphonie.

Amerika ist mit diesem Segen nicht immer glücklich. Er kann eine Last, eine Qual sein. Dennoch erfährt es in ihm tagein tagaus, eine elementare Erfrischung, eine fast gewaltsame Verjüngung, eine vitale Herausforderung, die es zähneknirschend besteht oder jubelnd willkommen heißt. Auch die Deutschen, dachte er, sind in Wahrheit kein homogenes Volk, sondern eine Komposition der unterschiedlichsten Menschenströme, die von Europas Mitte Besitz nahmen. Sie sind zu einem Viertel polnisch, wendisch oder tschechisch, sind keltisch, lateinisch, sie sind Protestanten, Katholiken, in der Mehrheit gottlos, sie beherbergten einst einige hunderttausend Juden – und wollten den Reichtum nicht wahrhaben, bestanden darauf, eins und eines zu sein, untersuchten die Formen der Schädel und das Privileg der Blondheit, sie strengten sich an, in einem kollektiven Krampf sogar ihre Gesichter zu uniformieren.

Selbst jetzt, dachte er, stellen sie sich blind gegen den Reiz des Anderen, den die Millionen Italiener, Griechen, Spanier, Jugoslawen und Türken in ihr Land brachten. Die schöne Eigenart fremden Lebens, das nicht fremd bleiben muß, den Appell an die Neugier, das Vergnügen an unvertrauten Lauten, ungewohnten Sitten, seltsamen Gebärden, die dechiffriert sein wollen, Augen, deren Ausdruck von weither kommt, folkloristischen Moden, an Musik, Gerüchen, Speisen. Das wenigstens, sagte er sich, haben sie begriffen: die Vortrefflichkeit anderer Küchen. Sie wurden mit solcher Begierde aufgenommen, daß die letzten Gasthäuser deutscher Tradition eines Tages unter Denkmalschutz gestellt werden müssen, obschon man die importierten Gerichte da und dort unverzüglich wieder zugrunde richtet und in Berlin, der einstigen Weltstadt, italienische Küchenchefs dazu zwingt, ihre Salate in einer süßlich-weißen Quarksoße und die Makkaroni als Pampe zu servieren – auch eine Form der Koexistenz.

Wenn sie nur wüßten, diese Deutschen, dachte er, wieviel schöner und bunter ihre Dörfer, ihre Städtchen durch die Gegenwart der sogenannten Ausländer wurden, durchaus anziehender, vom wirtschaftlichen und sozialen Nutzen ganz zu schweigen. Wieviel menschlicher, reicher, europäischer putzte sich dieses westliche Deutschland heraus, ohne den Charme des Provinziellen zu verlieren. Warum geben es die Deutschen nicht zu? Warum reden sie nicht davon? Warum führen ihre Zeitungen immer nur Klage, wohlmeinend, doch vor allem grämlich, wie es der verhangenen und oft so schlechten Laune der Gesellschaft entspricht? Warum verschließen sie sich? Wovor haben sie Angst? Suchen sie nicht, für teures Geld, zugleich Jahr für Jahr in einem Exkurs von Millionen das Andere und Fremde in den entferntesten Winkeln der Welt auf? Sie wollen dort draußen auch Bier und Bockwurst wiederfinden, das ist wahr. Ihre Gaumen gewöhnten sich zugleich an die seltsamsten Sensationen. Die hübschen Mädchen, manchmal auch die hübschen Männer, fassen sie nicht ungern ins Auge, doch zuhaus ...

Vor der Tänzerin, die in »Mecklenburg's« Garten von ihrem Großvater, dem Rabbiner, erzählte, lägen sie auf den Knien, vielleicht. Anders als Boris Goldmund, den versprengten Fahnenjunker, zieht Deutschland sie leider nicht an. Frankreich wohl. Sie war in Paris. Sie mengte einige Worte Französisch in die Unterhaltung, mit überraschend gutem Akzent. Sie sagte, sie wäre nicht abgeneigt, dort drüben ein paar Jahre zu leben, nur müsse sie sich für Europa einen anderen Namen besorgen. An dem ihren brächen sich alle Franzosen die Zunge.

Der Fremde hatte die Lautmalerei, mit der sie sich einführte, nur flüchtig zur Kenntnis genommen. Sie buchstabierte, aber das half wenig. Sie nahm ein Stück Papier und schrieb in großer, offener, künstlerisch fließender Schrift:

X-i-l-i-a-r-y T-w-i-l.

Es sei nicht anzunehmen, sagte der Fremde, daß sie auf diesen seltenen Namen getauft worden sei, falls man sie getauft habe. Nein, antwortete sie, sie sei weder getauft noch Mitglied einer jüdischen Gemeinde, sondern religionslos und fromm zugleich aufgewachsen. Beverly Diskin heiße sie von Geburt, ein amerikanisch-jüdischer Allerweltsname, an dem sie nie Geschmack habe finden können. In einer Zeitung sei ihr der römisch-katholische Titel eines »Auxiliary Bishop« begegnet, eines Hilfsbischofs, der den gleichen Rang wie ein Weihbischof besitzen mag (oder auch nicht). Sie habe das Wort laut vor sich hin gesprochen und sich an dem Klang gefreut. Also beschloß sie, sich fortan so zu nennen.

Twil? Das bedeute nichts und alles. Der Ton sei vergnügt, überraschend und erinnere an eine tänzerische Übung, eine Pirouette oder einen Purzelbaum. Mit dieser heiteren Kombination wolle sie nun durch ihr Leben reisen.

Sie sagte gute Nacht. Sie schloß zuerst Boris, dann den Fremden geschwisterlich und voller Fleischlichkeit in die Arme. Sie nahm keine Wangenküsse entgegen, die in Amerika wie in Frankreich zu einer liturgischen Übung der Gesellschaft und ihrer Avantgarde wurden. Sie küßte zuerst Boris, dann den Fremden herzlich und feucht auf die Lippen, den generösen Mund halb geöffnet.

Eine sichere Frau, dachte der Fremde. Ihr kommt es nicht darauf an, wie weit und wohin sie's im Leben bringt. Sie will leben. Sie lebt. Das ist für sie alles. Er sagte Boris adieu, der unter den Lampions in »Mecklenburg's« Garten ein paar Freunde gefunden hatte, und fuhr zu seinem Hotel, die Fenster des Wagens geöffnet. Es war gut, die schwere, warme und ein wenig süßliche Nachtluft zu spüren. Er war fröhlich in seinem Herzen.

Der Fremde sah die beiden von Zeit zu Zeit, wenn ihn der Weg nach Cincinnati führte. An Xiliary beobachtete er eine wachsende Unruhe. Sie sei es leid, sagte sie, in den Haaren alternder Damen zu wühlen, die ohnedies kaum verstünden, daß Schönheit nicht aus dem Schminktopf stamme und nicht unter der Trockenhaube gedeihe, sondern sich aus der Seele nähre. Beim Jogging legte sie eine Meile zu. In ihrem gemütlich-vergammelten Holzhaus am Fuße des Mount Adams-Quartiers mit seinen Kneipen, Discos und Galerien setzte sie sich am Abend oft ans Klavier und hämmerte die seltsamsten Dissonanzen aus den Tasten. Ihre Fantasien, wenn sie so genannt werden durften, waren scharf rhythmisiert. In der Ferne blinkte manchmal eine Art von Thema auf, das sie sich in ruhigeren Augenblicken ausgedacht haben mochte. Von den Regeln der Kompositionskunst, von Harmonielehre ahnte sie nicht das geringste. Vermutlich hatte sie nicht mehr als zehn oder zwanzig Klavierstunden absolviert. Ein lebhafter Wille zum Ausdruck schien es ihr zu erlauben, alle Gesetze der Musik radikal und begeistert über den Haufen zu spielen: »self-expression«. Hin und wieder skandierte sie Worte einer mystischen Lyrik über ihre entnervenden Tonstrudel hinweg. Voller Mitleid wandte sie sich dem Fremden zu und fragte, ob er allzu sehr leide. Er verneinte dies nicht. Sie lachte und seufzte: Eines Tages werde sie Beruf und Berufung finden. Dann sprach sie davon, ihr Häuschen auf den Markt zu werfen und nach Californien zu gehen.

Die also auch, dachte der Fremde. Er war in langen Jahrzehnten so vielen liebenswürdigen jungen Menschen begegnet, die aus den Konventionen der Ostküste und der Konformität des Alltags im Mittleren Westen flohen, um an der pazifischen Küste ihre irrlichternde Freiheit zu finden: »self-expression« ... die zuerst und zuletzt, Auslauf für Neigungen und Passionen, die sie als künstlerisch empfinden mochten, spirituelle Ekstasen, sexuelle Experimente, religiöse Ergriffenheiten, das sogenannte einfache Leben unter der Sonne, auch das Recht, gar nichts zu tun, wenigstens nichts, das man in Baltimore oder Boston als »vernünftig« bezeichnen würde. Dort drüben hasteten sie rastlos über die Strände und die Boulevards, zogen sich in die Bergwälder zurück, um Marihuana zu pflanzen, begründeten Sekten und Kirchen, verdingten sich bei Salat- und Weinbauern, kreierten rituelle Tänze und sanken voller Andacht vor den Gurus der unterschiedlichsten Lehren in die Knie.

Der Fremde verachtete die wabernde und amorphe Vitalität nicht, die sie umtrieb. Wieviele Sehnsüchte, welche Glaubensbereitschaft, welche Unerlöstheiten schleppten sie mit sich umher, naiv, voller Idealismus und mitunter auch voll natürlicher Bosheit, jenseits von Schuld oder Unschuld. Erfahrungen einer erwachsenen Moralität hatten in ihren Kinderseelen keinen Platz. Sie waren von einer bezwingenden Friedfertigkeit, doch ihre Enttäuschung schlug manchmal in jähe, blutige und wahnsinnige Gewalt um. Nach einer Weile kehrten sie in die Ordnung des alten Ostens zurück oder fügten sich den Regeln eines Daseins, das man bürgerlich nennt. Oft schienen ihre Kindergesichter über Nacht zu verwelken. Die Träume waren verdorrt.

Xiliary also auch, dachte der Fremde. Brauchte eine Stadt wie Cincinnati nicht wuchernde Talente ihrer Art, die Unruhe, die sie kreativ hieß, ihr Lachen, ihre Unabhängigkeit, ihr Vergnügen an sich selber? Sie ließ sich ihre Pläne nicht ausreden.

Ein gutes Jahr später traf sie der Fremde in San Francisco an. Wo sonst? Sie scheute Los Angeles, diese monströse Zivilisationsmaschine, die im Smog und der Monotonie der endlosen »suburbs« zu verrotten schien. An Hollywood verschwendete sie keinen Gedanken, obschon sie in den Studios vielleicht eine Karriere als Maskenbildnerin hätte beginnen können. Sie wollte nicht mehr für andere Leute in die Farbtiegel und Puderdosen langen. Sie haßte den Glitter, von dem sie zu Recht vermutete, daß er einer schäbigen und eher grauen Wirklichkeit aufgeklebt sei, die gleißende Tarnung einer Welt von infantilen Phantasien, kleinlichen Intrigen und mörderischen Konkurrenzkämpfen.

Die Freiheit hieß San Francisco: Die helle und hochgebaute Stadt, die Licht und den Zauber einer schwebenden Bildungslosigkeit versprach, zugleich die nachbarliche Wärme so vieler verwandter Geister, die nach einem »erfüllten Dasein« trachteten, das keinem zum Pferch werden sollte. Sie alle dürsteten nach dem, was sie »a meaningful life« nannten: eine Existenz, die durch Kunst, Poesie, religiöse

Erhebung oder auch nur eine schweifende Lust dem korrumpierenden Alltag entrückt sein würde.

Xiliary gewann rasch einige Freunde. Es gelang ihr, einen geradezu triumphalen Einstand zu zelebrieren: Sie tanzte, ohne Rücksicht auf den Verkehr, über die Golden Gate Bridge. Den gloriosen Blick über die Bucht und hinüber nach Alcatraz, der alten Gefangeneninsel, nahm sie kaum wahr. Auch die populäre Sprungstelle der Selbstmörder entging ihrer Aufmerksamkeit. Ihr Sinn war eher nach innen gerichtet, doch zugleich ließ sie die Kolonnen der Autos nicht völlig aus dem Auge. Manchmal erreichte sie das Lächeln eines Herrn am Steuer. Öfter erkannte sie nur die Grimasse blöden Staunens. Doch einige Fernsehkameras folgten ihr beharrlich. Am Abend zeigten die regionalen Programme kleine Ausschnitte des Exerzitiums, das sie in einem kurzen Interview als ein »Opfer an die Seele der Stadt, der Berge und des Meeres« beschrieb. Es regnete Glückwünsche. Sie wurde auf der Straße angesprochen.

Die kleine Geldreserve aus dem Verkauf ihres Häuschens erlaubte es ihr, eine hübsche Wohnung in einem victorianischen Quartier auf einem der sieben Hügel zu beziehen. Tausend Möglichkeiten schienen sich ihr zu öffnen. San Francisco winkte und lachte ihr zu. Sie überlegte, wie der Charme dieser strahlenden Welt genutzt werden könne. Aus dem Mittleren Westen hatte sie eine Spur des salzigen Realismus bewahrt, der dort zuhaus ist. Sie vergaß nicht, daß ihre Mittel bald erschöpft wären, wenn sie sich nicht auf einen Brotverdienst einließe. Mit einem Freund entwarf sie Pläne, den Edeltourismus zu kultivieren und, kein Zweifel, auch ein wenig zu plündern. Ein komfortables Apartment in der Stadt sollte gleichsam als Meldestelle und Servicestation dienen, in der die teuren Kunden rasten dürften, bei Tee aus duftenden Kräutern, Espresso, vielleicht auch einem Schluck Wein, um die notwendigen Energien für die Besichtigung der Stadt, der Museen, der Theater und Cabarets, den Besuch sorgfältig ausgewählter Restaurants und einer Bar zu sammeln, ob homosexuell oder nicht. Sie würden bei ihren Einkäufen in den Boutiquen und besseren Warenhäusern begleitet, auf Wunsch könnten ihnen gesittete Massagen und – in Gottes Namen doch – kosmetische Behandlungen verabreicht werden. Anzeigen im »New Yorker«, in »Home and Garden« oder im »Architectural Digest«, in »GEO«

und ähnlich aufwendigen Zeitschriften sollten anspruchsvolle Klienten herbeilocken.

Xiliarys Augen funkelten, als sie ihr Projekt beschrieb. Hatte der Fremde ein Recht, ihren Enthusiasmus zu dämpfen? Er murmelte schüchtern, es brauche wohl einige zehntausend Dollar Kapital, das Unternehmen in Gang zu bringen. Das werde sich finden, jubelte die Freundin mit ihrem singenden Alt. Sie stehe mit diesem und jenem Interessenten in Verhandlung. Nobler Service nach ihrem Konzept sei eine Neuheit, auch für Californien, das alles Neue begierig an sich reiße. Der Fremde wünschte ihr alles Gute.

Bei seinem nächsten Ausflug an die Westküste stellte er fest, daß Xiliary ihre hübsche Wohnung mit zwei Untermietern teilte, deren Nähe sie nicht zu bedrücken schien. Sie schilderte voller Eifer die Anregung, die sie in ihrer Wohngemeinschaft empfange. Man habe einander so viel zu geben. »We are growing by our experiences«, sagte sie. Sie liebte Worte wie »wachsen« und »Wachstum« – bis auf das eine, das sie nur selten in den Mund nahm: »erwachsen«.

»Dein Unternehmen?« fragte der Fremde. »Dein Luxusservice – wie steht es damit?«

Der schöne Plan sei gescheitert. Das übliche: Zusagen, die nicht eingehalten wurden, Mangel an Kapital.

»Und nun?« forschte der Fremde mit einigem Zagen. »Wovon lebst du? Bist du wieder im alten Beruf?«

Xiliarys so weit geschwungene Brauen zogen sich für einen Augenblick voller Ärger zusammen. Nein, zur Brennschere kehre sie nicht zurück. Das wäre die Kapitulation. Man müsse vorwärts. Man müsse wachsen. »Also?« »Ich tanze.« »Bravo!« rief der Fremde. »Wo? Am Theater? In einer modernen Truppe? Therapie-Tanz? Was?«

Xiliary berichtete, sie trete Nacht für Nacht in einer »topless-bar« auf. Das Etablissement sei anrüchig, aber das kümmere sie nicht. Es verstimme sie auch nur wenig, daß sie die Gäste zum Saufen zu animieren habe. Sie selber trinke kaum. Im übrigen gebe sie sich Mühe, mit den Herren intelligente Unterhaltung zu führen, was nicht immer gelinge, doch sie könne es sich leisten, den primitivsten Kunden den Rücken zu kehren. Der Patron habe verstanden, daß ihre Anwesenheit von Herrschaften mit Niveau geschätzt werde. Manche Gäste sprächen mit ihr erstaunlich offen. Die Bar mit ihrem dämmrigen Licht sei gewissermaßen ein Niemandsland der Gesellschaft, in dem Verkrampfungen und Hemmungen ausgelöscht würden. Nacht für Nacht sammle sie einige Schicksale ein, die sie anderntags – nach dem Jogging – in ihrem Tagebuch notiere.

Die Barfrau als Beichtmutter, das kannte man. Xiliary verteidigte die Notwendigkeit dieser sozialen Institution mit einer Leidenschaft, der man nicht gern widersprach. Die Geständnisse häuslichen Elends hätten ihr fürs erste jeden Gedanken an Ehe und Familie verleidet. »Erbarmen mit den Männern« könnte der Titel des Buches sein (gäbe es ihn nicht schon lang), das sie eines Tages schreiben wolle.

»Und die Tanzerei?« Der Striptease sei keine inspirierte Form der Darbietung, doch er verlange eine sorgsame Disziplin, die ihr der Ausdruckstanz nicht auferlegt habe. Sie mache das beste daraus. Jede Bewegung gestalte sie so ästhetisch wie es angehe. Sie vergesse nicht einen Augenblick, daß ihr Körper gut sei. Einen Hauch von Schönheit auch in jenem Dreckloch zu vermitteln – sei das keine Aufgabe, die eine Anstrengung lohne? Ungerührt lese sie am Ende die Geldscheine auf, die ihr zugeworfen würden: gutes Geld, redlich verdient.

Der Fremde gab ihr recht. Er meinte eine Spur tapferer Mühe in ihrem Gesicht zu erkennen, auch wenn ihr großzügiger Mund noch immer so unbefangen zu lachen schien wie in Cincinnati. Monate danach erreichte ihn ein Brief aus Ketchum im Staate Wyoming, einem weltentlegenen Ort, der in den Mythen des alten Wildwestens einige Prominenz genießt. Sie lebe, schrieb Xiliary, im Ranch-House eines interessanten und attraktiven Herrn, der in der Nähe Kupferminen betreibe, doch viel in Geschäften unterwegs sein müsse. Die Stille tue ihr wohl. An der grandiosen Landschaft könne sie sich nicht sattsehen. Sie male. Sie schreibe Gedichte. Sie halte den Haushalt in Ordnung, kümmere sich auch um die persönliche Buchführung, sitze abends am Kamin, allein oder mit dem Herrn, lese und höre Musik. Von Zeit zu Zeit komme eines der Kinder aus der geschiedenen Ehe ihres Partners herauf. Sie sei glücklich. »It's a time of interior growth«, fügte sie noch hinzu, in ihrer großen, künstlerisch bewegten Schrift.

Sie wuchs also weiter, von innen, nach innen. Der Fremde dachte sich aus, wie sie auf einem kräftigen Pferd durch die weiten graubraunen Täler des Berglandes ritt, wenn sich die Konturen am Nachmittag in einem rostfarbenen Licht aufzulösen schienen, hinter ihr die Schatten der spärlichen Bäume, der bizarren Felsformationen und der fernen Gipfel. Er erinnerte sich an eine junge deutsche Frau, einst ein teures Mannequin, schön und schüchtern, die eines Tages aus New York davonfuhr, westwärts, einen knappen Brief an den kleinmütigen Mann hinterlassend: Auch sie hatte in der strengen Wildnis von Wyoming Station gemacht. Als er sie wiedertraf, trat ihm eine selbstbewußte Pionierfrau entgegen, noch immer schön, der rauhen Eleganz des Westens angepaßt. Kaltblütig erschoß sie jede Klapperschlange, deren Ratteln sich im Umkreis ihres einsamen Hauses ausmachen ließ.

Bei einem der seltenen Telefonate – die Leitungen in jener Bergwelt waren schwach und oft gestört – fragte er Xiliary, ob sie die Wahl zur »Rodeo-Queen« als Gipfel ihrer Karriere betrachte. Nein, sagte sie, ihr Partner habe einige Grundstücke und Häuser in Los Angeles gekauft. Sie werde umziehen, um dort nach dem Rechten zu schauen. Los Angeles – also doch. Dann viel Glück.

Beim nächsten Rendezvous betrat sie das Foyer des Hotels am Wilshire Boulevard mit einem Ausdruck von kühler Energie. Sie trug ein graues Kostüm, schlicht und kostbar, keinen Sack, keine Tasche, sondern ein Attachécase aus rötlichem Leder (mit goldenen Initialen) an ihrer Hand. Die Vereinbarung des Termins hatte Mühe gekostet. Der Real-Estate-Boom gedieh aufs üppigste, die Begier auf Immobilien schoß damals ins Kraut, und ein Ende der Konjunktur schien nicht absehbar: keine Warnzeichen, der Horizont war eitel Silber.

Durch die Unterhaltung schwirrten Zahlen, die den Fremden verwirrten. Xiliary, jeder Zoll eine Geschäftsfrau, lachte ihr gewohntes großzügiges Lachen. Sie weigerte sich nach wie vor, artige Wangenküßchen zu tauschen. Sie küßte auf den Mund, offen und generös. Von ihrem Apartment in Marina del Mar blickte sie auf den Pazifik. Der Smog belästigte sie dort draußen kaum.

Man lernt, sagte sie, man gewinnt Erfahrungen, man wächst. Sie hatte das Ende ihrer Laufbahn nicht erreicht. Die Verbindung mit dem Fremden brach nicht ab. Die Briefe verloren nicht ihre Herzlichkeit, doch sie wurden seltener gewechselt, die Telefonate waren sporadisch. Zuletzt meldete sie sich aus Paris. Sie bereitete, unterdessen Agentin eines californischen Galeristen von einigem Ansehen und größerem Reichtum geworden, die Ausstellung eines amerikanischen Malers vor, von dem sie sagte, er stehe de Kooning, Oldenbourg, Pollock ja Miró und Picasso nicht nach. Der Fremde hatte den Namen niemals gehört. Als er nach ihr suchte, in einer stillen Seitenstraße der Ile de St. Louis, unterrichtete ihn die marokkanische Concierge, nicht ohne einen Anflug von Mitgefühl, die Dame sei tags zuvor in die Vereinigten Staaten zurückgeflogen.

Man wird sich nicht aus den Augen verlieren. Boris sorgt dafür. Oder Doug. Oder Indira. Oder Christopher. Oder Linda. Der Fremde hatte in jener Sommernacht in Cincinnati, in »Mecklenburg's« Garten, den Anschluß an eine junge und weitverzweigte Familie gewonnen, die ihn im Gang der Jahre mit ihrem expansiven Wohlwollen adoptierte, obschon er ihr eine halbe Generation voraus und in manchem hintennach war.

Da und dort stieß er auf ihre Spuren, meist von Boris' kleinen Hinweisen und Ermutigungen gelenkt. Boris schien stets zu wissen, wer sich wo aufhielt. Sorgsam führte er Buch über die rasch wechselnden Adressen und über die Einfälle, denen die Wahlverwandten nachliefen. Saß man ihm abends bei einem Glas Wein gegenüber (er trank mit großer Zurückhaltung), wurde man von ihm gar zum Essen geladen (er zauberte mit leichter Hand winzige Köstlichkeiten auf die Teller), hegte man kaum den Verdacht, daß dieser aufgeräumte und so völlig entspannte junge Mensch jemals einer ernsthaften Arbeit nachging. Was immer er unternahm, es schien ihm ins Spielerische zu geraten. Man durfte vermuten, daß seine Projekte auch einem unverstellten Spieltrieb zu genügen hatten. Nichts schien seinen Händen schwer zu werden. Amüsiert und dennoch voller Eifer berichtete er von den artistischen Abenteuern, mit denen er die brave Bürgerschaft Cincinnatis heimzusuchen und zu verwirren gedachte. Gern bediente er sich dabei einer blumig-umständlichen Rede, altmodisch, nicht unpräzis, wie es der wunderlichen Eleganz seiner Erscheinung entsprach.

Er bewies eine diskrete Tüchtigkeit, die er mit Selbstironie und einem listigen Kompliment für den Fremden gern »deutsch« nannte. Die Mischung von Charme und »preußischer Exaktheit« war ihm hilfreich, wenn er die Gremien der großen Stiftungen oder die Verwalter der Kulturkassen bei den Konzernen zu überreden hatte, dieses und jenes seiner Projekte zu unterstützen. Die Gesprächspartner waren oft selber davon überrascht, daß sie seinen Wünschen so eilig und fast bedenkenlos nachgaben. Sie kreideten ihm die eigene Willfährigkeit nicht einmal böse an, was leicht hätte sein können, denn so ist der Mensch, zumal der mächtige: Er verzeiht sich Güte und Schwäche ungern.

In Amerika, dachte der Fremde, scheinen die psychologischen Muster anders gewirkt: Man bewundert den Erfolg, auch wenn es nicht der eigene ist, ja auf die eigenen Kosten geht. Der Erfolg mag ein Götze, ein Moloch sein, doch er beherrscht Amerika mit einer Art Großmut. Die Allianz mit dem Glück, das es allemal braucht, läßt grimmige Verbissenheit nicht zu, die der Erfolgsmensch europäischer Prägung so oft zur Schau trägt. Das Wohlwollen der Götter verlangt die Nachsicht der Menschen. Darum, dachte der Fremde, ertragen sie den Mißerfolg soviel gelassener: nicht als eine moralische Niederlage, deren Blessuren sich nicht abschütteln lassen, selten als eine Tragödie, sondern als Pech, eine Strähne von Un-Glück, eine Laune des Schicksals, das sich auch wieder wenden mag.

Boris Goldmund erntete schieres Wohlwollen. Er gewann den Ruhm, ein »fund raiser« von hohen Talenten zu sein, Edelschnorrer in Sachen Kunst, der den Leuten mit den verblüffendsten Tricks das Geld für die schönsten Zwecke aus der Tasche zu ziehen verstand. Die Stadtväter schauten ihm voller Respekt auf die Finger. Eines Tages entschlossen sie sich, Boris als eine Art Kunstkommissar in Amt und Würde zu setzen. Siebenundzwanzig Jahre zählte er.

Das Glück währte nicht lang. Nicht daß Boris die konservative Bürgerschaft mit progressivem Allotria allzu verstört hätte; der war jeder seiner Umtriebe willkommen. Nicht daß ihm der Vorwurf mangelnder Seriosität hätte gemacht werden können; er förderte die klassischen Künste nicht weniger als die modernen, bewies ein Auge für gute Maler und ein Ohr für begabte Musiker. Nicht daß man ihm unterstellte, er biete kleinen Protegés nützliche Handreichung oder sei darauf bedacht, den Kreis der Freunde ins Brot zu setzen. Nicht der leiseste Geruch von Korruption. Kein Geflüster über Durchstecherei. Man war mit ihm zufrieden und hatte dazu Grund. Sein deutscher Ordnungssinn und eine moralische Empfindsamkeit, die jüdisch sein mochte, ließen bloßen Firlefanz und dunkle Machenschaften nicht zu.

Das Geschick warf ihn durch einen ordinären Unfall nieder: Ein Auto fuhr ihn über den Haufen. Mit komplizierten Schädelbrüchen lag er im Hospital, lang auf Leben und Tod. Als er Monate später entlassen wurde, fühlte er sich nicht imstande, sein aufreibendes Amt wieder aufzunehmen. Er quittierte den Dienst. Cincinnati war ihm fürs erste verleidet. Er begab sich – zur zivilisatorischen Rekonvaleszenz, wie er sich ausdrückte – nach New York, zu seinen Freunden in der Broome Street.

Nur halbkundige Liebhaber der Weltstadt rechnen jene Straße dem »Village« zu, vom artistischen Treiben des Viertels verführt. Der etwas verlotterte Häuserzug zählt zu SoHo, dem Quartier südlich der Houston Street, das seit nahezu zwei Jahrzehnten eine Blüte erfährt, seit sich Maler, Bildhauer, Musiker, Dichter, Designer, Nichtstuer und Vermarkter in den heruntergekommenen Lagerhäusern, den einstigen Werkstätten und proletarischen Wohnungen niederließen.

Der Fremde schaute sich, wenn er in New York zu tun hatte, in dem Viertel um, mit gedämpfter Neugier, denn er war sich nicht immer sicher, ob die eine Schule abstrakter Gestaltung, die zur Stunde hoch im Kurs stand, eine Unterscheidung von der vorigen, die man so stürmisch gefeiert und so schnell wieder vergessen hatte, tatsächlich auch lohnte. Er fand nur mäßiges Interesse an den Photorealisten, die damals zu horrenden Preisen gehandelt wurden; der blitzende Kühler eines Daimler-Modells, originalgroß und täuschend echt (wie man sagte) auf die Leinwand gezaubert, weckte in ihm nur geringe Lustgefühle. Er war auch nicht bereit, ein Monatsgehalt in eine der Montagen Andy Warhols zu investieren, und es waren nicht Geiz oder Vorsicht, die ihn zögern ließen, vielmehr sein Widerwille gegen forsch klischierten Schick und alberne Prätention, vor allem aber die Furcht vor der kalten Verödung, die aus den weißlichen Zügen des Meisters sprach. Unter der blonden Perücke, dachte er, wohnt nichts als bittere Langeweile. (Diesen Eindruck sollte eine Begegnung zu späterer Zeit bestätigen.) Nur halbherzig stimmte er in den Jubel über die amerikanischen Triumphe seines Landsmannes Beuys ein, da die Pointen des Groß-Gestalters oft allzu offensichtlich, zu aufwendig und zu billig zugleich schienen, doch er bewunderte ihn als ein Public-Relations-Genie: den neu-deutschen Hans, der in allen Gassen Dampf macht.

Ihm schienen auch nicht alle Erregungen und sorgsam geplanten Irritationen des Experimentiertheaters der zahllosen Kleinbühnen »off-off-Broadway« das konspirative Gewisper zu lohnen, in dem ihr Ruhm gedieh. Den Verzicht auf Artikulation (der nicht immer freiwillig war) empfand er als ein wenig entnervend. Manches war halt Schnee von gestern: abgestandene Reminiszenzen an das Berlin der zwanziger Jahre, Expressionismus teutonisch, Menschheits-Dämmerung, Dada als Aufguß, Brecht und kein Ende, verzückter Jubel, nicht über den Poeten, der einige der schönsten Gedichte deutscher Sprache in diesem Jahrhundert schrieb (die Übersetzungen kannten nur wenige), nicht nur über den Autor der »Mutter Courage«, des »Galilei«, der »Heiligen Johanna der Schlachthöfe«, sondern öfter Hingabe an die kärglichsten Pedanterien des großen Mannes, der zum Schluß seiner Tage (gewiß nicht zu seinem Glück) die Rolle fand, nach der ein Teil seines Wesens wohl immer gelechzt hatte: die des Oberschulmeisters der Nation, wenngleich einer geteilten, eines Studienrats der Völker, bitter und zynisch, des schlecht gelaunten Belehrers der Massen, die er nicht liebte.

Dem Fremden waren die Wanderungen durch SoHo und Umgebung keine Kulturpflicht, die mit zusammengebissenen Zähnen bestanden werden mußte. Er fand die Gegend lustiger und anregender als den kommerzialisierten Broadway-Betrieb, der manchmal auf Kraft-durch-Freude-Niveau herabsank. Er schaute sich um und blieb stehen, wenn eine Regung, die ihm merkwürdig war, eine Farbe, die ihn lockte, ein Gesicht, das ihn berührte, seine Aufmerksamkeit weckten. Vom sogenannten Betrieb der Artisten, Kritiker und Experten hielt er sich fern, nicht absichtsvoll, eher bequem. Er ließ sich lieber treiben, dem Zufall vertrauend, den er als den zuverlässigsten Wegweiser zu betrachten gelernt hatte. Wenn andere es auf sich nahmen, seine Schritte behutsam zu lenken – um so besser, denn solche Hilfen entsprachen einer faulen Ergebung ins Schicksal und seine Überraschungen. Von sogenannter »Lebenshaltung«, der gespannten, hielt er immer weniger.

In der Broome Street war er zugange, ehe Boris dort Residenz nahm. In Washington, wo der Fremde seiner Arbeit nachging, rief ein junger Mann an, der sich auf die Freundschaft mit Boris berief, Christopher hieß er. Er kam zum Essen. Ein munterer Knabe, auch er in Cincinnati zuhaus, lebhaft und sanft zugleich, wache Augen in einem runden, ländlichen Gesicht, um das kleine Kringellocken wie ein lustiger Kranz geringt waren. Er langte wacker zu und amüsierte die Gesellschaft durch die Gewißheit, mit der er von seiner literarischen Zukunft sprach. Er schrieb Gedichte, Essays, Short Stories und Kritiken, was immer sich an die Untergrund- und Obergrundblättchen verkaufen ließ, zu denen er Zugang hatte. Zweifel am eigenen Talent und einer leuchtenden Zukunft schienen ihn nicht anzufechten. Im Fortgang des Abends erwies er sich als ein genauer Kenner der Jazzmusik, ihrer Geschichte, Stile und Entwicklungen. Es hatte seine Logik, daß er ein Jahr danach die Redaktion eines angesehenen Jazz-Magazins in Los Angeles übernahm.

Vor dem Abschied sagte er: »Du mußt Indira und Doug kennenlernen. Sie wohnen in der Broome Street.«

»Indira wer?« fragte der Fremde. Christopher konnte sich des Nachnamens nicht entsinnen, doch er zog ein Photo aus der Tasche, auf dessen Rückseite er Anschrift und Telefonnummer notiert hatte. Das Bild, das der Fremde ins Licht schob, zeigte eine schöne junge Frau, die keiner indischen Dame, geschweige denn der Ministerpräsidentin jenes Namens glich. Die Herrscherin über mehr als sechshundertsechzig Millionen Menschen schien ihm furchterregend zu sein: hochmütig und auf eine subtile Weise grausam wie so manche der indischen Intellektuellen, die ihn mit ihrer Arroganz und den fortgesetzten Demonstrationen gesalbter Friedensweisheiten gepeinigt hatten. Die junge Frau auf dem Photo schien anderen Bereichen Asiens näher: kaum merklich geschlitzte Augen deuteten auf die Möglichkeit einer chinesischen, vielleicht koreanischen Verwandtschaft hin. Oder gab es eine vietnamesische, eine indonesische Großmutter?

Er täuschte sich. Indira, die der Fremde ein paar Wochen später aufsuchte, sagte mit ihrer hohen, etwas heiseren Stimme, sie könne urkundlich bezeugen, daß beide, Vater und Mutter, in Island zur Welt gekommen und ganz von isländischer Abstammung seien. »Davon gibt's nicht viele in den Vereinigten Staaten«, bemerkte der Fremde. Nein, sagte sie fröhlich, sie sei in jeder Hinsicht ein Sonderfall. Sie lachte, Grübchen links und rechts in den Wangen, die Augen ein wenig asiatischer als zuvor.

Plötzlich küßte sie dem Fremden die Hand. Betroffen starrte er auf die Sommersprossen seines Handrückens. Er wurde rot. Er fragte verlegen und verwirrt, was es damit auf sich habe. Indira strahlte mit einer Intensität, ja Totalität, die ihn beunruhigte: Augen (dunkel), Mund (groß), Stirn (harmonisch), Nase (zierlich, nicht ohne Schärfe) – alles schien an dieser Person zu strahlen, vermutlich auch Brust und Schoß, selbst die Beine (lang für die eher kleine Gestalt). Sie rief: »Man küßt in Europa die Hand! In Deutschland, in Österreich, in Polen – oder nicht? Warum soll die schöne Geste ein Privileg der Männer sein?«

Dem Fremden war der Gruß nicht ungewohnt. In frühen Amerikajahren hatte er sich der Geste zunächst ohne Skrupel bedient, doch allzu oft widerfuhr ihm, daß die Hände, die er an seine Lippen zu führen versuchte, zurückzuckten, als seien sie von der Natter gebissen, während andere achtbare Damen, über deren Hände er sich beugte, ein etwas zu schwelgerisches »How nice!« daherhauchten. Womöglich tremolierten sie nur: »Oh, you Europeans ...«

Er war das Aufsehen leid und sparte die Geste für seltene und nicht allzu öffentliche Augenblicke auf. Er paßte sich den Sitten des Landes so vorbehaltlos an, daß er schließlich fast aufs Schütteln der Hände verzichtete, ja er vergaß den guten Brauch, wenn er nach Deutschland zurückkam, zu seinem Schaden, da man dort als ungesellig gilt, feiert man das Wiedersehen mit dem Bürogenossen, von dem man sich nur fürs Mittagsbrot getrennt hatte, nicht durch einen kräftig-herzhaften Druck der Hände.

Indiras Spontaneität nahm ihm für eine Weile den Atem. Die listige Unbekümmertheit, mit der sie ihn in solche Verwirrung gestürzt hatte, schien ihrer Herkunft aus dem strengen, verschlossenen Norden zu widersprechen. Island. Er hatte die Insel nur das eine oder andere Mal aus zehntausend Metern Höhe betrachtet, wenn das Flugzeug den Atlantik-Nordkurs nahm und klare Sicht war. Kannte sie die Heimat ihrer Eltern? Aber ja: alle zwei Jahre fliege sie nach Reykjavík, um eine Großmutter aufzusuchen, die, wie sie hoffe, noch lang am Leben bleibe. Die alte Frau sei voller Geschichten. Sie erzähle ihr, halb englisch, halb in der eigenen

Sprache, die Mythen und Märchen, die Eingang in die Literatur der Welt gefunden hätten.

»Wie das?« fragte der Fremde und berührte behutsam die asiatische Ausschweifung der Augen.

Vermutlich sei ein gestrandeter Eskimo in die Hütte einer ihrer Ahnfrauen gekrochen, sagte sie dahin, in einer der hellen Sommernächte, in denen die Männer mit ihren Fischkuttern unterwegs waren. So mag es gewesen sein.

»Der Name Indira?« forschte der Fremde weiter, der das Bild der indischen Tyrannin nur ungern mit dieser strahlenden und herzlichen Person verband. »Mir gefiel der Klang«, sagte sie, »das ist alles. Keine politischen Konfessionen.«

»Bist du musikalisch?« fragte sie dann. Sie sang die Tonfolge vor: In-Di-Ra: zweimal g und danach der kleine Fall in die Quint.

Der Fremde schaute sich in der Wohnung um. Sie war kein Muster an Ordnung. Ein Raum von stattlichen Maßen, früher hatte er vielleicht eine Schneiderei beherbergt, durch alte Schränke und zerschlissene Paravents unterteilt. Hinten ein zerwühltes Doppelbett, Kleidungsstücke (weiblich und männlich) zu Bergen geschichtet, in der Mitte ein Tisch, einige Stühle, doch den meisten Platz besetzten die musikalischen Apparaturen: Klavier, Synthesizer, riesengroße Lautsprecher, Schlagzeug. »Das ist Dougs Werkstatt«, sagte Indira, »er kommt am Abend zurück«. Er arbeite in einem Filmstudio an der Komposition eines Werbespots.

Der Fremde entdeckte in der Ecke ein indisches Altärchen: künstliche Blumen, eine Buddha-Statue aus dem Souvenirladen, Räucherkerzen, Heiligenbildchen. In der Mitte das Photo eines weißbärtigen Gurus mit verkrakelter Widmung. Der Fremde war nicht überrascht. Indira streifte einige schmale Silberreifen über die Handgelenke. Sie legte eine Platte auf, setzte sich vor den Altar und begann zu einer Musik von scheppernder Melancholie – elektronische Mystik – ein faszinierendes Spiel der Hände und Arme. Ihre Finger verschlangen sich ineinander, lösten sich, unternahmen kleine Wanderungen, wellten aufeinander zu, berührten sich, liebten sich, hüpften davon. Die Armreifen klirrten. Der Fremde folgte den Bewegungen mit trägem Vergnügen. Nach einigen Minuten ergab er sich einer schläfrig-sensuellen Hypnose. Er nahm kaum wahr, daß die Musik verklang.

Indira lachte, ein junges Mädchen auf dem Schulweg: »Mein Tempeltanz«, sagte sie. Dem Fremden fiel nichts ein. Die Wanderungen der kleinen Gottsucher in Amerika und Europa, die sich auf die Pfade indischer oder fernöstlicher Innerlichkeit begaben, von dem einen oder anderen Guru geleitet, Weise und Scharlatane gleichviel, versetzten ihn stets in einen Zustand gelähmter Hilflosigkeit. Er dachte an das Elend, das er in den Städten Indiens links und rechts der Straßen gesehen hatte, Menschenbündel, halb verhungert sterbend. Er dachte an die kalte Entrückung, mit der Gurus und Hippies, die vom Geist Beseligten, in meditativer Beglückung über den Jammer der Welt hinwegschwebten. Er dachte: Was dort solches Unheil und so ausweglose Qualen verursacht – und sage keiner, daß Hunger nicht schmerze –, kann den japsenden jungen Seelen des Westens kaum helfen. Oder?

Er spürte kein Verlangen, sich mit Indira auf eine Debatte über die Fragen der Menschheit und ihres Heils einzulassen. Den Tempeltanz fand er hübsch. Hatte sie eine Pilgerfahrt auf den »kleinen« und »großen« Wegen der Erleuchtung unternommen? War sie je in Indien? Nein?

In Californien. In ihrem Gesicht setzte sich eine unangreifbare Unschuld fest. »In Hollywood«, sagte sie. Professionell? Vor geraumer Zeit, bemerkte sie eilig, hätte man sie ein vielversprechendes Starlet nennen dürfen, übrigens verheiratet mit einem gefeierten Jazzkomponisten, was kein Schade gewesen sei.

Sie holte Atem. Bei Dreharbeiten in der Wüste sei ihr Jesus Christus erschienen. Einfach so?

Neben sie habe er sich gesetzt, ein ruhiger, schöner und männlicher Mensch. Mit gütig-ernsten Worten habe er ihr gesagt, Hollywood sei nicht ihre Welt. Danach sei er fortgegangen. Einfach so.

Sie kündigte ihren Vertrag. Sie ließ sich scheiden. Sie begann Gedichte zu schreiben und Melodien für ihre Verse zu erfinden. Sie reiste nach New York. Sie begegnete Doug, der eine elektronische Begleitung ihrer Lieder arrangierte. Sie geriet von Jesus zu Buddha. Sie begann, wie sie zierlich formulierte, die Ströme ihrer Vitalität zu kontrollieren. Sie ernährte sich vitaminreich und mit Vorliebe von Körnern. Sie versank, ohne Vorwarnung, mitten in einer Unterhaltung in die Urgründe ihrer Seele, das Gesicht zum Himmel gerichtet und die Augen nach innen gekehrt. Sie habe für einen Augenblick Energien geschöpft, aus tiefen Quellen, sagte sie, wenn sie wieder in das Gespräch zurückglitt. Kontemplation und Versenkung schienen ihre Spontaneität nicht zu beeinträchtigen. Vor Überraschungen schreckte sie niemals zurück.

Der Fremde hockte eines Nachmittags mit der schwarzen Schriftstellerin Maya Angelou in der Bar seines Hotels, um diese und jene Pläne zu bereden. Die Poetin thronte majestätisch auf ihrem Hocker: eine Riesin, in ein weites Gewand von afrikanischer Buntheit gekleidet, ein Kopftuch um das mächtige Haupt geschlungen – Erinnerungen an Ghana, wo sie einst, ihre Wurzeln suchend, Studenten die Kultur des Tanzes gelehrt hatte, Folklore mit der Artistik der israelischen Habima-Schule verbindend. Zuvor hatte sie in einem Ensemble gesungen, das mit Gershwins »Porgy and Bess« durch europäische Städte zog.

Wir sprachen über den Geist, in dem ihre Lyrik zuhaus sei: »The Spiritual«, sagte die Frau, ärmster Leute Kind, die ihren Weg in einem weltfernen, traurigen Winkel von Arkansas begonnen hatte, Produkt des ländlichen Proletariats, das so lange ohne einen Schimmer irdischer Hoffnung vegetierte, nur von der Bibel und von frommen Liedern getröstet.

Sie fing an zu singen, ein Glas Weißwein in der Hand, mitten in der glitzernden Bar des New Yorker Hotels. Sie kümmerte sich nicht um die Gäste und die glotzende Konfusion der Kellner. Sie sang mit einem vollen und ein wenig rauhen Alt, jede Silbe des frommen Textes betonend, ein Vibrato am Ende jeder Phrase, das wie der Wasserkreis nach dem Steinwurf im Raum verging.

Indira, die sich zu dem Rendezvous eingefunden hatte, ein altmodisch-keckes Hütchen auf dem langen braunen Haar, stürzte am Ende des Liedes auf die Dichterin zu, umarmte sie, küßte ihre Hände, trat zwei Schritte zurück. »You are a goddess!« rief sie. Indiras Spontaneität. Maya Angelou zeigte keine Verwirrung.

»Und wer bist du?« fragte sie, ein besorgtes Lächeln in ihrem breiten, so mütterlichen und so menschlichen Gesicht. »Ich bin deine Jüngerin«, sagte Indira. »Ich wünschte«, fügte sie hinzu, »ich fände in meinen Gedichten einen so starken Klang wie du.«

»Worüber schreibst du?«

Indira berichtete von ihrem Zyklus über die Walfische, die vor der Ausrottung bewahrt werden müßten, von Island, von Jesus, von Buddha.

»Du fängst deinen Zyklus bei Jonas an, der von einem Walfisch verschlungen wurde?« fragte Maya Angelou.

»Kind«, sagte sie noch, »lies das Alte Testament. Es ist die schönste Dichtung der Menschheit. Lies die Psalmen. Mein Volk hat durch sie überlebt.«

Sie ging, wahrhaftig eine ragende Göttin. Indira rief ihr nach, quer durch die spiegelnde Bar: »I love you!«

Von Zeit zu Zeit trug sie den Zyklus vom Walfisch (Jonas nicht vergessen) und andere Chansons in einem kleinen »Village«-Theater vor. Ihre Stimme war nicht schön, stets ein wenig heiser, in den Höhen grell, in den unteren Lagen brüchig. Doch sie sang mit einer Inbrunst, der sich kein Zuhörer entzog, sang mit ihrer ganzen Person und ihrem ganzen Körper: den Augen, den geraden Schultern, den schmalen Hüften, den langen Beinen, mit denen sie die Rhythmen ihrer Musik phrasierte. Am Ende bot sie gern ihr Preislied auf Amerika dar, in dem sie von der Liebe der Jungen, der Schwachen, der Schwarzen zu ihrem Land erzählte. Sie biederte sich bei niemandem an. Sie sagte in ihren Strophen: »Das ist auch unser Land, nicht nur das der Reichen und Privilegierten.« Die Begleitung von Doug spielte zärtlich und spöttisch mit der nationalen Hymne. Der Fremde schaute ihm gebannt auf die Finger. Das ist einer, dachte er, der die Rockmusik aus ihrer mechanisch-hämmernden Brutalität zu lösen und ihr eine gewisse Grazie zu geben weiß.

Der schmale junge Mann wirkte niemals gehetzt, obschon er vom Morgen bis in die Nacht von einem Studio zum nächsten fegte. Er war auf dem Wege, sich mit originellen Einfällen einen Namen zu machen. Er entwarf Skizzen für ein Musical. Aufträge für Shows und Schauspielmusiken winkten. Seine federnde Energie schien niemals nachzulassen, seine Freundlichkeit keinen Moment zu ermüden. Spät in der Nacht, wenn in jenem düsteren Bereich von SoHo kein Taxi hielt, holte er seinen »pick-up truck« aus der Garage, um die Freunde nach Hause zu bringen. Ihm wurde nichts zuviel. Das schwirrende Kommen und Gehen in der Broome Street störte ihn nicht. Indira, auch sie eine kleine Göttin, hielt nicht ungern hof. Es behagte ihr, von Talenten umschwärmt zu sein, Dichtern und Musikern, Malern, schwarz und weiß, Amerikanern, Asiaten, Europäern – in ihrem Kosmos en miniature schien jedes Geschöpf unter Gottes Sonne willkommen, streunende Hunde und zehn stinkende Katzen.

Sie spielte nicht die Bienenkönigin. Sie war auf ihre heimliche Weise fleißig. Sie verdingte sich, wenn Geld ins Haus mußte, ohne Zögern an die Werbeagenturen, zeigte, wenn nötig, die adrette Brust und schöne Beine bis zum Hals, jeder Zoll noch immer ein Starlet.

Als Boris bei Doug und Indira Quartier bezog, änderten sich die Verhältnisse. Der Fremde, ein anderes Mal in der Broome Street anklopfend, fand den Loft renoviert, Wände und Möbel frisch gestrichen, die Küche blitzend. Die Katzen waren nicht vertrieben, doch ihr Gestank schien ausgeräuchert zu sein. Boris legte eine Buchhaltung an. Gaben und Einkünfte der Familie wurden, zu ihrem Segen, nun von einer Firma verwaltet, die er fest in die Hand nahm. Indira trat für lange Monate in tragender Rolle eines erfolgreichen Theaterstücks an einer Bühne von Los Angeles auf, danach in New York.

Boris aber, der tändelnde Preuße, lernte bei einer alten Dame das Spiel der Harfe. Nach ein paar Wochen zirpte er die reizendsten Menuette. Ein Jahr später gab er Konzerte. Die Küche vernachlässigte er darüber nicht.

Bei der Vorbereitung des »Thanksgiving-Dinners« übertraf er sich selber. Man feierte jenes amerikanische Fest in der Broome Street anders als in den Häusern der Bürger. Der Vorbereitung wurden Tage und Nächte geopfert. Boris zauberte seine kleinen Köstlichkeiten. Er setzte einen Fruchtpunsch an, nicht zu stark, denn in dem Haus an der Broome Street trank jedermann behutsam. Auch mit den Joints hielt die Familie Maß.

Die Gäste kamen nach neun Uhr, einzeln, zu zweit, dann in Scharen. Wer und woher? Der Fremde fragte nach einer Weile nicht mehr. Jeder schien jeden zu kennen. Das Haustor war nicht versperrt. Die Tür zum Loft stand weit offen. Man aß, man trank, man scherzte, man lachte, Doug amüsierte sich am Klavier mit Themen von Bach, von Mendelssohn oder Schumann, verwob sie mit Bernstein, mit Jazz, fugierte ein bißchen, ließ die Melodien in härtere Rhythmen hinübertanzen. Er beherrschte sein Handwerk. Ein junger Mann in verdreckten Jeans schnellte aus der Hocke und schlurfte zum Schlagzeug, probierte zaghaft und haute schließlich zu. Ein anderer wippte hinter der elektrischen Gitarre.

Die Improvisation – sie schien nichts als eine sekundenschnelle Verständigung mit den Augen zu fordern – brauste durch die nächste Stunde. Irgendwann gesellte sich ein Saxophonbläser dazu, nahm die letzte Melodie auf, jagte sie in grellen Läufen durch tonale und atonale Systeme, umkreiste, fing und zerschnitt sie, hauchte ihr japsend und winselnd neues Leben ein, feierte die Auferstehung: Sein Blick war verglast, doch nicht ohne stumpfe Güte. Der ist verrückt, dachte der Fremde, stoned-out, das obendrein, das Gehirn voller Hasch, der Schädel würde ihm platzen. Nur der Hut, eine graue Speckschwarte, hielt Stirn und Schläfen zusammen. Die Jeans, Jacke und Hose, die diese jammerwürdige Figur wie ein Korsett umschlossen, waren eine Kruste schwarzbraun polierten Drecks.

Der Fremde war dem Bläser früher begegnet, er erinnerte sich: bei jener progressiven Band, deren Meister, Fischer hieß er, kalten Jazz und Zwölftonmusik zu neuen Formen verschmelzen wollte. Als der schöpferische Dämon in Person saß er am Flügel, in Beethovens Pose, das Kinn dem Schicksal entgegengereckt, den Löwenkopf weit in den Nacken geworfen. Die Locken klebte keine Pomade, keine Dauerwelle, sondern der schiere Filz ineinander – wie den grauen Dutt eines alten Krokodils, das die Band mit tapsenden Schritten und hängendem Bauch umschlich; jahrzehntelanger Verzicht auf jegliche Waschung hatten die Frisur zu einer glänzenden Haube verfestigt. Koren zeichnete diese Echsen und Stacheltiere der Bohème nicht ohne Liebe für den »New Yorker«: Journalisten, die weiß Gott für welche Journale schrieben, die zahllosen Therapeuten, die kreativen Halbgenies, die weiblichen, männlichen Musen, Medusen.

Dort kam der Saxophonbläser her. Sein virtuoses Fisteln verlor sich schließlich in einem barocken Choral, den Doug fortissimo aus seinen Registern quellen ließ.

Der Fremde hatte Mühe, den Blick von einem Herrn dunkler Hautfarbe zu wenden, der fast bewegungslos auf seinem Stuhl saß, lächelnd, ein genauer Zuhörer. Von Zeit zu Zeit wischte er sich den Schweiß vom rasierten Ballonschädel, mit einem großen Sacktuch, das er aus der Tasche seiner schwarzen Kniehosen zog. Weiße Strümpfe, Stiefeletten mit großen Goldspangen, weinrotes Jackett und Spitzenjabot: Wie aus einer Rokoko-Oper entstiegen, saß er da, die Beine zierlich übereinandergeschlagen, die Fußspitzen zeigten den Takt der Musik an. Nur die dicke dunkle Hornbrille auf der kurzen Nase stammte aus unserem Jahrhundert.

Als die furiose Improvisation zu Ende kam, trat er zu Doug. Die beiden wechselten ein paar Worte. Dann hob der schwarze Herr mit einem gewaltigen Baß zu singen an: folkloristische Weisen aus dem Süden, Zitate aus Musicals, populäre Songs.

Ein junges Mädchen stellte sich neben ihn: ein kühnes Barbra-Streisand-Gesicht, schwere Zöpfe um den Kopf geflochten, Nickelbrille, langes Kleid vom Trödler. Jüdische Volksschullehrerin in Galizien 1910, dachte der Fremde, eine junge Schwester der Rosa Luxemburg. Sie hatte einen kräftigen Sopran. Der schwarze Herr aus der neapolitanischen Rokoko-Oper und die polnische Schulmeisterin begannen ihr Duett. Worte und Melodien gab ihnen der Augenblick ein. Sie nahmen Themen auf, die Doug ihnen zuwarf. Die Stimmen umwarben einander, zögerten, zogen sich zurück, näherten sich wieder, ergaben sich kleinen Traurigkeiten und Krisen. Sie wagten dramatische Crescendi. Sie liebten sich. Ihre Musik blieb, von Doug sorgsam geführt, in tänzerischer Bewegung, und einige aus dem jungen Volk fingen an, um die beiden zu tanzen. Es tanzten schließlich viele, das Duo immer über den wogenden Köpfen.

Wenn dies ein Narrenhaus ist, dachte der Fremde, dann ist es das schönste der Welt. Wieviele starke Gesichter. Wieviele Talente. Was treiben sie? Wovon leben sie? Er dachte an das biblische Wort von den Vögeln unter dem Himmel und den Lilien auf dem Felde. Es war spät. Er ging seiner Wege.

Nicht lange danach erreichte ihn ein Brief von Indira, in dem sie mitteilte, sie habe einen Sohn zur Welt gebracht. Er sei, wie sie später errechnete, in der Nacht gezeugt worden, in der ihr Vater starb. Indiras Sohn, dachte der Fremde, auch das hat sie geschafft.

V

Nördliche Unschuld, nördliche Schuld

Auch Vermont ist ein beschädigtes Paradies. Aber wenn der Fremde Glück hat, vermittelt sich ihm das Bild einer Landschaft, in der Natur und Historie einander auf schwebende Weise durchdringen: eine junge Geschichte, nicht älter als zwei Jahrhunderte, sorgsam bewacht, zugleich bedroht vom Verfall, von den Wucherungen eines gefräßigen Waldes, von der Zivilisation unserer Epoche, die nicht angenehm ist, wenn sie die Unschuld und mit der Unschuld spielt.

Es wäre töricht, von der Unberührtheit dieser Region zu sprechen. Ihr Zauber stammt aus der intensiven Berührung durch Menschen. Vermonts Täler hätten keine Spur von Anmut, wären sie – wie in Vorzeiten – mit nichts anderem als dem grau-grünen Gestrüpp eines nordischen Dschungels bewachsen. Von dem sanften Charme, der dieser Landschaft eigen ist, könnte keine Rede sein, wäre der Wald nicht in den Tälern vom harten Fleiß der Pioniere gerodet und in Wiesen verwandelt worden, auf denen die Herden der Herford-, der Jersey-Kühe oder des Holsteiner Viehs ihr Gras finden. Die Wildnis der Berge verschlänge alle Schönheit mit ihrer Monotonie, könnten sich die Augen nicht dann und wann an den Türmen der schneeweißen Holzkirchen, an ihren klassizistischen Säulchen oder an den schweren und gemütlichen Konturen der Gehöfte festhalten, die fast immer – hell abgesetzt – mit einem kräftigen Ochsenblutrot bemalt sind. Manchmal bietet sich bei der Wanderung nur eine Felssteinmauer als sozusagen humane Tröstung an, Felsbrocken, die, roh aufeinandergeschichtet, die Grenze eines Anwesens markierten – wie in Schottland, in Irland oder im englischen Norden, von wo die Vorfahren der ersten Siedler kamen. Der Wald nahm viel Land zurück, das einst im Schweiße des Angesichts bestellt worden ist. Im Gehölz deuten sich noch die alten Pfade an. Vielleicht stößt man auf einen verwilderten Apfelbaum, der im Herbst Früchte trägt, die schon lange niemand mehr pflückt. Es ist dann nicht weit zu der Ruine eines Hofs: grau-braunes Gebälk, in sich zusammengesunken, morsch und melancholisch. Man schätzt, daß im 19. Jahrhundert mehr als hunderttausend Bürger des Staates Vermont vor den barbarischen Wintern kapitulierten und im Westen ein leichteres Auskommen suchten.

Es ist ein zäher Schlag, der zurückblieb: Bauern, deren Gesichter in der Mühsal mit den Elementen ihre saure Schärfe gewannen. Die Zucht der puritanischen Landesgesinnung ließ die Lippen noch ein wenig dünner, die Stirn härter, die Nase schmaler werden. Die alten Frauen scheinen mit randlosen Brillen auf die Welt gekommen zu sein: Grandma Moses jede zweite. Man fragt sich, ob sie jemals jung waren. Zum andern: die Falten und Fältchen ihrer Züge sind Landschaften, die von einem intensiven Leben geprägt sein müssen. Sie sind von einer gezeichneten Schönheit, die sich jeder Romantisierung entzieht. Das Bauerntum hat, man weiß es, seine eigene Dekadenz, die Vermont vermutlich so wenig verschonte wie abgelegene Täler der Schwäbischen Alb oder im Französischen Jura. Sie halten hartnäckig am Überkommenen fest, und für sie ist der Unterschied gering, ob der Fremde aus Manhattan, Montreal, Mailand oder Mannheim kommt: Die Welt ist fern und fremd.

Friedhöfe sind kein schlechter Ort, sich dem Leben von Land und Leuten zu nähern. Die Gottesäcker von Vermont haben, anders als die unseren und die trostlos ästhetischen Gräberfelder im Umkreis der großen Städte, noch Raum für die Vergangenheit. Niemand vertrieb die Toten. Niemand ebnete die alten Ruhestätten ein. Man ließ sie, wie sie sind: schmucklos, meist ohne Blumen, nur gelegentlich von einem patriotischen Fähnchen illuminiert. Der urprotestantische Geist der Region erlaubte keine Kreuze, die den Verdacht geweckt hätten, der Papismus schleiche über die Grenze aus dem erzkatholischen Französisch-Canada herab. Calvinistische Sparsamkeit in Sachen Gemüt befahl einfache, hochgestellte Tafeln aus Sandstein oder Granit, ohne alle Ornamente (es sei denn, der Tod werde durch ein schattenhaftes Mondgesicht beschworen, indianischen Masken nicht unähnlich). Die Hinterbliebenen bemühten für das Epitaph eine kräftige und fromme Poesie, die erst im 19. Jahrhundert jene Innerlichkeit zu spiegeln begann, die mit den Wellen des Evangelismus auch in die trockenen Seelen Neu-Englands einkehrte. Für die Großväter und Gründer, die das Land urbar gemacht hatten, galt eher die nüchterne Einsicht der Bibel, daß des Menschen Dichten und Trachten böse sei und nichtig von Jugend auf. Zwölf Jahre zählte das Vermonter Kind, dem die grämenden Eltern die Wahrheit auf den Grabstein schrieben:

»This rose was sweet a while,
Now is its odour vile.«

– ein Vers, der vielleicht schonungsvoller übertragen werden sollte:

»Süß war die Rose nur für kurze Zeit,
Verblüht ist sie im Schwefel der
Vergänglichkeit.«

Der Pfarrer von Windham, Reverend Nathan Noyes, gestorben 1808, schien Anlaß zu haben, mit seiner Umwelt und Nachwelt harsch ins Gericht zu gehen. Er setzte sich selber die Verse zum Gedächtnis:

»Schreit nur – Ihr schreit vergebens, eifersüchtige Bande. Ich bin nun jenseits Eures Gifts und Eurer Lieder Schande. Lebt – und lebt glücklich mit dem Blick auf mein Gebein. Die Zunge, die jetzt kalt ist, bat für Euch in Not und Pein.«

Es fällt ein wenig schwer, solche Bitterkeit inmitten eines fast vollkommenen Idylls nachzuempfinden. Der Friedhof von Windham schaut in ein Tal, das in der Milde eines Sommerabends oder in den brennenden Farben des Herbstes alle Freundlichkeit der Welt zu umarmen scheint.

Die Landschaften Amerikas können grandios und von betäubender Schönheit sein: die bizarre, machtvolle Küste Californiens, die Majestät der Sierra Nevada, die hypnotische Endlosigkeit der Prärien des Mittleren Westens, die üppige und depressive Schwere des alten Südens ...

In Vermont begegnet man dem Wunder einer gelassenen, fast in sich gekehrten Grazie. Der Friedhof, die Kirche, ein paar Höfe (die stattlichsten längst zu Sommerresidenzen reicher Leute veredelt): es ist das fast vollkommene Idyll eines Friedens, dem man besser nicht blind vertraut. Der lärmende Tourismus ist nach Windham noch nicht vorgedrungen. Doch man kann sicher sein: Die Grundstückspreise stiegen beträchtlich – wie überall in den vergangenen zwei Jahrzehnten. Das Skigebiet um den Magic Mountain, den »Zauberberg« (der Name ist verräterisch jung), ist nur gute zehn Meilen entfernt. Der sogenannte Fortschritt ist unaufhaltsam, und er wird eines Tages auch dieses Dorf erreichen: Hamburger-Buden als Sennhütten drapiert, Pizza-Parlours als Residenzen der Sieben Zwerge, Eiscrème-Stände als Schneewittchens Refugium, Motels im Tiroler Stil, rustikale Restaurants, in denen bäuerliches Handwerkzeug – gestern noch im Gebrauch – traurig, nutzlos und auf eine trostlose Weise hübsch von den Decken mit ihren kunstvoll gealterten Balken baumelt.

Vor ein paar Jahren wurde das Sträßchen nach Windham asphaltiert, und es wäre konservative Heuchelei, über diese Veränderung zu klagen. Wie anders fände man den Weg? Selbst die jungen Flüchtlinge aus New York, die sich weit hinter dem Dorf in einer abgelegenen Lichtung des Waldes verkrochen, loben den Schneepflug, der ihnen den Weg von ihrem Blockhaus zum nächsten »General Store« bahnt, in dem es alles zu kaufen gibt: Seife, Sardinen, Glühbirnen und Jeans.

Die letzte Siedlungswelle, die Vermont erreichte: Niemand hat die Schar der Emigranten aus den großen Städten und der frisierten Langeweile der »suburbs« gezählt. Es müssen zehntausende sein. Nur wenige versuchten sich in der Landwirtschaft. Sie lernten oft auf bittere Weise, daß es eine gute Portion Kapital braucht, um die Konkurrenz gegen das einheimische Farmertum aufzunehmen. Die Zahl der Bauern in Vermont ist geringer geworden, wie überall in Amerika und in der industrialisierten Welt, der Landbesitz größer, der Viehbestand höher, die Produktionsmethoden sind ergiebiger. Vermonter Käse schmeckt dennoch oder gerade darum so langweilig wie eh und je, ein Cheddar, nach englischen Rezepten bereitet. Die Briten nennen ihn »mouse trap-cheese«: klassisches Futter für Mausefallen. Es handelt sich, mit anderen Worten, um eine protestantische, ja calvinistische Speise (während man – konfessionspsychologisch – dem Brie und dem Munster eine sozusagen katholische Würze zuschreiben könnte).

Die Experimente der Kollektivfarmen sozialistischer Intellektueller und ihres Anhangs gehören den dreißiger Jahren an. Mary McCarthy berichtete in einem ihrer frühen Romane mit trockener Ironie vom Scheitern jener Unternehmen, von denen bestenfalls zu sagen war, daß sie in einer Art von höherer Unschuld den Hergang der Vertreibung Adams und Evas aus imaginären Paradiesen wiederholten. Die neue Jugendbewegung, die 1968 aufbrach, hatte nicht viel mehr Erfolg mit ihren agro-sozialen Träumen. Eine eher fröhliche Chronik erzählte vom kurzen Aufstieg und rascheren Verfall einer Kommune. Sie wurde unter dem Titel »The Total Loss Farm« begründet – Bauernleben als Totalverlust. Eines der Kapitel hieß, typisch genug: »Hämorrhoiden im Himmelreich«. Das Buch war allen »Exilierten und Wanderern« gewidmet, die aus New York, aus Washington, aus Boston und Baltimore heraufzogen, um das »einfache Leben« zu erproben.

Sie sagten in der Mehrzahl den Illusionen bald adieu. Manchmal gingen sie den Weg einer extremen Individualität wie Janet Langdon, die mit einem Gefährten vierzehn Äcker Wald, im abgelegensten Winkel weit hinter Windham, für zwölftausend Dollar gekauft hat. Ihre Hütte – vom Freund selbst gezimmert – unterschied sich von den Unterkünften der ersten Siedler höchstens durch Mangel an Komfort. Geheizt wurde, wie eh und je, mit Holz, das die beiden selber schlugen. Ein victorianischer Herd von mächtigen Maßen, aus Maine stammend, fraß in langen Winternächten manchen Stamm. Es gab kein fließendes Wasser, doch Janet und ihr Partner fanden eine Quelle. Sie hofften, die notwendigen Rohre kaufen zu können. Ein funkelnagelneues Klo – ohne Anschluß – stand sozusagen auf Vorschuß schon in einem der Räume – wie ein exotisches Ornament. Winny, der Freund, verdingte sich als Schreiner. Er bezog regelmäßigen Lohn. Janet versorgte den Haushalt. Von Zeit zu Zeit half sie in Restaurants oder Bars. Sie schrieb. Sie spielte auf einem grotesk verstimmten Klavier. Sie fuhr einen japanischen Kombiwagen, auf den sie in einem Anfall von Koketterie das Nationalitätenschild »F« (für Frankreich) klebte. Sie korrespondierte mit einer Freundin in Siegelbach bei Kaiserslautern, die sie ins Herz geschlossen hatte, als sie mit ihrem ersten Mann in Deutschland stationiert war.

Janet konnte man nicht hübsch nennen. Ihre Stimme war harmonisch; sie begleitete ihre Sätze mit gelösten Bewegungen. Mit völliger Natürlichkeit unterbrach sie das Gespräch, um das Hausschwein zu füttern, das spätestens – Liebe hin, Liebe her – im November geschlachtet werden sollte, weil es dann voll im Gewicht sein würde. Die Finanzen waren exakt eingeteilt: 110 Dollar pro Monat für die Hypothek, 100 Dollar für die Abzahlung des Autos, 60 Dollar für Lebensmittel, 20 Dollar für's Telefon – die einzige Verbindung zur Außenwelt, die sie nicht entbehren konnten und wollten. Wenn Geld übrig war, wurde es in den Ausbau der Hütte investiert. Der Wert des Landes, das die beiden besaßen, konnte nur steigen.

Vielleicht, wenn Janet nicht den erträumten Bestseller verfaßt, würden die beiden die ersten sein, die einen Hektar hier und einen Hektar dort an Freunde verkauften, um mit ihnen die Lust und Mühseligkeit des Rückzugs aus der Zivilisation zu teilen. Aber damit bestätigte sich nur, daß aus exilierten Kindern der Großstadt schließlich Bürger von Vermont würden – wie es nicht anders Peter Jennings widerfuhr, der weiter im Norden, im Sugarbush Valley, vor zwei Jahrzehnten als »ski-bum« – eine Art Landstreicher der Piste – seine ersten Dollar am Lift verdiente und sich unterdessen als einer der erfolgreichsten Grundstücksmakler der Region zu etablieren vermochte. Er hätte kein günstigeres Revier für seine wachen Unternehmerinstinkte wählen können: Sugarbush ist seit langen Jahren ein teures Zentrum des Wintersports. Um die früher tote Saison zu nutzen, wurde ein Golfcourse angelegt, der unter Kennern als einer der reizvollsten im Norden Amerikas gilt. Es wurden darüber hinaus Tennisgrößen engagiert, um eine anspruchsvolle Klientel zu trainieren. Es gibt Pferde und einen Poloplatz. Man fischt im Mad-River – wie in so vielen Bächen Vermonts – stattliche Forellen, die um so köstlicher schmecken, wenn man sie selbst brät. Peter, ein gemachter Mann, erfüllte nach romantischen Umwegen auf seine Art den »amerikanischen Traum«.

Janet Langdon träumte ihn auf andere Art: schwieriger, mißtrauischer und zugleich bewegt von jenem jungen Idealismus, der am Ende amerikanischer ist als der Mythos des Erfolgs. Sie rebellierte gegen eine Zivilisation, die sich aus der Verschwendung nährt. Dies sollte das Wagnis ihrer Existenz sein: der Verzicht auf allen überflüssigen Komfort. Disziplinierte Alltäglichkeit als Ausweis der Einkehr in eine amerikanische Innerlichkeit, die aus einer erprobten Tradition stammt.

Janet hatte, wie so viele ihrer Freunde, das »Walden«-Buch von Thoreau gelesen, der in der Mitte des vergangenen Jahrhunderts drüben in Massachusetts, nicht weit von Boston, für zwei Jahre in den Wald zog, meditierend, kontemplierend, schreibend – der erste Bote einer Verweigerung, die zum Symbol eines Protests gegen die Technisierung der Umwelt wurde.

Bescheidung ins Karge, das war das entscheidende Motiv der Töpferin Fran McGill, die in dem Weiler Reading, gut dreißig Meilen nördlich von Windham, ihren Brennofen in einem alten Holzhaus aufbaute: eine dralle und stille Person, voll scheuer Energie, vorsichtig mit ihren Worten, freundlich und voller Skepsis. Sie spielte als Kind an der 106. Straße West von Manhattan, als jenes Quartier noch irisch war. Dann wurde es von Puertoricanern und Schwarzen okkupiert, dem Verfall preisgegeben, von den Spannungen der Rassen, von Armut, Verzweiflung, Kriminalität zerstört. Ihr Mann unterrichtete in der kleinen Grundschule des Ortes. Keiner seiner Schüler bedrohte ihn hier mit einem rasch gezückten Messer, wie es an den Bildungsstätten der Jugend in New York längst üblich geworden ist.

Man mochte diesen liebenswürdigen Flüchtlingen aus der großen Stadt zum Vorwurf machen, daß ihr Rückzug ins schwierige Idyll eine Art von Verrat an der sogenannten Gesellschaft sei. Fran und Janet indessen konnten darauf bestehen, daß Amerika einer Erneuerung aus den Fundamenten seines Daseins bedürfe – aus der Stille und fordernden Weite des Landes. Der romantische Protest ist in der Tat so grundamerikanisch wie das Empire State Building oder das Pentagon.

Die eingesessenen Bürger Vermonts beobachteten die Invasion der jungen Idealisten dennoch mit einem Gran von Argwohn. Ein Aufsatz im »Playboy« sprach, es ist einige Jahre her, übertreibend von der »drohenden Machtübernahme« durch die Herden und Horden der »drifters«, die für geraume Zeit das Städtchen St. Albans am Lake Champlain in solchen Mengen überschwemmten, daß der Bürgermeister in seiner Bedrängnis einen Spezialagenten herbeirief, der mit der kalten Gründlichkeit eines Diktators unter der »Subkultur« aufräumte. Jener entschlossene Anwalt öffentlicher Moral – bocksbärtig und viril wie Napoleon der Dritte vor der Schmach von Sedan – schleppte mehr als einhundert der struppigen und langhaarigen

Kinder wegen Rauschgiftbesitzes vor Gericht. Er war im Begriff, sich als eine Art Generalsäuberer von Neu-England mit diktatorischen Vollmachten zu etablieren. Indessen ergab es sich, daß dieser puritanische Putzteufel seinen Opfern Marihuana, LSD und Heroin aus Beständen der New Yorker Polizei ins dürftige Gepäck geschmuggelt hatte. So saß er dann selber hinter Gittern.

Der Friede von Vermont hat, wie man sieht, seine Fragwürdigkeit. Der Staat – mit einer knappen halben Million Einwohner der drittletzte auf der Bevölkerungsskala Amerikas – war von Beginn an vom Geist der Rebellion geprägt. 1777 etablierten sich die verstreuten und versprengten Gemeinden der Siedler als Einheit; sie gaben der Region eine Verfassung, die vom Zweiten Kongreß der Vereinigten Staaten ohne Beanstandung anerkannt wurde. Die Miliz der »Green Mountain Boys« focht mit Bravour gegen die Briten. Doch es vergingen fünfzehn Jahre, bis Vermont als 14. Staat in die Union der befreiten Kolonien aufgenommen wurde – nach einem beharrlichen Kampf nicht nur gegen die Söldner des britischen Königs, sondern vor allem gegen die expansiven Ansprüche des mächtigen Nachbarn New York, der sein Gebiet im Nordosten zu arrondieren versuchte.

Das Gezänk provozierte die Bauern und Bürger dieses verkannten Urkantons zu einem flüchtigen Flirt mit Canada. Manche der Überlieferungen hätte ein gutes Argument für den Anschluß an das nördliche Territorium der englischen Krone sein können: Der Staat der Grünen Berge leitet seinen Namen vom französischen »Vert Mont« her, und der See, der die Grenze nach Westen bildet, bewahrt das Gedächtnis an jenen Monsieur de Champlain, der als erster Weißer in diese Wildnis vorstieß, um sie für den König von Frankreich zu annektieren. Eine stille französische Zuwanderung aus dem Norden – meist Holzfäller – zog in den vergangenen Jahrzehnten die fast verwehten Spuren der Geschichte auf überraschende Weise nach.

Die Hauptstadt heißt noch immer Montpelier. Die amerikanische Aussprache indes läßt kaum mehr die Vermutung zu, daß die ersten Boten der Zivilisation, die das Waldland durchstreiften, tatsächlich Franzosen waren. Mo-peiller oder ähnlich zerquetschen die Yankees das fremde Wort.

Die Main Street des Nestes ist in der Träge des Mittags so grundamerikanisch wie Jefferson City in Missouri. Das Capitol mit der obligaten Goldkuppel und Granitsäulen von dumpfer Hoheit wirkt fast zu mächtig für Stadt und Provinz. In den Amtsstuben schlägt man sich mit Problemen herum, von denen man nicht sicher sein kann, ob sie sich mit der trockenen Vernunft konservativ-republikanischer Überlieferung aus der Welt schaffen lassen.

Vermont widersteht jeder Veränderung in der Tat mit äußerster Zähigkeit. Der Geist der Landschaft erfüllte sich politisch in einer rechtschaffenen Mediokrität, die sich in den beiden amerikanischen Präsidenten, die aus dem kleinen Staat stammten, ebenso liebenswürdig wie bedrückend dargestellt hat. Von Chester Arthur vermerken die Chroniken nicht viel mehr, als daß er die Renovierung des Weißen Hauses in Washington durch den gefeierten Dekorateur Tiffany im üppig ornamentalen Stil des späten 19. Jahrhunderts veranlaßte. Von Calvin Coolidge wiederum ist zu berichten, daß er der maulfaulste aller Staatschefs war, der durch den plötzlichen Tod des faulsten aller Präsidenten, William Harding, ins höchste Amt der Nation einrücken konnte.

Coolidge, den die Nachricht von seinem unvorhergesehenen Aufstieg auf der Farm seiner Eltern überraschte, sprach für lange Tage kaum ein Wort. Im Jahre 1924 wurde er im Amt bestätigt. Den Erfolg verdankte er der wilden Nachkriegskonjunktur und der Selbstzerfleischung der demokratischen Opposition, die bei ihrem Parteitag im Madison Square Garden mehr als einhundert Abstimmungen brauchte, um einen hoffnungslosen Kandidaten aufs Schild zu heben. Ein braver Biograph nannte Coolidge den »Puritaner in Babylon«. Die Tugenden dieses spröden Landmannes waren im Irrgarten eines modernen Staatswesens in der Tat verloren. Er machte – rechtlich und redlich bis auf die Knochen – der strengen Gesinnung seines urprotestantischen Namenpatrons Calvin alle Ehre.

Kein Fehl kann ihm nachgesagt werden. Er sprach nicht, und er handelte nicht; er ließ die Komplikationen des Staats- und Wirtschaftslebens in unserem Jahrhundert auf sich beruhen und zog sich, wann immer Gelegenheit war, in seinen Geburtsort Plymouth zurück, um Heu zu machen – eine Tätigkeit, in der sich seine Passionen zu erfüllen schienen. Die Korruption, die sein Vorgänger geduldet hatte, berührte ihn nicht. Er hinterließ kein nennenswertes Vermögen. Die Nation fiel unter seinem Nachfolger, Herbert Hoover, in die

Abgründe der Depression, die Coolidge durch einige harte Korrekturen noch hätte verhindern können – vielleicht, wenn sich seine Philosophie nicht auf die Formel vom untätigen Anstand reduziert haben würde. Durch die Verehrung, die ihm Ronald Reagan zuwandte, kehrte sein Name plötzlich ins Gedächtnis der Nation zurück, ohne daß jemand zu sagen vermochte, welche faszinierenden Talente Mr. Reagan an dem Vorgänger entdeckt haben mochte. In Vermont blieb er unvergessen. Der Heimatstaat hat sein ärmliches Geburtshaus zu einer Kultstätte erhöht: das Denkmal eines Mannes, der sich wenig Mühe gab, die Realität seiner Epoche wahrzunehmen.

Coolidge war ein frommer Mann. Man könnte von ihm sagen, daß er wie ein Erzvater nach dem Willen der Schrift zu leben bemüht war. Ihn fochten die geistlichen Unruhen wenig an, mit denen sich die Puritaner-Seelen Vermonts durch zwei Jahrhunderte quälten: die Erweckungsbewegungen oder jene spekulative Unrast, die Joseph Smith seine pedantischen Visionen für die Gründung der mormonischen Kirche der »Heiligen der Letzten Tage« eingab. Der Vater jenes Propheten hatte in den Vermonter Bergen nach Gold schürfen lassen, der Großvater die asiatische Lebenswurzel Ginseng gezüchtet (doch die Ernte ging, zu seinem Unglück, beim Transport nach Süden verloren). Joseph, der Enkel, aber war ein gesegneter Schatzgräber. Er suchte und fand eine Offenbarung.

Der Wille zur Veränderung wendet sich hier oft ins Mystisch-Absurde oder kehrt sich auf eine entschieden beseelte Weise nach innen. In Vermont schien die Zeit lang stillzustehen, und man ließ die Welt mit ihren Problemen allein. Es konnte so nicht bleiben. Damit deutete sich der Konflikt an, der nun das liebenswürdige Ländchen beunruhigt. Kann es als Insel konservativer Träume lebensfähig bleiben, in bäuerlicher Tradition und junger Romantik am Rande eines Kontinents dahindämmernd – die flachere Schweiz der Vereinigten Staaten?

Die ökonomische Basis ist schmal. Die klassischen Industrien: Granit und Marmor, Holzverarbeitung, die gefährliche Asbest-Produktion werden kaum expandieren. So ist es neben der Landwirtschaft, deren Erträge nur mäßig wachsen, vor allem der Tourismus, der mehr und mehr zur wichtigsten Quelle des Erwerbs wurde. Die Ausbeutung des Idylls droht, das Idyll zu zerstören. Im Tal von Stowe überziehen die Motels, die billigen Restaurants und Imbißhallen mit ihrem »junk-food«, die Tankstellen, die Supermärkte, die Reklameschilder die Landschaft schon längst wie eine Hautkrankheit. Der alpenländisch-tirolerische oder niedlich helvetische Akzent der Konstruktionen bessert nichts. Im Gegenteil: ein Heer wendiger Skilehrer verstellte die Hänge mit Etablissements, die sich »Gold Kitz«, »Sonnenberg«, »Yodler«, »Edelweiss« und »Innsbruck« nennen.

Die Urmutter dieses Bergrausches amerikanischer Art wachte während langer Jahrzehnte über das Anwesen, das sie mit so fester Hand zu begründen vermochte: die Baronin von Trapp, die wie eine Mischung aus Maria Theresia und Friedrich dem Großen den Ruhm der alpenländischen Loden-Résistance gegen die Nazis verwaltet, der mit dem »Sound of Music« und dank Ruth Leuweriks Familienoperette einst um die Welt ging, lang ist's her.

Die Führung der Geschäfte übergab die Baronin dem Sohn, doch das Personal waltet noch immer im Dirndl. »Blue Grass Music« wird sozusagen in Lederhosen zur Zither gesungen. Ein Mythos hat sich unwiderstehlich in Blut- und Boden-Lyrik à l'américaine übersetzt. Wer dafür noch deftigere Preise zahlen mochte, konnte die Gemütlichkeit der »Smugglers' Notch Lodge« in Anspruch nehmen, in der ein nachgerade kaiserlich-königlicher Butler mit habsburgischer Gravität die Gäste zum Respekt mahnte – zum Beispiel wenn er es halbwegs adretten jungen Damen aus dem fernen New York verwehrte, das schlanke Knie im Speisezimmer nonchalant unters Knie zu ziehen und dabei zuviel nacktes Bein zu zeigen. Tirol plus Bayern und Urschweiz: eine Weltmacht des Kitsches.

Carl Zuckmayer, der Dramatiker und so fröhlich-rheinpfälzische Dichter, hatte daran nur geringe Schuld, obschon das Buch seiner Frau Alice Herdan von der »Farm in den Grünen Bergen« manchem fernlustigen Skilehrer den Weg nach Vermont gewiesen haben mag. In den Jahren der Not suchten die beiden Unterschlupf in jenem europäischsten Winkel Amerikas. An Hollywood rasch ermüdet, fanden sie im Jahre 1941 durch die Vermittlung der großen Journalistin Dorothy Thompson am Rande des Weilers Barnard ein Asyl, das sie von fern an die salzburgische Heimat erinnert haben mag. Der Weg zur Zuckmayer-Farm war damals schwierig. Inzwischen führt die Straße 12 North kaum hundert Meter an jenem Teich vorbei, an dessen Ufern sich das rotbraune Bauernhaus versteckt, in dem der Emigrant die ersten beiden Akte von »Des Teufels General« geschrieben hat: seine geniale und fast exakte Vision von der Casino-Welt, in der sich die Realität des Dritten Reiches harmloser darstellte, als sie es war (aber wie sollte er ahnen, was auch in Deutschland keiner wissen wollte?).

Im Umkreis seines »Silbersees« entstand unterdessen ein alpin dressiertes Skigebiet, das einem ausgefuchsten Geschäftsmann aus Hawaii gehört. Auch die Generalienhandlung, in der sich die Zuckmayers mit dem Notwendigsten versorgten, zählte vorübergehend zu seinem Besitz. Wer weiß, warum er auf die Akquisition wieder verzichtete. Pietätvolle Rücksicht auf die überkommenen Ordnungen der Landschaft wird es wohl kaum gewesen sein. So wirksam war der Widerstand gegen die Ausbeutung des Glücksfalls Vermont nicht.

Doch die Abwehr begann sich vor geraumer Zeit zu formieren. Der liberale, für amerikanische Verhältnisse nahezu »linke« Idealismus der jungen Zuwanderer und konservativ-bäuerliche Elemente formten eine Allianz, deren Macht nicht zu unterschätzen ist. Man sagt, daß es in Vermont fast ebenso viele ländliche Kommunen oder Protestagronomen wie Einzelbauern des alten Schlages gebe. Der Gang der Wirtschaft des kleinen Staates wird von den »alternativen« Unternehmen mit bestimmt. Die Anwesenheit intellektueller Prominenz ermutigt die Kooperation. Der hochmütig-witzige John Galbraith, der wie so viele Mitglieder der Elite ein hübsches Haus in Vermont hat, empfing dort gelegentlich die Avantgarde des Weltgeistes: Ralf Dahrendorf zum Beispiel, der kummervollen Antlitzes und voll robuster Energien unentwegt über alle möglichen Reformen unserer elenden Verhältnisse nachsann, oder gar Henry Kissinger, der nicht den Ruf eines Naturburschen genießt. Es gehört sich für etablierte Akademiker und Intellektuelle, ein paar Hektar Wald und Wiesen in Vermont zu besitzen (wenn man Maine oder Martha's Vineyard nicht vorzieht).

Soll man es ein gleichsam europäisches Ferment nennen, das in diesem geschützten Winkel der nicht mehr so Neuen Welt wirksam zu werden beginnt? Das wäre anmaßend. Dennoch: die Geister Europas hinterließen ihre Spuren – wie der große Soziallehrer Rosenstock-Huessy, der viele Jahrzehnte in Dartmouth unterrichtete, dem alten College, dessen helle Kolonial-Architektur das Städtchen Hanover im benachbarten New Hampshire mit einer unaufdringlichen Grazie überstrahlt. Der Professor wohnte jenseits des Connecticut-Rivers, in dem Dörfchen Norwich, nicht zu weit von der bescheidenen Residenz des unglücklichen Heinrich Brüning, der hier seine Zuflucht gefunden hatte, eingesponnen in die Enge eines verspäteten Nationalismus und die tragischen Verfehlungen seiner Kanzlerschaft, die ihm eine melancholische Distanz zu dem veränderten Deutschland von Bonn auferlegten. Exil als Isolierzelle der Illusionen.

Brüning starb einsam. Rosenstock-Huessy aber hat die intellektuelle Diskussion Amerikas für Jahrzehnte mitbestimmt. Seinen Nachlaß verwaltet, sinnvoll genug, Freya von Moltke, die Witwe des Grafen James Moltke, von dem man sagen könnte, daß er der klarste Geist unter den Verschwörern des 20. Juli war. Sie lebt, seit 1961, in Rosenstock-Huessys Haus an der Grenze zwischen Vermont und New Hampshire – der beiden Staaten, die das »Königreich der Yankees« genannt werden. Sie ist dort längst keine Fremde mehr. Die Freiheit der Züge in ihrem starken Gesicht wirkt so neu-englisch wie die Dame, im besseren Sinne, preußisch ist. Das alte Haus, das warm und von guten Geistern bewohnt ist, die einfachen Möbel – unter ihnen ein paar Antiquitäten rustikaler Art –, ein paar Bilder und die Musik zeigen an, daß die Gräfin hier eine Heimat fand. Von ihrem Titel macht sie schon lang keinen Gebrauch mehr.

Die fast mühelose Übereinstimmung mit dieser kleinen Welt, hinter der die Weite des Kontinents zu spüren ist, stammt aus der Kraft der Landschaft, die eine gebieterische Gelassenheit bewahrt hat. Sie läßt, wenn die Schneelast auf den Dächern knistert, die geforene Stille des Winters noch immer vernehmen. Im Frühjahr scheinen die Berge in einer sanften Revolution des leichtesten Grün zu ertrinken. Im Sommer werden die Farben satter, dunkler, trauriger, der Wind schwerer, vom Süden und seinen starken Gerüchen erfüllt. Sie wenden sich wieder ins Leichte, wenn vom Atlantik kältere Luft herüberweht.

Der Herbst ist die Erfüllung. Das Laub der Ahornbäume scheint – nach dem ersten Frost – in einem explosiven Rot zu brennen. Das Gelb der Buchen leuchtet so hell wie nirgendwo sonst auf der Welt, vom matten Grün der Birken kaum gedämpft.

Im Niedergang des Jahres findet die neu-englische Landschaft zu einer Schönheit zurück, die von einer fast gewaltsamen, rabiaten Unschuld sein kann – wie dieser Kontinent Amerika insgesamt, der eine wiederholbare, reparable, am Ende wohl durch nichts zu brechende Unschuld besitzt.

Gilt das womöglich auch für seine Menschen? Man kann dessen nicht sicher sein. Doch die Vitalität des Landes, dachte der Fremde oft, mag sich auch aus der Kraft seiner Natur erklären, aus der Schroffheit, mit der die Jahreszeiten ihre Herrschaft verkünden, aus den jähen Wechseln, aus der radikalen Erneuerung, mit der es sich aus dem Sterben des Winters, aus der Depression, aus der Erfahrung der Schuld erhebt. Anderswo ist Amerika grandioser, überwältigender. Die Täler von Vermont geben niemals ihre zögernde Anmut preis. Nirgendwo ist Amerikas Landschaft humaner.

VI

Eliten-Spiele am Charles-River
Das andere Harvard

Werden noch Märchen gelesen? Oder begegnen die Kinder unserer Tage, die kleinen und nicht ganz kleinen, den Feen, Prinzessinnen und Hexen, den Rittern und Prinzen, den Riesen und Zwergen, der Großmutter und dem bösen Wolf bloß in den »comic books« oder am Bildschirm, der in der Ecke des Wohnzimmers flimmert? In lang vergangenen Zeiten, in denen die Europäer zu Haufen ihre Heimat verließen, um in Amerika und anderswo ein besseres Leben zu suchen (64 Millionen waren es innerhalb eines Jahrhunderts), hatten die Erwachsenen noch die Geschichte »Von einem, der auszog, das Fürchten zu lernen« im Ohr. Sie wollten Hans oder Gretel im Glück werden. Sie alle träumten von einer fruchtbaren Erde, die sich ohne Schweiß bestellen lasse, von einem Handwerk, das endlich seinen goldenen Boden öffnen sollte, vom Gold, vom raschen Reichtum, auch von Freiheit, von einer gerechten Gesellschaft, von Abenteuern, die sie unbesiegt bestehen würden.

Indes, sie brauchten das Fürchten nicht erst zu lernen. Sie trugen in ihren Hoffnungen auch das Erbe namenloser Ängste mit. Sie ließen sich nur bezwingen, wenn die Neue Welt alle Zaubermacht des Märchens versprach: Am Ende werde alles gut, und sie dürften ihre Tage in Glück und Frieden beschließen. Vielleicht fänden sie Schlösser mit goldenen Fliesen und einen Dukaten-Esel dazu?

Sie alle lockte eine Utopie, die man als die spirituelle Essenz Amerikas betrachten mag. Jeder, der nach Kolumbus seinen Fuß auf die neuen Gestade setzte, hat Amerika in gewisser Hinsicht erfunden. Die europäische Kunst war damals und noch lang danach voll seltsamer Bilder, die man sich von Amerika machte. Sie spiegelten Hoffnungen, Ideale, Begierden, verborgene Laster – tausend unerlöste Träume, die man zuhaus in den allzu engen Kammern nährte. Jeder schuf sich sein Amerika. Es wurde kein Paradies.

Die Utopie ist ein wenig zerschlissen, die Bilder sind ramponiert, und viele Hoffnungen welkten. Doch bei jeder Berührung mit jener alt-neuen Welt scheint ein Funke der Erwartung aufzuspringen, fast in uns allen: als fände man dort drüben noch immer, am westlichen Fuß des großen Regenbogens, die goldene Schüssel, die uns das Märchen versprach. Der Zauber ist nicht völlig gebrochen, ja es scheint das Geheimnis ewiger Erneuerung zu besitzen. Ist dies nur ein Reflex unserer Wünsche, das Leben möge von Zeit zu Zeit noch einmal anfangen? Streben wir, vielleicht nur in einer verborgenen Regung des Herzens, nach Virginia, der jungfräulichen, unbeschädigten Erde?

Die jungen Leute in Europa weisen die Sirenenmusik der amerikanischen Utopie zurück, mitunter voller Haß. Dennoch beziehen sie die Accessoires ihres Lebensgefühls nahezu ausnahmslos von den Amerikanern, selbst die des Protests. Was sie abstößt, zieht sie ebenso an. Sie vermuten – im Guten, im Bösen – in Amerika nach wie vor einen Quell der Vitalität, die sie selber entbehren. Erst recht läßt sich von den Älteren sagen, daß sie auf ihre Weise in Amerika den Jungbrunnen suchen, den Mythen und Märchen dort vermutet haben. Ponce de León, der spanische Conquistador, unternahm, man erinnert sich, eine Expedition mit gepanzerten Rittern, Landsknechten und Pferden in die Sümpfe Floridas, um die göttlichen Wasser der Verjüngung zu finden. Seine Mannschaft erlag, bis auf wenige Gesellen, dem Gelben Fieber, den Strapazen, den Pfeilen der Indianer. Er selber überlebte das Abenteuer nicht lang.

Nein, man erinnert sich kaum. Halunken drehten manchen arglosen Deutschen in den vergangenen Jahren tausende von Hektar jenes Sumpflands an, in dem der Troß des Ponce de León versank. Sie zahlten ein Vermögen als Eintrittspreis in das vermeintliche Paradies (und fanden bestenfalls Disneyland und einige Quadratmeilen wässrigen Dschungel). Sie wissen es nicht, aber auch in ihren armen Seelen spukten wohl die uralten Träume des Spaniers.

Jene Erfahrung läßt sich vielfältig übersetzen. In den unterschiedlichsten Bereichen des Lebens und der Gesellschaft lockt der amerikanische Zauber, und niemals erschöpft sich die Hoffnung, in den Vereinigten Staaten lägen die magischen Formeln parat, die wir uns nur zueigen zu machen brauchten, um unserer Probleme Herr zu werden und allem Elend zu entkommen: im Weißen Haus, in den Laboratorien der Krebsforscher, in den soziologischen Untersuchungen der Demoskopen, den Kalkulationen für gierige Investoren, den Handbüchern der psychologischen Ratgeber, in Hollywood, in den Manualen der Sexualtechniker, in der Musik, in den Dünsten der Drogen, auch in den Schulen, in denen gelehrt wird, wie Chancen und Risiken des Wirtschaftens mit Vernunft und Courage zu meistern seien.

Der Manager ist eine amerikanische Erfindung, die mit beträchtlichen Erfolgen nach Europa importiert wurde. Sein Dasein hat vor allem mit Zahlen, nützlichen oder unnützen Produkten, ein wenig mit Psychologie und sozialer Erfahrung zu schaffen. Er ist, alles in allem, eine nüchterne Erscheinung. Dennoch gewinnt er, wenn der Erfolg ihn verwöhnt, die Aura eines Prinzen unserer Tage, dem die schöne Prinzessin gewiß ist. Er fühlt sich als Ritter. Er ist auch, darin ganz Amerikaner, ein Erkunder, Fährtensucher, Pionier, obschon er sich selten in der Natur, vielleicht auf dem Golfplatz, in der Regel in einer Welt von Chrom, Glas und Beton aufzuhalten pflegt. Nur eine verwegene Phantasie nimmt die heimliche Verwandtschaft zu James Fenimore Coopers »Lederstrumpf« wahr. Aber folgt er nicht, ohne es zu ahnen, den heimlichen Signalen dieses Ideals? Und die Meister, die ihn sein Handwerk lehren: Genießen sie nicht die Verehrung, die sich einst den Magiern zugewandt hat?

Ihre Schulen sind keine Lichtungen in unendlichen Wäldern, wo die Alten an traulich flackernden Lagerfeuern von ihren Erfahrungen reden. Sie sind auch keine Tempel, in denen Priester walten, obwohl die Bibliotheken allesamt den Kultstätten Griechenlands und Roms nachgebaut sind. Oder sind sie es doch? Sie ziehen Jahr für Jahr eine wachsende Schar von Pilgern an, die dort den Schlüssel zum Erfolg, zu Geld und Ruhm zu finden glauben. Die Wirklichkeit, die sie antreffen, ist prosaisch genug: Sie geraten in Werkstätten eines harten und hämmernden Lernens. Trotzdem lebt in ihnen ein Element von Märchen und Mythos, von Abenteuer,

Gold, Reichtum und gleißenden Imperien fort. In Cambridge und anderswo werden die kleinen Conquistadores unserer Epoche gedrillt.

Vom Harvard Yard mit seinen alten Bäumen und den alten Häusern ist's über die Anderson-Brücke zur Managerschule nur eine halbe Meile oder fünfzehn Minuten zu Fuß. Doch so einfach läßt sich die Entfernung nicht bestimmen. »Across the river«, sagt man hüben und drüben. Der Charles-River markiert keine Grenze, er scheidet keine Hoheitsgebiete, trennt keine Welten, aber er bezeichnet die unsichere Koexistenz fremder Nachbarn, die sich in einem dreiviertel Jahrhundert nur zögernd aneinander gewöhnten. Sie halten Distanz. Der Abstand ist respektvoll und ironisch. Kleine Gesten des Hochmuts und des Neides sorgen dafür, daß man ihn niemals völlig vergißt.

Drüben am Yard lagern an sanften Abenden die aufgeklärtesten und verschwärmtesten Kinder der Nation auf dem zerschlissenen Rasen, schwadronieren von Trotzki und Nietzsche, zupfen ihre Gitarren oder umarmen einander mit nachlässiger Lust, bewacht von schlichten und schönen Fassaden, die voller Historie und Histörchen sind. Der Aufstand der Studenten in den sechziger Jahren drang niemals über den Fluß. Auf den neoklassizistischen Gebäuden der Business School flatterten keine roten Fahnen. In den hübschen Gärten zwischen Lehrtrakts und Dormitorien sind turtelnde Paare selten anzutreffen. Eher eilen sie, federnden Schrittes, Schläger unterm Arm, zu gemeinsamer Ertüchtigung auf die Tennisplätze an der Gordon Road. Jeans sind nicht verpönt, zum anderen gelten Flanellhosen mit scharf gebügelter Falte, adrette Pullover mit dem kleinen Krokodil und artige Frisuren nicht als snobistisch.

Es geht, alles in allem, an der Business School erwachsener zu als »drüben«, gediegener und konventioneller. Die Studenten haben die Aufsässigkeiten und das Allotria der »college kids« vom anderen Ufer lang hinter sich gelassen. Sie sind im Durchschnitt sechs Jahre älter – ein Zeitsprung, der genügt, »liberale Rebellen in konservative Jung-Bürger zu verwandeln«, wie einer der Professoren mit feinem Zynismus bemerkte.

Die achthundert Zöglinge, die Jahrgang um Jahrgang aus der zehnfachen Zahl der Bewerber gesiebt werden, können und wollen sich die Flausen der Literatur- und Politik-Eleven nicht leisten. Sie haben, in der Regel, drei Berufsjahre absolviert. Jeder fünfte ist verheiratet. Sie verschulden sich oft bis über die Ohren, um hier die Schulbank drücken zu können: für mehr als dreizehntausend Dollar pro Jahr, davon an die siebentausend Dollar reine Gebühren, vierhundertfünfzig Dollar Krankenversicherung, fünfhundertfünfzig Dollar Studienmaterial und eintausendfünfhundert bis zweitausendfünfhundert Dollar Miete, der Rest Nebenkosten für kleine Notwendigkeiten.

Es gibt Stipendien, bei Nachweis von Armut und Tüchtigkeit, doch Darlehen entsprechen der Üblichkeit. Wer hernach vom Erfolg gesegnet ist, kann sie zurückzahlen, ohne sich ein Hungerregime auferlegen zu müssen. Aber es läßt sich nicht leugnen: Die finanziellen Arrangements sind ein nicht unbeträchtlicher Zwang zu eben diesem Erfolg. So wissen die Studienbürger der Business School, anders als die Kinder »drüben«, sehr genau, was sie wollen, und vor allem, wohin sie wollen: nämlich nach oben. Sie dürfen, was die Chancen des Aufstiegs angeht, optimistisch sein. Ein Informationsheft der Schule lenkt den Blick ermutigend auf das Beispiel voraufgegangener Absolventen. Aus der Harvard Business School gingen an die dreihundert der eintausendfünfhundert Spitzenmanager hervor, von denen die fünfhundert stärksten Firmen der Vereinigten Staaten gelenkt werden (laut »Fortune«-Magazin). Mehr als dreitausendfünfhundert von einundfünfzigtausend Graduierten sind Chefs von Unternehmen geworden. Nahezu ein Drittel besetzt prominente Positionen in der amerikanischen Wirtschaft.

Das sind stolze Auskünfte. Sie signalisieren, daß dieses Institut in seiner knappen Geschichte eine Art »power-house« des Managements in den Vereinigten Staaten wurde, Machtzentrum und Kraftwerk zugleich. Eine Schulbroschüre verweist auf die fünfundsiebzig »HBS«-Clubs in aller Welt, die für eine enge Tuchfühlung der ehemaligen Studenten auf allen Etappen ihrer Karriere sorgen. Sie stellt mit schöner Offenheit fest, die Graduierten bildeten ein »mächtiges und effektives Netzwerk sozialer und beruflicher Kontakte«. Es sei nicht unüblich, daß ein Sprößling der Schule von einer großen Korporation in den Regierungsdienst wechsle und schließlich einem eigenen Unternehmen vorstehe. Mit anderen Worten: Die Schule zieht vorsätzlich und entschlossen eine Elite heran, die schon jetzt eines der wichtigeren Elemente in den gesellschaftlichen Formationen Amerikas ist. Allerdings, fügte einer der Lehrer ohne jede Ironie hinzu, sei man bestrebt, eine »herrschende Klasse« zu bilden, die von den schönsten moralischen Prinzipien erfüllt sei.

Es gibt keinen Anlaß, an dieser edlen Absicht zu zweifeln – und dennoch: Welchen jungen Menschen ergriffe nicht ein erregter Schwindel, wenn sich ihm die Türen dieser Schule und damit die Horizonte nahezu unbemessener Chancen öffneten? Ist ein guter Abschluß an der Harvard Business School nicht das Erste-Klasse-Ticket zu allen möglichen professionellen und wirtschaftlichen Triumphen? Tatsächlich warten auf jeden Absolventen drei oder vier Job-Angebote, unter denen er wählen kann. Wenn auch nur ein Drittel der Studenten die obersten Ränge des Managements erobert, heißt dies noch nicht, daß der Rest in Elend und Schande verludern würde. Die Zahl der kompletten Versager dürfte minimal sein. Man kann sich auch in mittleren Positionen komfortabel einrichten.

Das Wort »Mittelmaß« indessen kommt im offiziellen Vokabular nicht vor. Der Ehrgeiz wird aufs äußerste geschärft und von Beginn an auf die höchsten Ziele gerichtet. Niemand ließ sich beirren, als ausgerechnet das »Wallstreet Journal« voller List die Klassenbesten früherer Jahrgänge ausfindig machte – und feststellte, daß sie keineswegs die Gipfel der Gesellschaft gestürmt hatten, sondern auf die eine oder andere Weise zur Bescheidung gezwungen wurden. Einer gar hatte der Welt bürgerlicher Reputation radikal den Rücken zugekehrt, um in Mexiko über alternative Wege zu Glück und Seligkeit zu kontemplieren.

Solche Fluchtgedanken schleichen die energischen und hellwachen Studiosi vermutlich selten an, schon gar nicht im ersten Jahr, in dem sie sich laut Auskunft der Professoren »on the top of the world« fühlen. Im zweiten regen sich eher Bedenken: Sie wissen nun, daß nur fünfzehn bis zwanzig Prozent die Note »excellent« erringen, zehn bis fünfzehn Prozent mit »low pass« eben durchschlüpfen und der Rest sich schließlich doch mit seinem akademischen Mittelstand abzufinden hat. Also müssen Enttäuschungen eingesteckt werden. Man entdeckt, daß man am Ende doch kein

Genie ist; daß es Grenzen der eigenen Kräfte gibt; daß manche Probleme sich den glatten Lösungen entziehen.

»We teach reality«, verkünden die Lehrer selbstbewußt und unisono. Aber die Wirklichkeit, die sie lehren, ist kompliziert. Ein deutscher Schüler, der diese Umwelt aus seinem engen und etwas grauen Gesicht, den kleinen und scharfen Augen nicht ohne Skepsis mustert, bemerkte rasch, daß Theorie nicht die Stärke der Fakultät sei, vielmehr beziehe sich das Studium ganz auf die Praxis. Das hat offensichtlich Vorteile. Der Ruf der Wirtschaftstheoretiker hat nach dem resignierten Abschied von Keynes, den vielen Debakeln des Monetarismus, den Narrenspielen um Laffer-Kurve und »supply side« rings um den Globus ein wenig gelitten. Warum sollten die künftigen Manager ihre Gehirne mit Lehren verstopfen, die der Realität so offensichtlich nicht genügen?

Die Business School bedient sich einer bescheidenen Methode, die dennoch »revolutionär« genannt wurde: Man nimmt sogenannte »Fälle« vor, achthundert im Gang zweier Jahre, die konkrete Managementprobleme demonstrieren. Sie sind fast immer dem tatsächlichen Wirtschaftsleben entnommen, und oft spiegeln sie handfeste Aktualitäten. Sie behandeln Organisations-, Geld- und Marktfragen von mittleren Firmen und von gigantischen Konzernen. Sie prüfen die Finanzpolitik von Aufstiegsländern wie Brasilien, den Ölboom Mexikos, die Krise der AEG oder die Ursachen des »deutschen Wunders« (solange es eines war). Firmen-Fälle herrschen vor. Daten werden vorgegeben, die Optionen sorgsam beschrieben: Die Elite von morgen soll sich auf den Entscheidungsprozeß vorbereiten, für den sie schließlich verantwortlich sein wird. Jeden Nachmittag und Abend haben die Studenten die Dokumentation dreier »Fälle« durchzuakkern, die am kommenden Tag in drei Seminaren von jeweils neunzig Minuten gemeinsam beredet werden.

Alle Unterrichtsräume entsprechen dem Bild des Amphitheaters, und die Studenten sitzen auf Drehstühlen: So kann jeder jeden jederzeit sehen und hören. Diese Anordnung erleichtert die Diskussion, in die der Professor fragend, stimulierend, kritisierend und summierend eingreift. Man übt sich, wie unser deutscher Zeuge bewundernd notierte, in der Kunst der freien und unbefangenen Rede, die bei uns zulande so gering entwickelt ist, lernt auch das

Zuhören, den Widerspruch, das Denken in Kontrasten und Alternativen, die Relativität der Probleme, die Nuancierung.

Es geht lebhaft zu in den Kursen. Einer der jüngeren Professoren mit Namen Potter versteht es mit erstaunlicher Verve, die Wortmeldungen anzutreiben. Er orchestriert die Antworten wie ein Dirigent die Stimmen seines Ensembles. Wenn er Argumenten begegnet, die festgehalten werden sollten, fliegt der schmale, sehnige Mensch gleichsam zur Tafel und schreibt, daß die Kreidestückchen fliegen. Passivität duldet der Enthusiasmus dieses Mannes mit dem nervösen, jungen Gesicht nicht einen Augenblick. Der behandelte »Fall« liegt nicht aus der Welt: Eine erfolgreiche californische Ölfirma ist, nach ihrer Finanzlage, zu beträchtlichen Investitionen fähig: Soll sie in ihrem angestammten Bereich bleiben oder sich auf fremdes Gelände wagen? Konsolidierung? Diversifikationen? Der indianische Student und die Orientalen in der Klasse, sonst eher zur Zurückhaltung neigend, scheinen von der Dramatik der fälligen Entscheidung infiziert zu sein. Sie sprechen und gestikulieren lebhaft mit. Sie lachen lauthals, als ein rothaariger und frecher Jüngling zu bedenken gibt, was immer das Management von Baker unternehme, es habe bitter nötig, was nur ein »four letter word« umschreibe: *luck* nämlich, Glück.

Schrieb der Professor auch dieses kleine, gleichsam obszöne Wort an die Tafel, das vermutlich der Stein aller Wirtschaftsweisheit ist: Glück? Es war wohl so. Dann stand es etwas vereinsamt unter den Kürzeln und abstrakten Begriffen, zu denen die vitalen Fakten der Entscheidungsprozedur auch in solch praktisch-handfester Unterrichtung erstarren. Man kann sich dem Eindruck nicht entziehen, daß hier und anderswo eine Art Manager-Chinesisch gedieh, das eine eigene Sprache ist – freilich keine schöne oder auf Anhieb verständliche. Nicht anders als das Chinesisch der Chinesen setzt es sich aus Zeichen, Symbolen, graphischen Abbreviaturen zusammen, die einzeln zu erlernen sind. Die beliebten »charts« mit ihren Linien und Pfeilen scheinen unentbehrliche Elemente dieses Bilder-Alphabets zu sein, das die Wirklichkeit ins Ungegenständliche emporträgt: ein Verständigungsritus für Eingeweihte. Der Pragmatismus hat seine Tücken. Hinterrücks und paradoxerweise wächst aus dem Widerstand gegen die Theorie eine Neigung zur permanenten Abstraktion.

Man könnte von einer heimlichen Rache der unterschätzten intellektuellen Bedürfnisse sprechen. Sie ist pervers. Doch sie entspricht einer internationalen Konvention.

Es ist freilich die Frage, ob den »Entscheidungsmachern« die Kürzel und »charts« viel helfen, wenn sie zu befinden haben, ob sie neue Produktionsfelder aufschließen oder fünftausend Arbeiter vor die Tür setzen sollen. Die Realität schmeckt anders als der »praxisbezogene« Lehrfall. Wohl legen Dekanat und Direktorium der Harvard Business School Wert darauf, daß die hundertachtzig Mitglieder des Lehrkörpers sich nicht in einem Elfenbeinturm von Unterricht und Forschung verschanzen, sondern der realen Wirtschaftswelt so eng wie möglich verbunden bleiben. Sie dürfen, ja sie sollen in Aufsichtsräten solider Firmen Platz nehmen, Beratungsaufträge akzeptieren, Gutachten verfassen, sofern die Erfüllung ihrer Pflichten an der Schule nicht beeinträchtigt wird. Sie werden ermutigt, praktische Erfahrungen zu sammeln, die schließlich auch ihren Studenten nützlich sein können. Um so besser, wenn sie zugleich ihr Gehalt aufbessern und ihren Ruhm ein bißchen vermehren. Denn ihre Chancen, eines Tages den Nobelpreis zu kassieren, sind nach allgemeiner Einsicht gering.

Es geschieht eher selten, daß eine Arbeit der Professoren Sensation macht. Robert H. Hayes, Spezialist für Fabrikationsmethoden und Produktionsmanagement, lehrte einige Jahre an der schweizerischen Dependance der Schule in Vevey überm Genfer See (International Senior Managers Program), und sein Kollege William J. Abernathy machte sich als Experte für die Probleme der Automobilindustrie einen Namen. Auf langen Spaziergängen in den helvetischen Wäldern und Weinbergen dachten die beiden Herren darüber nach, warum es in den siebziger Jahren mit der gepriesenen Tüchtigkeit und den Erfolgen des amerikanischen Unternehmertums für einige Jahre bergab ging. Der verletzte Stolz der beiden Amerikaner wollte sich mit den üblichen Argumenten nicht zufriedengeben: Gängelei durch Staatsregulierungen, Inflation, Geldpolitik, Steuergesetze, Arbeitskosten, die Angst der Kapitalknappheit, der Preis importierten Öls – ernste Argumente, doch keine Entschuldigungen. Die Professoren entdeckten vielmehr, laut »New York Times«, wer der eigentliche »Feind« der amerikanischen Wirtschaft sei: »Wir selber sind es« – Amerikas Manager-Klasse, sagten sie voller Kummer. Damals kamen die beiden zu der Einsicht, daß sich die Manager-Klasse der Vereinigten Staaten zu einseitig aus den Zirkeln von Juristen und Finanzfachleuten rekrutierte, die an den Produktionsprozessen (und Produkten) nur mäßiges Interesse zeigten. Sie waren überdies mehr auf kurzfristige Erfolge bedacht, statt langfristige Investitionen in Entwicklungen und Neuerungen zu riskieren, kurz: Sie zogen es vor, den Weg des geringsten Widerstands zu gehen. Sie bedienten lieber die existierenden Märkte, statt neue zu schaffen. Ihr schönstes Spiel – das die sichtbarsten und raschesten Erfolge versprach – waren (und sind) Fusionen und Aufkäufe fremder Unternehmen, mit denen sich die Bilanzen dramatisch aufbessern ließen.

Hayes und Abernathy warfen den Präsidenten und zahlreichen Vizepräsidenten der prominenten Konzerne vor, daß sie – anders als viele ihrer europäischen und japanischen Konkurrenten – die Technologie vernachlässigten. Es mangele diesen Finanzzauberern an Beziehung zum Ingenieur- und Erfindergeist.

Die Autoren forschten freilich nicht nach den tieferen Ursachen der zeitweiligen Lähmung des unternehmerischen Elans. Sie forderten keine strenge Untersuchung der mitunter absurden Wucherung der Konzernbürokratien. Sie zeigten nicht mit dem Finger auf das (auch in Europa längst nicht mehr unbekannte) Elend, daß den Managern Wesen und Geist ihrer Produktionsbereiche fremd, wenn nicht gleichgültig sind, da ein tüchtiger »executive« angeblich alles zu »managen« vermag, von der Ölsardine über den Panzerspähwagen zu Parfum und Druckerzeugnissen. Es stieß ihnen nicht auf, daß hier ein Problem der Identifikation vorliegt.

Sie wiesen nicht darauf hin, daß die Einkommensdifferenz zwischen Management und eigentlichen Produzenten oft grotesk verzerrt ist. Sie machten auch nicht darauf aufmerksam, daß die wachsende Unabhängigkeit des Managements vom Eigentum eine »Entfremdung« bewirkt, die nicht geeignet ist, eine wurzelfeste Verantwortlichkeit wachsen zu lassen, die über Jahresabschluß, Umsatz- und Gewinnbeteiligung hinaus plant. Sie sagten nicht klipp und klar, daß Management zuletzt eben doch nicht gleich Unternehmertum ist. (In dieser Feststellung mag sich einer der Gründe für den Verfall entscheidender Qualitäten unseres Wirtschaftens verbergen.) Im Zweifels- oder Konfliktfall wechseln die Herren 'mal eben rasch die

Firma. Die Mobilität der »Neuen Klasse« ist groß, ihre Ausdauer eher gering. Also müssen so schnell wie möglich eindrucksvolle Ergebnisse erzielt werden. »They never have to live with their mistakes«, bemerkte Professor Hayes.

Fast versteckt deuteten die Verfasser ein – für Amerika – überraschendes Argument an, das die weitergreifende Planung mancher europäischer Unternehmen zum Teil erklären konnte: Sie mußten ihre wichtigeren Entscheidungen mit ihren Betriebsräten prüfen und von Aufsichtsräten billigen lassen, in denen auch die Arbeitnehmer vertreten sind. Der Begriff »Mitbestimmung« wurde nicht erwähnt, doch der kundige Leser wußte Bescheid. Er konnte leicht zu dem Schluß gelangen, daß die Beteiligung der Belegschaften an den Beschlüssen über das Geschick des Unternehmens die »Entfremdung« auf der unteren Etage wenigstens partiell korrigierte. Jene auf der Chefetage blieb ein ungelöstes Problem.

Legten sich die beiden Professoren solche Zurückhaltung auf, weil sie nicht in den Verdacht geraten wollten, die Interessen der »Neuen Klasse« zu verraten? Immerhin stellten sie einige Kernkapitel des »Evangeliums« der Managerschicht (»New York Times«) mit sanfter Sorge in Frage. Radikalität wäre im Quartier der Business School eher ungebräuchlich. Man lehrt und lernt in jenem Revier den harten Wettbewerb. Doch Grenzen – vor allem der Fairneß – müssen respektiert werden. So wollen es die Regeln des Sports, die an allen Universitäten Amerikas als Richtlinien des Lebens gelten. Sie wirken von dort in jeden Bereich des Daseins – auch in der Wirtschaft. Man sagt nicht von ungefähr, der Vorstand der Firma »Spearhead Inc. spiele ein anderes Spiel« (als die Konkurrenz), und man nennt die Figuren im Feld des Managements nicht nur zufällig »Spieler«. Es ist ein hohes Lob, wenn sich ein »executive« hohen Ranges den Titel »team player« verdient, auf deutsch: wenn er als kollegial und kooperativ geachtet wird. Von einem harten Spieler aber sagt man voller Achtung und Furcht: »He plays to kill«, zu deutsch: Er setzt völlig auf Sieg und geht über Leichen.

Trotzdem verbirgt sich in diesen Anleihen bei Football und Baseball gelegentlich eine Neigung zur Anpassung und zum legeren Konformismus. Es ist wahr: Außenseiter gedeihen im Drill dieser Anstalt nur unter Mühen. Die Business School hat Schule gemacht. Man zählt zwischen Atlantik und Pazifik fast an die tausend Lehranstalten dieser Art, und es gibt zwei Millionen Firmen in den Vereinigten Staaten, die ihren Führungsnachwuchs am liebsten aus Bildungsstätten rekrutieren, die dem großen neu-englischen Vorbild wenigstens nahekommen.

Professor Michael E. Potter schrieb in einem Papier über die »Mission« der Schule von »einer Gesellschaft, die den besten Ausgleich zwischen Staatskontrolle und freiwilliger Selbstbeschränkung auf der einen, Freiheit der Initiative auf der anderen Seite« suche. Das sind Formulierungen, die im Urtext des »Evangeliums« der Harvard Business School wohl nicht vorgesehen waren. Sie entsprechen der neuen Realität Amerikas, die tiefgreifende Veränderungen erfuhr, seit die Gründerväter der Schule zu Beginn des Jahrhunderts die Stiftung einer unabhängigen Fakultät für »angewandte Wirtschaftskunde« in Harvard zu planen begannen. (Wie anders sollte man »Business School« übersetzen?)

Im Gründungsjahr 1908 waren die Vereinigten Staaten, dank der straffen und zugleich so herausfordernd intelligenten Regentschaft Theodore Roosevelts, als ein handelnder Partner in den Kreis der Weltmächte eingetreten. Der progressive Republikaner hat mit heftiger Energie versucht, die mächtigen »trusts« und die Willkür der Wirtschaftskönige zu zähmen – ohne großen Erfolg. Die Botschaft des »free enterprise« war das Bekenntnis des Landes. Die zahlreichen Krisen hatten den Glauben an den Anbruch eines »goldenen Zeitalters« kaum gedämpft. Indessen ließen die sprunghaften Fortschritte der Technik das Wirtschaften auf allen Produktionsgebieten komplizierter werden. Die Zeit verlangte einen neuen Unternehmertypus, der über Qualitäten verfügen sollte, die sich im klassischen Bild des »selfmade man« nicht mehr zu erfüllen schienen. Die Zeit für die Business School war reif.

Der Andrang jedoch war zunächst nicht überwältigend. Er sank während des Ersten Weltkrieges sogar bedenklich. Doch dann schnellte in der Konjunktur der zwanziger Jahre die Zahl der Studenten plötzlich nach oben. Kühnere Planung und kräftige Investitionen waren unabwendbar. Der sparsame Dekan Donham erwies sich als ein perfekter »fund raiser«, der die Wohltätigkeit betuchter Zeitgenossen mit robuster Psychologie zu mobilisieren vermochte. Von ihm stammt die schlichte Weisheit: Wer hundert Dollar verdiene und hundertzehn ausgebe, sei ein unglücklicher Mensch. Wer aber hundert einnehme und nur neunzig verbrauche, besitze den Schlüssel zum Glück. Er legte dem Aufsichtsgremium von Harvard dar, daß die Schule fünf Millionen Dollar brauche, um aufblühen zu können, und schlug den Bischof Lawrence als Repräsentanten für eine Spendenkampagne vor. Dies war ein kluger Schachzug.

Die Augen der beiden Männer fielen rasch auf den greisen George F. Baker, den Präsidenten der »First National Bank« von New York, der seine Laufbahn in jenem Haus als Geldzähler und Kassierer begonnen hatte. Man schätzte sein Vermögen auf zweihundert bis dreihundert Millionen Dollar. Der alte Herr, der sich auf einem schönen Photo in Gehrock und Zylinder und schwarzen Handschuhen wie eine zivile Mischung aus Kaiser Franz Joseph und Feldmarschall von Hindenburg darstellt, stand im Verdacht, er halte nach dem geeigneten Objekt für eine Großtat menschenfreundlicher Gesinnung Ausschau. Er hätte gerne eine Brücke über den Hudson gebaut, die der Brooklyn-Bridge den Rang höchster Nützlichkeit und Ästhetik streitig machen sollte, doch scheiterte das Vorhaben an den Tücken der Bürokratie.

Bischof Lawrence erklärte dem scheuen Bankier beim ersten Besuch, nun habe er die Chance, die Geschäfte des Landes auf einen höheren Standard zu heben. Fünf Millionen würden gebraucht: »Ich hoffe, Sie geben mir die erste Million. Denken Sie darüber nach. Goodbye.« Bei der entscheidenden Zusammenkunft antwortete Mr. Baker voller List, er habe kein Interesse daran, eine Million zu spenden, auch nicht eine halbe. Der Bischof wartete. Schließlich bemerkte der Greis, wenn er durch ein Geschenk von fünf Millionen Dollar das Privileg erwerbe, die ganze Schule zu bauen, dann sei er dazu bereit. So geschah es.

Bei den Einweihungsfeiern äußerte sich der gefeierte Gönner nur mit einigen schütteren Sätzen zu den schmetternden Dankadressen, doch stiegen ihm angesichts des Denkmals, das er sich gesetzt hatte, die Tränen in die Augen. Er neigte, wie so viele reiche und mächtige Menschen, zu rascher Rührung (vor allem über die eigene Güte), doch er war kein Mann der vielen Worte. Einer jungen Reporterin sagte er, die Kaufleute in Amerika sollten ihr Gerede um zwei Drittel reduzieren. Jedermann solle weniger reden: »Es gibt, für wen auch immer, selten einen Anlaß, der gut genug ist, den Mund aufzumachen.« Dann fügte er hinzu, dies sei das erste Interview, das er seit 1863 gegeben habe. Inzwischen waren sechzig Jahre vergangen.

Vermögende Herren folgten Mr. Bakers Beispiel. So wurde die Business School mit einem soliden finanziellen Grundstock ausgestattet. Im Geschäftsjahr 1981/82 betrug das Gesamtbudget etwa zehn Millionen Dollar. Die Spenden machten insgesamt 5,1 Millionen aus. Es versteht sich, daß die Absolventen, die es zu Reichtum und Ruhm gebracht haben, stets kräftig zur Kasse gebeten werden. Die »Associates« brachten 1,8 Millionen auf: So werden die (meist) »korporierten Freunde« genannt, die wenigstens fünftausend Dollar pro Jahr und oft genug zehn- oder zwanzigtausend Dollar springen lassen. Die Namen jener Firmen sind illuster. Sie reichen von »Mobil« bis »Sony«, von »Nestlé« bis »Levi's«. Unter den europäischen Wohltätern sind zwei britische und zwei italienische, ein französisches, ein holländisches und ein schwedisches Unternehmen genannt, jedoch kein deutsches.

Insgesamt zählen dreihundertsiebenundzwanzig unserer Landsleute zu den »alumni« von Harvard Business, aber unter den Franzosen sind es sechshundertzweiundsechzig, unter den Briten eintausenddreihundertdreizehn, unter den Schweizern immerhin dreihundert. Deutungen der deutschen Reserviertheit werden nicht versucht. In der Regel stellen die Ausländer etwa ein Drittel der Studentenschaft, das sich wiederum zu je einem Drittel unter Lateinamerikanern, Asiaten und Europäern aufteilt. Die Vertretung der Frauen ist, notabene, auf ein Viertel gewachsen. Die sogenannten Minderheiten der Vereinigten Staaten sind mit etwa zehn Prozent vertreten.

Wohl ebenso wichtig wie der reguläre Schulbetrieb sind die Fortbildungskurse für etablierte Manager, die, wie einer der Professoren sagte, im »gefährlichen Alter« zwischen fünfunddreißig und fünfundvierzig oft an einer »Blockierung der Ambitionen« litten. Wenn es der Schule tatsächlich gelänge, jene verstopften Kanäle des Ehrgeizes freizupusten, dann erfüllt sie damit eine segensreiche Funktion für die Gesellschaft. Vielleicht wäre es kein törichter Einfall, wenn die Studenten aller Altersgruppen dazu angeregt würden, ein- oder zweimal in der Woche die Fesseln des Spezialistentums abzuschütteln, um wahrzunehmen, daß auch die Wirtschaft in einer Umwelt der Kultur lebt – wie die Kultur in einem Umfeld der Wirtschaft. Einem der mächtigsten Dirigenten der Wallstreet wird – ohne Spur von Jux und Ironie – das Bonmot nachgesagt, er habe durch die Lektüre der Königsdramen Shakespeares mehr über das Wesen des Managements gelernt als in sämtlichen Lehrgängen moderner Ökonomie.

Jener Zeitgenosse mag sich einer kleinen Übertreibung schuldig gemacht haben, aber Professor George Cabot Lodge, einer der profilierten Lehrer der Schule, würde ihm kaum widersprechen. Man könnte Lodge den Hausphilosophen der Harvard Business School nennen. Er stammt aus der Erzaristokratie von Boston. Die Familie bestimmte ihn zum Republikaner. Der Vater kandidierte neben Nixon für die Vize-Präsidentschaft der Vereinigten Staaten gegen John F. Kennedy und Lyndon B. Johnson. Er diente später – nicht allzu rühmlich – als Botschafter in Saigon. Der Sohn trat 1962 gegen Edward Kennedy an, um den Senatorensitz von Massachusetts zu gewinnen: alter Reichtum gegen den neuen, der Erbe einer traditionellen Dynastie gegen den Sproß einer jungen und aufstrebenden ... Die Niederlage Lodges war unaufhaltsam und ehrenvoll.

Als er 1961 in die Fakultät von Harvard Business berufen wurde, hatte er sechs Jahre lang praktische Erfahrungen in der Administration Präsident Eisenhowers gesammelt. Sein wichtigstes Werk aber trägt den Titel »The New American Ideology«. Es analysiert mit großem Elan – und einer Spur von konservativer Trauer – die wachsende Macht des Staates und »kommunitärer« Interessen im lädierten Paradies des Individualismus und der privaten Initiative.

Sensibel nimmt Lodge die Änderungen der sozialen Strukturen wahr. In seinen jüngsten Aufsätzen beschwor er sein Publikum, endlich mit der angemessenen Gründlichkeit über die Wandlung der Beziehung zwischen Kapital und Arbeit, Management und Arbeitnehmerschaft nachzudenken. So nahm er in gewisser Hinsicht die Themen seiner Kollegen Potter, Hayes und Abernathy auf. Tatsächlich war die Rettung der kranken Automobil-Riesen »Chrysler« und »Ford«, die ohne die Hilfe der Gewerkschaft nicht möglich gewesen wäre, auch eine diskrete Ouvertüre der Mitbestimmung in den Vereinigten Staaten.

Vertrautheit mit der Arbeitswelt hat die Aufmerksamkeit des

Professors für diese elementare Veränderung geschärft, doch es ist schwer auszumachen, ob er sie für gut hält. Mit dem prononcierten und etwas hochmütigen Akzent der neu-englischen Elite doziert Cabot Lodge – enthusiastisch und ironisch zugleich – über die simple Frage der Wertung lieber hinweg. Immerhin sagte er klar genug, daß sich auch die Vereinigten Staaten dem Zwang zu staatlicher Planung, der stärkeren Hinwendung zu den öffentlichen Aufgaben und einem neuen »consensus« zwischen Arbeitgebern und Arbeitnehmern nicht entziehen könnten.

Das Wort »Ideologie« schreckte Professoren und Studenten der Harvard Business School einst eher ab. George Cabot Lodge aber erklärt nun unerschrocken, Ideologie sei die Ideenbrücke, die moralische Werte in die reale Welt befördere. Das ist ein schönes Wort. Es signalisiert, daß sich auch »jenseits des Flusses« in Harvard ein Wandel vollzieht.

Eine Studentin, man könnte sie Gloria nennen, den Kopf voller Locken, aufsässig und hübsch, schien die Chance des neuen Geistes verstanden zu haben. Trotzig sagte die junge Frau: »Ich möchte eines Tages eine abgewirtschaftete Fabrik übernehmen, um sie *mit* den Arbeitern wieder flott zu machen.« Dann ließ sie eine gelbe Papierschwalbe durchs Auditorium segeln.

Der Fremde las sie auf. Sie wog leicht und doch nicht wenig gegen die zwanzig Pfund bedruckten Papiers, die er aus der Business School, diesem weltlichen Kloster des mächtigen Ordens der »neuen Klasse«, nach Hause schleppte. Die Schwalbe, die junge Frau und ihr fröhlicher Ehrgeiz öffneten für einen Augenblick die Träume, von denen in all den Papieren niemals die Rede ist. Sie setzten sich über die heimliche Grenze hinweg, die das sauber abgesteckte Arbeitsfeld der Manager von den Mythen und Märchen trennt – nein, nur zu trennen scheint: denn die Impulse der Hoffnungen, die Energien des Strebens nach einer glanzvollen Karriere, die Vitalität und die Lust am Unternehmen nähren sich aus der alten und immer neuen Utopie Amerikas: Jeder will, und sei es im winzigsten Ausschnitt, seine Welt begründen.

Die Chancen mögen besser und das Glück mag den Studenten von Harvard näher sein als den jungen Leuten Europas. Begegnet man darum so selten verschlossenen, früh resignierten und schlecht gelaunten Gesichtern, die in Berlin oder Bochum, auch in Paris so oft anzutreffen sind? Sehen die jungen Amerikaner anders aus, weil sie zum Glück entschlossen sind? Weil sie Unglück für keine Tugend halten? Weil sie Depressionen für keinen Beweis überlegener Einsicht, sondern eher für suspekt halten? Weil sie Langeweile nicht als Ausdruck eines tieferen Einblicks in den Zustand von Gott und der Welt betrachten, sondern als eine moralische Mangelkrankheit? Weil sie, trotz scharfer Konkurrenz, im Wohlwollen mit ihren Nachbarn zu leben versuchen? Weil sie eine Romantik hüten, die nicht zur Verzweiflung und Verneinung unserer Zivilisation neigt, sondern noch immer zu Neugier, Fährtensuche, zur Erprobung von Mut und Talenten einlädt?

So weit der Abstand zum anderen Harvard überm Fluß auch sein mag: Der Resignation verweigern sich die jungen Leute hier wie dort.

VII

Das schöne Stiefkind der Nation

Als der Fremde in der Frühe seine »Washington Post« auflas, das Papier wie immer vom Nachttau des Rasens vollgesogen, fiel ihm ein, daß er mit dieser Stadt länger als mit irgendeiner anderen gelebt hatte. Wie lang? Er versuchte zu rechnen. Viermal machte er hier Quartier, mit Möbeln, Büchern und Bildern, dreimal zog er nach Europa zurück. Beim letzten Mal lachten die Freunde und rieten, den Krempel stehenzulassen, er käme bald genug wieder. Wie lang seit 1960? Zwölf Jahre oder dreizehn?

Der Morgen war grau. Milchig hing das Licht in den Wolken, die nicht weichen würden, ehe das Abendgewitter sie zerriß. Der schwere Sommer von Virginia. Ein schweißnasser Läufer trabte über die Straße, tippte grüßend ans rote Stirnband. Minuten später paradierte der alte General vorbei, jede Bewegung abgehackt, eine Marionette im Schnellgang. Hölzern und hastig riß er den Golfhut vom Kopf, lachte sein Nußknacker-Lachen, rief wie immer sein stereotypes »And a jolly good morning, Sir« und stakste davon. Die Ärzte hatten ihn dringend gemahnt, sich Bewegung zu verschaffen. Also marschierte er, ob Regen, ob Schnee oder ein Morgen von lähmender Schwüle.

Der Tag blieb still. Kein Schulbus sammelte die Horden kreischender Teenager ein. Sommer. Die langen amerikanischen Ferien von Mitte Juni bis Anfang September. Die Bestien – unerträglich und liebenswert die meisten – waren ins »camp« verbannt, um Körper und Seele zu stärken, vor allem, damit die Eltern einige Wochen Ruhe und Frieden fänden. Eine Rotte, die zurückgeblieben war, streifte mißmutig und ziellos durch den kleinen Park und verschwand in dem kleinen Waldstreifen, der von Ende Mai an ein wuchernder Dschungel ist.

»Indianerland«, sagte ein Freund aus Deutschland. Wie? Hinter dem Wäldchen reihen sich Zeile für Zeile die Häuser von »suburbia«, komfortabel und adrett, jedes von einem Rasen gesäumt, der mit der Nagelschere manikürt wird. Danach das Shopping Center, diese Festung des Konsumwillens, mit Kino, »MacDonald's« und »Pizza-hut«. Doch eine Meile weiter westwärts, hinter einer Steigung der Autobahn zum Dulles Airport, öffnet sich plötzlich das Land: im Dunst des Sommers scheinen die weitgeschwungenen Hügel den Schatten der »Blueridge Mountains« entgegenzuschweben.

Es hilft nichts, das Klischee trifft zu: Die Berge sind blau. Wenn sich der Tag zu neigen beginnt, verfällt die Färbung des fernen Massivs von Purpur in Schwarz. Der Schatten steht wie eine Lockung am Horizont. Man möchte nicht anhalten. Man möchte ihm nachfahren. Man möchte die kleinen virginischen Städtchen hinter sich lassen, in denen die Zeit so träge verebbt, die weißen Fassaden der Plantagen-Schlösser, die Weiden mit den schönen Pferden, möchte von den Pässen des Gebirges auf die fruchtbare Glorie der Täler herabschauen, möchte sich in den Wäldern verlieren, bis man im Tal des Ohio-Flusses wieder ans Licht träte, die endlosen Flächen des Mittleren Westens vor sich, den Kontinent ...

George Washington, dieser säuerlich-edle Erzvater der Nation, trug das Verlangen nach den Räumen des Westens zeit seines Lebens in der Seele. Er schleppte es mit sich, seit er als junger Mensch über die Berge geritten war und sich im Siebenjährigen Krieg mit Franzosen und Indianern herumgeschlagen hatte. Er besaß beträchtliche Ländereien jenseits der Alleghenies. Er las den Kompaß der Zukunft richtig. Sein Nachbarstädtchen Alexandria und das beschauliche Georgetown – damals ein wichtiger Markt des Tabakhandels – bezeichnete er als die »Warenhäuser des Westens«. Er regte den Durchstich eines Wasserweges zwischen Potomac und Ohio River an. Die Arbeiten wurden unter seinem fünften Nachfolger John Quincy Adams begonnen, doch sie führten zu nichts. Es blieb nur die Touristenattraktion der Treidelboote, die von alten Mauleseln durch den Kanal in Georgetown geschleppt werden, während ein Fiedler Country-Melodien spielt.

Von der Terrasse seines anmutigen Gutshauses Mount Vernon schaute Washington zum Potomac hinunter, der sich dort zu einem mächtigen Binnensee ausbreitet, von alten Bäumen umstellt. Kultur der Ostküste: Baltimore, Philadelphia, New York, Boston im herben Neu-England und im Süden das hübsche Charleston, Inseln der Zivilisation, die den Siedlern in ihren verstreuten Gehöften eine Ahnung von Geborgenheit und bürgerlicher Ordnung gaben. Sie hielten die Lebenslinien über den Atlantik zum gehaßten, gefürchteten und geliebten Europa offen, das eine Rabenmutter war, doch immerhin eine Mutter.

George Washington hat, anders als seine Gefährten Franklin, Jefferson und John Adams, den Ozean niemals überquert. Die Erde Amerikas war völlig die seine. Aus ihr sollte, nach seinem Willen, die Hauptstadt der Vereinigten Staaten wachsen, von Grund auf neu, frei von den babylonischen Sünden der Alten Welt und ihrer Metropolen. Wenn es denn Vorbilder für sie gebe, sollten es das demokratische Athen und das republikanische Rom sein.

Praktische Überlegungen, das ist wahr, entschieden zuletzt über die seltsame Ortswahl, bei der auch der Virginier Thomas Jefferson die Hand im Spiel hatte. New York und Philadelphia hielten einander im Streit um den Sitz der nationalen Regierung eifersüchtig in Schach. Der Neu-Engländer John Adams wollte die Hauptstadt in Germantown, Pennsylvania, ansiedeln. Die Südstaaten aber duldeten nicht, daß der Norden das Zentrum der Macht kontrollierte. Man einigte sich auf die ungefähre Mitte. Das Territorium von Columbia zu beiden Ufern des Potomac, ursprünglich zehn Meilen lang und breit, hatte den Vorteil, nur einen Tagesritt von Washingtons Besitz entfernt zu sein.

Was für ein Mut, die Vermessenheit streifend, eine Hauptstadt aus den Sümpfen zwischen den beiden Nestern Georgetown und Alexandria zu stampfen! Ein Weiler lag zwischen den Städtchen, den man inzwischen vergessen hat. Er hieß Hamburg und hockte in jener Senke am Flußufer, die man später »Foggy Bottom« nannte, das Nebelloch – dort, wo das State Department in majestätischer Öde thront. Der Name, sagt man, steht jener Institution zu Gesicht.

Der französische Ingenieur Pierre-Charles L'Enfant – an der Königlichen Akademie für Malerei und Skulptur in Frankreich erzogen, seit 1776 im Dienst der amerikanischen Freiheit – dachte und plante in imperialen Maßen: Er wollte eine Stadt für 800 000 Bürger schaffen, großartig genug, eine Nation von schließlich 50 Staaten und 500

Millionen Menschen zu repräsentieren. Rom und Athen waren schöne Ideale – L'Enfant aber kannte Versailles und Paris, er hatte den großen Le Notre studiert und Sir Christopher Wrens Entwürfe für die Erneuerung Londons. Bei ihnen holte er seine Anregungen und vereinigte sie zu einer genialen Vision, die das Bild der Metropole bis auf den heutigen Tag bestimmt. Die Administration freilich entband den schwierigen Planer seiner Pflichten, noch ehe der Grundstein des Capitols gelegt war. (Er wurde später mit schäbigen 3800 Dollar entlohnt, 95 500 hatte er gefordert.) Die Grandeur der »Mall«, die das Lincoln Memorial mit der Residenz des Kongresses verbindet, waren seine Version der Champs-Elysées. Er zeichnete das Netzwerk der Avenuen, die in Rondellen zusammenliefen, das Capitol der Mittelpunkt, der alles überragen sollte. Er zog die Straßen als Quer- und Längsstreben ein, nach Buchstaben und Nummern geordnet, übersichtlich, der Verteidigung dienend. Die Plätze konnten rasch in Forts verwandelt werden. L'Enfant hatte auch bei Colbert, dem Festungsbauer des Sonnenkönigs, einige Lektionen gelernt. Er war in gewisser Hinsicht der letzte Großbaumeister des 18. Jahrhunderts, der Klassizismus und barockes Pathos, Monumentalität und geometrische Sachlichkeit, Aufklärung und imperialen Stilwillen zusammenzuzwingen versuchte.

Die dreizehn Kolonien aber, die ihre Freiheit so mühsam erkämpft und sich widerstrebend auf eine Verfassung geeinigt hatten, zählten damals nicht mehr als vier Millionen Menschen, von Krieg und Unruhen erschöpft. Sie befanden sich am Rande des Bankrotts. Sie waren eine dritt- oder viertrangige Macht. Der Mut, diesem Staat, der noch kein richtiger war, eine solche Hauptstadt zu bauen, grenzte ans Absurde.

Die Anfänge waren in der Tat grotesk. Als John Adams, der zweite Präsident, Quartier im Weißen Haus nahm, klagte seine Frau Abigail, sie finde niemand, der ihr Holz für die Kamine mache, und wenn sie an Regentagen einen Schritt vor die Tür setze, wate sie knöcheltief im Schlamm. Diese energische Dame, gebildet und unerschrocken, ein Beispiel selbstbewußten Frauentums – trotz ihres Ranges als die »First Lady« wusch sie ihre Wäsche oft selber, hängte sie im einzigen Empfangsraum an die Leine, denn der war geheizt, und sehnte sich nach ihrem gemütlich-bürgerlichen Heim in Quincy bei Boston.

Thomas Jefferson sprach vom »glänzenden Elend« des Amtes. Für ihn gab es Anlaß, seine Residenz mit einem Anflug von Bitterkeit zu betrachten, denn er hatte – seinen Aufgaben als Außenminister nicht ganz getreu – einen eigenen Entwurf für das zweite Palais des Präsidenten eingereicht, anonym und taktvoll, der bescheidener, wohnlicher und ästhetisch erfreulicher war. Nun spottete er, das Haus sei groß genug für »zwei Kaiser, einen Papst und einen Groß-Lama obendrein«. Bei seinem Abschied betrug die Volkszahl der Hauptstadt an die fünftausend Seelen. Noch drei Jahrzehnte später schrieb Captain Marryat beim Anblick der gähnenden Leere des Stadtbildes, das Capitol stehe herum »wie ein General ohne Armee«. Charles Dickens berichtete wenig später, die geräumigen Avenues Washingtons führten vom Nirgends ins Nichts, den Straßen fehlten Häuser und Bewohner, den öffentlichen Gebäuden die Öffentlichkeit. Das Wort vom elenden Nest war nicht übertrieben.

Ein Element des Vorläufigen ließ sich aus Washington niemals vertreiben. Es mischt sich aufs merkwürdigste mit dem grandiosen Anspruch der römischen Fassaden, die für die Ewigkeit gebaut sind und keinen Zweifel dulden, daß hier eine Weltmacht ins Leben trat. Doch sind die Bürger in dieser Stadt auch zuhause? Ist sie ihnen Heimat geworden?

Sie zeigt ihre Gegenwart bis weit hinaus ins Umland zu jeder Tages- und Nachtstunde an. Ihre Geräusche dringen durch den Schleier von Hitze und Dreck in die dösenden Vororte, in denen die Zeit im Gleichmaß der Langeweile vertropft, bis gegen fünf oder sechs am Abend die Bürokraten in endlosen Konvois über die Brükken und Parkstraßen in den klimatisierten Komfort ihrer Eigenheime zurückstreben. Die Stadt leuchtet in der Dunkelheit mit einem blaßroten Schimmer des Himmels in die Gärten und bis hinaus zu den ersten Feldern, auf denen der Mais mit den trocknenden Blättern raschelt. Die Lichter in der »suburb« erlöschen früh. Auch in den Salons von Georgetown sagen die Gäste pünktlich um elf Uhr adieu. »Es war wie immer reizend, meine Liebe«, jubeln sie unter der Tür, »Ihr Soufflé war ein Gedicht ... und sagen Sie Henry, wenn Sie ihn sehen, seine Memoiren seien stilistisch ein Meisterwerk, sagen Sie ihm«, ein halbes Flüstern, »George Shultz habe nicht *ein* böses Wort über ihn geäußert, nicht eines – er ist nicht vom Ehrgeiz zerrissen wie Al Haig, dieser aufgeregte Mensch, sagen Sie ihm auch . . .«

Ein paar rasche Schritte auf dem alten Pflaster. Wagentüren fallen diskret ins Schloß. In diesem Viertel werden nicht alle Lampen gelöscht, noch nicht. Durch den zarten Tüll der Vorhänge lassen sich Bibliotheken, teure Bilder und manchmal die Schatten lesender Menschen erkennen. Ein glucksendes Klarinetten-Stück vom Nachtprogramm des »public radio« oder einer Platte purzelt kadenzweise aus dem oberen Stock ins Geäst der Kastanien.

Ah, man müßte jetzt, nur für eine Stunde, in einem der Gärten sitzen, die sich hinter den Efeu-Mauern und den schlichten Häuserfronten aus den Anfängen des vergangenen Jahrhunderts verbergen. Die Gärten von Georgetown. Der arrogante und dennoch so gescheite Dean Acheson, Außenminister Harry Trumans, beschrieb in einem Brief an seine Frau, die sich in Venedig aufhielt, das heitere Wunder dieser Gärten, in denen europäische Blumen und tropische Gewächse so anmutig durcheinanderwuchern: Um keinen Schatz der Welt würde er diese Köstlichkeit missen wollen. Wie mag er bei der Niederschrift der hübschen Sätze sein britisches Bärtchen gezwirbelt haben!

Vielleicht würde in ihrem nächtlichen Schatten die Stadt einige ihrer Geheimnisse verraten: nicht den Klatsch dieser Tage, den die Spatzen von allen Dächern pfeifen und der die Spalten der Magazine füllt. Er bietet wenig, das man wissen sollte. Washington schwirrt von Gerüchten. Man kann sie fast allesamt sich selbst überlassen. Wer mit wem? Wer gegen wen? Ist es wahr, daß die Pagen im Kongreß ein Keuschheitsgelübde ablegen mußten, da sich der versammelte Argwohn aller Pastoren und Chefredakteure der Vereinigten Staaten auf jene Jünglinge richtet, seit einer von ihnen aus der Schule geplaudert hat? *What else is new?* Man hat schon mehr gelacht: Als das Blondchen Elizabeth Ray gestand, sie sei von Mr. Wayne Hays, einem der mächtigsten und rüdesten Mitglieder des Repräsentantenhauses, als Sekretärin engagiert worden und könne doch keine Schreibmaschine bedienen, oder als die hübsche Frau eines jungen Volksvertreters, der auf finanzielle Abwege geriet, hernach belustigt verriet, man habe es mitunter auch auf den Stufen des Capitols getrieben, gewissermaßen auf der Schwelle zum Allerheiligsten der Nation, mit Blick über die heroisch-dekorativen Prachtstraßen, die zum Weißen Haus führen.

Das Leben, auch das ordinäre, fand in Washington jederzeit statt. Die hüstelnde puritanische Tugendgesinnung konnte niemanden täuschen, am wenigsten die gut dreitausend Journalisten, die auch nicht allesamt Kinder frommer Traurigkeit sind, obschon sie sich manchmal wie Anwälte der höchsten Sittlichkeit aufführen. Moralische Entrüstung führt ihrer Prosa oft ein energisches Pathos zu.

Was also? Kein Watergate in Sicht? Kein Billy-Gate? Kein Korea-Gate? Wer zum Beispiel sind die schlampig vermummten Gestalten, die drüben in den Mülleimern kramen? Kollegen, die ein anderes Mal Aufschlüsse über die privaten Gewohnheiten Dr. Kissingers anhand seiner Abfälle suchen? Fünf Aspirin-Dosen? Mehr als zwei Cognacflaschen? Welche Marke? Nur gewöhnlicher Remy? Der Geizhals ... Oder sind es arme Teufel, die Eßbares zu finden hoffen, angeschimmelte Kaviarbrötchen oder ein Steak, das verschmäht wurde, weil es zu sehnig war?

Nichts könnte den alten Bäumen gleichgültiger sein. Die Magnolien schrecken nur einmal im Jahr aus ihrer glasierten Ruhe auf: Wenn im März die Winde aus der Karibik über die virginischen Hügel heraufwehen und das Frühjahr wie ein betörender Taumel über die Stadt hereinstürzt – dann öffnen sich die Blüten unter dem Befehl der sanften Gewalt. Ihre Schönheit währt drei Tage, vielleicht vier, bis sie – als könnten sie die eigene Vollkommenheit nicht ertragen – erschöpft auf die Erde sinken. Ihr Ende kündigt den langen subtropischen Sommer an, in dem sich die Luft wie feuchtwarme Watte anfühlt.

In den Nächten des Übergangs brechen die Studenten der nahen Georgetown-Universität (der ältesten katholischen Hochschule des Landes, eine der besten Amerikas) aus ihren Dormitorien und Apartments, fegen mit ihren Volkswagen, MGs und Thunderbirds durch die Straßen, kicken Bierbüchsen gegen die Mauern, sprühen Parolen an alle verfügbaren Wände und brüllen mit Stentor-Stimmen, die sie in den Football-Arenen so erfolgreich übten, gegen ihre Radios an. Sie spielen verrückt. Vielleicht sind sie es auch. Andere werden still. Sie gehen mit den Mädchen Hand in Hand.

Studenten kommen und gehen, wie fast jeder in dieser Stadt. Ist hier denn keiner zuhaus? Die alten Bäume in den alten Gärten müßte man nach den Bürgern fragen, die sich einst in Georgetown oder drüben in Alexandria stattliche Residenzen bauten, im englischen Stil, mit ein paar Konzessionen an gallische Eleganz (oder was sie dafür hielten). Die Häuser blieben nicht in den Familien. Viele verkamen. In der zweiten Hälfte des vergangenen Jahrhunderts und zu Beginn des unseren schienen Georgetown und Alexandria zu stetem Niedergang und Verfall verurteilt. Die Reichen und Mächtigen etablierten sich in strotzenden Palästen weiter nach Nordosten, der Grenze Marylands zu. Sie bevorzugten nun italienische Linien, und die Interieurs waren nach dem üppigen Geschmack des Mr. Louis Comfort Tiffany gestaltet.

Ein bodenständiges Patriziertum wollte nicht gedeihen. Wohl gab es eine Handvoll Familien, die sich alteingesessen nannten. Sie pflegten eine breite und behagliche Lebensart, doch wenn sie ihren Reichtum nicht aus der Spekulation mit Immobilien bezogen, verlangte ihr Besitz außerhalb des Distrikts Loyalitäten, die eine gewisse Distanz von Washington schufen. Ihre Nachbarn waren Abgeordnete oder Senatoren, die im Kongreß stets nach ihrem Heimatstaat – »The gentleman from Alabama« (California oder Kansas) – aufgerufen wurden. So ist es noch immer der Brauch.

In dieser Stadt kommt jeder von irgendwo her, und jeder bleibt dem Ort seiner Herkunft verhaftet. Vielleicht sind in Washington am Ende nur die Schwarzen zuhaus, die in den Gründerjahren bescheiden in den winzigen Dienerhäuschen von Georgetown hausten. Im Jahre 1850 war die Sklaverei im Distrikt abgeschafft worden. Vordem konnte man Sklavenmärkte in der unmittelbaren Nachbarschaft des Weißen Hauses antreffen – ein Anblick, »vor dem sich selbst die Despoten Europas angewidert abwenden würden«, wie ein Zeitgenosse bemerkte. Die »freien Schwarzen« sammelten sich von 1830 an in ihren eigenen Kirchen. Sie waren es leid, sich auf separaten Treppen auf die Emporen zu schleichen, die für sie vorgesehen waren: »die Hintereingänge der Nigger zum Himmel«.

Nach dem Bürgerkrieg strömten an die 40 000 schwarze Bürger in die Stadt des Befreiers Lincoln. Sie zogen nicht nach einigen Jahren wieder davon wie die Abgeordneten, die in ihre Bezirke zurückkehrten, die Bürokraten, die im Wechsel der Administration mit harten

Besen aus ihren Ämtern gefegt werden, die Journalisten, die neuen Aufträgen nachjapsen, die Diplomaten, die alle drei Jahre gezwungen sind, ihre Cocktail-Konversation anderen Ortes weiterzuführen, die Anwälte, die reichere Pfründe in Wallstreet locken, oder das Heer der Public-Relations-Agenten, die ihre Klienten und ihre Produkte morgen vielleicht lieber in Hollywood oder an der Madison Avenue verkaufen. Die dunkelhäutigen Bürger haben mit den Nomaden unseres Jahrhunderts wenig zu schaffen. Für sie ist Washington keine gigantische Karawanserei. Ihre Voreltern – oder sie selber – kamen hierher, um Brot, ein Dach, gleiches Recht und einen Hauch von Freiheit zu finden. Sie kamen in immer neuen Wellen, meist aus der Armut des ländlichen Südens. Sie kamen »for good«. Sie blieben. Wohin sollten sie auch gehen?

In D. C., dem Distrikt von Columbia, der nach 1830 auf 174 Quadratkilometer zurückgeschnitten wurde, lebten im Jahre 1950 mehr als 800 000 Menschen, ein gutes Drittel Schwarze. Dann vollzog sich eine revolutionäre Veränderung der Bevölkerungsstruktur: Zehn Jahre später war die Zahl der Gesamtbevölkerung leicht gesunken, der Anteil der Schwarzen aber auf über die Hälfte gewachsen. Im Jahre 1970 stellten sie zwei Drittel der Bürgerschaft. Die Volkszählung von 1980 ermittelte eine Einwohnerzahl von 631 000, noch immer zu mehr als siebzig Prozent schwarz. Aber auch der schwarze Anteil war um mehr als 60 000 Seelen zurückgegangen.

In diesen Zahlen spiegelt sich die Abwanderung des weißen Mittelstands in die Vororte von Maryland und Virginia. Weiße Eltern – auch wenn sie ihre liberale Gesinnung aus voller Brust bezeugten – wollten es ihren Kindern nicht zumuten, mit einer Mehrheit von schwarzen Jungen und Mädchen die Schulbank zu drücken. Darin zeigte sich nicht immer Rassismus an, sondern manchmal die verständliche Sorge, die Ausbildung ihrer Sprößlinge könne Schaden nehmen, da die schwarzen Kinder oft in sozialen Verhältnissen aufwuchsen, die weder den Willen zum Lernen noch die Bereitschaft zur Disziplin ermutigten. So wurden die öffentlichen Schulen schwarze Reservate. Selbst die Mitglieder des schwarzen Mittelstands waren nicht länger bereit, ihre Söhne und Töchter den miserablen Verhältnissen an den Grund- und Oberschulen auszusetzen. Viele von ihnen zogen in die »suburbs«. Andere schickten ihre Kinder in teure Privatschulen oder Internate.

Integration und Integrität waren in dieser Stadt selten beispielhaft. Die schwarzen Viertel im Nordosten und Süden des Capitols verfielen zu Slums, die den Fremden auf den ersten Blick nicht mit der finsteren und bedrohlichen Häßlichkeit der Elendsquartiere von Harlem, Brooklyn oder der Bronx begegnen. Die uniformen Reihenhäuschen bewahren ein ordentliches Gesicht, das die Verwüstung im Innern oder den Mangel an sanitären Anlagen tarnt.

In Wirklichkeit unterschied sich der Wohnungsskandal von Washington nur wenig von dem der Armutsviertel von South-Chicago, Detroit oder St. Louis. Die Wahrheit trat schockierend zutage, als nach dem Tod Martin Luther Kings das Getto der Hauptstadt explodierte. Die Brände loderten bis nach »downtown« herunter, keinen Kilometer vom Weißen Haus entfernt. Für einen Augenblick schien es, als wollten sich die zornigen Massen nach Georgetown hinüberwälzen, dieses schöne und eitle Refugium abendländischer Bildung mit seinen Antiquitäten, seinen Delikatessen, seinen exquisiten Dîners und dem feinen Hochmut liberaler Gesinnung. Man sagte, Präsident Lyndon B. Johnson habe sich beim Empfang jener Schreckensnachricht vor Vergnügen auf die Schenkel geschlagen: Er hätte der intellektuellen Elite die Konfrontation mit dem Volk gegönnt. Es kam nicht dazu.

Der weiße Exodus aus dem Distrikt aber beschleunigte sich. Die Einwohnerzahlen der Umgebung schnellten hoch. (Die Bevölkerung der gesamten hauptstädtischen Region wird mit mehr als drei Millionen errechnet.) Die Landkreise zogen die neuen Software-Industrien, vor allem Computer-Installationen, an. Sie prosperieren. Der Distrikt hingegen verlor seine besten Steuerzahler. Das Durchschnittseinkommen liegt mit 20 000 Dollar pro Jahr noch immer über dem nationalen Durchschnitt – doch so auch das Preisgefüge. Das einzige Großunternehmen im Distrikt ist die Regierung, die mehr als vierzig Prozent der Arbeitskräfte bindet, die einzige Industrie ist der Tourismus, der Jahr um Jahr an die siebzehn Millionen Menschen herbeilockt.

Die Hauptstadt war stets ein Stiefkind der Nation. Sie wurde lang wie eine Kolonie behandelt, und ihr Status läßt sich noch immer als ein halb-kolonialer bezeichnen. Im Jahre 1871 verloren die Bürger ihr beschränktes Wahlrecht, nicht ohne eigenes Verschulden, denn die Stadtregierung war für ihre Mißwirtschaft berüchtigt. Sieben Jahre später wurde Washington dem Kommando dreier Kommissare unterstellt, die der Präsident ohne Mitwirkung der Bürger berief; sie waren lediglich dem Kongreß Rechenschaft schuldig.

Der zuständige Ausschuß des Repräsentantenhauses wies regelmäßig eine Mehrheit von Vertretern der Südstaaten auf, die geringe Neigung zeigte, das Selbstbewußtsein der Metropole zu stärken. Geld wurde vor allem für Regierungsbauten und Denkmäler mobilisiert. In gewaltigen Quadern aus neu-englischem oder italienischem Marmor türmte sich nun eine imperiale Architektur auf. Ihre strammen Säulen wiesen stets nach Rom. Die Ästhetik der »Mall«, des großräumigen Repräsentationsgeländes am Ufer des Flusses, leidet unter dem Willen zur Grandeur keinesfalls. Nur Paris wurde von vergleichbar generöser Planung geprägt.

Den Bürgern aber ist das Betreten des Rasens nicht untersagt. Die grünen Flächen stehen ihnen jederzeit für ihre Spiele zur Verfügung. Das allein macht nicht selig. Die Herren des Kongresses verschleuderten zum Beispiel für die Renovierung des byzantinischen Prachtbaus der Union-Station mehr als einhundert Millionen Dollar, doch es regnet nach wie vor durch das Gemäuer des Hauptbahnhofs, das vom Einsturz bedroht ist, und noch immer werden die Eisenbahnpassagiere in einer Hinterhalle abgefertigt, die eher dem Busbahnhof einer schäbigen Provinzstadt im Mittleren Westen anstünde. Hätten sich die schwarzen Stadtväter solcher Sünden schuldig gemacht, wären sie vom Gelächter der Nation bestraft worden. Dafür gab's Geld. Für soziale Einrichtungen blieb es auch in üppigen Zeiten knapp. Die Busverbindungen sind dürftig (vor allem in den Vororten), und die Metro kann ihr Netz nur mit quälender Langsamkeit erweitern.

Für jene fortgesetzten Ärgernisse ist die schwarze Stadtverwaltung nicht verantwortlich. Sie steht nach wie vor unter der Kuratel der Abgeordneten. Zwar wurde 1974, nach einem Jahrhundert, dem Distrikt wieder ein limitiertes Selbstverwaltungsrecht zuerkannt; die Bürger dürfen ihr Stadtoberhaupt und einen Stadtrat wählen, ja sie entsenden auch wieder einen Delegierten ohne Stimmrecht ins Abgeordnetenhaus. Aber ihr Budget unterliegt wie eh und je der Billigung durch den Kongreß. Jede Verordnung kann auf dem Capitol überstimmt werden. So sind der Handlungsfreiheit Grenzen gesteckt. Die finanzielle Beengtheit ist bedrückend. Dem Bürgermeister Marion Barry wird immer wieder der Vorwurf gemacht, er habe die gegebenen Chancen nicht energisch genug genutzt. Seine Gegner deuten an, er spiele die Bälle allzu geschmeidig einer Elite zu, die sich an der »schwarzen Goldküste« am Rand des Rockcreek-Parks aufs bequemste eingerichtet hat. Barry ist ein geriebener Zeitgenosse, doch das böse Wort von der »Bananen-Republik D. C.« zeugt von schierem Hochmut. In der Anwältin Patricia Roberts Harris, die unter Jimmy Carter zuerst dem Ministerium für Wohnungsbau und Stadtentwicklung, danach jenem für Gesundheit und Sozialaufgaben vorstand, trat ihm eine formidable Konkurrentin entgegen. Erfolg wurde ihr nicht zuteil. Er hat Charme, die Dame nicht. Ihre Kritik und ihre Dynamik waren im Kabinett gefürchtet, doch in der Stadt fanden sie nur ein schwaches Echo. Vergebens rügte sie die Arbeitslosenrate, die im allgemeinen höher als der nationale Durchschnitt ist, die Schlamperei und Korruption in der Verwaltung der Sozialwohnungen, vor allem aber die Seuche der Kriminalität, die Washington überschwemmt wie alle anderen Großstädte auch.

Die Gewaltverbrechen nahmen innerhalb von drei Jahren um 67 Prozent zu, die Raubüberfälle binnen eines Jahres um 28 Prozent und die Einbrüche um 21 Prozent. Die Zahl der Morde beträgt allein im Distrikt mehr als zweihundert pro Jahr. Die Pistolen sitzen in der Hauptstadt so locker wie überall in diesem Land, in dem Profitgier, ein schwachsinniger Ehrbegriff, ein pueriler Maskulinitätskult, vor allem aber die Feigheit der Politiker jede wirksame Kontrolle des Handels mit Waffen sabotieren. Natürlich zieht man in den Slums die Revolver und Messer rascher als in den bürgerlichen Vierteln. Die Mehrheit der Täter und Opfer sind schwarz. Mord-Nachrichten aus den dunklen Revieren werden für gewöhnlich als Routinemeldungen verzeichnet. Eine Bluttat in Georgetown und anderen feinen Quartieren hingegen gerät rasch auf die Titelseite der »Washington Post«: so, als ein Einbrecher den populären Arzt Dr. Michael Halberstam niederknallte. Der sportliche Mediziner – Bruder des berühmten Journalisten David Halberstam – schleppte sich noch zu seinem Mercedes und setzte sich selber, vermutlich im Schock, ans Steuer, um in einem nahegelegenen Hospital Hilfe zu suchen. Auf dem Weg sah er den fliehenden Verbrecher und fuhr ihn über den Haufen. Dann brach er zusammen. Herzschuß. Der Mörder, Bernard C. Welsh, den die Polizei in einem Gebüsch auflas, hatte im Laufe von fünf Jahren in Washington und den Vororten unermeßliche Schätze an Schmuck, Silber und Geld zusammengestohlen. Die noch nicht verkaufte Beute, die man in seiner Villa fand, wurde auf mehr als fünf Millionen Dollar geschätzt. Hauptstadt-Romantik.

Washingtons Abhängigkeit von den Bundesbehörden läßt sich nicht aus der Welt schaffen. Der Distrikt wird niemals von eigenen Einkünften leben können. Vielleicht hülfe ein höheres Maß an Selbstverantwortung einem freieren und strengeren Bürgergeist auf die Sprünge. Seit Jahr und Tag wirbt ein munterer Verein lokaler Patrioten für die Begründung des Stadtstaates »New Columbia«, der als 51. Mitglied mit vollen und gleichen Rechten in die Union aufgenommen werden soll. Aber damit wäre noch keines der Probleme gelöst.

Könnte ein souveräner Status dazu beitragen, ein solideres Heimatgefühl zu begründen? Oder sind das nur Flausen, von Intellektuellen, Künstlern und Sozial-Träumern ausgedacht? Es mag so sein. Doch sind es nicht die Träumer jeder Couleur, die sich immer wieder unverdrossen ans Werk machen, um dem Regierungssitz D. C. urbanes Leben einzuhauchen? Sie bezogen im Südosten, während der Johnson-Jahre, moderne Apartment-Komplexe und hübsche Reihenhäuschen, die man etwas bombastisch »townhouses« nennt: integrierte Siedlungen, weiß und schwarz, anders hätten sie keine öffentliche Förderung erhalten. Das Viertel widerstand der Pression eines armen Umfeldes nicht allzu erfolgreich. Es verwohnte sich rasch. Eher lohnte sich die Anstrengung, alte und halbverfallene Quartiere zu renovieren, vor allem im Osten des Capitols, hinter der Kongreß-Bibliothek und dem Obersten Gerichtshof mit seinem imposanten Säulenwerk. Einige jener Straßenzüge gewannen unterdessen einen sacht verlotterten Charme. Die schwarzen Kleinbürger, die sich in den schmalen Klinkerhäuschen aus dem vergangenen Jahrhundert festgesetzt hatten, wurden nicht gänzlich verdrängt wie in Georgetown, in denen ihnen nur einige Kirchen blieben, zu denen sie Sonntag für Sonntag getreulich pilgern, die Matronen mit ihren geblümten Hüten, die Männer unfehlbar im weißen Hemd, mit Schlips, Jackett und frommen Gesichtern.

Die Nachbarschaft im Umkreis des Capitol Hill scheint entspannt und verträglich. Aber immer aufs neue werden die (meist jungen) Familien, ob weiß oder schwarz, von Überfällen oder einer Bluttat aufgeschreckt. Türen und Fenster sind mit metallenen Barrieren gesichert, zweifach und dreifach verriegelt, mit raffinierten Alarmsystemen versehen. Einbrüche lernt man dort hinzunehmen wie die Bauern Hagelschlag und Gewitter. Die Wahrscheinlichkeit, Opfer eines Gewaltverbrechens zu werden, mag gering sein. Aber die epidemische Furcht zerfrißt jede Gemeinschaft. Sie läßt kein Heimatgefühl gedeihen.

Die Angst bleibt auch droben im Umkreis der Columbia-Road immer als ein Schatten gegenwärtig. Nirgendwo ist das Leben in den Straßen bunter, betriebsamer, natürlicher und in gewisser Hinsicht heiterer. Hier scheinen sich alle Völkerschaften zu mischen, die in dieser Stadt eine Unterkunft fanden: Weiße und jede Schattierung von Schwarz bis Café au lait, alle Nuancen von Bronze bis Gelb. Der singend weiche Tonfall des »Southern drawl« vermengt sich mit dem harten Spanisch der Mexicaner und Cubaner. Es lassen sich philippinische, indianische, indische Züge ausmachen, gelegentlich auch ein koreanisches oder chinesisches Gesicht.

Nur die Vietnamesen halten sich abseits. Ihre Kolonie in der hauptstädtischen Region wird auf gut zwanzigtausend Menschen geschätzt. Beamte und Offiziere, die dem Zusammenbruch in Saigon entkamen, suchten in Washington Zuflucht, weil sie im Pentagon, im State Department, bei der CIA alte Freunde und Bekannte zu finden hofften, die ihnen die Gewöhnung ans Exil ein wenig leichter machen sollten. Sie wurden voller Sympathie empfangen. Doch das Interesse an ihrem Geschick verlor sich in der Regel rasch. An ihnen schien die Gastfreundschaft Amerikas zu versagen. Es war, als würde ihre Anwesenheit an ein uneingelöstes Versprechen und eine schmerzliche Schuld erinnern. So drängten sich die vietnamesischen Sippen in den Vororten auf dem virginischen Ufer des Potomac zusammen, weit entfernt von ihrem graziösen Tempel, den draußen an der 16. Straße ein kluger buddhistischer Priester hütet. Sie bemächtigten sich der Landessprache, schufteten mit zarter Verbissenheit in jedem

Job, der sich ihnen bot, bereiteten sich in Abendkursen auf neue Berufe vor, bahnten sich still den Weg nach vorn, sparten und trieben den Lerneifer ihrer Kinder an, zum Entzücken der Lehrer, die solchem Respekt und so großem Fleiß lang nicht begegnet waren.

Die Eltern sammelten in wenigen Jahren bescheidenen (und manchmal beträchtlichen) Wohlstand. Die nächste Generation meistert den Alltag ohne Schwierigkeit. Die Tragödie in Südostasien mündete – die Ironie ist bitter – in eine späte Demonstration der klassischen amerikanischen Erfolgsgeschichte. Sie wäre ohne die Solidarität der Familien kaum denkbar. Nichts scheint den ruhigen und reservierten Stolz dieser Menschen berühren zu können. Von Zeit zu Zeit aber brechen Verletzungen auf, die sorgsam verborgen werden. Dann mag es geschehen, daß eine anmutige Stenotypistin, die jahraus, jahrein die Papiere ihres Chefs ins reine schreibt, seine englische Orthographie oder verunglückte Zitate aus dem Französischen wortlos verbessernd, bei einer harmlosen Rüge plötzlich mit funkelnden Augen und leiser Stimme aufbegehrt: »Wir sind keine Wilden und keine Barbaren, Sir. Unsere Kultur ist ein wenig älter als die Ihre!«

Von anderen Minderheiten halten sie Distanz. Das offizielle Amerika hat sie halb vergessen. Sie machen wenig Ärger. Sie sind keine Last. Sozialfürsorge und Arbeitslosenkasse nehmen sie selten in Anspruch. Die Propagandisten der großväterlich-konservativen Tugenden, die Ronald Reagan predigte, immer sein verschmitztes Kleinstadtlächeln auf den Lippen, hätten ihre Leistung lauthals rühmen müssen, denn die Vietnamesen, wenn irgendwer, lieferten den Nachweis, daß Tüchtigkeit auch heute noch ihren Lohn findet. Warum zögerten sie? Fürchteten sie, daran erinnert zu werden, daß zu Anfang denn doch die helfende Hand des Staates gebraucht wurde? Oder waren ihnen die Zeugen einer Niederlage Amerikas peinlich?

War es ein Zufall, daß sich die Behörden so störrisch gegen den Bau eines Vietnam-Denkmals sträubten, das eine junge Künstlerin (taiwanesischer Herkunft) entwarf: zwei schlichte Granitmauern, die in einem schmalen Winkel miteinander verbunden sind? Sie verzeichnen nichts als die Namen der 50000 Gefallenen: die einfachste Gedenkstätte, die sich denken ließ, darum vielleicht eine der würdigsten, die jemals errichtet wurden. Den Patrioten war dies nicht genug.

Sie bestanden darauf, daß vor dem Dreieck die konventionellen Skulpturen dreier Krieger aufragen sollten – einer davon hat schwarze Züge zu tragen, immerhin. Die Mauer mit den Namen wurde unterdessen eine Pilgerstätte der Nation. Das patriotische Monument beachtet keiner.

Die Vietnamesen aber könnten sich danach erkundigen, ob auch ihre Toten ein künstlerisches oder architektonisches Andenken verdienten. Sie starben in keinem anderen Krieg. Die Namen gingen freilich in die Millionen. Die Frage fiel niemandem ein. Die Flüchtlinge gehen ihrer Arbeit nach. Sie machen keinen Lärm. In ihren vier Wänden sprechen sie vietnamesisch. Sie achten darauf, daß ihre Kinder die Muttersprache nicht verlernen. Wie lang werden sie durchhalten? Können sie dem Verlangen widerstehen, mit dem die zweite, die dritte Generation aller Einwanderungsgruppen noch immer die Anpassung erzwang? Werden ihre Enkel diese Stadt Washington ihre Heimat nennen? Oder werden sie der Mehrheit ihrer Landsleute nachziehen, die an der californischen Küste ein gemäßeres Klima fand?

Die Integrationskraft der Metropole war stets gering. Sie zehrte vom strahlenden Charisma Franklin Delano Roosevelts, vom kühlen Charme seines Erben John F. Kennedy, vom Reformwillen Lyndon B. Johnsons. Zuletzt warb Jimmy Carter, seit dem Bürgerkrieg der erste Präsident aus dem Süden, mit seinem breiten und wenig sicheren Lächeln um die Versöhnung der Nation. Die etablierte Elite zeigte ihm, nach einigen Wochen verschämten Jubels, die kalte Schulter. Der Mann aus Plains blieb in der Hauptstadt ein Fremdling. Um so entschlossener warf sich die Gesellschaft, die Tugendwächter der »Washington Post« an der Spitze, dem alten Herrn aus Hollywood zu Füßen, der Glanz und Stil und Klasse versprach (was immer man darunter verstand). Das karge und freudlose Regiment von Carters Kleine-Leute-Gesinnung war vor die Tür gejagt und vergessen. Kellner mittelmäßiger Restaurants legten »Vatermörder« zu Frack und Smoking an. Jungstarke Manager predigten die moralischen Werte, »die Amerika groß werden ließen«, während sie kleine Prisen ihres »coke« durch die gereizten Nasenflügel sogen.

Die schwarzen Bürger der Stadt starrten betroffen auf diesen Wandel. Sie drückten sich selten die Nasen an den Fenstern platt, hinter denen aufgeplusterte Salon-Damen und nervöse Streber aus der Provinz »Große Welt« spielen. An Kennedys Festen, die mit heiterem Hochmut in Szene gesetzt wurden, nahmen sie keinen Anstoß. Im Gegenteil, sie spiegelten sich gern im Licht von »Camelot«, denn der strahlende und junge Präsident hatte ihnen versprochen, ihre Sache zu der seinen zu machen. Sie glaubten ihm. Sein Nachfolger Johnson bemühte sich, das Gelübde einzulösen.

Doch nun ist das Weiße Haus nicht mehr das ihre. Richard Nixon verkroch sich voller Angst vor dem Volk seiner Hauptstadt hinter den Barrieren des Amtes. Ronald Reagan winkt ihnen von Zeit zu Zeit freundlich zu und sagt, die Stellenanzeigen in der »Washington Post« seien ein Beweis, daß arbeiten könne, wer arbeiten möchte. Er residiert hinter dicken Betonsperren, der Präsident, damit kein Kamikaze-Fahrer das Allerheiligste mit einigen Tonnen Dynamit in seinem Lkw in die Luft zu sprengen versucht. Raketen bewachen den Luftraum gegen Helikopter-Attentate. Der Abstand zum Alltag der Stadt ist groß geworden.

Amerika ist eine Nation voller Geduld. Sie geht unerschütterlich durch ihre Krisen. Die fromme Ergebung der Schwarzen, der Mexicaner, der armen Weißen hält vielen Enttäuschungen stand. Eines Tages jedoch ist die Grenze überschritten. Das Signal mag ein Mord sein, ein Stromausfall, der die Städte für Stunden in Dunkelheit stürzt, ein Übergriff randalierender Teenager, eine Nichtigkeit, ein Nichts.

Wann ist es wieder so weit? Keiner weiß es. Viele sprachen so oft von der »Schrift an der Wand«. Wer vermag sie zu lesen?

Die schwarzen Prediger haben immer gewarnt und gemahnt. »Hang in!« rief der Reverend Dr. Aaron Mackley, ein lebhafter Graukopf, seiner braven Gemeinde in der Mount Olive Church von Arlington zu (die 1974 ihr hundertjähriges Bestehen feierte). »Hang in! Das ist euer Amerika, das ist eure Stadt – gebt nicht auf!« Die Zuhörer nickten mit freundlichen Sonntagsgesichtern und seufzten ihr »Amen«.

Sie harren aus. Sie üben Geduld. Für sie gibt es kein Entweichen. Diese Stadt ist die ihre, mehr als die aller anderen. Sie haben ihr Heimatrecht durch Entbehrung, Erniedrigung und die kleinen Schritte des Fortschritts gewonnen. Jubel und Trauer ihrer Gospel-

Gesänge drücken eine Zugehörigkeit aus, die nicht nur das Reich Gottes meint.

Sie lächelten dem Fremden zu. Sie streckten ihm am Ende des Gottesdienstes die Hände entgegen. Sie umarmten ihn, wie es ihre Art ist, ohne Umstand. Sie sagten, er möge sich bei ihnen zuhaus fühlen. In der Mitte dieser Menschen fiel von dem Fremden manche Fremdheit ab.

Das war nicht die ganze Wahrheit. Doch für Stunden umhüllte ihn die Herzlichkeit der Gemeinde. Er nahm die Wärme, die Freude, die Trauer mit in die virginische Landschaft, über der das weiße Licht des Nachmittags stand. Das Grün der Felder verwandelte sich unter der südlichen Sonne in silbergraue flirrende Luft. Die Wälder waren unter der sengenden Hitze dunkel geworden. Nicht lang, dann würden sie sich zu färben beginnen. Nicht lang, dann würde der Fremde seiner Fremdheit wieder gewahr.

VIII

Ein Familienfest

Die Zikaden waren keinen Augenblick stumm: Unermüdlich sägten sie ihre Arbeitsmusik durch den Abend dieses schweren südlichen Sommers von North Carolina. Das Städtchen, das man Haberdashville nennen könnte, war still. Die Luft hing wie ein feuchtwarmer Lappen vor dem Fenster und über der windschiefen Veranda des alten Häuschens. Der Ventilator brachte keine Kühlung. Die Familie kümmerte es wenig. Die Jungen löffelten ihre Eiscreme, die Skip pfundweise aus Jacksons Eckladen herbeigeschleppt hatte. Die Älteren tranken Sodapop.

Mr. Jefferson, der betagte Vater, erhob sich von Zeit zu Zeit aus seinem alten Sessel, um in der Küche seine Kaffeetasse aufzufüllen – coffeinfrei. Er ließ sich nicht bedienen. »Nay, Sir«, sagte er, ein Lachen im kehligen Baß. »Nay, Sir, this ol' man is helping himself. Always does.« Er schaute durch seine goldgeränderte Brille: gutartig, aufmerksam, distanziert, blickte auf seine Familie und zählte die Köpfe. »Siebzehn«, sagte er. Er hob die Augenbrauen über den Goldrand. In seinem glatten Römergesicht sprangen tausend kleine Fältchen auf. »Wo sind die anderen?« fragte er. Die spielende Konversation der Söhne und Töchter – sie alle längst erwachsene Männer und Frauen – brach ab. »Ron ist bei der Nachtschicht«, rief Jackie, die Jüngste. »Vanessa?« – »Fühlt sich nicht wohl«, meldete Randy, ihr Mann. »Wo fehlt's?« forschte der Alte. »Eine Sommererkältung.« – »Was macht Al?« »Er repariert seinen Truck.«

Mr. Jefferson drehte sich seufzend um. Ein jeder mache heutzutage, was er wolle, sagte er. Seine Augen blitzten. »Kein Respekt mehr in dieser Sippschaft.« Er lachte. Um seine Autorität brauchte sich Mr.

Jefferson nicht zu sorgen. Abend für Abend fand sich in seiner Wohnstube ein, wer immer Zeit hatte: zwei Töchter, neun Söhne, sieben Schwiegertöchter, zwanzig Enkel oder mehr, Miss Gladies nicht zu vergessen, die Lehrerin außer Diensten, eine liebenswürdig-rundliche und bestimmte Dame, Mr. Jeffersons beste Freundin, seit ihm die Frau wegstarb. Sie trug wie Mr. Jefferson eine Brille mit Goldrand.

In den Weihnachtsferien und zum Nationalfeiertag am 4. Juli versammelt sich die Familie pflichtbewußt und mit Vergnügen. Die Kinder reisen von weither, soweit sie nicht ohnedies in dem alten Tabakstädtchen in North Carolina wohnen. Dotty, die Älteste, eilt getreulich aus Brooklyn herbei, ihren Gefährten Bertie am Bändel, von dem sie mit fröhlicher und etwas verachtungsvoller Entrüstung berichtet, er saufe auf der langen Wegstrecke von New York in dieses südstaatliche Nest fast soviel Bier wie sein Auto Benzin. Jackie, die Jüngste, von ihrer Schwester nach dem Tod der Mutter großgezogen, folgt für gewöhnlich mit dem Flugzeug, da die Chefs der kleinen Elektronik-Firma in Manhattan, bei der sie arbeitet, mit den Urlaubstagen knauserig sind. Michael, der langaufgeschossene Soldat, fehlte drei Jahre: Er diente als Sergeant bei der Armee in Deutschland. Nun war er vorübergehend in Georgia stationiert, vor einer neuen Kommandierung nach Europa. Wenn in erreichbarer Nähe, ist auch er zur Stelle – samt der hübschen Frau und drei kleinen Mädchen, die ihre knallgelben T-Shirts mit der Aufschrift »West-Germany« spazieren tragen: Tanny, Tasha, Tracey. Sie werden stets alle auf einmal gerufen, vermutlich der Alliteration wegen, die fast ein Wagner-Akkord ist: drei schwarze Rheintöchter, das krause Haar kunstvoll in viele winzige Zöpfchen geflochten.

Der Fremde schrieb sich die Namen auf. Wie sollte er jemals lernen, wer in dieser Familie zu wem gehört? Nahezu stündlich schienen Enkel, Großenkel, Nichten und Neffen, Cousins und Cousinen nachzuwachsen. Mr. Jefferson, der Patriarch, versprach, eine Liste anzulegen. Hatte er sämtliche Mitglieder seines Stammes im Kopf? »Be sure«, sagte er. »I know them all.« Aber wichtiger sei, fügte er hinzu, daß sie ihn kennten. Dieses Häuschen – armselig, ein wenig morsch, die Farbe an den Außenwänden blätternd – sei ihre Heimat. Hier warte ihr alter Daddy, unverdrossen – »always sitting in his old chair, and he won't move any more, nay, Sir«: Hier sei er zu finden, in seinem alten Sessel, er rühre sich nicht mehr fort, und hier in seinem Häuschen fände jeder Platz, der eine Unterkunft brauche.

Wahrhaftig, da drängten sich an jenem Sommerabend siebzehn Erwachsene und Kinder – oder waren es zwanzig? – auf ein paar Quadratmetern zusammen. Dennoch fühlte sich niemand beengt. Daddys alter Sessel, Tisch und Sofa, Stühle, Hocker, eine Anrichte, die Bibel, ein Fernsehapparat, der unbeachtet vor sich hin plärrte, einige Photos und ein Landschaftsdruck an der Wand; in der Küche der Herd, die Spülmaschine, ein riesiger Eisschrank; in den Schlafzimmern Betten auf simplen Gestellen und kleine Schränkchen; ein Bad, das Jim mit bunten Vögeln bemalt hatte – das ist die gesamte weltliche Habe des Mr. Jefferson: die Frucht von mehr als fünf Jahrzehnten seiner Plackerei in den Tabak-, den Baumwoll-, den Erdnuß- und Maisfeldern. Niemals besaß er – Schicksal der Pachtbauern des Südens – ein Stück Land oder auch nur einen Garten. Ein wohlhabender Grundbesitzer, auch er schwarz, gab ihm die Äcker, stellte ihm Haus und Geräte. Mr. Jefferson lieferte dafür die Hälfte der Erträge ab. Ihm gehörten lediglich die Maulesel, die er vor den Pflug spannte.

Besitz vermochte ein »share-cropper« mit der härtesten Fron nicht zu erwerben. Doch Mr. Jefferson fütterte elf Kinder durch und schickte sie in die Schule. Niemals fochten ihn Zweifel an, ob Kinderreichtum – um mit Erich Kästner zu reden – stets auch ein Kindersegen sei. Die Frau starb über der Schinderei.

Als Mr. Jefferson an die siebzig war, befand er, daß es nun genug sei. Der Staat gewährte ihm eine winzige Rente, mit der er nicht satt werden und nicht verhungern könnte. So beschloß er, es sei Sache der Kinder, von nun an für ihn zu sorgen. Hatte er sie nicht auch dafür gezeugt und aufgezogen? Sie kauften ihm das Häuschen am Stadtrand, nicht weit vom Friedhof, mit einem Stück Garten, in dem er seine Tomaten, seine Bohnen, ein paar Krautköpfe, Kartoffeln und sein Okra-Gemüse zieht. Den Rest läßt er verwildern.

Die Kinder erfüllen ihre Christenpflicht ohne Murren. Sie würden ihrem Daddy gern eine komfortablere Unterkunft schaffen. Wenn sie ihre Mittel zusammenwürfen, würde das Geld vielleicht reichen. Unablässig bemüht sich Roy, unter den Brüdern mit seinen 43 Jahren der Senior, die Sippe zu wirtschaftlicher Vernunft zu erziehen. »Wenn jeder von uns«, rechnete er aus, »nur fünf Dollar pro Woche auf ein gemeinsames Konto brächte, hätten wir in vier Jahren gut zehntausend Dollar gespart ...« Das reichte im ländlichen Süden als Anzahlung für ein bescheidenes Haus.

Voller Respekt hören die Brüder auf den Ältesten. Er überragt sie alle an Klarsicht und Energie. Er kämpfte, blutjung, in der Bürgerrechtsbewegung. Er marschierte in den Kennedy-Jahren mit Martin Luther King, sang und betete in der Übung des gewaltlosen Widerstands. Die Sheriffs mit den roten Nacken drohten ihm Prügel und schlimmeres an. Der Ku-Klux-Clan schickte böse Signale. Er ließ sich nicht beirren. Er gewann Verbindungen. Er ließ sich zum Sozialarbeiter ausbilden. Tagsüber sorgte er in den Lagern der Wanderarbeiter für Ordnung und, soweit es ging, für Hilfe. Noch immer herrscht in den Camps nach seiner Einsicht die nackte Ausbeutung. Doch seine Beschwerden bei der Staatsregierung und beim Parlament richten nichts aus. Die Landbesitzer entziehen sich schlau der Verantwortung. Sie schließen Verträge mit den »crew-leaders« ab, die ihren Mannschaften – Mexicanos, Haitianer, viele Alkoholiker und manche Schwachsinnigen – harte Normen auferlegen und sie zugleich durch Schulden (für Schnaps, Zigaretten, Lebensmittel) wie Sklaven an sich binden.

Roy rackerte sich länger als ein Jahrzehnt in einem zweiten Job ab, zunächst als Koch in Hamburger- und Pizzabuden, danach in einer Druckerei. Dollar um Dollar schuftete er das Kapital für eine Farm (mit Hühnern, Schweinen, einigen Rindern) und ein stattliches Haus zusammen. Er wurde ein wohlhabender Mann. Er genießt Ansehen. Sein Wort hat Gewicht. Er übt politischen Einfluß aus. Im letzten Wahlkampf fehlten seinem Anwärter für die demokratische Kandidatur im Repräsentantenhaus des Kongresses in Washington nur zwei- oder dreitausend Stimmen. (In der Regel macht ein Demokrat das Rennen gegen die Republikaner, die im Süden – aus historischen Gründen – noch immer die schwächere Partei sind.) Mit ein bißchen Glück wäre ein Schwarzer als Abgeordneter für den Staat North Carolina in die Hauptstadt geschickt worden. »Das nächste Mal«, sagt Roy. Sie stimmten in den Vorwahlen des Jahres 1984 ausnahmslos für Jesse Jackson, der die Schwarzen aus ihrer Lethargie aufscheuchte.

Roy, der älteste unter den Jefferson-Brüdern, ist eine starke Natur. In seinem Gesicht wohnt die gelassene Ruhe seines Vaters, den er 1964 dazu überredet hat, sich endlich registrieren zu lassen, um sein Wahlrecht ausüben zu können. Das war im schönen Elan der Johnson-Jahre, als der Texaner, nach der Bluttat von Dallas, die Gesetze für die Gleichberechtigung der schwarzen Bürger durch den gelähmten Kongreß peitschte. Damals sprach Martin Luther King sein frommes Triumphwort: »Free at last.«

Aber zwei Jahre später schickte jener Lyndon B. Johnson den zwanzigjährigen Jim, Mr. Jeffersons vierten Sohn, in die Dschungel von Vietnam. Der junge Mann verstand nicht, was er in dem fremden Land zu suchen hatte und warum er einen tückischen Krieg gegen die schmalen und behenden Soldaten des Vietcong führen sollte, deren Mädchen ihn in den Bars von Saigon mit so verführerischer Sanftmut umschmeichelten. Er flog zwanzig oder dreißig Angriffe in einer »Helicopter Crash Unit«, der Kavallerie der modernen Kriegsführung. Er rauchte »dope« wie alle anderen. Er trank. Als er 1969 zurückkehrte, hätte er sich mit einem GI-Stipendium weiter ausbilden lassen können. Er machte einem Mädchen ein Kind. Er mußte Geld verdienen. Das Mädchen entlief ihm. Das Kind blieb: Skip, inzwischen ein gutartig-dicklich-mondgesichtiger und etwas langsamer Knabe, der am Abend Eiscreme und Soda aus Jacksons Eckladen herbeischleppt.

Jim lebt im Haus seines Vaters. Morgens um vier steht er leise auf, wenn er nüchtern genug ist. Um fünf tritt er den Dienst bei der Müllabfuhr an. Wenn er drei Tage blau macht, wird er entlassen. Auch dann steht er um vier auf und schleicht davon, um die Familie nicht zu beunruhigen. In Haberdashville aber, diesem freundlichen Nest, gibt es keine Geheimnisse. Der Vater und die Geschwister wissen Bescheid. Sie verlieren kein Wort. Nach einigen trockenen Wochen kehrt Jim an seine Arbeit zurück. Die Direktion hat Einsicht.

Die Geschwister verachten ihn nicht. Sie mahnen nicht, sie nörgeln nicht, sie meiden ihn nicht. Sie können ihn nicht zwingen, eine Entzugsanstalt aufzusuchen. Dort könnte es womöglich schlimmer werden, sagen sie, nicht zu Unrecht. Sie spüren seine Verletzlichkeit. Wenn die Familie an Sonn- und Feiertagen zum Sportfeld zieht, um Volley- oder Softball zu spielen, übernimmt Jim, eine kesse Schlägermütze schräg über'm Ohr, das Amt des Schiedsrichters. Er versieht seine Pflichten voller Eifer und Autorität. In seine breiten und zugleich so durchsichtigen Züge ziehen Stolz und Freude ein. Sachkundig trifft er seine Entscheidungen und verteidigt sie lachend gegen den Protest der Verlierer. Er genießt das Wohlwollen, das ihm zuströmt. Er spürt eine selbstverständliche Liebe, die ihn durch den Alltag trägt. Er versucht, Rücksicht durch Rücksicht zu vergelten. Er ist niemals laut, wenn er trinkt. Er macht sich unsichtbar.

Jim hockte mit dem Fremden für eine halbe Stunde draußen auf der »porch«. Die beiden schauten den Johanniskäfern zu, die auf leuchtenden Flügeln durch die Nacht schwirrten. Jim und der Fremde feierten einen gloriosen Sieg: Drinnen in der Wohnstube hatte die Familie, wie so oft an jenen Abenden, »password« gespielt: Begriffe mußten durch knappe Fragen erraten werden. Die Geschwister beherrschten die Technik der Assoziationen und Kombinationen routiniert. Jim und der Gast bildeten an jenem Abend zum ersten Mal ein Team: der Säufer und der Fremde, die beide ihre Schwierigkeit mit dem schnellen Witz hatten, den das Spiel verlangt. Indes, die beiden waren, zu ihrer eigenen Überraschung, das eine Mal alerter als die anderen, sie glänzten und gewannen. Jubel brach auf, als hätten sie das Weiße Haus im Sturmlauf erobert. Sie wurden geherzt und geküßt. Mr. Jefferson, der Patriarch, strahlte durch seine Goldbrille. Skip bot ihnen eine Extraportion Eiscreme an.

Jim schien unter diesen Wellen der Freude zu wachsen. Er sang ein paar Takte und führte zwischen Hocker und Tisch einige holpernde Step-Figuren vor. Dann bat er den Fremden zwinkernd auf die »porch«. Hinter der alten Waschmaschine hatte er eine Bierflasche versteckt. Er trank zögernd. Dann warf er die Flasche ins Gebüsch. »Ohne das«, er nickte ihr hinterher, »könnte ich vieles ausrichten.«

Die beiden sprachen von Vietnam, von der Heimkehr, vom Süden, von der Familie. Dann ging Jim fort in die Nacht. Der Fremde kehrte in die Wohnstube zurück. Nur Ben, der Pfleger, warf ihm einen fragenden Blick zu. Der Fremde sagte nichts. Auch Ben schwieg. Bertie, der Schwiegersohn aus Brooklyn, war unterdessen in Dotties breitem Schoß eingeschlafen. Sie schaute ohne Verlegenheit auf den Mann, der sich mit seinem dicken Kopf und seinen breiten Schultern wie ein Kind zwischen den mächtigen Schenkeln der Frau verkroch.

»Männer«, sagte Dottie sachlich, »Männer sind die verwöhntesten Babies.« Sie deutete auf den Schlafenden: »Auch der trinkt gelegentlich zuviel«, sagte sie. »Aber er weiß, was Dotties Gesetz ist: Wenn er wegen der Sauferei seine Arbeit verliert, fliegt er 'raus, yes, Sir. Ich kann keinen Mann ertragen, der von morgens bis nachts mit der Bierflasche vor dem Fernsehapparat klebt. Bei mir herrschen klare Verhältnisse.«

Dottie zog vor dreißig Jahren in die große Stadt, die bessere Arbeit versprach, als die Tabak-Fabriken im Süden sie boten, überdies (angeblich) gleiches Recht, eine Existenz, die nicht von Vorurteilen und Rassenschranken umstellt sein sollte, freieren Atem. Sie fand sich in einem New Yorker Getto wieder, das im Lauf der Jahre zu einer urbanen Wildnis verkam: Arbeitslosigkeit, Drogen, Alkoholismus, Kriminalität. Dottie resignierte nicht. Sie wußte zu schätzen, daß die irischen, italienischen, deutschen und jüdischen Vorbewohner des Bedford-Stuyvesant-Viertels in Brooklyn solide und ansehnliche Häuser hinterlassen hatten: Klinker oder rotbrauner Sandstein, wohlgegliederte Fassaden, gelegentlich mit victorianischen Schnörkeln geschmückt. Sie baute ihr Apartment zu einer Festung der Wohnlichkeit aus, und mit starker Hand erzog sie die Kinder zu rechtschaffenen Christen, die eigenen und ihre jüngsten Geschwister, die sie nach dem Tod der Mutter zu sich holte.

Sie bestand darauf, daß die Kinder in bessere Schulen aufgenommen wurden, als sie das »Bed-Stuy«-Quartier anzubieten hatten, in dem die begabten Lehrer nicht allzu lang ausharrten. Für die Kleinen war es mühsam, Morgen für Morgen von Bussen aufgesammelt und einige Meilen durch die Stadt gekarrt zu werden. Die Unbequemlichkeit lohnte. Jackie, die Jüngste, sagt voller Entschiedenheit, sie habe nur davon profitiert, daß in ihrer Klasse Christen- und Judenkinder, Weiße und Schwarze einträchtig und konkurrierend zusammen lernten, zu scharfer Leistung angespornt. Soziale Ausgewogenheit nennen das die Soziologen. Dottie, die Schwester und Ersatzmutter, bemerkte trocken: »Mr. Reagan möchte das System des ›busing‹ abschaffen? Dann soll er dafür sorgen, daß es in jedem Viertel anständige Schulen gibt. Wenn nicht, stiehlt er unseren Kindern die einzige Chance, sich einen guten Start fürs Leben zu sichern ...« Mit einem Seufzer fügte sie hinzu, die Fäuste in die breiten Hüften gestemmt: »Wenn mir eine vernünftige Schulbildung geschenkt worden wäre, ginge ich gegen Bürgermeister Koch ins Rennen ... I'm no dummie, right?«

Nein, sie ist kein Dummchen. In einer Textilfabrik, drüben in New Jersey, fand sie eine Stelle als Handlangerin. Seit mehr als zweieinhalb Jahrzehnten macht sie sich um sechs Uhr früh auf die Beine, um pünktlich im Betrieb zu erscheinen. Sie brachte es zum Supervisor, verantwortlich für ein halbes hundert Arbeiter. Sie verdient gutes Geld, aber wichtiger: Sie wurde die Vertrauensperson der Jüngeren, entschiedene Anwältin ihrer Interessen, Mittlerin zwischen Management und Personal. Sie praktiziert, ohne Anleitung, ihre Art von Mitbestimmung.

Zwei Jahrzehnte im gleichen Betrieb, an den gleichen Maschinen, das ist hart. Oder? Dottie will nichts davon wissen: »I love my job, young man«, sagt sie dröhnend. »God has meant us to work.« Ihre Frömmigkeit lädt sich am Sonntag in der baptistischen Nachbarschaftskirche mit der Dynamik von Freude und Trauer, Tränen und Jubel auf, die das kostbarste Talent der schwarzen Christen ist. Dottie wirft sich in ein festliches Kleid, stülpt einen ihrer verwegenen bunten Hüte mit den ausladenden Schärpen auf das straff gekämmte Haar, steckt reichlich Opfergeld in die Handtasche, nimmt die Familie an die Hand und macht sich auf den Weg, um in zwei oder drei langen und intensiven Stunden das Wort des Herrn mit beredtem Zeugnis zu künden, sein Lob zu singen und in den Augenblicken der Ekstase mit wallenden Schenkeln und wirbelnden Armen zu tanzen.

Das eine oder andere Mal in ihrem Leben geriet sie in einen weißen Gottesdienst. Sie betrachtete, respektvoll und ein wenig entsetzt, die lähmende Würde des Rituals, die Verschlossenheit der Gesichter, die ängstliche Bewachung der Gefühle. »Wie soll Gott wissen«, fragt sie, »daß wir ihn und seine Kinder lieben, wenn wir nicht zu zeigen wagen, wie uns zumut ist?« Mit einem prüfenden Blick sagt sie dann: »*Wir* haben keine Angst, einem anderen zu nahe zu treten.« Sie zieht den Fremden an ihren mächtigen Busen. »Be quiet«, sagt sie, »I won't do you any harm. Your blood is as red as mine.« Sie lehnt sich zurück und lacht: »Say that you love me, whitey, say that you love your black sister – if you do.«

Berührungsängste gibt es in dieser Familie nicht. Sie lebt in einer sensuellen Wärme, deren Spontaneität ein Gefühl der Geborgenheit schafft. Dottie weiß wohl, daß die unverstellte Äußerung der Zuneigung das wichtigste Geschenk ist, das man Kindern – und Erwachsenen geben kann. Sie ist eine Säule der Gesellschaft. Ohne Frauen von ihrer starken Natur, ihrer Zuverlässigkeit und Herzlichkeit stünde es schlecht um Amerika und schlimmer um seine schwarzen Bürger.

In der Sippe der Jeffersons regieren, jenseits der Autorität des Patriarchen, ganz gewiß die Frauen. Dottie berichtet, es sei zwar der Vater gewesen, der bestimmt habe, welches der Kinder eine handfeste Lektion verdiente, doch die »Exekution« habe er der Mutter überlassen. Die Strenge sei stets durch eine überschwengliche Liebe, durch Zärtlichkeit und Lachen ausgeglichen worden. Dies sei der Geist der Familie, dem sich alle zu beugen hätten, auch die Eingeheirateten. Von ihnen werde erwartet, daß sie zuerst und zuletzt Jeffersons seien, gleichviel welcher Name auf dem Führerschein registriert sei.

Evonne zum Beispiel scheint die Sanftmut in Person zu sein. Nichts als Gutartigkeit wohnt in dem runden Gesicht mit den leicht geschlitzten Augen. Aber die wartende Demut täuscht. In diesen Augen springen von einer Sekunde zur nächsten rascher Witz, Energie, ein befehlender Wille auf. Sie hat sich mit Al, ihrem Mann, draußen vor der Stadt angesiedelt, in einem komfortablen »trailer«, der auf dem Grund ihrer Eltern steht, in guter Entfernung von dem Haus, in dem sie aufwuchs.

Man täusche sich nicht: Evonne regiert in jenem Quartier. Wenn sie die Kinder zur Ordnung ruft, bauscht sich der kräftige schwarze Flaum auf ihrer Oberlippe, und auch Al, ihr Mann, duckt sich ein wenig. Er ist ein ruhiger Bruder. Er fährt Lieferungen für die größte Wäscherei- und Reinigungsfirma im Ort aus. Pro Jahr macht er gut hunderttausend Meilen. Motoren sind seine Passion. Am liebsten würde er mit Bruder Ben eine Reparaturwerkstatt eröffnen. Oft sieht man die beiden vor dem Haus des Vaters über einen alten Buick oder Chevrolet gebeugt. Mit sorgsamer Bosselei versuchen sie, in dem halbverrosteten Karren neues Leben zu wecken. Evonne, die nicht ganz arm ist, widersteht dem Abenteuer. Ihr ist die Investition zu riskant. »Keep your job«, sagt sie zu ihrem Mann. So fährt Al weiter seine Wäsche aus, und auch Bruder Ben bleibt nichts anderes, als getreulich seinen Krankenpflegerdienst im Städtischen Hospital zu versehen.

»Keep your job.« Das ist der Befehl aller Jefferson-Frauen: Haltet die Arbeit fest, die ihr habt. Vanessa, eine schmale, elegante Person voll wirbelnder Kraft, hielt den bärenstarken Randy – er ist der drittjüngste der Brüder – zäh davon ab, seine athletischen Talente mit allzu großem Eifer zu nutzen. Er brillierte auf Kurzstrekken. Er war zum Boxen begabt. Er gab im Baseball Anlaß zu den schönsten Hoffnungen. Er hätte mit seinem gewaltigen Torso, die Beine kompakte Muskelpakete, sich in vielen Disziplinen einen Namen machen können. Nichts davon. Er wurde Mechaniker in einer Zigarettenfabrik: Sieben Jahre mußte er, mit Hilfsarbeiten beschäftigt, auf den Job warten, den die Gewerkschaft vergibt. Sieben Jahre mahnte ihn Vanessa zur Geduld.

Die Frauen der Jeffersons verfügen über die Macht der Stetigkeit. Selbst Avril, die mit einer etwas kuhhaften Mütterlichkeit nur auf ihr Baby zu starren scheint, würde Speedy mit seiner fahrigen Nervosität einen professionellen Seitensprung niemals verzeihen. Ihn könnte eine Veränderung schon locken. Er lebte einige Jahre bei Dottie in New York. Die große Stadt behagte ihm nicht. Er gab, wie so viele, schließlich dem Heimweh nach und kehrte in den stillen Süden zurück. Doch die hastigen Manieren des Nordens färbten auf ihn ab. Er legt sich mit seinem Auto heftiger in die Kurven, als man's in North Carolina gewohnt ist, spielt mit den Händen, zupft seinen kleinen Bocksbart und redet oft mit sich überschlagender Stimme – kurz, er ist das, was man »jumpy« nennt: sprunghaft und voller Unruhe. Seine Frau Avril aber sagt: »Keep your job.« So wird sich Speedy damit abfinden müssen, in einer kleinen Tapetenfabrik gemächlich nach oben zu klettern, so weit die Sprossen eben reichen. Immerhin hat er's zum stellvertretenden Supervisor gebracht.

»Die höheren Ambitionen«, sagt Dottie, »sind für die nächste Generation.« Kein Mitglied der Familie ist arbeitslos, von Jims gelegentlichen Ausfällen abgesehen. Aber niemand nennt ihn als warnendes Beispiel. Er hatte Pech. Das schwarze Schaf der Jeffersons, wenn es denn eines geben muß, ist eher Leon, der Zweitälteste. Er befindet sich dennoch nicht in Acht und Bann. Man läßt ihn nicht vor der Tür stehen. Er gehört dazu, wie alle anderen, in seinen Krisen zuletzt von der Solidarität der Familie geschützt.

Allerdings, wenn von ihm die Rede ist, läßt sich eine Spur von Spott in den Mundwinkeln nieder: »Well, Leon ... our big talker.«

Leon schwelgt gern in großen Worten. In Wirklichkeit heißt er Richard. (Jeder der Brüder heißt anders, als er gerufen wird.) Als er in der Schule von Richard Löwenherz hörte, beschloß er, er müsse künftig Leon heißen. Träume und Wünsche schleudern ihn rasch aus der Realität. Den Fremden sucht er, kaum schüttelte er ihm die Hand, mit einem Schwall französischer Phrasen heim, die er irgendwo aufgeschnappt hatte. Er sagt, bei den Marines, der Elite-Truppe Amerikas, die parat steht, an allen Ecken und Enden der Welt für »law and order« zu sorgen. Jackie aber flüstert dem Fremden zu, Leon sei niemals Soldat gewesen. Er verdiente sein Geld zunächst bei der Landvermessung, danach auf dem Bau, dann als Koch, schließlich seit einigen Jahren als Angestellter einer Firma für Ungeziefervertilgung, auf die Vernichtung von Termiten spezialisiert, die im Süden der gefährlichste Feind der vielen Holzhäuser sind. Das ist eine bescheidene, jedoch wichtige Aufgabe. Der gesellschaftlichen Mission indes, die Leons Ehrgeiz verlangt, genügt dieser Beruf nicht. Sie findet in der Kirche ihre Erfüllung. Die Gemeinde wählte ihn zu einem ihrer Diakone, die das Opfer einsammeln. Im Chor singt er Tenor. Manchmal wird ihm ein Solo gewährt, das er quellenden Auges über sein Menjou-Bärtchen hinwegströmen läßt. Auch er hat Kinder, die man selten sieht. Anders als der Krankenpfleger Ben, der geschieden ist, und Jim, der niemals verheiratet war, lebt Leon nicht beim Vater. Er braucht seine eigene Welt, und man läßt sie ihm.

So bleibt Ron, der jüngste, vielleicht begabteste und zielbewußteste der Brüder. Seine Frau Gail, Sekretärin an der nahegelegenen Universität, treibt ihn – die einzige der Schwägerinnen, die ihren Mann nicht zur Ruhe mahnt – voller Ehrgeiz voran: eine hübsche kleine Person, zu heiteren Rundungen neigend, mitunter aufsässig, des öfteren schmollend, wie es der Natur von kapriziösen jungen Frauen entspricht. Ron begegnet ihren Launen gelassen und sicher. Er ist – wie Gail – völlig entschlossen, in den bürgerlichen Mittelstand aufzurükken, und er befindet sich auf dem besten Weg zu seinem Ziel.

Der Schule entwachsen, meldete er sich zur Navy, um einige Winkel der Welt zu sehen, und vor allem, um die Chance einer kostenlosen Ausbildung zu nutzen. Die Flotte war in jenen Jahren der einzige Teil der Streitkräfte, in dem talentierte Soldaten an Computern geschult wurden. Nach der Entlassung fand Ron eine Anstellung beim Smith-Corona-Konzern, der in North Carolina ein Zweigwerk aufbaute, angelockt von der klugen Entwicklungspolitik, die von den Gouverneuren der Südstaaten in den sechziger Jahren begonnen wurde. Zwischen drei Städten und drei Universitäten wurde, nahe dem neuen Flughafen, der »Research Triangle Park« angelegt, in dem sich vor allem Firmen der neuen elektronischen Techniken niederließen.

Die kühne Planung und die Steuervergünstigungen zahlten sich aus. Man wollte eine »saubere Industrie«, die den Charme der Landschaft mit ihren Seen und waldigen Hügeln schont. Man wollte Arbeitsplätze, die dauerhaft sind. Man wollte die intellektuelle Kapazität der Hochschulen nutzen. Man wollte eine gut verdienende Mittelschicht herbeiholen, die kulturelle Anregungen mit sich brächte und im Gang der Jahre kraft ihrer Steuerleistungen das Gesamteinkommen der Region spürbar nach oben triebe. Das Experiment ist geglückt. Selbst in Haberdashville, das fast zur Hälfte schwarz ist, gelang es, die Zahl der Arbeitslosen unter dem nationalen Durchschnitt zu halten.

Ron macht seine Karriere im Forschungspark. Er wurde im Laufe weniger Jahre ein geachteter und hochbezahlter Spezialist. Für lange Monate übernimmt er die Nachtschicht, die den Kollegen zu unbequem ist. Er scheut keine Überstunde. Er belegt Fortbildungskurse. Dennoch ist an ihm keine verbissene Überanstrengung zu beobachten. Er spielt Tennis. Er bestellt tagsüber oft die Gärten reicher Nachbarn, um seinen kräftigen Körper auszuarbeiten und ein Taschengeld für seine und Gails Luxuswünsche zu verdienen. Er hat über der Schufterei seine Träume nicht verloren. Manchmal spielt er mitten in der Nacht die Mundharmonika, die er aus seinen Seemannsjahren aufbewahrt hat.

Menschen seines Schlags übersetzen den Begriff des »Neuen Südens« in die Realität. Ron begegnet den Weißen ohne Komplexe und ohne Ressentiment. Arroganz und Haß wischt er beiseite. Sie berühren ihn nicht. Er applaudiert den schwarzen Jazz-Musikern, die am Nationalfeiertag ihre Rhythmen durch die Hallen des Shopping-Centers schmettern, nicht lauter als die der weißen Dixieland-Band, von der seine Schwester Jackie voller New Yorker Hochmut sagt, sie sähe aus wie ein Redneck-Geschwader des Ku-Klux-Clan.

Die Geschwister aus der großen Stadt haben ihre Mühe, sich an die selbstverständliche Entspanntheit der Koexistenz von Schwarz und Weiß im Süden zu gewöhnen. Es ist wahr: Vor zwei Jahrzehnten wagte nur ein Visionär wie Martin Luther King zu verkünden, Bürger aller Rassen würden am nationalen Feiertag auch im Süden nebeneinander und miteinander ihr gemeinsames Amerika feiern.

Nicht alle Probleme und Vorurteile sind getilgt, natürlich nicht. Der soziale Abstand bleibt bitter. Roy, der Älteste, der seine Nase im Wind hat, bemerkte, daß sich im Zeichen der konservativen Renaissance Ronald Reagans der Widerstand rassistischer Sekten verhärtete. Eine Revision der Geschichte, fügte er hinzu, würde den Rotnakken freilich kaum gelingen. Der »Neue Süden« habe sich für alle Schichten des Volkes als ein Segen erwiesen. Er wäre ohne die Teilnahme der Schwarzen nicht denkbar.

Die Nachbarn Mr. Jeffersons hatten sich nach drei Tagen an die Gegenwart des Weißen gewöhnt. Sie schauten zu Anfang mit einer Spur des Mißtrauens von ihren Veranden herüber. Dann begannen sie, freundlich zu nicken, entboten den »Guten Tag« und fragten schließlich, mit diskret getarnter Neugier, ob sich der Fremde in ihrem Städtchen wohlfühle. Am Morgen, als sich die Familie zum Ausflug auf die Farm von Roy, dem Ältesten, zu sammeln begann, winkten sie voller Sympathie. Der Aufbruch war für acht Uhr geplant. Doch zu jener Stunde schlief noch die halbe Mannschaft. »Here we are«, spottete Dottie. »Still on black time.« In der Tat, die schwarzen Uhren gehen noch immer anders, zumal im Süden.

Auf dem Tisch in der Küche standen die Schüsseln, Töpfe, Körbe, Flaschen, Einmachgläser, Pappteller und Besteck für das Picknick bereit: Salate, Eier, Sandwiches und Früchte. Jackie begann, die Vorräte in den Kofferraum zu verstauen. Sie hatte ihre langen Beine in halblange Khaki-Hosen gesteckt und sich ein flottes Hütchen aus dem gleichen Stoff aufgesetzt. Obschon ihre Bluse nur locker geknöpft war, wirkte sie wie ein Pfadfindermädchen, das sich in ein Modejournal verirrt hatte. Gail erschien mit den kürzesten aller Shorts, morgendlich verschmollt. Die Brüder balgten sich lachend, wie Teenager, auf dem Rasen. Leon spielte den Champion »I'm the King!« schrie er und machte sich mit blitzenden Goldzähnen vor den harmlosen Schlägen Randys wieselnd davon. »Horseplaying«, sagte

Jackie mit einem Anflug von mütterlichem Wohlwollen, »erwachsen werden die nie.«

Um neun Uhr dreißig begann der Konvoi zu rollen. Keiner war durch die Verspätung verärgert. Speedy, der im Wagen des Fremden mitfuhr, lehrte ihn einige Grundbegriffe des »Schwarzen Englisch«: »Hang a leroy!« rief er, wenn eine Linkskurve genommen werden sollte, »Hang a roscoe!«, wenn es nach rechts ging.

Der Himmel war bedeckt. Langsam fraß sich die Sonne durch die milchigen Wolken und warf ein sanftes Licht über die Landschaft. Auf kleinen Schotterstraßen erreichte die Kolonne den Weiler, in dem Mr. Jefferson so lange seine Äcker bestellt hatte. Das Häuschen, in dem sich die Familie damals zusammengedrängt hatte, war abgerissen, doch hinter jeder Hecke schienen Erinnerungen zu wohnen. Eine Backsteinkirche mit weißen Säulen, gegenüber der Friedhof, auf dem die Mutter Jefferson liegt. Der einfache Stein war überwachsen. Niemand schien es zu stören. Man läßt die Toten ihre Toten begraben.

Durch die Bäume schimmerte die Fassade eines klassizistischen Herrensitzes, der einer weißen Familie gehörte, reichen Leuten. Niemand, berichtete der Patriarch, sei den Nachbarn jemals nahegekommen. Sie lebten in völliger Isolation. So schwirrten wilde Gerüchte von Hütte zu Hütte: In dem Plantagenhaus würde Zauberei getrieben; seine Bewohner seien geheimnisvollen Drogen verfallen; sie hüteten altererbte Schätze aus der Zeit vor dem Bürgerkrieg; sie lebten in Gottlosigkeit, Inzest und zelebrierten Satanskulte. Die Kinder machten einen weiten Bogen um das mysteriöse Anwesen. Sie fürchteten sich. Der Fremde dachte, den Erzählungen lauschend, an William Faulkner und sein Reich der südlichen Passionen.

Als der Geleitzug gegen Mittag auf Roys Farm eintraf, war das Schwein im Holzkohlenfeuer beinahe gar. Dennoch stürzten sich Junge und Alte – ein halbes Hundert insgesamt – zuerst auf die Bälle, um sich vor der Mahlzeit mit raschen Spielen Bewegung und Appetit zu verschaffen. Michael, der Sergeant – er trug elegante Hosen italienischen Schnitts – führte samt Frau und Töchtern vor, daß er in Bremerhaven Fußball nach europäischen Regeln gelernt hatte. Eine Stunde lang wurde mit Elan und Eifer gekickt. Wanda, die jüngste Tochter Bens, stolperte hinkend durch die Reihen. Niemand rief sie zur Ordnung. Als sie stürzte, wurde sie von ihrer älteren Schwester

Sheila behutsam beiseitegeführt. Ben sagte dem Fremden, es sei ein Wunder Gottes und der Medizin, daß die Kleine auf eigenen Beinen stehen und laufen könne. Sie sei von Geburt an halb gelähmt, leider auch geistig zurückgeblieben. Keiner wandte dem Mädchen, aus Mitgefühl oder Unbehagen, besondere Aufmerksamkeit zu. Man ließ es gewähren. Es gehörte dazu. Nur Sheila mit ihrem ruhigen, ernsten und schönen Gesicht ließ die Schwester nicht aus den Augen. Sie schaute für einen Moment prüfend zu Ben, ihrem Vater, und zu dem Fremden herüber. In ihrem Gesicht standen Willensstärke und Intelligenz. »Sie will Ärztin werden«, sagte Ben. »Ich bin nur Krankenpfleger«, setzte er mit einem Anflug von Selbstironie hinzu, »immerhin auf der Intensivstation.«

»Sie wird es schaffen«, sagte er dann. Der Fremde fragte, ob manche weißen Patienten sich dagegen sträubten, von einem schwarzen Pfleger behandelt zu werden. »Nein«, sagte Ben, »wenn's den Leuten schlecht geht, entfallen die Vorurteile.«

Nach der ausladenden Mahlzeit holte Ben seine Gitarre aus dem Auto. Er zupfte lange zögernd vor sich hin. Dann rief er Jim. »Hör mal«, sagte er, »du könntest ein bißchen singen. Du hattest immer eine gute Stimme.«

»Ja,« sagte Jim, »bevor ich soff und rauchte.« Er sträubte sich lang. Roy kam mit einer zweiten Gitarre aus dem Haus. Leon fletschte die Goldzähne. Schließlich sang Jackie. Ihr Sopran war klar, mädchenhaft und von erstaunlicher Kraft. »My condition as a sinner«, sang sie und stieß Jim ermutigend an. Der Bruder räusperte sich voller Umstand. Dann stimmte er ein, mit einem sanften, hellen Bariton. Leon ließ seinen Tenor schmelzen. Gail lief hinzu. Die kleine Person besaß einen schönen Alt. Dottie bot eine dunklere, rauhere Unterstützung. Roy, Herr auf der Farm, mengte einen Baß voller Autorität in den Chor. Der Patriarch sang manchmal schütter mit.

Sie sangen Hymne um Hymne: die sentimentalen und herzlichfrommen, die traurigen und jubelnden Melodien der Gospel-Tradition. »There is power in the blood of the lamb«, sangen sie in scharfer Skandierung, und danach im harten, jagenden Rhythmus: »You better run / keep on running / Run-oh run / You all of God's children / Should be racing and running / All of God's children on the Highway to Heaven /All of God's children should race and should run ...«

Die Melodie ging ihnen ins Blut. Die Mädchen schwangen sich in tanzender Bewegung. Die Männer nahmen die Gesten auf, die Gitarren klirrten, die Kinder plärrten mit, und schließlich sangen an die fünfzig Menschen: das Gospel-Konzert der Jeffersons ...

Als die Schatten länger wurden, verebbte die Passion. Ben schlug sein Instrument leiser. Jackie sang am Ende allein: einfache und rührende Lieder.

Roy, der Hausherr, nahm den Fremden beiseite: »Wir feiern nicht nur das Familientreffen«, sagte er. Er zeigte auf einen langaufgeschossenen Jungen, der an einem Baum lehnte und Jackies Stimme nachzulauschen schien. »Das ist mein Ältester«, sagte Roy. »Morgen melde ich ihn im College an. Das ist ein großer Tag.«

Nach einer Weile sagte er: »Vielleicht sind die Jeffersons, God help us, auf dem rechten Weg.« Er lächelte dem Fremden zu: »Say Amen, man!« Der Fremde sagte es.

Im Fortgehen wandte sich Roy noch einmal um. »Meine Schwester Dottie«, rief er halblaut, »meinte vorhin, sie vergesse manchmal, daß du eine weiße Haut hast.« Der Fremde antwortete, er vergesse des öfteren, daß die Jeffersons eine schwarze Haut hätten.

Ihm fiel ein, daß Mr. Jefferson, der Patriarch, seinem eigenen Vater ähnlich sei. Er sah auf seine Hände. Ihre rötliche Helle belustigte ihn. Er war hier die exotische Ausnahme: der weiße Sonderfall inmitten der schwarzen Normalität, Vertreter einer tolerierten Minderheit.

Wenige Tage später fuhr er zurück in seine nördliche, weiße und kältere Welt.

IX

Hondo-Country

Drei Wochen fuhr Hondo den Sarg auf seinem alten »pick-up truck« spazieren. Er fuhr langsam, wie immer, niemals schneller als 35 Meilen, auch nicht auf den Highways, die schnurgerade, glatt und schnell durch die Hügel schneiden; erst recht nicht auf den Feld- und Dreckwegen hinter der Ranch. Es scherte ihn nicht, wenn die Laster hupend an ihm vorbeiröhrten. Vielleicht tippte er mit dem Daumen an den ausgefransten Hutrand oder grüßte mit der Bierdose. Vielleicht zeigte er mit einer Kopfbewegung und einem Lachen nach hinten auf den Kasten, der aus roh gehobelten Brettern zusammengenagelt war.

Hondo hatte es nicht mehr eilig. Er sagte, es sei gemein, blicklos durch dieses Land zu eilen, das sich soviel Zeit gelassen habe, entdeckt zu werden. Er hielt an, wann immer ihm der Sinn danach stand: um sein Bier zu trinken und über eines der offenen Täler zu schauen, in denen sich, von den graugrünen Eichen gefiltert, ein silbernes Licht sammelte, vom Aluminiumhelm eines Wasserturms zurückgeworfen oder in den Scheiben eines Ranchhauses wie in einem Brennglas konzentriert: weite Täler und ein hoher Himmel, von einem Dorf zum nächsten sind es fünfzehn oder zwanzig Meilen. Die Hügel sind im Frühjahr nach dem Regen für ein paar Wochen von einem hellgrünen Teppich bedeckt, der die Landschaft schweben läßt. Dann dörrt der Boden graubraun und rissig aus. Das Gras ist strohig und bleich. Yucan-Büsche, struppiges Bruyère-Gesträuch und überall zwischen dem nackten Gestein die zähen, windschiefen Eichen: Spanish Oak, Live Oak – Bäume, die nur in der Nähe der Bäche mächtig werden und sich gelegentlich, als sei der Mississippi nicht weit, mit den schwarzen, traurigen Schleiern des spanischen Mooses behängen.

Manchmal hielt Hondo an, um eine Kuh hinter den Zaun zu scheuchen. Er lud einen mexicanischen Arbeiter auf, der in die Stadt wollte, er schwatzte mit einem Nachbarn. Den Sarg, sagte er, habe ihm der Regisseur geschenkt, weil er so gut gewesen sei, zusätzlich zum Honorar. Das Lachen war, Freunde bemerkten es, ein wenig matt geworden.

Hondo Crouch hatte Spaß daran gefunden, von Zeit zu Zeit kleine Rollen in mediokren Western-Filmen zu übernehmen – Rollen, die nicht viel mehr von ihm verlangten, als sich selber zu spielen: eine bizarre Figur aus dem Bilderbuch des alten Texas, sehnig, nicht ein Gramm Fett auf dem Leib, immer in ausgebleichten Jeans, immer die gleichen ausgetretenen Stiefel an den Füßen, immer den gleichen zerlöcherten, abgegriffenen, farblos gewordenen Hut aus der Stirn gerückt. Unter der Krempe ein überraschend klares, zugleich fast weiches Profil, langgeschwungene Nase, mediterran und musikalisch, womöglich ein bißchen mexicanisch, auf der Stirn drei scharfe Falten, die zu den zerzausten Brauen strebten und sich von dort in die feineren Späh-, Lach- und Tränenfalten übersetzten. Schlohweißer Bart. Das Gesicht eine Landschaft: Operationsfeld für die starken dunklen Augen, in denen nun eine Spur von Müdigkeit zu erkennen war.

Die Regisseure und ihre Kameraleute hatten sich in dieses Gesicht vernarrt. Es besaß, durchschaubares Geheimnis der Maskulinität aller Western-Filme, Sex-Appeal für beide Geschlechter. Hondo war in gewisser Hinsicht ein geborener Schauspieler. Er konnte strahlend sein, listig, hart und wachsam. Im Lachen verengten sich seine Augen zu indianischen Schlitzen.

Seine letzte Rolle entsprach nicht den Cowboy-Stereotypen. Der Regisseur zog Hondo eine speckige Soutane über und wies ihn an, den versoffenen Priester zu spielen, der einen Halunken mit den letzten Tröstungen der Heiligen Kirche versieht und unter die Erde bringt.

Der Sarg: Hondos Schwarzer Humor. Er weigerte sich störrisch, das Ding zum Müllplatz zu karren. Drei Wochen fuhr er mit ihm durch das Hill Country von Fredericksburg in Texas. Dann legte er sich eines Abends im Haus von Freunden nieder, zu erschöpft für die zwanzig Meilen zurück zur Ranch. Er starb in der Nacht. Er war sechzig.

Hondo hatte, soweit bekannt, keine Todesahnungen. Er hatte auch nicht den Wunsch geäußert, in dem Möbel aus der Requisitenkammer von Hollywood bestattet zu werden. Shatzi, seine geschiedene Frau, und die Kinder hätten dieser drastischen Pointe nicht zugestimmt. Sie entschieden vielmehr, daß Hondos Asche draußen, im rauhen Ranchland unter einer uralten, grotesk verwachsenen Eiche in den Wind gestreut werden müsse: »The Laughing Tree« hatte Hondo den Baum genannt, »der lachende Baum«, in dessen Schatten er oft mit Freunden hockte, Bier trank, seine Geschichten erzählte oder mit José, dem »Illegalen«, seit Jahrzehnten sein getreuer Schwarzarbeiter, mexicanische Lieder zur Gitarre sang.

Nicht weit von dem Baum hatte Juan, der Sohn, gerade schulpflichtig, unter der Aufsicht des Vaters seinen ersten Hirsch geschossen. Das Gelände war nun an Jäger verpachtet, das Gatter folglich verschlossen. Ohnedies sind dem zerklüfteten Weg nur Jeeps oder Kleinlaster mit Vierradantrieb gewachsen. Das ist gut so. Anders wäre Hondos luftige Ruhestätte zum Ziel fröhlicher Pilgerfahrten geworden: Coca-Cola-Büchsen, Bierflaschen, Plastikbeutel, Comic-Hefte lägen herum, und ein gelegentlicher Kondom hinge im Gesträuch.

Die posthume Neugier konzentriert sich auf Hondos Luckenbach: ein Zwergnest, ein Winz-Weiler, diese Bezeichnung kaum verdienend, da es nur aus drei Gebäuden, »post-office-general store«, »barn« und »farmhouse« besteht: Post und Kramladen, Scheune und ein kleines Wohnhaus. Wenn man will, mag man die beiden »outhouses« – für Damen und Herren – und jenseits des Baches die Ruine der »cotton gin mill« dazurechnen, eine Art Baumwollaufbereitungsanlage, wie diese Antiquität auf deutsch wohl genannt würde. Ein paar Tische und Bänke im Freien, ein baufälliger Steg, ein Hühnergehege, ein Pferch für »Oinck van Gogh«, das Hausschwein, eine Telefonzelle, eine Benzinpumpe (Normal) und eine Parkuhr, Geschenk der Gemeinde Fredericksburg – das ist wirklich alles.

Dennoch handelt es sich, nach texanischem Recht, um eine »township«: eine Gemeinde, die den Namen von Mr. Jacob Luckenbach aus Marienberg bei Stein im Herzogtum Nassau trägt. Dieser begründete am Ufer des South Crape Creek vor gut einhundertzwanzig Jahren seine neue Heimstatt und zeugte dortselbst mit seiner Frau Justina geborene Rübsam zwölf Kinder. Jacob zählte 93 Jahre, als er 1911 zu Boerne in Texas verschied. Ruhm verband sich mit seinem Namen erst, als der Rancher Hondo Crouch, der Schauspieler Guich Koock und Kathy Morgan, Frau eines Piloten der Continental Airlines, diese Stadt Luckenbach vom letzten Postmeister käuflich erwarben. Koock aber wandte seine Aufmerksamkeit einem Restaurant in der Main Street in Fredericksburg zu (»Oma cooks«), in dem jedermann die Gäste unterhalten darf, sofern er Gitarre spielen oder eine Ragtime-Melodie in die Tasten des Klaviers schlagen kann. Danach avancierte er in Hollywood zu einem Oberhelden in einer hartnäckigen Fernsehserie mit dem Titel »The Carter Family«. So fiel das Amt des Bürgermeisters von Luckenbach an Hondo. Kathy, den Realitäten dieses Daseins näher, übernahm die Pflichten des Schatzmeisters. Der Sheriff-Stern wird, ob Mann, ob Frau, dem jeweiligen Schankpersonal an der Biertheke angehängt.

Hondo ersann das Motto der Stadt: »Everybody is somebody in Luckenbach« – »Jeder ist jemand in Luckenbach«, und in der Tat ist jeder jemand, ist jedermann etwas, ist jeder Bürgermeister, Schatzmeister, Sheriff oder Gast – ein Mensch, von gleich zu gleich. Hondo war auf seine Weise Ur-Demokrat, ein sanfter Radikaler, ein lachender Protestant, eine Ein-Mann-Bewegung, die mit ihm nicht erlosch. Bei der Leichenfeier in der Kirche predigte der Pastor über dieses Wort: »Everybody is somebody ...« nicht nur in Luckenbach. Er hielt den Satz für evangelisch und grund-christlich. Er hatte recht.

Luckenbach wurde, kurz nach Hondos Tod im Jahre 1977, in einem Lied gefeiert, das eine Zeit lang den ersten Platz in der Hitparade der Western- und Country-Music von Nashville hielt. Hondos Traumstadt, in einem entlegenen Winkel des Berglandes von Texas versteckt, besetzte einen bescheidenen Platz im Bewußtsein Amerikas. Es wurde ein kleiner Mythos. Willi Nelson, der gedankenvoll-melancholische Countrysänger, ein Held der »alternativen« Bewegung, erhob es zur nationalen Legende. Tausende fragten sich nun von Austin im Osten oder San Antonio im Süden, von der Lyndon B. Johnson-Ranch am Pedernales River oder von Fredericksburg nach Luckenbach durch.

Es kann leicht geschehen, daß die Pilger die Abzweigung verfehlen, denn Richtungs- und Ortsschilder werden von den souvenirhungrigen Touristen ein ums andere Mal geklaut, ja die Vandalen scheuten nicht davor zurück, die einzige Parkuhr und die Post-office-Tafel abzumontieren. Wenn ihnen keiner auf die Finger sieht, stehlen sie auch wie die Raben im alten Kramladen, in dem Butterfässer und Jeans, Kräutertees, Sattelwichsen, Schnupftabak, Laxative, Waschmittel, Hufeisen, Einweckgläser, Salzkekse und Medikamente wie Dr. Fenners Mixtur für und gegen Durchfall, Koliken, Infektionen und Muskelschmerzen zu erwerben sind. Die Ladenkasse stammt aus dem Jahre 1900. Sie klingelt noch immer melodisch.

Mag Luckenbach der älteste General Store des Südens und Westens sein oder auch nicht: der nostalgische Ramsch erklärt nicht die Attraktion des Fleckens. Der Zauber ging von Hondo selber aus, der so oft am Nachmittag, am Abend und manchmal noch am Morgen auf den Stufen vor dem Laden oder drinnen am gußeisernen Ofen saß, voller Geschichten, voller Lieder, mit seinen Genossen lachte und sang – den Compañeros aus Mexico, den Kumpanen aus Austin oder San Antonio, aus Dallas, aus Nashville, aus New York. Allen Wayne Damron, ein eleganter junger Mann, aufgeräumt und herzlich, mit Witz und einer guten Stimme, war mit seinen Gitarren, seinen kostbaren Flinten und dem Schnaps im Kühlfach seines Autos oft zur Stelle. Jerry Jeff, ein Star der Country-Music, zog Hondo zuliebe nach Texas.

So wurde Luckenbach im Laufe der Jahre eine heimliche Metropole der amerikanischen, wenigstens der texanischen Folkmusic, die – mit Jazz- und Rockelementen durchsetzt oder auch nicht – niemals aufgehört hat, eine vitale, glaubwürdige, sich stets erneuernde und darum junge Musik des Volkes zu sein: sentimental und voll trockenem Realismus, melancholisch, melodramatisch, naiv und gerissen, pathetisch und zynisch, balladesk und lyrisch – Lebensausdruck von abertausend großen und kleinen Talenten.

Viele kamen nach Luckenbach. Man traf sie am Donnerstag-, am Freitag-, am Samstagabend. Wenn einer sie fragte, was sie im Sinn hätten, hoben sie die Schulter: *just a little pickin', just a little sippin'*, das »g« am Ende im melodischen Fall des südstaatlich-texanischen *drawl* verschluckend: ein bißchen die Gitarre zupfen, ein bißchen saufen, ein bißchen schwatzen, mehr nicht. Sie hingen bis tief in die Nächte Worten und Tönen nach, formten sie zu Phrasen, Sätzen, Reimen, Klangbögen. Sie improvisierten. Probierten. Schrieben Worte und Töne auf.

Wenn dann am Samstag oder Sonntag Tanz und Musik im alten Heuschober angesagt waren, trugen sie ihre Werke vor, konkurrierend mit der Fredericksburger Oompta-Band des Sheriffs Hugo Klaerner, der die Lungenkapazität seiner dreihundert Pfund Lebendgewicht mit Inbrunst an der Tuba demonstrierte, mehr als zwei Jahrzehnte lang Polizeichef von Gillespie-County, stolz darauf, daß er in seinem Gefängnis meist ein paar Zellen frei hatte, die er vertrauenswürdigen Fremden als Notquartier anbot, wenn die Motels überfüllt waren. Hugo produzierte die beste Hirsch-Salami weit und breit. In seiner Jugend war er professioneller Footballspieler, *All American Star*, vor allem aber ein passionierter Musikant, der die Märsche von Sousa im Kopf hatte, auch ein paar preußische, und dazu die Hopser, die Ländler, die Polkas und Rheinländer, die Schottischen und die Polonaisen der Alten Welt – »drieben ieberm groussen Wasser«, wie man auf Texas-Deutsch sagt. In der Scheune von Luckenbach tanzten auch die Jungen nach den alten Weisen so gut und gern und natürlich, wie sie Rock und Twist, Watusi, Bump und Jerk oder nach den mexicanischen Rhythmen tanzen.

Wenn eine begabte Band zur Hand war, mischten sich die Elemente europäischer Volksmusik mit den schwarzen Melodien des klassischen Jazz, caribische Melodien mit den grelleren Akkorden des Dixie. So vollzog sich oft die Entwicklungsgeschichte der Musik Amerikas in einer Nacht, in der vielleicht der volle Mond über dem Tal von Luckenbach hing.

»So ein großer Mond für so eine kleine Stadt«, sagte Hondo in einem Gedicht, das er manchmal vortrug, wenn es stiller wurde, sich selbst mit ein paar Gitarrengriffen begleitend. »Nicht viel«, rezitierte er ungekünstelt und etwas heiser:

»Nicht viel ist dieser Tage in Luckenbach passiert,
Nur der Mann mit den Kartoffelchips kam vorbei.
Und dann kam der Mond.
Letzte Nacht gab er richtig an.
War so groß wie nie zuvor.

Hing dort oben und bestand darauf, daß man ihm zuschaut.
Verwandelte Schatten in lebende Kreaturen.
Ein Mond, der die Gespensterhäuser grauslicher macht.
Und die grauslichen Mädchen hübscher.
So ein voller Mond braucht wie ein Mensch
Ein bißchen Hilfe, um richtig zu glänzen.
Die Wolken blieben mit Absicht zu Haus.
Damit der Mond sein Solo hatte.
Ein zweites Mal hielte man das nicht aus.
So ein Mond ist einfach zuviel.
Die ihn sahen, sagten, sie könnten ihn riechen.
Und einer sagte, er schmeckte wie Sünde.
Die Stille im Park an der Straße war ohrenbetäubend.
Und ein Paar, das dort saß,
Berührte sich mit den Rücken der Hände.
Sagt's keinem weiter ...«

Hondos Poesie war unaufwendig. Es war nicht sein Ehrgeiz, Dichter zu sein. Auch nicht Musiker, so talentiert er mit der Gitarre umging, nicht Sänger, so virtuos er seinen Tenor ins Falsett jagte, am liebsten auf spanisch; nicht Komödiant, Schausteller, Humorist, Unterhalter, obwohl er das alles war, am Ende auch nicht Schriftsteller, wenngleich er seine Feuilletons im Wochenblatt »Comfort News« (Auflage: zwei- bis dreitausend) als »Peter Cedarstacker, writer« gezeichnet hat. Das war sein zweites Pseudonym, das erste hieß »Seidensticker«; aber er mußte auf den schönen Namen verzichten, da eine Familie gleichen Namens Einspruch erhob. Hondo war des Deutschen mächtig genug, um die Bedeutung der Worte zu kennen: Silk-stitching schien ihm eine angemessene Umschreibung seiner liebevoll-spöttischen Skizzen aus der texas-deutschen Gesellschaft von Fredericksburg und Umgebung zu sein. Schreiber, das wollte er sein, kein Schriftsteller, wie man im Deutschen so umständlich sagt – nur einer, der schreibt und mit Worten umzugehen weiß.

Er schuf in seinen Kolumnen eine kleine Welt, in der sich jeder und keiner porträtiert sehen mochte: Mr. and Mrs. Wurstbottom an der Spitze der Gesellschaft; Trapper Gutowski als Repräsentant teutonisch-texanischer Erd- und Naturverbundenheit; John Lyles, emporstrebender Anwalt, eher versnobt; Jesus McNeil, Mexicaner vom

Dienst; Lee Birmingham Jones, ein schwarzer Zeitgenosse, der die Initialen des geliebten, gefürchteten und ein wenig verachteten präsidentialen Nachbarn Lyndon B. Johnson tragen durfte und in Wirklichkeit dem alten, leibhaftigen schwarzen Bürger George Washingtons nachgebildet war, der sein Lebtag lang für alle Rancher die jungen Pferde einritt: ein schwerer Beruf, der die Beine des braven Mannes fest zur vollen O-Form gekrümmt hat. Vermutlich hatte er darum Schwierigkeiten, das Gaspedal zu erreichen. Er besaß kein Auto, sondern stieg auf sein Roß, wenn er nach Fredericksburg wollte. Die ausgemergelte Mähre band er an die Parkuhr – einen Cent für zehn Minuten –, wenn er in der Bar ein Bier trank oder seine Einkäufe machte. Schließlich gehörte in Hondos Galerie auch Mr. Miguel Schultz, Indianer, an jenen bronzehäutigen Rancher erinnernd, der den Fremden vor nicht zu langer Zeit im rauhen teutonischen Dialekt des texanischen Herzlandes fragte, ob »Ihr dort driebe hinterm Wasser nicht einen König« hattet, der »Hitler hieß oder ähnlich«.

Da war Mama: Das ironisch behutsam und herzlich gezeichnete Bild seiner Frau, die jedermann »Shatzi« rief, Tochter des alten Adolf Stieler, von dem 1943 in LIFE geschrieben stand, er sei der »Ziegenkönig« von Texas, Eigner von 60 000 Angoras, die neben ein paar tausend Schafen und Rindern auf seinen Ranches bei Fredericksburg, Comfort, Sisterdale und droben in den Sierra-Blanca-Bergen über El Paso grasten (sofern es Gras gab). Stieler war ein großer, schwerer Mann, einarmig – Starkstrom im Elektrozaun hatte ihn amputiert –, aufbrausend und gutartig, ein grundkonservativer Republikaner, der reichste Rancher weit und breit. Shatzi bestand eigensinnig darauf, den armen Schlucker, Schwimmathleten, Studenten und Taugenichts Hondo zu heiraten, weil er lachte wie kein anderer. Von ihr sagte nun wieder ihre Tochter Becky, sie sei schön wie eine ländliche Ingrid Bergmann gewesen, aber auch die »earth mother«, eine Frau, so zuverlässig und stark wie Großmütter in alten Geschichten.

Sie brachte eine Ranch von gut fünftausend Hektar in die Ehe, sieben Meilen über Fredericksburg in Richtung Austin, später eine zweite in Sisterdale, dazu ein Ranchhaus, auf dem Grundriß des ersten Siedlungsgebäudes der deutschen Pioniere Stein für Stein und Balken für Balken nachgebaut, mit den soliden Schränken, Stühlen,

Tischen, Betten der frühen Einwanderer aus der Pfalz, aus Hessen und dem nördlichen Württemberg behaglich möbliert. Draußen, im Schatten der Feldsteinmauern, war ein Gemüse-, Kräuter- und Blumengarten, und drinnen an den Wänden hingen Bilder und Stiche aus den frühen Jahren der Besiedlung, dazu halb-abstrakte Landschaften, schwungvoll und großlinig, von der begabten Tochter Becky gemalt, die außerdem singt, Tapisserien und bunte Banner für Kirchen und Kneipen entwirft, die schreibt, drei Kinder großzieht und, es ist nicht lange her, zur *Queen Alaska* gewählt wurde, als ihr Mann dort droben zwischen Eis und Urwäldern seinen Militärdienst versah; sie reitet auch wie der Teufel. Von ihrer Mutter, die eine strahlende Frau war, berichtet Becky, daß sie noch mit eigener Hand die Butter kirnte. Sie berichtet weiter, daß Shatzi klaglos, ja wortlos, Stück für Stück ihres ererbten Landes verkauft habe, um die beiden Söhne und die beiden Töchter auf teure Schulen schicken zu können.

Hondo beherrschte das Handwerk des Ranchers so gut wie jeder andere, vielleicht besser. Er kastrierte Ziegen und junge Stiere mit sicheren Schnitten, jagte die Rinder wie ein routinierter Cowboy zusammen, scherte die Schafe, achtete auf die Zeitfolge, in der Rinder, Schafe, Ziegen über die schütteren, steinigen, mageren Weiden getrieben werden mußten. Er verstand es, Quellen zu bohren, und er wußte, wie man in trockenen Jahren den Riesenkakteen die Stacheln abbrennt, um dem Vieh ein fleischiges Notfutter zu verschaffen. Er flickte Zäune und reparierte die Trucks.

An den Fertigkeiten und Fähigkeiten lag es nicht. Nur war Hondo nicht dazu bestimmt, genügsam seinen Acker zu bestellen und die Ställe zu misten. Er war, wie er von sich selbst in seinen Feuilletons sagte, für die »Unterhaltungs- und Erfrischungsabteilung« zuständig. In der verlassenen Pioniersiedlung von Waring, einer Geisterstadt, begründete er eine Theatergruppe. Er führte Regie und inszenierte Vaudevilles, Farcen und schwierige Komödien wie Oscar Wildes »The Importance of Being Earnest«. Von Erwachsenen verlangte er einen Dollar Eintritt, von Kindern – weil sie lärmten – zwei Dollar fünfzig. Er tanzte auf jeder Hochzeit, mit und ohne Shatzi, feierte mit jedem Verein, unterhielt jede Gesellschaft und trat in den Ballsälen der großen Hotels von Austin, San Antonio oder Dallas vor großem Publikum auf, ausnahmsweise wohlfrisiert, damals noch bartlos, in makellos geschnittenem Abendanzug und Spitzenjabot. Seine Grammatik war präzis, sein Stil, wenn es sein mußte, elegant. (Er hätte ein glanzvolles Universitätsexamen in englischer Literatur vorweisen können, wäre er danach gefragt worden.)

Shatzi blieb auf der Ranch. Sie sagte: »Hondo ist öffentlich, ich bin privat.« Sie beobachtete ihn lachend, resigniert, ohne Vorwürfe. Sie lachte auch, als er in den »Comfort News« schrieb: »Mama bringt das Haus in Ordnung, sie kocht, sie melkt die Kühe, schleppt den Mist aufs Feld, sie wäscht, sie räumt die Steine aus dem Acker, sie pflügt, sie zimmert Zäune. Nachts paßt sie aufs Baby auf. Ich habe mich früher um all das gekümmert, aber jetzt bin ich ein Schreiber.«

Als er Luckenbach kaufte, seine Traumstadt, fand er endlich den wahren Namen seines Berufes: Er ließ Visitenkarten drucken, auf denen stand »Hondo Crouch, Imagineer«. Wie übersetzt man das? Ingenieur von Bildern, Einbildungen, Vorstellungen, Ideen, Träumen, Phantasien? Manchmal nannte er sich auch »Houdini« – nach dem Entfesselungskünstler und Befreiungsartisten, dem New York und die Welt zu Anfang des Jahrhunderts zugejubelt hatten.

Hondo war auf seine Weise ein eskapistisches Genie. Er war ein Magier, nicht nur für die Kinder, die Mund und Augen aufrissen, wenn er ihnen das Hemd unterm Jackett auszog. Sie liefen ihm nach wie dem Rattenfänger von Hameln, bettelten um eine Geschichte oder gafften nur, wenn er an einer Hauswand lehnte, einen Fuß gegen die Mauer gestellt, und mit seinem Allerweltsmesser, mit dem er die Ziegen verschnitt, das Wild zerlegte, die Fingernägel putzte – wenn er mit diesem Wundermesser aus kleinen Holzklötzen die merkwürdigsten Dinge schnitzte: Zahnstocher oder kleine Kreuze, Bärenköpfe, Mädchengesichter, simple Suppenlöffel – *just whittlin' away*. Er lehrte die Kinder, eigene und fremde, die aufregendsten Spiele, setzte Preise aus und gab sie denen, die verloren.

Er zeigte ihnen, wo die Indianer ihre Lager aufgeschlagen hatten: Comanchen, Lipan-Apachen, Kikapoos und die aus Nordosten versprengten Delaware, von denen der schwindsüchtige Künstler Friedrich Richard Petri aus Dresden, ein Schüler Ludwig Richters, so zarte, romantisch-realistische Aquarelle gemalt hatte, ehe er, von den Strapazen des Pionierlebens und vom Gelben Fieber geschwächt, im Pedernales River nicht weit von Luckenbach ertrank.

Hondo wußte, daß die Rothäute meist den Schutz einer Bodensenke unweit eines Gewässers gesucht hatten. Oft bückte er sich blitzschnell und holte eine Pfeilspitze oder einen roh behauenen Tomahawk aus der Erde. Zuhaus auf den Fenstersimsen und auf der Mauer vor dem Garten lagen die Artefakte zu hunderten. Wenn Städter zu Besuch waren, ließ er sie selber nach Indianerwaffen suchen. Sie fanden auch immer Pfeilspitzen, auf denen sie bei genauerem Hinsehen eine Kritzelei entdeckten: 1.75 Dollar plus Steuer. Den Kindern verriet er, daß man Silberfüchse, Luchse, Stinktiere und Waschbären am besten mit zerdrückten Sardinen in die Falle lockt. Er war kein passionierter Jäger, aber nach Auskunft seines Sohnes Juan sah er »den kleinsten Knick im Grashalm, die geringste Bewegung eines Zweiges, und er hörte das Flüstern des Windes«.

In Luckenbach, der Traumstadt, verschmolzen für ihn Natur, Musik, Poesie und die guten Traditionen der texanischen Anfänge. Seine schöne Tochter Becky sprach von König Artus' Wald und Hinterhof – Hondos »Backwood Camelot«. Er selber drückte sich bescheidener und dennoch anspruchsvoller aus. »Luckenbach«, notierte er, »is a state of mind«: ein Gemütszustand, eine Geisteshaltung, eine Philosophie. »Luckenbach ist mein alter Schaukelstuhl. Also kommt und setzt euch her. Wir haben mit diesem Ort nichts weiter im Sinn. Es gibt kein Ziel und keine Aufgabe. Luckenbach ist ein großes Nichts, an dem jeder herumwerken kann, wie er mag.«

Nach dem Kauf der Stadt lud er das Friedenscorps, das in Washington zur Hilfe für die Entwicklungsländer begründet wurde, zur Mitarbeit beim Ausbau der »Stadt« ein. Seine Botschaft blieb unbeantwortet. Diese Mißachtung bestärkte ihn, auf die Unabhängigkeit des Besitzes zu pochen. Im September 1971 meldete er in der Zeitung: »Ich und Mama verbrachten den Mittwoch dieser Woche in Luckenbach, indem wir am Flaggenmast standen und den Flugzeugen nachwinkten. Das machen nicht mehr viele Leute. An der Postamt-Biertheke gab Mr. Wurstbottom einen kurzen historischen Abriß der Stadt ... Miguel Schultz (Indianer) sagte, die ersten Bürger von Luckenbach seien seine Vettern gewesen. Dann sei das Fürstentum L. beinahe Teil der Vereinigten Staaten geworden. Aber als die Politiker und Staatsmänner aus Washington herbeieilten, um ihre Neuerwerbung zu besichtigen, habe man ihnen eine mächtige Männerparty (mit Mädchen) geschmissen. In der Fröhlichkeit des Betriebs legte man ihnen ein Papier zur Unterschrift vor, von dem sie annahmen, es sei eine Jagdlizenz. Sie unterschrieben unsere Unabhängigkeitserklärung.«

Nicht völlig konsequent, doch genau kalkuliert organisierte Hondo Crouch 1976 eine Protestkundgebung gegen die Kommerzialisierung und die pseudopatriotische Verkitschung der Zweihundert-Jahr-Feier der Freiheit Amerikas. Das »Bicentennial« konfrontierte er, kalauernd, mit seinem »Non-Buy-Centennial«. Auf dem Höhepunkt der Veranstaltung wurde dem Produzenten von vaterländisch rot-weiß-blau bemalten Klodeckeln eine Medaille für die größte Geschmacklosigkeit verliehen. Im übrigen feierten fünfzigtausend Menschen ein Volksfest alter Art mit Musik und Tanz, Würsten, Bier und guter Laune. Das Fernsehen nahm, selbst in Washington und New York, Kenntnis von Hondos vergnügter Operation. Zeitungen und Nachrichtenmagazine entsandten Korrespondenten. Die Nation wurde für einen Augenblick gewahr, daß sich weit hinter den Bergen und Ebenen, fern von Wolkenkratzern, Supermärkten, Öltürmen und Raketenzentren ein Stück Amerika behauptete, in dem uniformierende Zwänge den Geist der Unabhängigkeit noch nicht ausgelöscht hatten.

Die Amerikaner entdeckten das texanische Hill Country. Hier spürten sie, daß Amerika noch bei sich selber zuhaus sei. Sie nahmen den spröden Reiz einer Landschaft wahr, die groß, doch nicht gewaltig, von karger Schönheit, ja voll ruhiger Anmut ist. Das Hill Country gehört zum Westen. Kein Männerkopf ohne den Sechs-Gallonen-Hut. Die Hauptstraße von Fredericksburg mit ihren vergammelten Fassaden taugte, bevor der Wohlstand einzog, als Kulisse für jeden Western. Wenn die Rancher – wie es seit den achtziger Jahren Brauch ist – in ihrer »Backwood-Men-Parade« die Main Street hinabreiten, ist die Geschichte dieser Region ganz gegenwärtig. Das Nimitz-Hotel, vom Begründer vor gut einem Jahrhundert in gefühlvoller Anhänglichkeit an seine Bremer Herkunft und die Seefahrt in der Form eines Dampfschiffes gebaut, mit Deck, Kommandobrücke und Mast, war für eine lange Frist die letzte, komfortable Absteige vor der californischen Küste. Damals war Fredericksburg Grenzstation der Zivilisation.

Anno 1960 konnte der Fremde in jenem Quartier sein Haupt noch für drei Dollar niederlegen. Nun ist es ein Museum, das den Enkel des ersten Wirtes ehrt: Flottenadmiral Chester W. Nimitz, Sieger der Seeschlachten des Zweiten Weltkriegs im Pazifik, bedeutendster Sohn der Stadt, wie die Prospekte sagen. Die Japaner stifteten dem Andenken des Mannes, der ihnen so bittere Niederlagen beibrachte, einen »Garten des Friedens«.

Die Gemeinde Fredericksburg zählt gut sechstausend Seelen, der dazugehörige Gillespie-Landkreis etwas mehr als zehntausend. Die Häuser sind bescheiden, solide, allerdings den Zwergmaßen der »sunday-houses« entwachsen, die sich die ersten Siedler als Unterkunft für die Wochenenden (Einkauf, Kirche, Kneipe) gebaut hatten. Die Besitzungen blieben nach texanischen Begriffen moderat. Kein protzender Reichtum, kaum drückende Armut. Die stets wiederkehrenden Dürren, die Tornados und die Flutkatastrophen, die durch die Täler der Pedernales- und Guadelupe-Flüsse fegen – 22 Tote im Jahr 1978 –, lassen keinen Rancher-Stolz ins Kraut schießen.

Eher mit Unbehagen bemerkten die Eingesessenen Lyndon B. Johnsons unersättliche Gier nach Größe, die ihn am Ende scheitern ließ. Vielleicht witterte bäurisch-deutsche Skepsis in seiner fingernden, knetenden Unruhe (»always wheelin' and dealin'«) den dramatischen, spekulativen Geist des Südens, der das Bergland so oft bedroht hatte. Die Johnsons kamen aus dem texanischen Osten, der voller Wälder, Seen und Sümpfe ist wie Louisiana und Mississippi. Während des Bürgerkriegs war der Süden mit Mord und Totschlag in diese noch kaum erschlossene Region des Westens eingebrochen. Die deutschen Pioniere träumten damals nicht von Latifundien, die dem Feudalgut entsprachen, das sich Lyndon B. Johnson bei Stonewall erwarb.

Hondo, der oft vor dem pittoresken Postamt von Hye an der Straße zur Johnson-Ranch hockte und vor sich hin schnitzte, schaute unschuldig auf, wenn ihn Touristen nach dem »Weißen Haus« am Pedernales und seinem Herrn fragten: »Lyndon Johnson? Nie gehört. Der muß neu sein in der Gegend.« Hondo mißtraute Johnsons Verlangen nach Größe. Er hatte sich, was dies angeht, seiner deutsch geprägten Umwelt angepaßt. Sein eigensinniges Außenseitertum fand Halt an einer oft gefährdeten, niemals gebrochenen Tradition, die stark genug zu sein scheint, ihre eigene Vulgarisierung im Sauerkraut-Deutschtum, im Schnitzelbank- und Bratwurstkult, im krachledernen Bierzelt-Teutonismus zu überleben.

Die Erinnerung wird blasser. Dennoch: manche jungen Leute sprechen noch immer den Dialekt, in dem sich pfälzische, hessische und plattdeutsche Wendungen seltsam vermischten. Es ist allerdings nicht mehr die Regel, daß die mexicanischen »ranchhands« und die wenigen schwarzen Familien des Deutschen mächtig sein müssen, um in Fredericksburg und Umgebung mitreden zu können.

Man könnte feststellen, daß die Texas-Deutschen ihren Charakter behaupteten, weil sie ihre neue Heimat weit genug von den Hauptstraßen der großen Landnahme gesucht haben. Sie lebten in relativer Isolation. Jene Distanz des Argwohns, die zwischen den deutschen Siedlern und ihren angelsächsischen Nachbarn während des Bürgerkriegs zwischen Nord und Süd aufgebrochen war, schwand nicht so rasch. Sie verliert sich in Wahrheit erst, seit Amerika der stillen Staatsidee des »Schmelztiegels« adieu gesagt und den Reiz, den Reichtum seiner ethnischen und kulturellen Vielfalt zu respektieren gelernt hat.

Der Gründervater Otfried Hans Freiherr von Meusebach, dessen Monument vor der alten Vereinskirche von Fredericksburg steht, würde sich über diese Auskunft freuen. Als er die konfusen Geschäfte der Auswanderungsgesellschaft übernahm, die sich 1842 in Wiesbaden-Biebrich als ein Club von gräflichen und fürstlichen Herren instituiert hatte, entledigte er sich rasch seines Titels, nannte sich fortan John O. Meusebach und befand, daß man gut beraten sei, Amerikaner zu werden, wenn man sein Haus auf den Boden Amerikas bauen wolle. Darin unterschied er sich von seinem Vorgänger, dem Prinzen Carl zu Solms-Braunfels, der naiv und ein wenig töricht davon geträumt hatte, eine deutsche Kolonie in der – damals für ein Jahrzehnt selbständigen – Republik von Texas werde der Kern für eine Germanisierung des Staates. Mit den Realitäten nicht völlig vertraut, ließ er sich beim Kauf riesiger, meist unwirtlicher Ländereien übers Ohr hauen. Er hielt sich eine bewaffnete Garde mit Kürassen und Federn am Hut und gab seinem zeitweiligen Gastgeber Samuel Augustus Maverick – auch er deutscher Herkunft – viel Anlaß zur Heiterkeit, wenn er sich mit Hilfe eines Lakaien in seine hautengen

Reithosen zwängte. (Es handelte sich, notabene, um jenen Maverick, der sich beharrlich weigerte, sein Vieh mit Brandzeichen zu versehen und durch allgemeine Aufsässigkeit der englischen Sprache ein neues Wort für Rebellentum verschaffte: seinen Namen.)

Fürst Solms brachte es nicht zuwege, die ersten Siedlerkolonnen in die vorgesehenen Gebiete im Landesinnern zu führen. Er begründete jedoch ein provisorisches Zentrum: Braunfels (dem er ohne Zögern seinen Namen gab). Nach knapp zwei Jahren überkam ihn das Heimweh. Sein Nachfolger Meusebach fand chaotische Zustände vor. Die Schulden der Gesellschaft überstiegen ihre Mittel bei weitem. Schlimmer: Sieben- bis achttausend Einwanderer befanden sich auf der Anreise nach Galveston und dem kleinen Hafen Indianolo. Meusebach schickte Bettelbriefe nach Wiesbaden an den Grafen Castell, den Direktor des Emigrationsunternehmens. Es vergingen Monate, ehe sechzigtausend Dollar eintrafen, mit denen er die wichtigsten Verpflichtungen einlösen konnte. Ehe die Kolonne der Einwanderer zum Marsch ins Landesinnere aufbrach, war ein Fünftel der armen Tröpfe in den sumpfigen Küstenbiwaks am Fieber gestorben.

Drei Wochen brauchte ein Ochsenzug von der Küste bis nach Neu-Braunfels. Meusebach hatte im Tal des Pedernales neues Gelände erworben, in das er einige hundert Siedler dirigierte. Er taufte den Ort Fredericksburg nach dem Prinzen Friedrich von Preußen, der Mitglied des »Adelsvereins« und ein Freund seiner Familie war. Da sich Indianer in der Nähe aufhielten und Meusebach die Erkundung des größeren Landtrakts im Innern sichern wollte, suchte er Verhandlungen mit den Häuptlingen der Comanchen. Sie erwarteten ihn in einem Feldlager von mehreren tausend Kriegern. Das Protokoll der Ansprachen liest sich, als sei es bei Karl May kopiert worden: »Ich kam eines langen Weges, um Euch zu sehen und die Pfeife des Friedens mit Euch zu rauchen ...«

Meusebach bot einen Friedensvertrag an, versprach Freundschaft und Geschenke, ja er ging so weit, Eheschließungen in den Bereich des Möglichen zu rücken: »Unsere Krieger werden bald eure Sprache lernen. Wenn sie ein Mädchen eures Stammes heiraten wollen, sehe ich keine Hindernisse.« Vom umgekehrten Verfahren war nicht die Rede. Er wurde deutlicher: »Ich mißachte meine roten Brüder nicht, weil ihre Haut dunkler ist, und ich schätze weiße Menschen nicht höher, weil sie heller sind. Wenn unser Vater, der Präsident, diesen Unterschied machen will, soll er es tun. Ich sehe den Unterschied nicht, weil wir alle Brüder sind.« Nein, er war kein Rassist.

Den Indianern gefielen seine Worte. Sie nannten Meusebach, der hochgewachsen und rothaarig war, Ma-be-qou-si-to-mu: den Häuptling mit dem brennenden Haar. Historiker neigen zu der Ansicht, den Comanchen sei es damals leichtgefallen, einen Sondervertrag mit den Deutschen zu schließen, da sie erst kurz vorher den allgemeinen Frieden mit der Regierung der Vereinigten Staaten besiegelt hätten. Sie nahmen die Geschenke und luden sich gern in den deutschen Siedlungen zu einer kräftigen Mahlzeit ein. Es glückte eine erträgliche Koexistenz, obschon gelegentlich Kühe und Pferde gestohlen wurden. Die Chroniken registrierten einen Fall von Kindesentführung: Der neunjährige Rudolf Fischer wurde von einer Bande des Häuptlings »Alte Krähe« verschleppt. Nach fünfzehn Jahren kam er heim, doch behagte ihm das bäuerlich-geregelte Leben bei den Eltern wenig. So kehrte er nach sieben Monaten wieder zu seinem Adoptiv-Stamm zurück und heiratete Zwillings-Squaws. Nach Fredricksburg kam er manchmal zu Besuch, zuletzt 1939. Er starb einundneunzigjährig in Apache, Oklahoma.

Das Indianer-Problem löste sich sozusagen von selbst, nämlich auf die übliche und schreckliche Weise, ohne weitere kriegerische Aktionen: Sie wurden durch Seuchen dezimiert, sie verhungerten oder suchten Zuflucht am Rand der Wüsten und Gebirge des fernen Westens.

Auch die andere Rassenfrage betraf die Deutschen nicht: Sie besaßen, wenigstens im Umkreis von Hill Country, keine Sklaven. Sie lehnten jede Form der Leibeigenschaft ab. Selbst wenn ihre Prinzipien ins Wanken geraten wären, hätten sie nicht über die Mittel für den teuren Menschenkauf verfügt.

John Meusebach war, ehe er sich vom Einwanderungsverein zurückzog, längst ein Mann von republikanischer Gesinnung geworden. Er teilte die fromme und freie Gesinnung, die ihm sein Elternhaus vermittelt hatte, mit anderen Nobilitäten, die sich in Amerika das Bessere erhofften: zum Beispiel mit dem österreichischen Grafen Coreth, dessen Tochter er heimführte, und dem Freiherrn Marschall von Bieberstein, dessen Söhne wiederum zwei seiner Töchter ehelichten. (Der Adel hielt offensichtlich auch unter bürgerlich-amerikanischen Vorzeichen zusammen.) Meusebach war für eine Legislatur-Periode Senator im Kongreß von Texas und verdiente sein Geld mit einem Kramladen. Schließlich wurde er mit dem Amt eines Postmeisters belohnt. Dann zog er sich auf eine stattliche Ranch zurück, bis zum Ende seiner Tage nimmermüde Goethes Wort vom »Freien Volk auf freier Erde« zitierend.

Politische Flüchtlinge der Revolutionsjahre 1848 und 1849 hielten den liberalen Enthusiasmus wach. Die akademisch gebildeten Herren begründeten fünf sogenannte Lateiner-Farmen: ihr texanisches Arkadien. Diese Kommunen intellektueller Bauern hatten naturgemäß nicht lange Bestand. Eine wurde nach Bettina von Arnim benannt. Eine andere, einleuchtend genug, hieß »Tusculum«. Eine dritte verpflanzte den Namen des großen Journalisten Ludwig Boerne an die Grenze des Wilden Westens. Eine vierte befand sich in Sisterdale, unweit von Fredericksburg und Luckenbach. Der Landschaftsarchitekt Law Olmstedt, dem New York den Central Park verdankt, besuchte die Kolonie und bemerkte in seinem Reisebericht: »Das Essen war texanisch, Maisbrot und Frijoles, der Kaffee wurde in Zinnbechern serviert, aber das Salz (der Unterhaltung) war attisch.«

Der Einfluß dieser freiheitlichen Geister bestimmte beim Ausbruch des Bürgerkriegs das Votum der Deutschen. Eine klare Mehrheit stimmte gegen die Sezession der Südstaaten. Sie befanden sich in guter Gesellschaft. Sam Houston, einst Präsident der Republik Texas und danach Gouverneur des Bundesstaates, sprach sich energisch gegen die Trennung vom Norden aus. Die *vox populi*, rief er, könne auch die Stimme des Teufels sein. Die Deutschen sprachen, bitterer Erfahrungen eingedenk, von der Henkerzeit, die nun anbreche. Sie täuschten sich nicht. Im Juli 1862 marschierte eine Truppe von etwa siebzig jungen Deutschen von Fredericksburg und Comfort nach Süden, um über Mexico zu den Streitkräften Präsident Lincolns zu eilen oder sich wenigstens dem Dienst in der konföderierten Armee zu entziehen. Sie biwakierten am Nueces River. Angeblich wurden am Lagerfeuer patriotische Reden gehalten und Lieder aus der Heimat gesungen. In der Nacht fiel ein Kommando der Südstaatler über die kleine Mannschaft her. Neben vielen Toten blieb ein Dutzend Verwundete zurück. Sie wurden allesamt erschossen. Für die Opfer des

Massakers, unter ihnen ein Adolf Luckenbach, wurde in Comfort ein Denkmal errichtet, auf dem in deutscher Sprache geschrieben steht: »Treue der Union«.

Die Stimmen der Deutschen gehörten fortan der republikanischen Partei Abraham Lincolns. Ihre Stimmung wandelte sich im Lauf der Jahrzehnte zu einem moderaten Konservativismus, der sich von Zeit zu Zeit mit der Opposition der »alternativen« Geister verbündet, die an den Abenden in Luckenbach herumhängen, ein bißchen viel saufen und auch ›mal eine Hasch-Pfeife rauchen: Schützt das Land, fordern sie, ehe es von den Spekulanten und der Tourismusindustrie zugrunde gerichtet wird. Aber wie?

Hondo Crouch, fiel dem Fremden ein, setzte oft ein kleines Postscriptum unter seine Feuilletons: »Fight Mental Health!«, »Fight Youth!« oder »Fight Space!«. Er war kein Narr. Hinter seinen Späßen gab es einen Raum der Trauer. Er war, wie alle Humoristen, melancholisch.

Hondo hatte sich längst von den Schwärmen der Touristen und den Horden der schwerleibigen Sonntagsjäger abgewandt, die Jahr für Jahr im Oktober ins Umland von Fredericksburg einfallen. Die halbzahmen Hirsche lassen sich abschießen wie Kühe, und manchmal trifft's auch das Rindvieh. Hondo holte die Flinte nie mehr aus dem Schrank. Er wollte nicht mehr. Lieber hockte er unter einem seiner Bäume an der Ranch oder in Luckenbach, hockte am Ofen, hockte in seinem »pick-up« und kritzelte ein paar Zeilen eines Gedichtes auf einen gelben Block. Er schrieb zum Beispiel von den Wundern des Tageslichts in Luckenbach, vom Wunder des Morgens, das ihn scheu, fast nebenbei sagen ließ: »Gott, Du hast's wieder 'mal geschafft.« Fromm war er nicht. In die Kirche ging er nur an Weihnachten. Dann sang er, gegen Chor und Gemeinde, »Stille Nacht« auf spanisch.

Der Fremde sah Hondo Crouch zuletzt, als er eines Abends die Tochter Becky aus einem Restaurant in Fredericksburg zur Ranch zurückfuhr. Als der Wagen über den elenden Feldweg auf das Haus zuholperte, sahen die beiden, daß im Wohnzimmer noch Licht brannte. Die Gardinen waren nicht geschlossen. Hondo saß fast bewegungslos auf seinem Stuhl. Der Kopf war leicht erhoben. Eine scharf geschnittene Silhouette: der alte Hut, das klare Profil, der Bart, um den Hals wie immer seine »bandaña«, das rote Tuch, geschlungen.

Er wandte den Kopf nicht. Er war allein, Shatzi lebte in der Stadt. Chris, die Jüngste, studierte in San Antonio. Den Sohn Kevin, rauschgiftsüchtig und schizophren, hatte man ins Irrenhaus gesperrt. Juan, der Älteste, kurierte schwere Verletzungen aus: Er hatte sich in Vietnam beim Sprung aus einem abgeschossenen Helikopter jeden zweiten Knochen gebrochen; seine Kameraden verbrannten.

Becky trank einen Schluck von dem Wein, den die beiden mitgenommen hatten. »Ich komme mir vor«, sagte sie, »wie Scarlett O'Hara in ›Gone with the Wind‹. Es gibt nur noch Trümmer.«

Texas ist Westen, dachte der Fremde, aber Texas ist auch Süden, passionierter, trauriger, bedrückter Süden. Die beiden schwiegen eine Weile. Dann sagte Becky: »Hier auf dieser Ranch, in diesem Haus, in diesem Garten haben wir meine Hochzeit gefeiert. Wir zählten zweitausend Gäste. Wir feierten drei Tage und drei Nächte. Danach war Hondo ein paar Jahre lang pleite.«

Der Fremde wollte den alten Mann an jenem Abend nicht stören: »Richte ihm aus«, sagte er, »daß ich wiederkomme.« Becky antwortete leise: »Wart' nicht zu lang. Er hat nicht mehr viel Zeit.«

Als der Fremde wiederkam, hatte der Sohn Juan die Ranch bezogen. Er schaute nach dem Vieh. Er flickte die Zäune. Aber lieber flog er sein Flugzeug, eine alte Piper, bis er mit ihr abstürzte. Er überlebte. Er liebte schnelle Autos, schnelle Mädchen. Shatzis Möbel aus den Tagen der Pioniere standen im Wohnzimmer, breit, solide. Ihr Garten war verwildert. Auf der Terrasse lag die Haut einer Klapperschlange.

X

Paradiesvögel unter Reben

Als die Dame ihre langgeschwungene, schöne Hand ausstreckte, bemerkte der Fremde, daß die zartblauen Linien unter der Haut dem Schimmer in ihrem Haar entsprachen und überdies mit dem blassen Blau ihrer Augen korrespondierten. Die kompositorische Feinheit entzückte ihn. Indessen griffen die zarten Finger in die Zuckerdose und langten ein zweites Mal zu. Dann nahm die Dame einen Dessertlöffel und begann im Bordeaux-Glas zu rühren. Silber und Kristall klangen freundlich zusammen.

Es war still am Tisch. Der Gastgeber schaute besorgt auf seinen Teller. Der Maître d', der sein Publikum wie üblich mit einem Schwall französischer Phrasen eingeschüchtert hatte, starrte wie versteinert herüber. Man dachte an den Wein, der mit so liebevollem Bedacht gewählt war, ein starker und maskuliner – das war das Wort! – Château Lafite aus dem großen Jahr 1953. Die schöne Hand holte sich ein drittes Zuckerstückchen. Löffel und Glas klingelten. Dann wandten sich die blaßblauen Augen dem Fremden zu. Die Dame sprach mit entschiedener Stimme: »I tell you dear, I like my liquor sweet.«

Der Fremde erinnert sich, daß ihn jene heroische Konfession sehr fröhlich machte. Er hätte der Dame gern die Hand geküßt. Warum sollte ihr, einer freien Bürgerin der Vereinigten Staaten, verwehrt sein, was die Weingesetze der Bundesrepublik Deutschland jedem Winzer erlaubten: ihren Wein zu zuckern?

Ein gutes Jahrzehnt später las der Fremde im TIME-Magazin, daß ein enthusiastischer junger Engländer, der im Madeleine-Viertel von Paris eine Weinhandlung betrieb, eine Jury von neun Experten – jeder eine Großmacht der Weinkultur Frankreichs – die besten französischen und californischen Weiß- und Rotweine der Jahrgänge '69 bis '73 gegeneinander testen ließ – blind, versteht sich.

Das Ergebnis, für ein paar Wochen diskret unter Verschluß gehalten, schien die Weltordnung zu erschüttern. Bei den Pinot Chardonnay gewann Château Mountelena die meisten Punkte: ein Gewächs aus dem pazifischen Napa Valley; auf Platz drei der californische Chalon 74, unter den bizarren Felsen der Pinnacle Mountains gewachsen, auf Platz vier und fünf Produkte mit den angelsächsischen Etiketten »Spring Mountain« und »Freemark Abbey«.

Bei den Cabernet Sauvignon war das Resultat noch erstaunlicher, da hier eine Erzdomäne Frankreichs bedroht war: Den Sieg errang ein Tropfen mit der Herkunftsbezeichnung »Stag's Leap Wine Cellars« – abgeschlagen Château Mouton-Rothschild 1970, der 70er Château Haut Brion. Die Wein-Hierarchien in Paris waren für Tage gelähmt. Der Skandal schien perfekt. Die Mitglieder der Jury wurden in anonymen Anrufen beschuldigt, sie hätten die nationale Ehre Frankreichs gekränkt. Baron Philippe de Rothschild klagte, sein Ruf sei ruiniert.

In New York und San Francisco wurden unterdessen die Weinläden gestürmt. In langer Prozession wälzten sich Straßenkreuzer über die Golden Gate-Brücke und den Highway 29 durch's Napa-Tal den kleinen Kellereien zu, die sich hinter den Bergen und in friedlichen Gärten verbargen. Vordem waren sie kaum für intime Kenner ein Begriff. Die triumphierenden Produkte wurden rationiert und nur noch flaschenweise abgegeben. Jedoch verzichteten die Winzer (zunächst) auf eine Erhöhung der Preise.

Es mangelt ihnen nicht an Selbstbewußtsein. Joe Heitz, aus dem Mittleren Westen zugewandert, sagte, in jeder seiner Flaschen stecke etwas von ihm selber. Doch fügte er eilig hinzu, daß er die Hefe, von der so viel abhänge, vom Institut Pasteur in Paris beziehe. Mr. Miljenko Mike Grgich, Chef der Mountelena Winery, billigte den Franzosen zu, sie seien (noch) die besseren »Weinartisten«, aber die Amerikaner besäßen die bessere Technik. Trotzdem gelte das Wort: Beim Bier komme es auf das Wasser, beim Wein auf die Leute an.

Die Gemüter kühlten sich schließlich ab. Man wollte im Napa-Tal und drüben in Sonoma auf den Weingütern von Monterey oder Santa Cruz die Vergleiche zwischen den europäischen und den californischen Weinen nicht zu weit treiben. Schnalzend, schmatzend, mit den Zähnen knirschend einigte man sich auf das Argument, keiner sei besser, keiner sei schlechter – die Weine Amerikas seien eben anders.

Louis P. Martini jr., der aus einem alten Schlag italienischer Weinbauern stammt, urteilte trocken: »Die Europäer können nicht mehr als wir – nur: sie bauen ihren Wein seit tausend oder fünfhundert Jahren an.«

Bataillone von Önologen und Meteorologen der Universität von Californien haben unterdessen Täler und Höhen des Staates ausgemessen und in Regionen eingeteilt, die in der Rubrik I dem Sommerklima von Trier und Beaune (Burgund) halbwegs entsprechen, in II jenem von Bordeaux, in III dem Norditaliens, in IV den Wetterverhältnissen im zentralen Spanien und in V denen Nordafrikas. Es erwies sich: Das Klima in Californien, ausgewogen und angeblich immer von Sonne verwöhnt, ist annähernd so variabel wie in der Alten Welt. Es gibt tatsächlich einen milden Winter. Es gibt aber auch Fröste. Es gibt vor allem die Winde, die vom Pazifik her in die offenen Täler streichen und Nebel vor sich her treiben, die selbst in August-Nächten für Kühle und Feuchtigkeit sorgen. Es gibt darum – was lang keiner wahrhaben wollte – »Jahrgänge«, die den Namen verdienen.

»Mutter Natur«, sagte Mr. Heitz, immer zu Kernsprüchen aufgelegt, »ist ein Luder, und man muß ihr auf die Sprünge helfen.« Die Ufer des Napa-Tales waren noch vor gut einem Jahrhundert von Urwäldern überwuchert. Nun steigen Reben an den Berghängen auf, an denen vor drei oder vier Generationen nur Bären und Klapperschlangen anzutreffen waren. Die Wikinger hatten, wie die Legende geht, von Met benebelt, die nordöstliche Küste Amerikas vor tausend Jahren Vynland genannt. Nun sind die Vereinigten Staaten tatsächlich ein Weinland geworden, das in Qualität und Quantität nicht mehr allzu lange hinter Frankreich zurückbleiben wird. Das böse Wort Ilya Ehrenburgs von der Coca-Cola-Zivilisation trifft nicht mehr zu. Ein anderes Lebensgefühl bricht sich Bahn, vorsichtig, tastend, am Ende prägender, als es die Schnellabfütterungsmaschinen an den Highways sind. Der Amerikanisierung Europas entspricht eine heimliche Europäisierung Amerikas.

Eine deutsche Kollegin, die den californischen Weindistrikt durchstreifte, nannte das Napa-Tal »elegant«: eine überraschende Charakterisierung für eine Landschaft, doch sie hat ihre Wahrheit. Die Berge setzen, aus den Niederungen der San Pablo-Bucht steigend, mit sachten Schwüngen an. Moränen: eine Rundung wächst aus der anderen, von Präriegras bedeckt, das der Sommer strohgelb ausdörrt. Schwarzgrüne Baumgruppen sprengen den glitzernden Schleier des irisierend weißen Lichts. Es ist, als habe Cézanne die Kontraste von Dunkel und Hell auf einer riesigen Leinwand versammelt. Im Frühjahr löst sich die Spannung für ein paar Wochen in einer weiten Woge des leichten Grüns, von den sonnengelben Flächen der Senfblumenfelder heiter unterbrochen.

Die Weinreviere an den Flußufern sind geometrisch klar gegliedert, doch an den Hängen verläuft sich die Regelmäßigkeit. Die Zeichnung der »Lagen« folgt den Launen der Erdformationen, die hier nicht mehr der amerikanischen Harmonie der »rolling hills« gehorchen. Vulkanischer Untergrund. Fels bricht aus den Hügeln, Schluchten öffnen sich, Wälder sperren ihre Mäuler auf, Wege und Sträßchen im Schatten verschluckend. Auf halber Höhe geben sie gelegentlich Raum für Häuser und Gärten, kleine Plateaus, die vor einem Jahrhundert oder vor einem Jahrzehnt gerodet wurden, damit Wein gepflanzt werden konnte.

Nicht weit von Calistoga, im hinteren Winkel des Tals, faßt eine alte Olivenallee die Rebenäcker zusammen: schützende Palisade vor dem Übermaß der mächtigen »redwoods« und der Eukalyptusbäume, von denen die gelbgraue Rinde in langen Fetzen zu Boden hängt. Olivenbäume. Silbernes Licht. Gelbes und rotes Weinlaub. Stille, Zikaden. Provence, um ein Drittel der Erdumdrehung nach Westen versetzt. Eine mediterran gezähmte Landschaft, durch Menschenmühe mit jener zweiten, schöneren Haut versehen, die der Biochemiker und Philosoph René Dubos die »sekundäre Natur« genannt hat.

»Ich werde in den zwei oder drei Jahrzehnten, die mir für die Arbeit bleiben, nicht allzu viel zuwege bringen«, sagte Jack Davies. »Vielleicht gelingt es mir, die Anbaufläche um ein paar hundert Hektar zu vergrößern. Vielleicht steigere ich die Qualität meines Weines um eine Spur. Das andere ist Sache meiner Söhne.«

Mr. Davies baut und keltert seinen Wein, als sei er der erste in einer Kette der Generationen. Durch sein Haus geht er mit der Sicherheit eines Mannes, der schon lang dort gewohnt hat. Es ist ein altes und geräumiges Haus, dessen Holz viel Sonne und Wärme einsog. Die Möbel sind alt, ein paar Kostbarkeiten dabei.

Niemand fiele ein, daß diese victorianische Villa vor knapp eineinhalb Jahrzehnten als eine traurige Ruine herumstand. Durch die Kelterei fegten die Ratten, und in den Kellern – lange Tunnels, von chinesischen Kulis nach 1862 in den Berg getrieben – hausten die Fledermäuse. Der Gründer, Jacob Schram aus Rüdesheim, starb 1905. Seine Familie verkaufte das Gut im Jahre 1911. Danach hielt nichts mehr den Verfall auf. In Mr. Davies' Büro hängt, gerahmt, ein Brief des alten Schram an einen Herrn im Kurbad Excelsior Springs, Missouri, in dem sich der Winzer selber attestiert, der Ruhm seines Schramsberger Weines habe sich in allen zivilisierten Ländern ausgebreitet. (Ein Dutzend Flaschen vom besten Sauterne kostete sieben Dollar.) Dem vergnügten Bürger, der mit Professorenbart und Embonpoint von vergilbten Photos herablächelt, ist nicht anzusehen, daß er sich das Brot der Neuen Welt zunächst als Barbier verdiente und noch immer mit seinen Rasiermessern von Haus zu Haus zog, als er seine ersten Weine zu produzieren begann.

Anfang der achtziger Jahre empfing jener Mr. Schram den Besuch eines kauzigen Mannes: Der schottische Schriftsteller Robert Louis Stevenson (»Die Schatzinsel«) hatte, nach manchen Aventüren eines »Amateur-Emigranten« und einer raschen Heirat, eine verlassene Silbermine am Silverado-Trail über dem Napa Valley als Aufenthaltsort für die Flitterwochen gewählt. Nun war er hinabgeritten ins Tal, um die amerikanischen Weine zu probieren, voller Spannung, denn er hatte gelesen, daß die »sonnigen Terrassen Frankreichs« von einem »unbesiegbaren Wurm« heimgesucht und verwüstet worden seien – der Schildlaus. »Nicht nur Pan, auch Bacchus ist tot!« rief der Dichter betrübt, doch er traute dem neuen Land zu, daß es den höheren und feineren Durst schon löschen werde: Dieser hübsche Moment in der Menschengeschichte, schrieb er, werde in Californien und Australien entschieden. Ein prophetisches Wort. Der europäische Weinbau wurde in der Tat durch die robusteren amerikanischen Reben gerettet. Stevenson schmeckte voraus, daß »auf dem Gaumen der Enkel der Kuß californischer Erde verweilen« werde. »Wein ist Poesie auf Flaschen gezogen«, deklamierte er enthusiastisch. Mr. Schram gestand er zu, seine Weine seien besser als mancher Beaujolais. Er verstand wohl nicht viel von der Sache.

Jack Davies, Schrams späterer Nachfolger, trank sein erstes Glas Wein als GI in Deutschland. Er kam rasch auf den Geschmack. Doch zunächst stieg er, mit einem Diplom von Harvard versehen, von Stufe zu Stufe in der Magnatenwelt modernen Managertums auf. Er war Direktor, Vizepräsident, Präsident in dieser und jener Branche. Er glaubte, zum »Chef des größten Unternehmens am Horizont« berufen zu sein, bis er, nach einer der üblichen Terminjagden in New York, bei einem Drink zusammensackte. Ein Freund spottete nicht unsanft über das »erfüllte, sinnreiche Dasein«, das Mr. Davies führe. Und wofür? Um ein Dreckprodukt zu verkaufen, für das er sich selber nicht im geringsten interessiere.

Das war's. Mr. Davies kratzte sein Geld zusammen und erwarb Schrams verkommene Klitsche: ein »executive dropout«, wie es so viele gibt, die nicht mehr wollen – oder wenigstens nicht das: die Rattenhatz, den chronischen Wettkampf der Egos, die Olympiade der Ellbogen.

Da Mr. Davies den kühlen Blick des Marketing-Experten nicht verloren hatte, ermittelte er die Lücke, die er besetzen konnte: Guter amerikanischer Champagner war rar. Er lernte das Handwerk. Es wird von ihm mit der Sorgfalt ausgeübt, die er an den Vorbildern in Reims und Umgebung bewundert. Jede Flasche wird von ihm oder seinen zehn Helfern täglich »gerüttelt«, gewendet und steiler gestellt, bis die Senkrechte erreicht ist und die Hefe absinkt. Seinen sauberen Weinen – Chardonnay, Pinot blanc und Pinot noir, auch Gamay – wird die Zeit gelassen, die sie zur Reifung brauchen. Das teuerste Gewächs kostet an der Ostküste an die zwanzig Dollar. Jeder Jahrgang ist nach ein paar Monaten ausverkauft. »Schramsberg« wird im State Department und im Weißen Haus serviert.

Jack Davies erhöht die Preise mit Zartsinn, und die Produktion weitet er nur behutsam aus. Er will billiger als die Franzosen bleiben, solange sein Produkt nicht ebenso gut wie Champagner aus der Champagne ist. Nach zehn Jahren der Einschränkung rechnet er schwarze Zahlen. Neugierige warnt er: Die modernen Maschinen seien teuer, der Weinbau kapitalintensiv. Hätte er die gleiche Summe in Holiday Inns, Tico Taco- oder Hamburger-Buden investiert, hätte er ausgesorgt. Als Manager verdiente er mehr. Doch er wollte »die kurzfristigen Erfolge auf der Basis mittelfristiger Strategien« nicht länger, die er für eine Erbsünde der Konzernwelt hält. Er konnte auch das Manager-Chinesisch nicht mehr hören. Er wollte das kleine, dauerhafte, das langsame Wachstum, das Grenzen kennt und darum die Chance hat, Wurzeln zu schlagen. Er wollte seinen Kindern eine Heimat schaffen.

Hinterm Haus krähte ein Hahn. Den Fremden traf sein Schrei wie ein Signal aus einer anderen, alten Welt. Selten hatte er in Amerika einen Hahn krähen gehört, ja er hatte einst, bei einer Heimkehr nach Europa, in einem gottvergessenen lothringischen Dorf durch den morgendlichen Hahnenschrei aus dem Schlaf geschreckt, vor Tau und Tag notiert: »Keine Treue und auch kein Verrat.« Er meinte damals, auch das sei eine zutreffende Summierung amerikanischer Erfahrungen. Er lernt dieses und jenes dazu.

Außenseiter wie Jack Davies wurden die »insiders« von Napa. Joseph Phelps, ein gewichtiger Herr mit schlauen Augen und den Spuren gründlicher Weinstudien an der geäderten Nase, machte sein Geld in der Bauindustrie, von Colorado aus operierend. Er fand seinen neuen Beruf, als er für andere Leute Kellereien konstruierte, die in der Regel freilich keine Keller mehr sind, da Klimaanlagen auch oberirdisch für unterirdische Temperaturen sorgen. Phelps eigenes Weinhaus, aus altem, rotbraunem »redwood« zusammengefügt, lehnt sich voller Anmut an die Hügel einer ehemaligen »cattle-ranch«. Stilelemente von Schwarzwaldhöfen treffen sich mit architektonischen Erinnerungen an neu-englische Scheunen. Die Fronten sind durch das Gitterwerk japanischer Tempelarchitektur spielerisch aufgelokkert.

Ein kleiner See vor dem Anwesen dient keineswegs der Lustbarkeit, so reizend er ist: Er speichert Wasser für die Berieselungsanlage, die während der Hitzewellen für die nötige Feuchtigkeit und damit die Weinsäure, im Frühjahr für den Frostschutz sorgt: Ein zarter Schleier von Eis webt sich, wenn bei minus zwei die Alarmglocke schrillt, um die jungen Reben, ein teures, doch der Umwelt freundliches Verfahren, das wirksamer ist, als es die inzwischen verbotenen Räucheröfen waren.

Auch Phelps trachtet nach höchster Qualität. Er experimentiert mit der Passion eines Alchimisten, um schieres Gold aus den Trauben pressen zu können. Ein Hauch von Magie ist in dieser Weinwelt immer gegenwärtig, auch wenn die Laboratorien so nüchtern wie Filialen von Bayer Leverkusen aussehen. Fauler Zauber ist nicht erlaubt. Die Weingesetze von Californien sind streng. Sie gestatten keine Zuckerung, jedoch eine gewisse Restsüße (wenn es die braucht). Da es an Sonne für gewöhnlich nicht mangelt, fehlt oft die nötige Säure, die zugesetzt werden darf.

Der heitere Bill Jaeger von der Freemark Abbey, Rechtsanwalt aus San Francisco, zählt zu den Patriziern alten Schlages. Seine Weine gewinnen die schönsten Preise, doch er ist kaum geneigt, sich den Beruf seiner Liebe durch allzu entschlossenen Ernst zu verleiden. Lieber singt er mit seinen Partnern die schmelzenden, schmalzenden Melodien eines Barbershop-Quartetts – nicht die Musik, die dem Stil seiner neugotischen Abtei entspricht. Doch ist das wichtig? Es gibt hier so manches Palais von bizarren Reizen, mit Türmen und Erkern – victorianische Träume und Alpträume. Der Regisseur Francis Ford Coppola hat im Napa-Tal ein Herrschaftshaus erworben, das der Finne Gustav Nybom, einer der Gründerväter der Weinindustrie, im vergangenen Jahrhundert bauen ließ. Die dazugehörige Firma jedoch ist das Eigentum eines Lebensmittelkonzerns, der auch das Weingut Beaulieu aus dem Erbe seines Gründers Monsieur de la Tour gekauft hat, dazu die »Swiss Colony«, Hinterlassenschaft einer extremen Sekte, deren Anhänger meinten, vom Schicksal der Sterblichkeit befreit zu sein und eines schlechteren belehrt wurden. Das Großunternehmen Heublein kaufte, auch außerhalb des Napa Valley, ein ganzes Konsortium zusammen. Die Geschicke der einzelnen Firmen werden von Hartford im fernen Connecticut an der Ostküste gelenkt. Die Marktstrategen der Wirtschaftsimperien entdeckten, daß Wein kräftige Investitionen lohnt. Der amerikanische Konsum stieg beträchtlich. Zwar beträgt er – im Durchschnitt des Landes – erst gut zehn Liter pro Kopf und Jahr, in Frankreich sind es mehr als einhundert, doch Californien erreicht schon annähernd die Quote der Bundesrepublik, und in der Gesamtproduktion von mehr als 1,1 Milliarden Liter hat der pazifische Staat die Bundesrepublik überholt.

Angesichts der Konjunkturkurve engagierten sich weitere Korporationen: Nestlé brachte das Gut der Brüder Behringer an sich, samt ihrem »Rheinhaus«, das angeblich dem väterlichen Stammsitz in Mainz nachgebaut wurde. Coca-Cola – ein historischer Einschnitt – kaufte die Weinfirma Sterling, schoß Kapital zu und schmückte einen Hügel am Talende von Napa mit weißen Zinnen, die wie eine Kreuzung aus griechischem Kloster und Weltraumstation über's Land ragen. In den Hauptquartieren von Nestlé und Coca-Cola war man klug genug, den Weingütern eine gewisse unternehmerische Selbständigkeit zu belassen. Man richtete sich auch darauf ein, daß in diesem Gewerbe die Früchte langsam reifen. So vermied man den Fehler eines anderen Konzerns, der seine Erwerbungen wieder abstieß, weil nach zwei Jahren die Frage der Rentabilität noch immer nicht schlüssig beantwortet war.

Dennoch fürchten die Winzer die lauernde Anwesenheit der Konzerne, die schlau genug sind, die aufwendige Entwicklungsarbeit den kleinen Privatunternehmen zu überlassen. Wenn es darauf ankommt, können die Großen dank ihrer unerschöpflichen Reserven jeden lokalen Aspiranten ohne Schwierigkeit ausbieten. Den vorsichtigen Einstrom ausländischen Kapitals sehen die Winzer fast lieber. Als das Haus Moët-Hennessy im Napa-Tal mit der Produktion von Champagner begann, empfanden die Einheimischen einen gewissen Stolz. Sie sagten sich, ein gerissener Fuchs wie der alte Graf Robert-Jean de Vogué werde kaum ein Kapital von fünfzehn Millionen Dollar riskieren, weil er sich beim Golfspielen in die Schönheit der Landschaft verliebt habe.

Die Führung der Geschäfte vertraute man einem Amerikaner an, der den höheren Sphären der Managerwelt entstammt, doch wie so viele andere im Militärdienst – »als ein dreckiger GI«, sagte er auf deutsch – seine Weinweihe empfing, später stets ein Fäßchen im Keller hatte und sich schließlich, als er in San Francisco für das Beratungsunternehmen Arthur D. Little arbeitete, sein eigenes Rebenfeld am Rand des Napa Valley kaufte. Er wurde, logisch genug, damit beauftragt, eine Marktstudie über die Zukunft des Weins in Amerika zu entwickeln, die der Banque Nationale de Paris vorlag und den Weg zu Moët-Hennessy fand.

Die Public-Relations-Arbeit rankt sich vor allem um das Restaurant »Maison Chandon«, in dem ein deutscher Schüler von Paul

Bocuse seine Variante der *Nouvelle Cuisine* zelebrierte. Im Weinhaus Robert Mondavi geben die Großfürsten französischer Kochartistik selber dann und wann ein Gastspiel. Der Teilnehmerkreis ist klein, durch den Preis von fünfzehnhundert Dollar pro Kopf in natürlichen Grenzen gehalten. So war es ein unschätzbares Privileg, daß dem fremden Chronisten die Chance geboten wurde, die Kunst des Maître Michel Guérard, Chef de Cuisine »Les Pres et les Sources d'Eugenie-les-Bains« zu bestaunen: ein wohlgelaunter Herr, der seine eleganten Eleven mit flinken Augen musterte, die Bäckchen dank der Küchenhitze sanft gerötet. Der Meister stand sichtlich über der Sache. Wenn er zum Messer griff, um ein Carré d'Agneau zu sezieren, geschah dies mit der sachlichen Würde, die einer vollkommenen Technik entstammt. Er ging wie ein international gefeierter Mediziner vor, der im Kreis der Kollegen über offene Herzchirurgie referiert, von einem Schwarm ergebener Assistenten umringt. Chef Guérards hübschen Gehilfen oblag die Übersetzung, aber dies hieß nicht, daß die lernenden Damen und der eine adrette Herr in ihrer Mitte nicht jede französische Silbe von den Lippen des Meisters gelesen hätten.

Welch schöner Eifer! Die majestätische Dame in Hochblond, guter Stall von Kopf bis Fuß, die Sonnenbrille keck ins Löwenhaar geschoben, schrieb beflissen jedes Wort mit. Im wogenden Busen einer reiferen Matrone schien das Aroma der Saucen ähnlich hohe Gefühle zu wecken wie Beethovens Mondschein-Sonate. Wie pflichtfroh sie alle lachten, wenn Monsieur Guérard den angespannten Lernwillen durch ein kleines Scherzwort ermutigte! Wie ernsthaft sie am herben Weißwein nippten, der zur Erfrischung in der Küche gereicht wurde! Wie entzückt begrüßten sie selbst den alkoholfreien Apéritif aus Pfefferminze und Zitrone!

Im Refektorium des Hauses Mondavi, das im schlichten Stil der mexicanisch-spanischen Missionen aus den frühen Tagen Californiens gehalten ist, wurde die üppige Tafel bereitet: Fest der Augen, Fest der Nasen, Fest der Gaumen. Ein Pianist sorgte – beinahe – für ein Fest der Ohren.

Robert Mondavi, der Propriétaire, wirkt wie ein ländlicher Vetter Vittorio de Sicas, hellwach und stets behend auf allzu kurzen Beinen hinter seinen Einfällen herjagend. Er macht gute Weine, Spitzenprodukte, aber wichtiger ist sein Ehrgeiz, Jahr für Jahr schlichte und herbe Tafelweine, weiß und rot, in gleichbleibender Qualität zu günstigen Preisen zu produzieren. Darüber hinaus erwies er sich als ein Public-Relations-Talent. Wein und Kunst leben für ihn in einer natürlichen Liaison. Die hellen Räume seines Anwesens stehen Malern und Bildhauern für Ausstellungen zur Verfügung. Im Winter sammelt sich im Refektorium sein Publikum zu Kammerkonzerten, und im Sommer lagern an den Sonntagabenden tausende auf der Wiese hinterm Anwesen, um Dave Brubeck, Pearl Bailey oder die Preservation Jazz Band bei Mondavis Festspielen zu hören.

Firmen dieser Größenordnung sind die solidesten Vermittler eines verbesserten Standards der Weinindustrie. Sie hatten es nicht ganz leicht, im Schatten der Riesen »Paul Masson«, »Almaden« oder »Gallo« zu gedeihen. Die Regale der Weinhandlungen werden noch immer von den Ballonflaschen der Brüder Ernesto und Julio Gallo beherrscht, die im San Joaquin Valley fast die Hälfte allen amerikanischen Weines erzeugen. Die gleißenden Reihen ihrer Stahltanks gleichen aus der Ferne eher einer Ölraffinerie. Dennoch bemerkten auch die Gallos das Verlangen nach sauberen und vor allem trockenen Weinen. Der Großsiegelbewahrer des californischen Winzertums, André Tchelistcheff, kredenzte im November 1977 seinem französischen Freund Jacques Punet zwei Gläser Sauvignon blanc. Der Kollege war sich seines Urteils sicher: »Mir können Sie nichts vormachen, mein Lieber«, rief er, »beide Weine stammen aus Frankreich, der eine ist so gut wie der andere!« Einer der Weine aber stammte aus Modesto in Californien: Gallo – für 2,25 Dollar pro Flasche. Die Antwort war ein europäischer Seufzer: »Das können wir für dieses Geld nicht mehr schaffen.«

Tchelistcheff blieb ein unerbittlicher Mahner. Er drängt und argumentiert mit einem rollenden russischen Akzent, daß Qualität und nichts als Qualität zähle. Sein Vater war ein hoher Richter des Zaren, er selber kämpfte als Knabe in der weißgardistischen Armee des Generals Wrangel, studierte Landwirtschaft in Brünn, lernte Weinbau in Frankreich, schlug sich mühsam durch die Elendsjahre der Depression und Prohibition. Er ist hüben und drüben zuhaus. Ginge es nach ihm, dann verzichteten die californischen Winzer entschlossen auf europäische Tarnungen wie »Chablis« oder »Rheinwein«, die es nicht länger braucht.

Der alte Charly Volpe von Louis Martini verachtete den Eifer seit jeher, mit dem die Elite europäischen Vorbildern nachhetzt. Mit seinem knarrenden Lachen sagte er spottend: Alle moderne Maschinerie und alle chemischen Tricks taugten nur so viel wie der Sachverstand der Winzer. Die Snobs gingen ihm auf die Nerven, und die sogenannten »Connaisseure« wünschte er zum Teufel: Wie sie schmecken, schmatzen, beißen und spucken – »sie beherrschen das ganze Register und verstehen vom Wein einen Dreck«.

Der Vater kam aus der Toscana, lang vor dem Ersten Weltkrieg. Charly folgte, sechsjährig, mit der Mutter nach. Vor der californischen Grenze, irgendwo in den Bergen von Utah, fiel der Knabe aus dem fahrenden Zug. Die Knochen blieben ganz. Aber der Zug rollte weiter und wurde kleiner und kleiner. Drinnen saß die Mutter, wußte nicht einen Satz in englischer Sprache und wagte nicht, die Notbremse zu ziehen. Carlino Volpe lief – was sollte er anderes tun? – den Bahngleisen nach, Stunde um Stunde. Gegen Abend stieß er auf zwei Männer mit Gewehren. Sie verstanden ihn nicht. Sie nahmen ihn mit. Es fand sich jemand, der Italienisch konnte. Drei Tage später traf das Kind in San Francisco ein.

So begann Charly Volpes amerikanisches Leben. Die Stadt lag nach dem großen Erdbeben halb in Trümmern. Aus den Ruinen holten die italienischen Staßenjungen manche Schätze, die sich für zehn oder zwanzig Cents, gelegentlich für einen Dollar an den Mann bringen ließen. Ein erstes Stück Land in den Bergen. Zuviele Klapperschlangen für den Geschmack der Frau. Ein zweiter Versuch im Napa Valley, in dem damals noch Father Cowley von den »Christian Brothers« mit einer Kohorte von Waisenknaben seinen Abendmahlwein produzierte. Die Prohibition legte Amerika trocken. Die schönsten Rebstöcke wurden ausgerissen, robuste Eßtrauben angepflanzt, Walnußbäume, Pflaumen. Wein wurde trotzdem gemacht: ein paar hundert Liter für den eigenen Verbrauch (das war erlaubt), Meßwein – und natürlich »bootlegger«-Wein, den man tatsächlich in Metallsärgen und mit einer Eskorte von schwarz gekleideten Herren nach San Francisco transportierte. Die besten Umsätze wurden auf einem Schiff getätigt, das draußen in der Bucht lag. Als die Polizei mit Sturmbooten, Maschinenpistolen und Leitern zum Angriff auf den Schmuggel-Kreuzer ansetzte, wurden die Enterkommandos mit dem Strahl der Feuerwehrschläuche ins Meer gescheucht. So war das.

Das Tal ist voller Geschichten. Da es in Californien liegt, lockt es neben den geduldigen Arbeitern auch ganze Heere von Träumern, Alpträumern, Phantasten, Visionären herbei, die an der pazifischen Küste gedeihen wie die Orchideen im Gewächshaus. Der Gentleman-Rancher René di Rosa zum Beispiel verwandelte seinen Besitz am Eingang des Tals in ein Panoptikum von Kunst und Narretei. Die Türen seines Loire-Schlößchens sind unverschlossen. Der Hausherr kann mit der Glocke, die im Türmchen am Seil hängt, jederzeit herbeigerufen werden, es sei denn, er verweilte auf der Insel auf dem Hausteich und ruhte dort unter den Palmen eines tropischen Miniaturparadieses, das er anlegen ließ, um – wie er sagt – der Welt entfliehen zu können. In seiner Wohnhalle zirpt zarte Harfenmusik (vom Band), auf der Balkonbrüstung schlägt ein (leibhaftiger) Pfau sein Rad, drinnen züngelt eine Plastik-Kobra aus einem (natürlichen) Pflanzendschungel, ein Lederschwein bewacht den Kamin, ein Mann mit dem Kopf eines Hahns wiegt sich im Schaukelstuhl, hundert elektrische Birnen vereinen sich zum Haupt eines Löwen, die Abendsonne spielt mit den Brüsten einer gläsernen Frau, und nebenan im sogenannten Erotik-Gemach räkelt sich die blaue Plastikfigur eines Mädchens auf einem blauen Bett. Im alten Weinkeller wartet ein Beerdigungswagen mit Sarg (in dem hin und wieder, wenn es wahr ist, Gäste ihre Räusche ausschlafen), an der Deichsel steht ein lebensgroßes Holzpferd, dessen Schädelpartie zum Gerippe entblößt ist.

Alle diese Werke wurden von Künstlern der Region geschaffen, die durch Mr. di Rosa zu Ruhm kamen – oder auch ein trauriges Schicksal nahmen wie der Konstrukteur des elektrischen Stuhls, der an die Hinrichtung des Mörders und Schriftstellers Caryl Chessmann erinnern sollte; der sympathisierende Künstler brachte sich leider, von der Weisheit des Ostens ungetröstet, in Indien um.

Draußen im Ranchland steht eine rote Klotür, die vom Nichts ins Nichts führt. Nicht weit davon, von Kuhscheiße umgeben, ein halber Volvo des Baujahres 1956, der mit tausend Scherben und Perlen, Kleinbüsten Richard Wagners, Benjamin Franklins und anderer Zelebritäten übersät ist, die »Betenden Hände« des Albrecht Dürer nicht zu vergessen. Das Walten frommen Sinnes – falls es sich darum handelt – gipfelt in einem Baumhaus, eine Freiluftkapelle, im Geäst eines Eukalyptus-Riesen verankert. Dort droben in luftiger Höhe beweint Maria ihren Sohn, doch zugleich schreitet Jesus so gleichmütig durchs Gezweig, als wandle er auf dem Wasser. Die bunten Figuren, unverzagte Bekenntnisse zum religiösen Kitsch des vergangenen Jahrhunderts, wurden aus demolierten Kirchen gerettet.

Mr. di Rosa, von dem eine kalte Fröhlichkeit ausging, gab nicht vor, an dieser Weihestätte in Andacht zu verweilen. Exzentrik statt Erbauung. Allotria als »self-expression«, spielerischer und ein wenig exhibitionistischer Ausdruck des unschätzbaren Selbst. Der Mäzen war am Ende selber ein wandelndes Kunstwerk, Hauptfigur seines eigenen Museums.

So geht manch sinnliches und manch geistiges Raunen durchs Tal. In einem Waldwinkel schreiten kahlgeschorene Jünglinge und Mädchen in weißen Gewändern durch fernöstliche Mysterien. Stille wohnt in der Kolonie der Hare-Krishna-Kinder, die stets mit reicher Beute von ihren Bettelzügen zum Flugplatz von San Francisco wiederkehren. Auf der gegenüberliegenden Talseite harren die Sieben-Tag-Adventisten der Endzeit, nicht untätig und weltverloren, vielmehr tatkräftig mit der Verbesserung irdischer Verhältnisse befaßt, zum Beispiel in einer modernen Klinik Rauschgiftsüchtige und Alkoholiker heilend: für das Weinland ein segensreiches Kontrastprogramm.

In Caligosta gibt es zwei russisch-orthodoxe Kirchlein, Zwiebeln auf den Türmchen, wie sich's gehört. Die eine begründete ein entsprungener Mormone, dem die rechtsgläubige Liturgie eher fremd war. Die andere dient der kleinen weißrussischen Gemeinde, die starken Widerwillen äußerte, als ein sowjetischer Weinbau-Kommissar das schöne Tal besuchte. Ihre Landsleute waren einst – nach den Spaniern – die ersten Weißen, die am lieblichen Napa-Flüßchen lagerten. (Der Name mag russischen oder indianischen Ursprungs sein, niemand weiß es genau, aber das Nappa-Leder wurde hier erfunden.) Doch die Söhne des Zaren zogen einfach wieder ab, längst ehe Alaska an die Vereinigten Staaten verkauft wurde. Warum? Man weiß es nicht.

Seitdem fanden sich hier die unterschiedlichsten Elemente, ja extreme Kontraste der menschlichen Rasse in einer verträglichen

Koexistenz zusammen: Deutsche und Chinesen, Angelsachsen und Italiener, Skandinavier und Franzosen. Das Tal kann, wenn nicht vieles täuscht, endlich auch zur Heimat der mexicanischen Arbeiter werden, ohne deren Hilfe die Ernte auf den Feldern verdorrte. Die Kernmannschaft der Mexicaner zählt gut zweitausend Menschen, in der Erntezeit sind es mehr als fünftausend, zwei Drittel »Illegale«. Die Einwanderungspolizei kontrolliert unregelmäßig, mit einer eher gemütlichen Willkür. Gelegentlich wird ein Trupp von »wetbacks« aufgegriffen und über die Grenze abgeschoben. Sie kommen stets zurück. Die Löhne sind passabel, die Unterkünfte anständig. Illegale werden nicht anders behandelt als die Legalen. Es herrschten in Napa niemals Zustände wie in den »labourcamps« von Salinas, die manche Ähnlichkeit mit Konzentrationslagern hatten. Es gab darum auch keinen Anlaß zu Arbeitskämpfen, wie sie Cesar Chavez für seine Chicanos gegen das Management der Weingiganten im San Joaquin und im Central Valley ausfocht.

Rafael Rodriguez, ein fast zarter Mann, der für Francis Ford Coppola die Weingärten bestellt, denkt mit Grauen an seine Erfahrungen: Als ein halbes Kind ließ er sich während des Zweiten Weltkrieges von den Werbern in Mexico City rekrutieren, eingeschüchtert von den blonden Riesen, die ihr »Menschenmaterial« wie Schlachtvieh durch die bürokratischen Instanzen trieben, in Frachtzüge pferchten und irgendwo im fremden, feindseligen Norden auf die Felder scheuchten. »Die Gringos«, sagt er, »haben uns wie Tiere behandelt.« Im Napa-Tal lernte er »menschliche Amerikaner« kennen, wie er sich ausdrückt. Er fand sich mit den feineren Diskriminierungen ab, wurde seßhaft, erwarb die nötigen Papiere und avancierte zum Bürger der Vereinigten Staaten.

Rafael hatte Glück. Er paßte sich an. Er mag ein mexicanischer »Onkel Tom« sein, doch sein Lächeln zeigt eine Würde, die ruhiger Gewißheit entstammt: Die Mexicaner werden bleiben. Sie sind unentbehrlich. Ihre Arbeit schafft ihnen – was immer die hilflosen Behörden nach wechselnden Vorschriften befehlen – ein Recht auf Heimat. Die »reconquista« geht ihren stillen Gang: die Rückeroberung der Gebiete, die einst zur lateinamerikanischen Welt gehörten. Die Arbeiter sind spanische Indios, indianische Spanier. Sie waren länger hier als die anderen. Sie kennen von Kind auf – verschwiegene

Botschaft ihrer Herkunft –, was die Anglos in ihren Weinfeldern wieder zu lernen versuchen: Dauer.

Eine alte Poetin droben auf dem Berg über Calistoga, Schwester der großen Journalistin Genet, die ein halbes Jahrhundert für den »New Yorker« aus Paris schrieb, fand dafür einen schönen Vers: »Say patience like the burning of a rock / Turns passion, then will the land be ours.« Wenn die Geduld, die Felsen brennt, die Leidenschaften wendet, dann wird dies Land das unsre sein ...

Bis es so weit ist, werden viele Generationen ihren Wein pflanzen, ernten und trinken müssen. Heimat braucht Zeit.

XI

Gore Vidal
Snob – und Soldat der Literatur

Ronald Reagan war nicht der erste Schauspieler, den Hollywood nach Washington delegierte. Lang vor seiner Präsidentschaft saß Robert Murphy im Senat, in dem er keine erkennbaren Spuren hinterließ: ein Ordnungsbürger, konservativ und blaß, der ohne die Aufsicht der Kameras zu jener Durchschnittlichkeit heimfand, die ihm durch Herkunft und Erziehung bestimmt war. Gregory Peck, dem man politische Ambitionen nachsagte, hätte leicht als sein mild-progressives Gegenbild auf die Bühne der Hauptstadt treten können. Robert Redford, ein schwärmerischer Ökologist, schlüge vielleicht grüne Wellen, und Jane Fonda hätte das Zeug, die Herren samt und sonders in die Tasche zu stecken, doch sie besteht eigensinnig darauf, daß nicht sie, mit ihrem präzisen Verstand und ihrem harten Willen, sondern Tom Hayden, ihr ehrgeiziger und langweiliger Gatte, den Kongreß oder wenigstens das Amt des Bürgermeisters von Los Angeles erobern müsse: hochgesteckte Ziele, an denen er nicht zu Unrecht scheiterte, trotz der Vermögen, die seine Frau aufbrachte. Für mehr als eine Million Wahlausgaben erlangte er wenigstens einen Sitz im Staatsparlament von Californien.

In Hollywood, in Californien insgesamt neigte die Gesellschaft seit eh und je zur Politisierung ihres apolitischen, wenn nicht antipolitischen Charakters. So lag es nicht aus der Welt, daß sich der Schriftsteller Gore Vidal im Jahre 1980 um die Kandidatur der Demokratischen Partei für eines der beiden Senatsmandate des Staates bewarb. In den Filmstudios war er kein Unbekannter. Der Drehbuchautor vieler Filme und Fernsehproduktionen, unter anderem mitverantwortlich für »Ben Hur« – wußte gut genug, wie der Jahrmarkt der

Eitelkeiten zu mobilisieren sei. Der Einzug in die Arenen der Politik schmeichelte seinem Talent zum Showbusiness. Er war in die Jahre gekommen. Man konnte ihm nicht mehr ohne Vorbehalt nachsagen, daß er ein schöner Mensch sei: doch ein stattlicher Mann, das war er noch immer, groß und breitschultrig, das Gesicht etwas fleischiger, doch hatten sich die klaren Züge nicht verwischt, makellos elegant, den Embonpoint mit Würde tragend.

Ronald Reagans Bewerbung ums Weiße Haus peinigte ihn womöglich mehr als die düstere Herrschaft Richard Nixons, gegen den er – lange vor Watergate – seinen unerbittlichen Privatkrieg führte, in allen Medien und mit allen Mitteln, die dem Literaten zu Gebote standen. Das intensive Verhältnis zur Macht, das dem Melancholiker Nixon zugebilligt werden mußte, zwang ihm vermutlich eine Art widerwilligen Respekt ab. Dieser Alpträumer lohnte den Haß. Ronald Reagans ruchlose Naivität aber empfand er als Verhöhnung, und das joviale Kleinstadtlächeln, das eine harte Phantasielosigkeit tarnte, als Heimsuchung der Nation.

Er unterschätzte beide, Nixon und Reagan. Nur ungern würde er zugeben, daß sich sein Zorn auf die Californier im Weißen Haus auch aus dem verletzten Hochmut des Aristokraten nährte. Der Großvater Gore Vidals war ein geschätzter und einflußreicher Senator, prominent und gefürchtet. Die Familie Vidal zählte zu den Etablierten, als an der pazifischen Küste noch die ersten Kinderträume des Films geträumt wurden, stumm, von scheppernden Klavieren oder einer Wurlitzer-Orgel begleitet. Der Schriftsteller kam in Westpoint am Hudson River zur Welt, Sohn eines Lehrers an der Kadetten-Anstalt, wuchs in einem patrizischen Haus in Virginia auf, sah die Mächtigen der Hauptstadt kommen und gehen, löffelte politischen Klatsch mit der Nachspeise, war Zögling der Phillips Exeter Academy, einer der Eliteschulen in New Hampshire. Achtzehnjährig meldete er sich freiwillig zum Armeedienst. Auf die jungen Jahre in Washington zurückblickend, schrieb er in einem seiner Essays mit etwas angestrengter Beiläufigkeit: »Einmal fragte ich Eleanor Roosevelt, ob sie noch Henry Adams gekannt habe. ›Oh, yes! Er war so ein freundlicher Mann und so nett mit Kindern ...‹.«

So war die Welt, die Gore Vidal, den Rebellen, formte. Als junger Autor aß er mitunter ein karges Brot. Er eignete sich, wie es dem

Sproß einer traditionsreichen Familie ansteht, eine entschlossene Liberalität an, die seiner Klasse entsprach: Altes Geld, selbst wenn man nicht mehr allzu viel davon hatte, tendierte in den Vereinigten Staaten nach links, das neue Geld der »selfmade men« in der Regel nach rechts.

So war es nicht erstaunlich, daß Vidal die Wahlkampagne John F. Kennedys unterstützte, ja im Jahre 1960 selber danach strebte, Abgeordneter im Repräsentantenhaus zu werden, was ihm, auch dies nicht erstaunlich, mißlang. Mit Jacqueline Kennedy, der strahlenden Prinzessin so vieler egalitär-snobistischer Träume, verband ihn eine weitläufige Verwandtschaft, wenn auch keine des Blutes: beide hatten Stiefväter, die zum noblen New Yorker Clan der Auchincloss' gehörten.

Diese amüsante und nützliche Beziehung nahm freilich Schaden, als der Literat durch eine exzentrische Aufführung den Unmut Robert Kennedys auf sich zog, der ihn kurzerhand vor die Tür setzte. Das Verhältnis war fortan frostig. Vidal zahlte der Sippe die erlittene Schmach durch die Blume oder unverblümt heim. Gewisse Salons in Neu-England, New York und Washington blieben ihm künftig verschlossen. Nicht immer schien er sorgfältig genug zwischen dem Verlangen nach Ruhm und der notorischen Lust am Aufsehen zu unterscheiden. Daran scheiterten seine politischen Ambitionen, auch in Californien. Die Wähler wollten nicht glauben, daß dieser schillernde Künstler seine Bürgerpflichten so wichtig nahm, wie er vorgab. Zwar residierte er seit Jahrzehnten in Rom, doch er legte Wert darauf, in Amerika pünktlich Steuern zu zahlen: ein Exilierter, der die Bindung an die Heimat niemals zerschnitt. Es war ihm ernst mit der Politik.

Man hätte wenig Mühe, seine Vita als eine Chronik der Skandale nachzuzeichnen. Über sein Werk ließe sich dabei manches lernen, doch das entscheidende Element entging dem Blick: der intellektuelle Scharfsinn, der sich mit Phantasie, schierem Handwerksfleiß und einer oft virtuosen Artistik verknüpfte. Dieser unkalkulierbare Mensch schrieb sich – von Ärgernis zu Ärgernis hüpfend – mit einer bewundernswerten Beharrlichkeit in den ersten Rang der amerikanischen Literatur unserer Tage.

Er ist ein Sonderfall und will nichts anderes sein. Mit den etablierten Tugenden der Schriftsteller seines Landes hat er so gut wie nichts gemein. Um die Verwurzelung in Landschaften und weitverzweigten Familien kümmerte er sich nie. Der herkömmlichen Form der großen »Saga« begegnete er nur mit Verachtung. Der Tradition des bodenständigen oder urban-psychologischen Realismus traute er nichts mehr zu. Den Zirkeln der jüdischen Schreiber, die das schmerzliche Lebensgefühl der Entfremdung zu solch sensibler Produktivität zu steigern vermochten, gehörte er nicht an. Die literarischen Ahnen Amerikas überschüttete er mit blankem Hohn, ob Hawthorne oder Mark Twain, denen er die Krankheit einer chronischen »Logorrhea« attestierte – des verbalen Durchfalls. Seine uneingeschränkte Anerkennung schien nur Henry James zu finden – und neben ihm vielleicht Edith Wharton. Die Reverenz lag nahe. Auch Henry James und Edith Wharton wählten das freiwillige Exil.

James suchte die Stillung seiner Unruhe durch eine penible Meisterschaft in Sprache und Form. Seine sensitive Psychologie wurde ohne Zweifel von den verwirrenden Nachrichten seiner eigenen erotischen Ambiguität inspiriert. Wie Proust übersetzte er die wache Verwundbarkeit des Homosexuellen in sublime Empfindsamkeit. Nur: den Londoner Exilanten James verpflichteten die Konventionen seiner Zeit zu Verschlüsselungen, die sich Gore Vidal nicht länger auferlegte. Die Zeiten waren offener, toleranter; Vidal brauchte die angestrengten Tarnungen nicht. Außerdem ist er aus gröberem Holz geschnitzt.

Den Zwang zur Verfeinerung hat Henry James vermutlich mit täglicher Qual bezahlt. Seinen Büchern geriet dies zum Vorteil. Der späte Schüler nutzte die Freiheit, die er sich nahm, zu Schock-Experimenten, die nicht immer als taktvoll bezeichnet werden konnten. Es sind nicht seine besten Bücher, in denen er der Lust am Bürgerschreck nachgab. Eine Signalwirkung hatten sie dennoch. Es ließe sich sogar fragen, ob nicht eher schlechten Büchern das Privileg zukommt, soziale und psychologische Wandlungen einzuleiten. Zolas Romane lassen sich an Balzacs Meisterwerken kaum messen, aber ihre gesellschaftliche Wirkung war vehement. Laclos' »Gefährliche Liebschaften« gehören nicht zum Gipfel der Weltliteratur, doch sie stachelten die Phantasie vieler Generationen auf, während Stendhals Abhandlungen über die Liebe zu seinen Lebzeiten nur einige hundert

Leser fanden. Als in einem Buch Ernest Hemingways, nach langen moralphilosophischen Konferenzen des Lektorats, das Wort »fuck« zum ersten Mal schwarz auf weiß zu lesen war, erlangte dieses unbedeutende Ereignis eine Art Hebelwirkung für den Prozeß der Entkrampfung, den man später die »sexuelle Revolution« nannte. Mit literarischer Qualität hatte die vermeintliche Sensation nichts zu schaffen.

Gore Vidal würde Unrecht geschehen, stellte man seine »Myra Breckinridge« über den bürgerlichen Roman »Washington D. C.« oder die großen historischen Erzählungen »Julian«, »Burr« und »1876«. Er selber bestand darauf, daß der kleine Band sein Meisterstreich war: eine eitle Täuschung – und auch nicht. Das riskante Sujet – dafür galt es, lang ist's her – von dem schönen Zwitterwesen, dem man einige Jahre danach als »Myron« wiederbegegnete, machte Furore wie keine andere seiner Erzählungen, trotz – oder wegen? – der stilistischen Flachheit und einer Erotik, der man Raffinesse nicht nachsagen kann. Sollte der Kunstverstand des Autors die fatale Mischung von Kolportage und Symbolik, Pornographie und Kitsch nicht durchschaut haben? Kapitulierte seine unnachsichtige Intelligenz vor dem Signal, das er – beabsichtigt oder nicht – den Wandlungen in den Beziehungen und im Selbstgefühl der Geschlechter vorausschickte?

Ein gutes Jahrzehnt später besaßen die Mitglieder des »dritten Geschlechts«, Transvestiten und Transsexuelle, zwischen San Francisco und West-Berlin den Status einer Minderheit, die um ihre Anerkennung vor dem Gesetz kämpft, während Millionen von Männern die weiblichen Elemente ihres Wesens voller Staunen zu pflegen beginnen und hunderttausende von Frauen in den Armeen der Welt ihren Mann (nein, ihre Frau) stehen. Vidal war der Zeit voraus, doch nur eine Nasenlänge.

Machte ihn sein hochgezüchteter Narzißmus für die wirkungsvolle Niveaulosigkeit jener beiden Pamphlete in Romanform blind? So mag es sein. Eitelkeit zeigt in der Regel eine Grenze der Intelligenz an. Gore Vidal indessen kann man alles mögliche unterstellen, doch gewiß keine Dümmlichkeit. Er hat einen Verstand von oft durchdringender Klarheit. Er war (und ist), davon wird zu reden sein, ein aufmerksamer und gnadenloser Kritiker. Wie sollte es zugehen, daß sich dieser brillante Kopf bei der Niederschrift des einen oder anderen Buches sozusagen selbst außer Kraft setzte? Schieres und pennälerhaftes Vergnügen an der Provokation? Oder das tiefere Verlangen, wenigstens von Zeit zu Zeit eine aggressive Freiheit und die öffentliche Identität mit wilden und absurden Träumen zu demonstrieren? Er verteidigte die Myra-Myron-Bücher kompromißlos gegen den Vorwurf künstlerischer Schwächen, ja er nannte jenes Geschöpf in seiner femininen Ausgabe mit einer kräftigen Portion Selbstironie »die einzig große Frauengestalt der amerikanischen Literatur«.

Narzißmus ist seiner Natur nach verletzlich. Er ist auch seiner Natur nach geneigt, sich zur Schau zu stellen. Eine komplizierte Lage. Gore Vidal war stets bestrebt, das verwundbarste Element seines Wesens zu schützen und zugleich zu Markte zu tragen. Oft gab er der Versuchung nach, seine Erotik exhibitionistisch vorzuführen, doch er preschte voll schnaubendem Zorn, ein Ritter in strahlender Rüstung, zu ihrem Entsatz herbei, wenn sie durch seine eigene Schaustellerei in Bedrängnis geriet, empört und wahrlich hoch zu Roß.

Der Fremde begegnete dem schwierigen Mann das eine oder andere Mal, zuerst – es ist lang her – auf einer Buchmesse in Frankfurt. Da er des Englischen halbwegs mächtig war, hatten ihn Literaturverwalter des deutschen Fernsehens gebeten, ein Gespräch mit Vidal zu führen. Zuvor war eine Rezension gedruckt worden, die er über »Julian« geschrieben hatte, den ersten der historischen Romane des Autors. Er war von der Kompositionskunst beeindruckt, auch von der lebhaften und niemals schwülstigen Präsentation historischen Wissens, von dem er annahm, daß es den strengen Blicken der Experten standhalten würde. Er vermutete, daß der Vergleich mit Ranke Graves' »Ich Claudius« oder Marguerite Yourcenars Hadrian-Buch nicht zu weit ausgriffe. Er dachte an Thornton Wilders »Iden des März«, die schlanker, knapper, konziser konzipiert waren. Freilich ahnte er nicht, warum die Gestalt Julians das Interesse des jungen amerikanischen Autors herausgelockt hatte: Vidal bewunderte den Versuch des Kaisers, der hellenistischen Kultur eine Renaissance zu bescheren, die dem Vormarsch der ernsten, fleischfeindlichen Puritanergarden des Christentums den Weg verlegen sollte. Die paulinischen Glaubensbrigaden gedachten mit jener griechischen Weltlichkeit auch die Knabenliebe auszurotten, die sie als verwerflich betrachteten. Julian, das lernte er später, war für eine historische Ehrenrettung durch die Feder Vidals prädestiniert.

Fielen dem Fremden die Schuppen von den Augen, wie man so sagt, als der Autor die Halle des »Frankfurter Hofs« betrat: makellos gewandet, hellgrauer Anzug, weißblaues Hemd und dunkelblaue Krawatte (wenn die Erinnerung nicht täuscht), blitzende Manschettenknöpfe, blitzende Zähne, blitzendkalter Blick, jede Bewegung und jede Geste aufs wirkungsvollste vorausbedacht? So mag es gewesen sein. Ein Prinz der Literatur gab sich die Ehre. Das Gespräch war belanglos, dem Messezirkus angemessen. Mr. Vidal blieb auf der Hut, obwohl ihm der Fremde nichts Böses anhaben wollte. Philosophische Ausblicke von bewegender Bedeutung, erschütternde Konfessionen, die Verkündung eines politischen Heilsplans wurden nicht erwartet. Das Publikum sollte erfahren, dem »Medium« gerecht, wie ein Autor aussieht, der ein gutes Buch schrieb – mehr nicht.

Mit den essayistischen Arbeiten Vidals war der Fremde zu jener Zeit nicht vertraut. Erst später entdeckte er, voller Ergötzen, mit welcher Verachtung sich Vidal über die Welt des mondänen Literaturgeschwätzes äußerte. Allerdings hielt ihn dies niemals davon ab, den Vertrieb seiner Werke durch sorgsam inszenierte Auftritte anzuheizen, wann immer sich die Gelegenheit bot. Sein Talent, Freunde und Feinde, Gönner und Neider zu demütigen, dressierte er zu Höchstleistungen, die in der Summe mehr einbrachten, als sie kosteten. Die Geschmähten jubelten über alle Sottisen, mit denen er sie bedachte, und die Erniedrigten küßten ihm oft dankbar die Hände. Dennoch entging dem Fremden nicht, daß die schneidende Arroganz, mit der sich Vidal präsentierte, einem Instinkt des Selbstschutzes entsprach, der sich der eigenen Aufsicht manchmal entzog.

Nein, die narzißtische Empfindsamkeit des Mannes ließ sich, Takt hin oder her, nicht übersehen. Er zelebrierte sie als Stilmittel, manchmal über sich selbst belustigt, des öfteren nicht. Einige Jahre danach, in Rom, begannen der Fremde und ein Freund, der die Kamera führte, ein TV-Interview mit Vidal mit der Großaufnahme einer üppig blühenden Rose, die sich an einer gebrochenen Säule im Garten der Villa Borghese aufrankte. Das Bild war ästhetisch und der langsame Schwenk auf das ebenmäßige Antlitz des Schriftstellers nicht unerlaubt. Strikt hielten sich die Fernsehleute an Vidals

Wunsch, er möge – beim Gang durchs Museo Nazionale – auf keinen Fall mit dem berühmten »Hermaphroditen« gefilmt werden. Das wäre in der Tat als Konzession an eine eindeutig-zweideutige Symbolik zu billig gewesen. Vidal behagte auch die Rose nicht. Warum?

Man hatte sich zuvor in seiner geräumigen Wohnung am Largo Argentino nicht unfreundlich ausgetauscht, den Blick über die Dächer der Heiligen Stadt, die Bilder und die Bibliothek bewundernd. Der Schriftsteller wählte für jenen Auftritt lässigere Kleidung als in Frankfurt. Man unterhielt sich, entspannter als beim ersten Gespräch, über den römischen Charakter des amerikanischen Imperiums. Gab es ihn? Waren die Parallelen überzeichnet? Der Autor äußerte sich kenntnisreich über die Herrschaft der Kasten, die das Geschick beider Reiche bestimmte. Er geißelte seine Altfeinde Lyndon B. Johnson und Richard Nixon mit dem gewohnten Vergnügen.

Sprach er davon, daß der Texaner beim Brand von Washington im schwarzen Aufstand des Jahres '68 heimlich aufjubelte wie Nero im Anblick des brennenden Rom? Der Fremde ist seiner Erinnerung nicht sicher. Lachten sie beide über den Einfall, daß Lyndon B. Johnson vielleicht mit einer Country-Fiedel auf dem Balkon des Weißen Hauses den gebildeten Snobs von Georgetown ihr Sterbenslied geigte? Ernannte Richard Nixon sein Leibpferd zum Senator?

Vidal schmähte, das ist gewiß, den amerikanischen Expansionismus, von dem er sagte, daß er mit seinem unstillbaren Konsumhunger alles verschlinge, was ihm in den Weg gerate, auch die Erde, die ausgebeutet, verwüstet, verlassen werde. An der Küste des Pazifik sei die Eroberungs- und Freßwut zu einem vorläufigen Stillstand gekommen, nach neuen Räumen Ausschau haltend, die sich jenseits der Ozeane, im lateinischen Amerika, im Kosmos darboten. Der Autor war witzig, grotesk in seinem Humor, unversöhnlich in seinem Haß.

Der Fremde fragte sich, aus welchen Motiven sich die permanente Polemik Vidals gegen sein Land und seine Gesellschaft erklärte. Er war ein Kind der privilegierten Klasse, aber er hatte sich für das Geschick des Außenseiters entschieden.

Aber war er das? Er gehörte dazu, und er befand sich draußen, freiwillig und ausgeschlossen zugleich. Das Selbstgefühl seiner Kaste schüttelte er nicht ab, doch er verwandelte es protestierend in einen radikalen und rebellischen Libertinismus. Die Geschichte seiner Nation akzeptierte er nicht länger als einen Heilsweg, wie es idealistisch-blauäugige Orthodoxie vorschrieb, die an den Schulen gelehrt wurde. Er stellte sie nicht auf den Kopf, aber er ging ans Werk, eine Gegengeschichte zu schreiben, gleichsam aus ihrem Schatten, die das hehre Bild der Gründer und ihrer Erben nicht unbeschädigt ließ.

Für den ersten der beiden historischen Romane über die Vereinigten Staaten wählte Vidal konsequent einen Sonderling, der als der große Versager, wenn nicht der böse Geist seiner Epoche galt: Aaron Burr, Vizepräsident unter Jefferson, von dem er angeblich um das höchste Amt betrogen wurde, Abenteurer, Spekulant und Schürzenjäger, ein windiger Bruder, dem zum Vorwurf gemacht wurde, er plane eine Spaltung der Union, versuche die Südstaaten und Mexico unter seine Herrschaft zu bringen und wolle sich womöglich wie Napoleon eine Kaiserkrone aufs Haupt setzen. Er duellierte sich mit Alexander Hamilton, dem Favoriten und Redenschreiber des alten Washington, verwundete den Widersacher, der in die Luft schoß, tödlich, wurde des Hochverrats angeklagt, freigesprochen, doch seines Amtes enthoben. Er floh nach Europa.

Wichtiger als die Glorifizierung dieses unsteten Herrn schien Vidal die Demontage des verklärten Bildes zu sein, das man sich von Jefferson machte, dem Aufklärer par excellence, dessen visionäres Pathos der Unabhängigkeitserklärung die schöne Form gab, der die demokratischen Ideale mit der patrizischen Prägung seiner Herkunft, Geist und Macht, Wissenschaft und Verwaltung, Literatur und Politik so glücklich und harmonisch miteinander versöhnte. Den anderen Jefferson, dem Vidal auf der Spur war, gab es wohl auch: den Aristokraten, der mit egalitären Hoffnungen spielte, den Herold der Freiheit, der seine Sklaven nicht freiließ, den Moralisten, der schwarzen Mädchen Kinder machte, den Großliberalen, der in seinen Machtkämpfen den eigenen Skrupeln nicht immer getreu blieb, den leuchtenden Idealisten, der an seinen hochgemuten Heucheleien nicht einmal litt.

Gore Vidal zwang die traditionelle Geschichtsschreibung nicht zur Kapitulation. Indes konnte niemand bestreiten, daß sein »Burr« ein attraktives Buch war: geistreich, amüsant, voll überraschender Einblicke, elegant in Sprache und Form, das Kabinettstück eines sorgsamen Handwerkers.

Zur zweihundertjährigen Wiederkehr der Amerikanischen Revolution servierte er seinem Publikum eine Fortsetzung unter dem lapidaren Titel »1876«, von einer Randfigur her erzählt: dem außerehelichen Sohn Aaron Burrs, der nach langem Exil in die Vereinigten Staaten zurückkehrte, von seiner Tochter Emma, einer verwitweten Fürstin d'Agrigente begleitet. Der Heimkehrer stürzte sich in die politischen Geschäfte, doch setzte er auf den falschen Kandidaten. Mit erbarmungslosem Hohn karikierte Vidal die Korruption, die unter der Präsidentschaft des Generals Ulysses Grant gedieh, in der Monstershow der Einhundertjahrfeier kulminierend. Vermutlich tat er Grant, dem alten Haudegen, Unrecht, der ein schwacher Staatsmann war, doch er hatte wenigstens nach dem Bürgerkrieg die schrecklichsten Ausschreitungen der Sieger in den Südstaaten gezähmt. Falls er sich selber bereicherte (das steht dahin), respektierte er gewisse Grenzen des Anstands. Überdies verlor er sein Vermögen. Gegen Ende seiner Tage war Grant, vom Krebs zerfressen, so bettelarm, daß er sich unter Qualen zur Niederschrift seiner Memoiren entschloß, damit ein bißchen Geld ins Haus komme. Entgegen allen Erwartungen gelang ihm ein Buch, das zu den besten seiner Gattung zählte, und er verdiente an ihm obendrein eine halbe Million Dollar. Der siegreiche Feldherr des Bürgerkriegs war – anders als Robert E. Lee, sein Gegenspieler in den Südstaaten – ein Kleinbürger, der die ordinäre Herkunft nicht zu verbergen vermochte. Vielleicht zog er damit die grausame Abneigung Gore Vidals auf seine unscheinbare Person.

Der Autor erzählte seine Geschichte (so wenig wie jene des Abenteurers Burr) nicht aus den Erfahrungen des »Volkes«, wie dies einige Jahre der Mode entsprach, ungeachtet des Nachteils, daß der Alltag eines »gewöhnlichen Lebens« nur undeutliche und selten aufregende Spuren hinterläßt, an denen sich die erzählerische Phantasie kaum entzündet. Vidal wählte hier wie dort die Perspektive der patrizischen Schicht, in der er sich selber zuhaus fühlt, und am liebsten vermählte er sie mit den brillanten Allüren der europäischen Nobilität. Seine Ästhetik spie die Spießer aus. Sie stellten zwar die Mehrheit der Amerikaner (wie der Franzosen, der Briten und der Deutschen), doch in Vidals Allianz von aristokratischen Ambitionen und egalitärer Moral fanden die »kleinen Leute« niemals Platz.

An den knirschenden Widersprüchen beider Konzepte stieß sich der Autor nicht. Im Gegenteil: ihre Paradoxie gewährte ihm eine gewisse Freiheit – manchmal jene des Narren, öfter die des Kritikers, der sich seinem Land durch kein patrotisch-sentimentales Hochgefühl, sondern durch kühles Pflichtbewußtsein verbunden weiß.

Exil und Außenseitertum, selbst die Gefahr der Isolierung schien er ohne Seufzen zu akzeptieren. In Wahrheit repräsentierte er einen Stand, der in Amerika bis zu den Tagen der Depression niemals gediehen war: den der Intellektuellen europäischer, genauer: französischer Prägung. Die Amerikanische Revolution war, anders als die Französische, keine soziale Erhebung, sondern stammte aus einer politischen Rebellion, die sich an dem Steuerkonflikt mit der Krone entzündet hatte. In den britischen Kolonien waren es vor allem die Söhne der Aufklärung, die das Heft entschlossen in die Hand nahmen. Thomas Jefferson und seinen Freund-Feind John Adams konnte man, wenn irgend jemanden, die amerikanischen Intellektuellen par excellence nennen, doch sie sprengten sich niemals von der aristokratisch-großbürgerlichen Gesellschaft los, aus der sie kamen. Das unterschied sie vom Grafen Mirabeau, vom Bürger Danton, selbst von Robespierre, der als Waise aufwuchs. Der Journalist Thomas Paine, ein genialer und zänkischer Mensch, aus England hergelaufen, war der einzige, auf den Stendhals Beobachtung zugetroffen hätte, daß es eine »literarische Aristokratie« gebe, seit der Abbé Sieyès mit seinem Pamphlet »Was ist der dritte Stand?« den »ersten Schlag gegen die politische Aristokratie geführt« habe.

Gore Vidal mag sein intellektuelles Standesbewußtsein im französischen Sinne verstehen. Aber er legte Wert darauf, ein Einzelgänger zu sein. In einer Art der »splendid isolation« grenzte er sein Selbstgefühl, nicht ohne Hoffart, gegen die intellektuellen Zirkel von New York sorgfältig ab, die ihre Mitglieder aus Brooklyn und der Bronx rekrutierten, nicht aus den gediegenen Villen von Washington oder Boston. Fast allesamt gehörten sie in einer frühen Phase ihrer Entwicklung der extremen Linken an, Sozialisten, Trotzkisten, Stalinisten, Maoisten, was immer, und fast allesamt waren sie liberal geläutert und bürgerlich gemildert, womöglich reaktionär ausgestählt.

Vidal aber schien sie stets als verkappte Kleinbürger zu betrachten.

Er verlachte ihren sägenden Ernst. Für ihre inzüchtigen Diskussionen brachte er nur geringes Interesse auf. Selbst Saul Bellow gestand er nicht zu, daß er aus der Enge jener Kreise herausgetreten sei, um seine eigene Welt zu schaffen. Schneidend bemerkt er, es sei ein amerikanischer Glaubensartikel, daß »nur ein guter Mensch gute Bücher« schreiben könne. Vielleicht kreidete er Bellow auch an, daß er sich niemals von der akademischen Welt gelöst hatte, sondern in den Jahren der großen Erfolge unverdrossen seine Seminare an der Universität von Chicago abhielt.

Die Verbindung von Literatur und Hochschule reizte Vidal bis aufs Blut. Er fürchtete, nicht zu Unrecht, daß die Literatur in der trockenen Umarmung der Literaturwissenschaftler erstickt werde. Rüde schmähte er die Unproduktivität einer Gattung von Romanen, die er expressis verbis »university novels« nannte, ihre Dürftigkeit so wenig schonend wie die artifiziellen Verrenkungen der sogenannten Experimental-Literatur, von Barth über Barthelme zu Pynchon, deren phantastische Spekulationen er als genialischen Schwachsinn denunzierte. Er klebte ihnen das Etikett »American Plastic« auf.

Desinteresse an den Problemen der Homosexualität betrachtete er nicht automatisch als feindselig. Doch er hegte, keineswegs grundlos, den Verdacht, daß die alt-linken und neu-konservativen Erzgardisten der New Yorker Intellektualität ihren eigenen Männlichkeitswahn kultivierten, der schließlich (wenigstens in der Politik) zu einer bizarren Koalition mit dem amerikanischen Cowboy-Heroismus bereit war. Dagegen spuckte er Gift und Galle. Mit Norman Mailer, dem krähenden Apostel eines verspäteten Machismo (den er sich selber nicht glaubte), prügelte er sich in einem Salon an der Fifth Avenue vor den Augen der verwirrten Gastgeberin, einer Tochter Catherine Grahams, Herrscherin über »Newsweek« und »Washington Post«. Dem Fremden entging der Anlaß, doch es war anzunehmen, daß Vidal die aufgeregten Windbeuteleien des Autors der »Frühen Nächte« – damals noch nicht auf dem Markt – nicht länger ertragen zu vermochte. Vidal ließ sich niemals auf die knäbischen Hysterien ein, mit denen Norman Mailers unstetes Selbstbewußtsein des öfteren jeder erwachsenen Aufsicht entlief: Er steckte keiner Frau und auch keinem Jüngling ein Messer zwischen die Rippen, beförderte keinen des Lesens und Schreibens kundigen Mörder zu einer literarischen Zelebrität (den nächsten Mord des Gewalt-Menschen riskierend, der dann auch nicht lang auf sich warten ließ), er schmückte sich nicht mit einer verklärten Marilyn Monroe, lieber schuf er seine unverklärte Myra, um sie als Myron ein zweites Mal in die Welt zu schicken.

Er legte Wert darauf, seine Ärgernisse auf einem gewissen Niveau in Szene zu setzen. Dafür eignete sich die politische Bühne am besten. Sein Schauspiel »Ein Abend mit Richard Nixon« erwies sich als miserabler Fehlschlag. Es taugte nicht viel. Doch niemand hatte dem Präsidenten eine schärfere Kampfansage zugeschleudert. Im Jahre 1972, als Senator George McGovern, ein etwas öliger Missionar, gegen den finsteren Richard antrat, gerieten die Programmgewaltigen eines TV-Konzerns auf den Einfall, die Parteitage von dem erzkonservativen und steinreichen Kolumnisten William Buckley und dem libertären Gore Vidal im Dialog kommentieren zu lassen. Die beiden Sprößlinge der Oberschicht gaben einander an Witz, scharfzüngiger Bosheit und nasalem Snobismus nichts nach. Ihr Streitgespräch war in gewisser Hinsicht das beste Unterhaltungsprogramm, das vom amerikanischen Fernsehen in langen Jahrzehnten produziert wurde. Das Vergnügen endete jäh, als Vidal seinen Widersacher einen »Kryptofaschisten« nannte. Buckley, in blindem Zorn, hieß den Schriftsteller »a queen and a fag«. Die Anschuldigungen, obschon beide ein Element der Wahrheit enthielten, trafen unter die Gürtellinie. Das Programm wurde abgeschaltet. Der verantwortliche Regisseur hätte gut daran getan, Vidal mit einem seiner hübschesten Aphorismen zu zitieren: »Die Karawane bellt, die Hunde ziehen weiter.«

Empfand Vidal den offenen Vorwurf der Homosexualität als beleidigend? So war er von Buckley gemeint, der sich darin gefiel, den katholischen Moralisten zu spielen, wenn er nicht mit einem seiner Spionageromane beschäftigt war, in denen er – aufs erfolgreichste – die Räuber-und-Gendarm-Phantasien der Geheimdienste mit dem Patriotismus der Oberschicht veredelte.

Gore Vidal ist von anderem Kaliber. Aus der Zugehörigkeit zu einer Minderheit bezog er seine besonderen Energien, die mit der Lust an der Beunruhigung auch den Wahrheitswillen in der Gesellschaft vorantrieben. Er sprach beiläufig, nicht ohne Ironie, von der »heterosexuellen Diktatur«, die nun endlich zusammenbreche, sprach auch etwas großmäulig von der »sexuellen Demokratie«, deren Herkunft er noch erleben wolle, und von einem Denkmal, das man ihm schulde: Am Dupont Circle in Washington (einem Treffpunkt der Homosexuellen) müßte es Aufstellung finden, neben einem Monument Dr. Kinseys.

Aber war er sich auch bewußt, daß seine stärksten literarischen Leistungen die Welt der Homoerotik nur am Rande berührten? Hartnäckig verwies er immer wieder auf einen seiner ersten Romane, der ein etwas blasses Gesellenstück war, kurz nach dem Krieg erschienen: »The City and the Pillar«, ein freimütiges Buch, dennoch halbwegs diskret, das den Weg eines Strichjungen aus der Kleinstadt in die sogenannte »große Gesellschaft« beschrieb, konventionell in den künstlerischen Mitteln, sentimental. Trotz seiner Behutsamkeit verursachte der Roman einigen Lärm. Er traf einen amerikanischen Nerv. Die konservative Elite – auch jene der Literatur – heulte auf. Sie sah ihre Männlichkeit angetastet (falls jenes Wort am Platze war). Sie legte sich für die Unverletzlichkeit ihrer heroisch-heterosexuellen Ideale um so rabiater ins Zeug, da ihr Machismo in Wahrheit eine homoerotische Wirklichkeit überdeckte, auch in der rauhen Welt der Cowboys, wie sie in den Garderegimentern der Königin von England nicht üppiger gedieh.

Dr. Kinsey hatte Amerika ins Gesicht gesagt, daß nach seinen Erkundigungen mehr als die Hälfte der Männer irgendwann in ihrem Dasein eine homosexuelle Erfahrung bestanden: um so tiefer die Furcht und um so entschlossener die Abwehr. Die Paranoia geriet gelegentlich ins Absurde. Während des Zweiten Weltkriegs brauchte ein Jüngling nur einen Tropfen Parfum auf seinem Oberarm zu verreiben, um die Musterungsärzte in Panik zu versetzen: Die Freistellung vom Armeedienst war ihm sicher, denn er hätte, Gott schütze, die Blüte der männlichen Jugend mit seiner Verderbtheit infizieren können. Selbst in Hollywood brach ungetarnte Homosexualität einem Star noch lang das Genick. Schriftsteller vom Rang eines Thornton Wilder, der durch sein Kleinleute- und Menschheitstheater ein Liebling der Nation wurde, taten den Teufel, ihre Neigungen spazierenzuführen. Tennessee Williams – mit dem Gore Vidal in Rom groteske Späße trieb – legte sich zunächst eine scheue Zurückhaltung auf. Truman Capote wagte sich erst in den siebziger Jahren aus dem Wandschrank (um im amerikanischen Jargon zu reden), als er seine Schreibkunst der Ruhmsucht, Clownerien für die Schickeria, den Drogen und dem Alkohol geopfert hatte. Es war selten, daß ein Schriftsteller von hoher Qualität die Courage aufbrachte, über das Sujet Homosexualität so menschlich, so melancholisch und mit so großer Kunst zu schreiben, wie es Christopher Isherwood, dem britischen Exilanten, in seinem bewegenden Roman »A Single Man« gelang. Das Geheimnis dieses kleinen Meisterwerkes ließ sich einfach beim Namen nennen: Es war eine Liebesgeschichte, eine traurige und einseitige.

Das Wort »Liebe« ist der Sprache Gore Vidals ziemlich fern. »Liebe ist nicht mein Fall«, sagte er kalt. »Sie hat sich für mich erledigt, als ich fünfundzwanzig war. Ich hielt mich an Sex und Kunst, beides ein völlig akzeptabler Ersatz.«

Selbstironie oder nicht: Gore Vidal bezeichnete damit die Grenzen seines Talents. Über Sexualität schrieb er nicht besser und nicht schlechter als andere auch, das heißt: eher schlecht, denn sie schien sich meist der Literatur zu entziehen, von unüberwindlichen Klischees und Stereotypen umstellt, die nur wenige Schriftsteller beiseitezuräumen vermochten.

Vidals Qualitäten sind von anderer Beschaffenheit: Stil. Sorgsames Handwerk. Disziplin. Westpoint und die Jahre in der Armee könnten diesem Autor sein musterhaftes Pflichtgefühl eingedrillt haben. Manchmal nannte ihn der Fremde (für sich selber) einen Soldaten der Literatur oder, wenn er das vorziehen sollte, einen Leutnant, einen Major, einen General. Seine Karriere ist nicht abgeschlossen. Vier Sterne wären nicht unerreichbar.

Unterdessen schrieb Gore Vidal einen Roman über Abraham Lincoln und fügte damit den Schlußstein in seine Darstellung des amerikanischen Weges durch das 19. Jahrhundert ein. Ironie und Kritik treten in diesem Werk weit zurück: Es ist, als hätte die Magie des großen Sonderlings aus Springfield, Illinois, den skeptischen Autor in die Knie gezwungen. Die Neurosen Lincolns unterschlägt er keineswegs, doch der Wiederbegründer der Nation erscheint bei Vidal nicht als ein genialer Psychot, der er *auch* war, sondern als ein komplexer Charakter, in dem sich Machtlust und Moralismus, Bauernschläue und

Prinzipienfestigkeit, Heuchelei und Härte seltsam vereinten. In seiner Geschichtserzählung folgte Vidal getreulich den Forschungen der neuen, kritischen Schule, die nicht verschweigt, daß sich Lincoln zum Diktator der Republik gemacht und kurzerhand alle Grundrechte außer Kraft gesetzt hat, angeblich weil ihm der nationale Auftrag keine andere Wahl ließ. Die Einheit des Landes – auch das räumt Vidal ein – war ihm wichtiger als die Aufhebung der Sklaverei, ja er zögerte nicht, seiner historischen Mission zuliebe die Freien einer anderen Art der Versklavung zu unterwerfen, nämlich einer gnadenlosen, ja mörderischen patriotischen Disziplin: Das Ziel rechtfertigte die Mittel.

»Lincoln« mag Vidals wichtigstes Buch sein: Es ist nicht sein bestes. Sympathie und Respekt verwehrten ihm die übliche Brillanz, die von der Bosheit begünstigt wurde. Der Künstler unterwarf sich der Weisheit, auf Kosten der Virtuosität. Das Opfer mag nicht zu groß sein – doch ein Opfer ist es.

XII

Louis Auchincloss
Der Chronist von Wall Street
oder:
Von Furcht und Ehrfurcht des Schreibens

Gore Vidal betrachtete Gesellschaft, Politik, Geschichte stets von der höheren Warte des versprengten Patriziers aus. Sein aristokratisches Außenseitertum bewahrte ihn vor opportunistischen Verbeugungen, die so viele andere dem Spießertum quer durch die Klassen schuldig zu sein glaubten. Er suchte niemals die wärmende Nähe des »Volkes«, der »Werktätigen«, der »Proletarier«, von denen er wenig wußte. Er flüchtete sich nicht in die oft so sperrige Geborgenheit enger Gruppen und Kreise. Unbefangen und generös pries er die lang unterschätzten Bücher eines Kollegen, der in keiner der Cliquen zuhaus war. Dennoch, seine Mentalität war ihm vermutlich nicht ganz geheuer, obschon sie eine weitläufige Verwandtschaft verband: Louis Auchincloss.

Vidal ermutigte den Fremden, sich aufmerksamer um die Bücher dieses Autors zu kümmern, von dem er nur einige Geschichten und den großen Roman »The Rector of Justin« kannte, der allerdings fast den Rang eines Klassikers gewonnen hat: ohne Zweifel die eindringlichste Erzählung über den Geist der Privatschulen, in denen die angelsächsisch-protestantische Elite der WASPs ihre Erben seit jeher erziehen läßt. Im Mittelpunkt die hochragende Gestalt des Theologen Endicott Peabody, der mehr ein leidenschaftlicher Evangelist von charismatischen Gaben denn Humanist traditioneller Prägung zu sein schien. Zu seinen Schülern in Groton zählten unter anderen Franklin D. Roosevelt, der spätere Außenminister Dean Acheson und Botschafter Averell Harriman, der einstige Gouverneur von New York. Der Jahrgang 1935, zu dessen neunundzwanzig Zöglingen Auchincloss gehörte, brachte nach seinen Angaben »einen Armeeminister, einen stellvertretenden Außenminister, die Präsidenten der First National City Bank, der Mellon Bank und der Celanese Corporation, zwei Botschafter, einen Benediktinermönch, eminente Anwälte und Ärzte hervor, keine Versager – im weltlichen Sinn«. Man nannte diese Schulen wie die Universitäten der »Efeu-Liga« zu Recht Kraftwerke der Gesellschaft und der Politik Amerikas. Dies galt, solang die Geschichte der Vereinigten Staaten vom alten Establishment der Ostküste gelenkt wurden.

Als der Fremde versuchte, dem deutschen Publikum ein Bild von Welt und Wirkung der WASPs, der *w*eißen *a*ngel*s*ächsischen *P*rotestanten und ihrer prominenten Familien, zu vermitteln, lag es nahe, daß er sich an den Schriftsteller Louis Auchincloss wandte, der seit Jahrzehnten in einer der großen Anwaltsfirmen von Wall Street einem prosaischen, doch einflußreichen und, wie man hoffen durfte, einträglichen Beruf nachging. So rief er den Autor an, um ihm seine Bitte vorzutragen. Mr. Auchincloss beschied ihn mit krächzender und bellender Stimme, die der Tonlage eines alt-englischen Landjunkers entsprach, er möge ihm einen Brief schreiben. Das geschah.

Der Fremde versäumte es nicht, seine Bewunderung für den Schriftsteller auszudrücken, den er öffentlich gepriesen hatte, wann immer eine Zeitung oder ein Radioprogramm ihm dazu Gelegenheit boten. Postwendend kam eine Ansichtskarte – sie zeigte den Broadway in einer Photographie von 1860 –, mit der Mr. Auchincloss handschriftlich mahnte, der Brief habe keine »Kompensation« erwähnt: Nachdem er schon einmal ohne Entgelt im deutschen Fernsehen aufgetreten sei, habe er nicht die Absicht, dieses ein zweites Mal zu tun – »very truly yours«. Dem Fremden schien dieser Bescheid ein wenig rüde zu sein. Verärgert setzte er eine Antwort auf, in der er darauf hinwies, daß er sehr wohl die Absicht habe, die Leistung des Autors zu honorieren, doch halte er sich am Ton der Nachricht auf. Ihm sei daran gelegen, einen bedeutenden Autor bei den Deutschen einzuführen, aber Genius hin oder her: er ziehe den Umgang mit höflichen Leuten vor.

Nach einigem Zögern schrieb er einen weiteren Brief, der womöglich zorniger war als der erste: Er offeriere ein Honorar von zweihundertfünfzig Dollar (so übel nicht für ein knappes Interview). Vielleicht, sagte er, sei Mr. Auchincloss' Verhalten nicht völlig untypisch für die Klasse, die vorgestellt werden sollte. Seine berufliche Pflicht halte ihn dazu an, über seinen Schatten zu springen, doch wolle er aus seinem Herzen auch keine Mördergrube machen und darum den ersten Brief, in der Wut diktiert, nicht unterschlagen.

Er schickte beide Briefe ab. Wiederum traf postwendend eine Ansichtskarte ein, auf der Mr. Auchincloss mitteilte, es sei »unter diesen Umständen vorzuziehen«, daß sich der Fremde an seine »höflichen Leute« halte ... »It is better in the long run. Sincerely«.

Das Photo jener Karte zeigte eine Gruppe wohlgenährter Herren mit mächtigen Schnauz- und wallenden Vollbärten, Lorbeerkränze auf den Häuptern und schneeweiße Hemdbrüste unterm Frack, die eher wie Kinderlätze wirkten, vor ihnen eine reich geschmückte Tafel, über ihnen ein gewaltiger Lüster byzantinischen Geschmacks, Zimmerpalmen links und rechts. Aus dem Aufdruck ging hervor, daß es sich um ein Erinnerungsbild des »Harrison Grey Fiske Dinner 1900« handle – einer Gesellschaft, von der Gore Vidal bemerkt hätte, daß sie die größte Kollektion von »robber barons«, Raubrittern, Halsabschneidern und Gaunern vor den Jahreskonventen der Mafia, gewesen sein könnte.

Der Fremde lachte. Er bedauerte es, daß ihm sein beleidigter Trotz den Weg zu dem originellen Absender versperrte. Neugier hätte die Skrupel überwinden sollen. Er ließ es dabei und fand sich damit ab, Louis Auchincloss' Bücher zu lesen, unerschüttert in seiner Sympathie und in seinem Respekt. Gore Vidal sagte, mit der üblichen Portion Bosheit, in einem seiner Essays, es sei »ein Tribut an die Schlauheit der Herrscher Amerikas und die Torheit der Intellektuellen, daß man die Domäne der Bankiers, Anwälte und Börsenmakler von Wall Street als eine irrelevante, vergilbte und vergehende Enklave höflicher Protestanten« betrachte, während »diese kleine Welt in Wahrheit noch immer die regierende Klasse der Vereinigten Staaten« sei – »eine Oligarchie, von der die Chase Manhattan Bank, die amerikanische Außenpolitik und die Entscheidungsprozesse sowohl der republikanischen wie der demokratischen Partei kontrolliert« werden. Gore Vidal übertrieb, was bei ihm nicht selten war, doch zutreffend fügte er an, Auchincloss sei der einzige Schriftsteller, der davon erzähle, wie sich jene Herrscher in ihren Banken und Konferenzräumen, ihren Anwaltskanzleien und ihren Clubs benähmen.

Auch in Deutschland (wie anderswo in Europa) starren die Intellektuellen fasziniert und voller Abneigung auf den Mythos des amerikanischen Kapitalismus, dessen Fratze sie zu erkennen glauben, wo immer die Welt aus den Fugen gerät. Doch niemand gab sich die Mühe, die soziale und alltägliche Realität der »Konspiratoren von Wall Street« je zu erkunden. (Für manche von ihnen gilt, was Vidal hochfahrend seinen Landsleuten attestierte: daß Leute, die Bücher lesen sollten, leider Bücher schrieben.)

Die Romane von Auchincloss bieten Gelegenheit, in die Innenwelt der amerikanischen Hochfinanz einzudringen, aber in Europa nahm keine Seele von ihnen Kenntnis. Dieser Autor war und ist ein wahrhaftiger Zeuge – nicht obwohl, sondern weil er aus seiner loyalen Zugehörigkeit zu jener »kleinen großen Welt« nicht den geringsten Hehl machte. Er konnte nicht als ein Mann betrachtet werden, der seinen kritischen Verstand und seine Moral an der Garderobe der mächtigen Firmen ablieferte, denen er diente: Sullivan & Cromwell, die lang von John Foster Dulles geleitet wurde, danach Hawkins, Delafield & Wood, keine mindere Adresse.

In einem autobiographischen Abriß seiner jungen Jahre, der er den geistvollen Titel »A Writer's Capital« gab, erzählte der Autor trokken, nicht lieblos, doch aus nüchterner Distanz von der Gesellschaft, in der er aufwuchs. Die Auchincloss', obwohl zum Finanzadel von New York gehörend (alle Großeltern und Urgroßeltern des Schriftstellers waren Geschöpfe der Stadt), hätten sich nicht als steinreich betrachtet. Der Vater, auch er Anwalt in Wall Street, verdiente im Jahr gute einhunderttausend Dollar. Die Familie bewohnte ein Stadthaus in Manhattan, ein nicht allzu aufwendiges Landhaus in Long Island, ein bescheidenes Sommerhaus in Maine. Sie hielt sich Wagen und Chauffeur, vier Dienstboten und Gouvernanten.

Auchincloss erzählte, er habe den Antisemitismus, »der damals die protestantische Gesellschaft von New York (und vor allem von Wall Street) charakterisierte«, als völlig »natürlich« hingenommen. In den meisten Schulen und Clubs seien Juden nur akzeptiert worden, wenn sie konvertiert oder mit einem Christen verheiratet waren. Ein Erziehungsinstitut habe im Ruf besonderer Liberalität gestanden, weil es in seinen Klassen jeweils ein jüdisches Mädchen duldete. Der Autor fuhr fort: »Auch das Vorurteil gegen die Katholiken war wie der Antisemitismus eher snobistisch als religiös geprägt. Katholizismus verband sich für uns mit den armen, ungebildeten irischen Dienstmädchen, deren Arbeitszeit so lang war und die oft in den ungeheizten Dachkammern der Stadthäuser schliefen.« Weiter: »Was die Schwarzen anging, gab es keine Vorurteile, weil sie für uns nicht existierten. Niemand, den ich kannte, hatte auch nur schwarze Bedienstete. Sie lebten droben in Harlem, vermutlich weil sie es so wollten, und unsere Wege kreuzten sich nie.«

Das waren, dachte der Fremde bei der Lektüre des schmalen Buches, Sätze von seltener Aufrichtigkeit, keine Ausflüchte, keine Entschuldigungen, keine Rechtfertigungen: Auchincloss beschrieb eine Realität, der er in einem Winkel seines Herzens vielleicht sogar nachtrauerte; aber er ließ auch keinen Zweifel, daß er die Wandlungen für notwendig und gut hielt.

Von einem jungen Anwalt, der sein Brot auf dem Kommandostand des großen Geldes verdiente, verlangte es einigen Mut, mit Romanen und Short Stories an die Öffentlichkeit zu treten. Sein erstes Buch zeichnete Auchincloss – neunundzwanzig Jahre alt und dennoch der Frau Mama gehorchend – mit einem Pseudonym. Dann schämte er sich seiner Halbherzigkeit und trat mit dem eigenen Namen auf. Die erwartete Katastrophe blieb aus, doch John Foster Dulles, der spätere Außenminister, sagte mit etwas ungemütlichem Sarkasmus, der Nachwuchs in seiner Firma leide offensichtlich nicht an Überarbeitung. Überdies suchte Auchincloss unmittelbaren Anschluß ans lose Volk der Literaten und Künstler. Gelegentlich unterhielt er sich angeregt mit Gore Vidal. Norman Mailer bemerkte über eine seiner Erzählungen, er hätte sie gern selber geschrieben, und Auchincloss war beseligt. Unter den Kollegen blieb er trotzdem ein Fremdling. Er hielt sich beiseite.

Der Erfolg seiner Bücher verführte ihn eines Tages, dem Anwaltsberuf adieu zu sagen, um sich ganz auf die Literatur zu konzentrieren. Sein Vater mißbilligte die Entscheidung, aber er kam ihm ohne Zögern finanziell zu Hilfe. Nach einigen Jahren stellte der Autor fest, daß er als »Berufsschriftsteller« nicht mehr und nicht besser schrieb als zuvor. So kehrte er nach Wall Street zurück, mit seinen juristischen Aufgaben völlig versöhnt.

Seine Bücher drangen nun unerschrockener und tiefer ins Geflecht der patrizischen Familien, ihrer Geschäfte, ihrer Heiraten vor. Auchincloss warf, wie Vidal es ausdrückt, ein »kaltes Auge« auf jene Schicht, zu der er selber gehörte. Er schonte sie nicht. Er verdammte sie nicht. Er beobachtete, wie sie ist, und er sagte, was er sah. Seine Sympathie schien eher den Außenseitern zu gelten: den Alten, die noch gewahr wurden, wie die Häuser zerfielen, die sie einst gebaut hatten; den hochfliegenden Träumern, die sich mit ihren Spekulationen ruinierten; den armen Verwandten, die ihr Dasein in Abhängigkeit von der Gnade reicher Vettern fristen durften; den »Aufsteigern«, von denen in Deutschland soviel die Rede ist, die vehement und taktlos in die behutsam abgeschirmten Bezirke der WASP-Elite einbrachen. Louis Auchincloss scheute sich nicht, Probleme beim Namen zu nennen, um die seine Kollegen weite Bögen schlugen: die Ankunft jüdischer Talente, junger Leute voll ehrgeiziger Spannung, im Revier der Hochfinanz, in den eleganten Salons und dunkel getäfelten Clubs mit ihren gedämpften Gesprächen (»The Dark Lady«). Er verschwieg nicht die lauernden Ressentiments. Er zeichnete keine Idealbilder der Neu-Arrivierten.

Er schrieb schließlich einen Schlüsselroman über den Publizisten Walter Lippmann, der lange Jahrzehnte wie ein Turm der Weisheit über dem amerikanischen Journalismus thronte, Tempelherr der Presse, ein Sarastro der freien Meinung. Bei seiner ersten Reise in die Vereinigten Staaten, in den fünfziger Jahren, hatte auch der Fremde, nicht ohne Angst und voller Erwartung, an die Tür des verehrten Mannes geklopft, der in einer victorianischen Villa am Rande Georgetowns residierte. Er wurde freundlich empfangen. Der Hausherr fragte ihn über die deutschen Dinge aus und ließ keinen Zweifel aufkommen, daß es eine Audienz sei, die er gewährte. Sie war nach einer Stunde beendet.

Furchtlos blickte Auchincloss hinter jene einschüchternde Fassade. Walter Lippmann stammte von seiner väterlichen Familie aus der Welt der »German Jews«, die im neunzehnten Jahrhundert ihre eigene Elite begründet hatten. Sie konkurrierte, nicht vergebens, mit dem exklusiven Hochmut der angelsächsischen Protestanten, übertraf sie in ihrem Kunstsinn, der Förderung der Musen, der Belesenheit, in generösen Opfern für die Institute von

Bildung und Kultur. Zu den jüdischen Proletariern, die damals zu hunderttausenden aus Osteuropa ins Land strömten, hielt sie schroffen Abstand.

Lippmann, der eine christliche Mutter hatte und christlich erzogen wurde, rechnete sich völlig korrekt der protestantischen Führungsschicht zu. Doch die Herkunft des Vaters blieb das unterdrückte Trauma seiner glanzvollen Karriere, das er niemals abzuschütteln vermochte. Aus ihm erklärten sich vielleicht sein latentes Mißtrauen gegen Roosevelts Sozialprogramme, seine beschwichtigenden Warnungen vor einem amerikanischen Interventionismus in Europa, seine Blindheit gegenüber der nazistischen Drohung, seine hartnäckige Weigerung, die jüdische Tragödie im Zweiten Weltkrieg in ihrem ganzen Entsetzen und nicht nur durch beiläufige Anmerkungen zur Kenntnis zu nehmen.

Im letzten Kapitel seiner Erzählungen fragte Auchincloss voller Ironie, welche Form die angemessenste sei, die Persönlichkeit seines Helden, den er Felix Leitner nannte, für die Nachwelt zu beschreiben. Die wissenschaftlich abwägende oder die journalistisch engagierte Biographie? Die Publikation des Materials, das ihm die Zeugen ausgehändigt hatten, darunter biographische Fragmente? Aber sie waren der Roman, in dem sich die Perspektiven von Kapitel zu Kapitel änderten und ergänzten: so wie Felix Leitner sich in den wechselnden Phasen seines Lebens selber sah, wie er von Freunden, von der ersten Frau, von der zweiten, von einer späten Lebensgefährtin und schließlich von dem Chronisten gesehen wurde. Diese virtuose Technik verdichtete sich zu keiner dramatischen Steigerung, weder Klimax noch Katharsis, dennoch ergab sich eine Schilderung von suggestiver Kraft. Die überragende Persönlichkeit Lippmanns alias Leitner wurde nicht heroisiert. In Notizen, die Auchincloss ihm selber zuschrieb, betrachtete er das eigene Bild mit melancholischer Skepsis. Die Selbststilisierung, auf die er nicht verzichtete, hielt dem nüchternen und zugleich nicht lieblosen Blick der ersten Frau nicht stand. Sie nannte die Probleme des gefeierten Journalisten unerschrocken beim Namen. Brauchte er die kühl-brillante Intelligenz, um die Unsicherheit seiner Herkunft zu überspielen? Heiratete er die emanzipierte Tochter einer verarmten Seitenlinie der protestantisch-angelsächsischen Aristokratie von Manhattan, um seine Verankerung in den höheren Rängen der Gesellschaft zu sichern?

Auchincloss folgte dem Weg Lippmanns/Leitners nicht mit pedantischer Exaktheit, doch er versäumte auch keine der entscheidenden Phasen. Sein Held nahm als Berater der amerikanischen Delegation an den Verhandlungen für den »Frieden von Versailles« teil. Der Triumph der nationalistischen Egoismen enttäuschte den Elan der Amerikaner, die mit Woodrow Wilson eine bessere Ordnung der Welt zu stiften versuchten.

Die kräftigste Desillusionierung erfuhr der Diplomat in seiner Liaison mit einer französischen Dolmetscherin aus guter Familie. Sie wollte seine Maîtresse sein, nichts anderes. Seine Absicht, sich scheiden zu lassen und sie zu heiraten, wies sie brüsk zurück. Ihr Nein bewies ihm schmerzhaft, daß seine Unschuld an Europa scheitern mußte. Es blieb ihm nichts anderes, als die Realität der Sünde zu akzeptieren. Zugleich zwang sie ihn zur Achtung vor Tradition und Würde: eine Reifeprüfung, mit der Auchincloss den historischen Prozeß in ein privates Erlebnis übersetzte.

Lippmann/Leitner schüttelte die Naivität, die eine schöne und schwierige Qualität Amerikas ist, ein für allemal ab. Der salzige Realismus, der seine Kommentare durchsetzte, bestimmte seine Distanz zu den gängigen idealistich-liberalen Idealen. Er prägte die Weisheit, mit der er sich später den Hysterien des Kalten Krieges entgegenstemmte. Er bewahrte ihn nicht vor persönlichen Katastrophen. Am Ende vegetierte Leitner, von Frauen und Freunden verlassen, in einem luxuriösen Pflegeheim in einem Vorort von Washington hilflos und traurig dahin.

Der große Lippmann verdämmerte tatsächlich in einem jener Institute. Er hatte die Menschen in der Zeit seines Ruhms auf Abstand gehalten. So ließen sie ihn auch einsam sterben. Der Gedenkgottesdienst wurde in der protestantischen Kathedrale abgehalten. Seine Tochter bestand darauf, die Gemeinde »Ein' feste Burg ist unser Gott« singen zu lassen. In einem abschließenden Dialog des Buches aber wurden rücksichtlose Fragen gestellt. Die letzte Freundin nannte Lippmann/Leitner »ein kaltblütiges Monster und einen Heiligen zugleich«. War er eine freie Seele, oder schämte er sich nur seiner Herkunft? War er ein Demokrat ... oder ein perfekter Snob? Er war beides, ein Demokrat und ein Snob. Auchincloss fügte hinzu, alle Heiligen seien in Wirklichkeit Monster, mit Ausnahme des Heiligen Franz von Assisi.

Das Echo auf den Roman war dürftig, womöglich weil fast zum gleichen Zeitpunkt eine gründliche Lippmann-Biographie (von Ronald Steele) auf den Markt gelangte. Trotzdem gab es Anlaß zu der Frage, ob sich die amerikanische Kritik der unausgesprochenen Übereinkunft beugte, daß ein penibles Sujet wie dieses besser jüdischen Schriftstellern überlassen bleibe. Bestätigte man dem Buch darum nur halbherzig und verlegen seine Verdienste?

Es ist wahr, der Lippmann-Roman (»The House of the Prophets«) wird keinen Platz in einer Nische der Weltliteratur finden: ein wahrheitsliebendes, stilistisch zuverlässiges, wohlkonstruiertes Buch – gutes Handwerk, nicht mehr und nicht weniger. Aber dies war viel.

Die moralischen Empfindsamkeiten, die Auchincloss aufrührte, hätten sich besser »Sophie's Choice« entgegengeworfen, vor dem die Kritik wankend in die Knie ging, nicht nur in Amerika. Niemand schien die Absurdität jenes Monsterschinkens zu durchschauen, dessen Verfasser sich einer polnischen Katholikin, stellvertretend für die Millionen der jüdischen Opfer, bediente, um die Schrecken des Holocaust zu demonstrieren. Niemand nannte den abstrusen Flirt mit dem Lagerkommandanten von Auschwitz einen Skandal. Niemand beklagte die denkfaule Inkonsequenz einer Komposition, die Sophies närrischen Partner Nathan zunächst als geschundenes Gefäß aller Schuldkomplexe der Überlebenden vorstellte und ihn hernach als pathologischen Drogenfresser ablegte. Niemand empörte sich über die Infamie, die dem jungen Chronisten eingab – ein Selbstporträt des Schriftstellers, WASP aus Virginia –, eine Frau, die aus der Hölle kam, zum Vehikel seiner Sexualerziehung zu machen. Niemand zeigte mit dem Finger auf den Verfasser und sagte ihm ins Gesicht, daß er sich durch puerilen Ehrgeiz und Bestseller-Schinderei einer Schmähung der Opfer schuldig gemacht habe. In der Tat war die Holocaust-Serie des Fernsehens mit all ihren verlegenen Konzessionen an die Ästhetik der Seifenoper ein Muster des Taktes im Vergleich zu jenem Erfolgsbuch. Doch keiner wies darauf hin, was Zeile für Zeile demonstriert werden konnte: daß William Styron jenes Buch über seine stilistisch, intellektuell, moralisch eher dürftigen

Verhältnisse geschrieben hatte. Auschwitz als Katapult hypertrophen Ehrgeizes – das war die schnödeste Selbstentblößung einer Zeit ohne Menschenliebe und ohne Ehrfurcht.

Vermutlich entzieht sich die Schrecklichkeit der Ereignisse der Literatur, noch für lange Jahre. Die übermächtige Wirklichkeit erträgt nur eine Annäherung, und auch sie verlangt die äußerste künstlerische Courage, wie sie Leslie Epstein in seinem Gettoroman »King of the Jews« eindrucksvoll, ja erschütternd bewies: der Erzählung von der Regentschaft eines »Judenrates« im Getto. Der Stil war, auf meisterhafte Weise, fast durchgehend parodistisch gehalten. Die Vorgänge im Getto, von denen man mit einem gefrorenen Lachen und zuletzt schaudernd Kenntnis nahm, waren nur als eine beklemmende Parodie der schlimmeren Wirklichkeit zu begreifen. Der Pferch, in dem die Opfer auf den Abtransport zur Vernichtung warteten, verwandelte sich in die absurde Kopie der totalitären Umwelt. Die heimliche Korrespondenz zwischen Vollstreckern und Opfern, die grotesken Ereignisse, ihre starke, mitunter übersteigerte Darstellung hoben die bleierne Trauer nicht auf, aus der sich Szenen und Gestalten formten, als sei der Schmerz selber das Material, mit dem Bilder gemalt und Skulpturen geknetet werden mußten. So verhielt es sich.

»Sophie's Choice« war eine moralische Niederlage der amerikanischen Kritik. Sie entsprach der Hilflosigkeit, in der sie erstarrte, wann immer sie mit dem großen Mord konfrontiert wurde. Sie vergab auch Philip Roth die Beschwörung des Schattens von Anne Frank, mit der er seine schöne Erzählung »The Ghostwriter« am Ende verkitschte. Sie ließ James A. Michener seine gutgemeinten Geschmacklosigkeiten durchgehen. Indessen regte sich auch in Europa keine Resistenz, nicht in Frankreich, nicht in Italien, nicht in der Bundesrepublik – ein Beweis mehr, daß der Prozeß der Verdrängung nicht abgeschlossen ist, sondern nach wie vor den schlichtesten Respekt vor der Realität zu lähmen vermag.

Gewissenhafte Schriftsteller greifen nicht über die Wirklichkeiten hinaus, denen sie moralisch und intellektuell gewachsen sind. Insofern schätzte der fremde Beobachter der amerikanischen Literatur die Leistung von Louis Auchincloss in ihrer Bescheidung als mustergültig – sofern er über Wall Street, New York, Amerika schrieb. Er folgte ihm nicht ganz so willig, wenn er sich in ein Gelände wagte, in dem er sich nicht mit gleicher Intimität zurechtfand wie in den Salons von Manhattan und Long Island: in die Geschichte Frankreichs, die ihn dann und wann zu kleinen Ausflügen verlockte.

In seiner Asphaltheimat führte Auchincloss, ohne Überanstrengung, die Tradition von Edith Wharton weiter, die ein so sensibles Bild der »großen Familien« gezeichnet hatte – nicht nur in dem Roman »The Age of Innocence«, der in die Nähe der Buddenbrooks gerückt werden kann, sondern ebenso in »The House of Mirth« und »The Custom of the Country«.

Diese bedeutende Schriftstellerin blieb in Deutschland nahezu so unbekannt, wie es auch Auchincloss ist. Edith Whartons Werk knüpfte unmittelbar an jenes von Henry James an. Nur in den besten Augenblicken glückten ihr Eleganz und sprachliche Präzision des Vorbildes. Sie gebot auch nicht immer über die kluge Empfindsamkeit seiner Psychologie. Dafür bemächtigte sie sich der sozialen Realitäten energischer und mit unbefangenem Scharfsinn. Wie der Meister zog sie das europäische Exil der täglichen Bedrängung durch die Vitalität Amerikas vor. Auf ihre alten Tage lebte sie in einem südfranzösischen Schloß, von niemandem abhängig; sie war reich, eine freie Frau.

In einer Anfügung zu seiner autobiographischen Skizze berichtete Louis Auchincloss von seinen Gesprächen mit Amélie Rives, verwitwete Fürstin Troubetzkoy, Autorin hübscher Gesellschaftsromane, die in ihrer Jugend mit Oscar Wilde und Henry James befreundet war. In einer zweiten Ergänzung berichtete er, lebhafter, von seinen Konversationen mit Aileen Tone, einer alten Dame, die als Mädchen den Historiker Henry Adams noch oft auf seinen Ausfahrten begleiten durfte, in den späten Jahren, als er fast nur noch die Gegenwart junger Damen ertrug. Sonst mied er jede Gesellschaft. Einladungen ins Weiße Haus schlug er regelmäßig mit dem Bescheid aus, er müsse mit einer Krankenschwester das Bett hüten. Adams, Erbe der Präsidentenfamilie, schrieb eine der gescheitesten und bewegendsten Autobiographien der neueren Literatur. Für Generationen erschloß er mit seiner Geschichte des Zeitalters von Jefferson und Madison den Geist der amerikanischen Anfänge. In seinem Essay über »Chartres und Mont St. Michel« rückte er das Vermächtnis Europas intensiver und intimer ins Bewußtsein seiner lesenden Landsleute, als dies je einem Schriftsteller vor ihm und nach ihm gelang.

Henry James war Adams' Freund von Jugend auf. Man durfte die beiden, den Romancier und den Historiker, als spirituelle Brüder betrachten. In ihnen erfüllte sich die Kultur der alten Elite, die in Neu-England, New York und Virginia zuhaus war. Man könnte, mit einer Prise Ironie, hinzusetzen, schönere Blüten als ihre Bücher habe das Zeitalter des Kapitalismus selten getrieben. Mit Louis Auchincloss, dem gescheiten und blasseren Nachfahren, schloß sich ein Kreis. Er wurde zum Chronisten des Abschieds von den Familien, die laut Gore Vidal die Regenten Amerikas waren. Die Welt, die er beschrieb, hat den Rückzug von der Macht begonnen. Dafür gewann sie eine moralische Präsenz, die Auchincloss unaufdringlich mit jedem seiner Bücher beweist. Man wünschte, Erfolgs-Schriftsteller wie William Styron besäßen wenigstens einen Hauch seines Taktes.

XIII

Saul Bellow
Ein Mann im Auge des Sturmes
Die Landschaft des Radikalismus

Der alte Witsch, Joseph Caspar, rief den Fremden an: Er möge am Nachmittag im Verlag vorbeischauen, um einen jungen amerikanischen Autor kennenzulernen, auf den er große Hoffnungen setze. Mit seiner kräftigen Stimme, die Konsonanten auf rheinische Art in die schwappend-singende Bewegung der Vokale drückend, warf der Kölner Freund Namen und Titel durchs Telefon, von denen der Fremde nur die Hälfte verstand. Sie sagten ihm ohnedies nichts.

Natürlich nahm er die Einladung an, dem alten Witsch zuliebe, dessen streitbare, oft auch streitsüchtige Unabhängigkeit er so schätzte wie das breite rheinländische Lachen und die wache Intelligenz, die immer auf dem Sprung lag, seine Bereitschaft zum Zorn, zur Begeisterung, seine Generosität, die jeden Tag aufs neue mit dem professionellen Geiz des Verlegers ihre mühsamen Kompromisse schloß. Der alte Witsch . . . War er denn alt? Ein Schock weißer Haare wehte um den Kopf wie der Helmbusch eines Kürassiers, und der Wein stand ihm manchmal rot im Gesicht, doch er war, damals, vor einem Vierteljahrhundert, kaum älter, als es der Fremde heute ist. Der alte Witsch ist lang schon tot. Er war, neben Heinrich-Maria Ledig-Rowohlt, wohl der letzte Verleger, den man an Samuel Fischer oder Kurt Wolff messen konnte. Er liebte die Bücher. Er liebte sogar, was schwieriger sein mochte, diesen und jenen seiner Autoren. Er lebte bis zuletzt seiner Lust an der Entdeckung.

Erzählte er, wie er an Saul Bellow geriet, den er nun dem deutschen Publikum vorstellen wollte? Wann? Wo? Der Fremde hat es vergessen. Er ist sich nicht einmal sicher, ob Witsch an jenem Nachmittag »Die Abenteuer des Augie March« oder den »Regenkönig« anpries.

Auch das Bild des Autors steht nur blaß in seiner Erinnerung: ein hübscher junger Mann, zurückhaltend, aufmerksam, die Gesichter der Gäste sorgsam musternd, seine Sätze vorsichtig formulierend, gedämpft, da sich seine Stimme gegen das dröhnende Organ des Hausherrn ohnehin nicht zu behaupten vermochte. Die Unterhaltung war stockend. Der Autor sprach kein Deutsch, das Englisch des Fremden und seiner Kollegen war nicht ganz so flüssig, wie sie's gern geglaubt hätten.

Ob »Henderson, der Regenkönig« oder »Augie March«: Witsch verkaufte nur eine bescheidene Auflage, längst nicht, was er sich erträumt hatte. Vermutlich war er enttäuscht, doch unbeirrt hielt er an Bellow fest, denn er war Verleger, Unternehmer, nicht Manager und Vertriebsverwalter. Daß sein Autor eines Tages, er erlebte es nicht, mit dem Nobelpreis geehrt würde, hatte er in seinen kühnsten Phantasien nicht auszudenken gewagt.

Der Fremde war vom Erzähltalent Saul Bellows beeindruckt, doch die literarischen Horizonte Amerikas wurden für einen jungen Deutschen in jenen Jahren von den übermächtigen Gestalten Faulkners und Hemingways, Thornton Wilders, Tennessee Williams', Nabokovs besetzt. Er nahm, in einigem Abstand, Mary McCarthy, Norman Mailer, Carson McCullers wahr – eine Welt, die sich ihm erst in jenem Jahrzehnt aufgeschlossen hatte. Es war immer noch Nach-Krieg. Das Leben war neu. Der Westen drang langsam nach Deutschland vor.

Witsch aber warf seinen Blick voraus. Er schwärmte in hoher Begeisterung von Bernard Malamud, Isaac Bashevis Singer. Ihn zog das Judentum dieser Schriftsteller an. Er war erfahren genug, um zornig beklagen zu können, was Deutschland mit der Austreibung des jüdischen Geistes verloren hatte. Ein konservativer Antifaschist. Ein Weltmensch, ein Mann von Welt, damals schon, oder er gab sich doch so, was nahezu den gleichen Effekt machte. Kannte er sich in Amerika aus? Vielleicht. Für ihn schien es nicht mühsam zu sein, durch die Abschirmungen der Vergangenheit ins Wirkungsfeld jüdischer Autoren zu treten. Vielleicht redete er sich das ein. Großen Verlegern ist ein Hauch von Scharlatanerie ganz natürlich.

Auch in Amerika glückte Bellow der Durchbruch erst mit dem »Herzog«, der 1964 erschien und mit einem Enthusiasmus begrüßt wurde, der überraschend und untypisch war. Niemand hatte mit diesem Triumph gerechnet, auch nicht der Autor. Ein schwieriges Buch: turbulent und auf den ersten Blick chaotisch, von autobiographischen Elementen durchsetzt, die groteske Jeremiade eines Intellektuellen ostjüdischer Herkunft, Sohn armer Einwanderer, der mit Hegel-Zitaten und jiddischen Kennworten um sich warf, grundkomisch und verzweifelt in seinem Liebeskrieg mit Madeleine, der er sich irrtümlich angetraut hatte. Ein privates Buch, dennoch eines, in dem die Welt aus und ein ging – und sei es nur durch die Briefe, die Moses Herzog in seiner Wut, in seinem Wahn an Gott und alle Großen der Menschheit schrieb, witzig, verrückt, geistreich, gebildet. Spenglers »Preußentum und Sozialismus« nannte er »konserviertes Sauerkraut«. Schon dafür hätte man ihm eine Kußhand zuwerfen mögen.

Nein, der »Herzog« war kein leichtes Buch. Die raffinierte Konstruktion des Romans erlaubte es Bellow, jeder geistesgeschichtlichen Assoziation willig nachzugeben, die ihm durch den Sinn ging, ohne eine Regung von schlechtem Gewissen gegenüber der Handlung, die nicht mit scharrenden Hufen zum Aufbruch drängte. Professor Herzog, Held und Antiheld, Mensch und Unmensch, Subjekt und Objekt des Buches, ließ sich keine Gelegenheit entgehen, seinen geschichts- und moralphilosophischen Zirkus aufzuführen. Obskure altrussische Apokalyptiker hopsten wie weiße Kaninchen aus dem Zylinder seines enzyklopädischen Verstandes. Es wurde der Verdacht geäußert, Bellow habe diese und jene zitierte Stimme, die aus den Tiefen der slawisch-ostischen Seele Untergang kündete, in neu-englischen Waldnächten kalt erdacht. (Das war vor Solschenizyns bitteren Predigten von der Katastrophe des Westens, die unaufhaltsam sei wie das Jüngste Gericht. Bellow hat diesen Propheten nicht erfunden.)

Ein Wunder trotzdem, daß ihm Millionen von Zeitgenossen auf solchen entlegenen Pfaden folgten, deren Schwierigkeitsgrad, bergsteigerisch betrachtet, kaum geringer war als der des »Zauberberg« oder der essayistischen Exkurse des »Dr. Faustus«. Der Fremde kam nicht immer mit. Doch die Millionen eingetragener Mitglieder amerikanischer Buch-Clubs schienen wacker Schritt zu halten. Überhaupt, sie nahmen den »Herzog« erstaunlich gelassen auf. Keine Protestaktionen gegen die intellektuellen Forderungen des Buches, keine Beschwerden über die Schwächlichkeit des Professors, die das Ideal amerikanischer Männlichkeit doch eher beleidigte, keine feministischen Einwände gegen das weibliche Ungeheuer, vor dem Herzog davonlief. Vor allem: keine Kundgebungen der progressiven Verbände gegen den fast schon frivolen Mangel an Obszönität.

Die Erotik wurde nicht in den Winkel gescheucht: Bellow nannte die Dinge beim Namen. Er sagte, was gesagt werden mußte. Er hielt nicht die Hand vor den Mund, doch er lieferte sich der landes- und zeitüblichen Obsession durch sexuelle Gymnastik nicht aus. »Herzog« war ein, in jeder Hinsicht, freier Roman: so frei, daß er das Bett der Liebe unterordnete, was damals an Verrat grenzte. Bellow schrieb in der Tat über Liebe. Sie war sein Thema: Liebe, Versagen, Opfer, Verzicht. Das Publikum nahm es hin. Es fraß offensichtlich alles: auch Qualitätsware, Meisterwerke, Weltliteratur. Was sollte man davon halten?

Den Fremden hatte die Lektüre so fröhlich stimuliert, trotz aller Dunkelheiten des Buches, daß er statt einer soliden Rezension einen hastigen Brief à la Herzog schrieb: »Lieber Leser (so etwa), dieses Buch geht Sie, wenn ich die Situation bei Licht überblicke, erstaunlich wenig an. Es ist eine Angelegenheit, die zwischen mir und meinem Erfinder ausgetragen werden muß. Mein Name lädt zu Mißverständnissen ein, in Amerika und in Deutschland, wenngleich zu verschiedenen. Ich bin mit Widukind um keine Ecke verwandt, aufgewachsen vielmehr im Armenviertel von Montreal, eingekreist vom Geiz der reichen, zänkischen Tante Zaporah, der pathetischen Untüchtigkeit des Vaters, vom Klavierspiel der Schwester, Immigrantenheimweh, strengen Gerüchen. ›Aus bescheidenen Verhältnissen habe ich mich‹, wie Bellow sagt, ›zur vollkommenen Katastrophe emporgearbeitet.‹ Die Katastrophe heißt Madeleine, Tochter eines Theaterregisseurs von Rang, konvertiert, Katholikin ohne Ausdauer, eine aufgeregte Schönheit, von einem brennenden Ehrgeiz getrieben, der rasch die Ziele zu wechseln vermag, hysterisch und von dieser geheimnisvollen Krankheit mit allen Gaben der Schlauheit und des Willens zur Macht versehen, Mutter meiner kleinen Tochter June, die ich zärtlich liebe und auf die ich nicht zu verzichten gedenke. Ich dagegen bin schwach, der genau kalkulierenden Bosheit Madeleines, meiner Frau (meiner zweiten), ganz und gar nicht gewachsen, ungeschickt gegenüber den sogenannten Realitäten des Lebens, darum von meinen Brüdern mit ihren Häusern und Konten stets ein wenig verachtet. Ich, Moses Herzog, erschrieb mir bescheidenen Ruhm mit dem Werk ›Romantik und Christentum‹, hatte es mit den Frauen leicht, weil sie von mir erhofften: Sensibilität und Unschuld, Schwäche und Männlichkeit, Intellektualismus und Sensualität.

Madeleine aber liebte, wenn überhaupt etwas, meinen Kopf. Doch auch diesem zog sie in ihrer slawistischen Phase oft die Pandekten des Wladimir von Kiew vor, die sich auf unserem Bett stapelten. Stellvertretend für eine Generation gebildeter Herren führte ich mit ihr einen mörderischen Krieg um das Recht des Mannes, sich in der Gesellschaft Amerikas zu behaupten. Natürlich unterlag ich, denn sie las Wladimir, schmiß Hühnerknochen unter das Sofa, gab mein Geld aus, betrog mich mit meinem besten Freund, dem Rotkopf Valentine, dem Holzbein, dem Schmierenpoeten, dem Radiosprecher und Fernsehschranz. Sie warf mich zum Schluß hinaus. Ich verlor, aber das ist normal: denn ich liebte sie und war im Leben selten geschickt, kein starker Bewältiger, öfter ein bleicher Versager – ein failure.«

So vielleicht, nur gerissener, skeptischer, eleganter, hätte Moses Herzog seinen Brief an nicht-amerikanische, nicht-jüdische Leser verfaßt, in einer jener schnellen, imaginären und einsamen Korrespondenzen, die er in den Tagen der Verwirrung vor sich hin dachte.

Von diesem Buch an gehörte Saul Bellow der Welt, gehörte er auch Amerika. Zuerst der Welt und dann Amerika, seinem eigenen Land? Der »Herzog« war ein mutiger Versuch, die Identität des amerikanischen Judentums zu beschreiben, des längst emanzipierten und nicht völlig integrierten, das keinesfalls im sogenannten Schmelztiegel (der keiner war) spurlos verschwinden wollte. Die herrische Aneignung des jüdischen Erbes unterschied Bellow von so vielen anderen Amerikanern mit ihren angepaßten Federn, zum Beispiel von dem fleißigen und intelligenten Makulaturfabrikanten Norman Mailer, der damals (und später wieder) seine eigentliche Berufung zur Reportage unterdrückte. Mailer zum Beispiel schrieb des öfteren an John F. Kennedy und schrieb über Kennedy, als ginge er in Hyannisport jeden Samstag aus und ein. Bellow streifte den toten Präsidenten nur gelegentlich mit einem gescheiten, schwermütigen Blick und wandte sich dem Land zu, dessen Sprache er im »Herzog« gleichsam neu erfand. Mit sanfter Ironie zitierte er den alten Robert Frost, der an jenem eisklaren Tag, an dem John F. Kennedy seinen Eid schwor, den Amerikanern zurief: »Das Land gehörte uns, ehe wir dem Land gehörten.«

Bellow erinnerte an jene Verse, als Herzog ans Ende der Reise gelangte und zum alten Haus in den Bergen Neu-Englands zurückkehrte, zum verwilderten Garten, zum starken Geruch des Holzes, zu den »sanftmütigen alten Nachbarn, die sich auf ihren Veranden zu Tode schaukelten und vor dem Fernsehgerät saßen. Das neunzehnte Jahrhundert starb einen stillen Tod in jenem grünen Loch.« Dort hatte sein »Training im Leiden« begonnen, an der kalten Macht Madeleines, der Mörderin seiner Seele. Dort vollzog sich seine leise Befreiung. Er schrieb nur noch wenige Briefe, einen der letzten an Friedrich Nietzsche: »Ich schicke Ihnen Grüße und wünsche Ihnen Glück, wo Sie auch sein mögen. Unter dem Schleier der Maya. Ihr Moses Elkanah Herzog.« Er fragte sich schließlich, welche Beweise er für seine geistige Gesundheit noch vorzeigen könne, außer der Weigerung, sich in ein Sanatorium zu begeben: Vielleicht sollte er aufhören, Briefe zu schreiben?

Er tat es und löste sich aus dem »verwunschenen Zustand« des halben Wahns, des Tagtraums, des imaginären Gesprächs mit den Geistern, die über den Wassern, über dem Universum schweben und sich auch in den Seelen der Nachbarn, Geliebten, Brüder und Jugendgenossen verstecken. Er löste sich – wohin? In eine Welt der ordinären Gesundheit? Das war nicht anzunehmen. Vielleicht in die Sphäre des gezähmten Schmerzes. Bellow teilte darüber nichts mit. Er schrieb ein großes Buch, das im Schweigen abbrach.

Später sagte der Autor von seinem »Herzog«, er hätte, ginge alles mit rechten Dingen zu, ein obskures Buch bleiben müssen, von dem sich vielleicht achttausend Exemplare verkaufen ließen. Statt dessen brachte es seinem Verfasser ein Vermögen ein, das ihm die geschiedenen Frauen (à la Madeleine) wieder abknöpften. Der Roman weckte »unbewußte Sympathien« bei so vielen Menschen, sagte er, nicht nur bei jüdischen Lesern. Es war kein Signal, sondern das Feuerwerk einer Befreiung. In einem Interview für die »Paris Review« bemerkte Bellow, daß er sich in der Wahl zwischen Klage und Komödie für die Komödie entschieden habe, da sie »energischer, weiser und männlicher« sei: »Herzog« mache von der Klage komödiantischen Gebrauch.

Das konnte man auch von Philip Roths »Portnoy's Complaint« feststellen, in dem die Komik der Slapstick-Komödie wirkungsvoll stilisiert wurde. Roths Witz war freilich von Sentimentalität durchtränkt. Die souveräne Ironisierung, die Bellow gelang, suchte man bei ihm vergebens. Bei Roth nahm in der Serie der nachfolgenden kleinen Romane eine wehleidig-neurotisierte Egomanie auf Kosten der Komik überhand, die Bellow unter strikter Kontrolle hielt. Der Abstand der aristischen Kraft und des intellektuellen Niveaus der beiden Schriftsteller vergrößerte sich von Band zu Band. Zur Stellung des Künstlers, des leidenden, in der Gesellschaft notierte Bellow (wieder in der »Paris Review«), einige Autoren seien geneigt, sich über Gebühr ernst zu nehmen. Doch wenn man sich selber in den Rang einer kulturellen Institution erhebe, dann sei man »in for a lot of trouble«.

Natürlich leistete sich Bellow, wie jeder andere Schreiber, ein nicht zu unterschätzendes Maß an Eitelkeit. Es blieb ihm nicht verborgen, daß die Frauen, mit leicht gesteiftem Nacken, die Nüstern in neugieriger Spannung ein wenig gebläht, von einem »attraktiven Mann« sprachen, wenn er sich in Gesellschaft zeigte: eher kleinwüchsig, schlank, regelmäßige und offene Züge, die im Fortgang der Jahre eine ferne Ähnlichkeit mit jenen Pasternaks gewannen, starke, vorsichtig tastende Augen, volle Lippen ... Das feminine Interesse, das sich ihm zuwandte, war ihm willkommen. Er entzog sich den liebenswürdigen Dreingaben nicht, die der Ruhm mit sich brachte.

Der Fremde lief ihm, nach dem »Herzog«, im Gefolge gemeinsamer Freunde in Paris über den Weg. Man aß zu Abend. Von irgendwoher war dem gefeierten Autor ein »groupie« zugelaufen, nicht älter als zwanzig, schlank, heitere und etwas gewöhnliche Züge, mit jeder Bewegung an ihre nachlässige und zugleich so präsente Erotik erinnernd, albern, intellektuell eher bescheiden. Jedes Gespräch strandete in ihrem Kichern und dem Gelächter des Schriftstellers. Bellow nahm von seinen Freunden und dem Fremden kaum noch Notiz. Sein Interesse konzentrierte sich völlig auf jenes reizend-fröhliche Geschöpf. Das Mädchen war beschwipst, der Autor keinesfalls nüchtern. Die beiden segelten schließlich davon, ohne sich mit einer Entschuldigung aufzuhalten, seinem oder ihrem Bett entgegen.

Die Freunde zeigten sich indigniert. Sie rügten die Dümmlichkeit der Kleinen, die sie schlichtweg »eine Gans« nannten. Der Fremde dachte, es sei verständlich, ja liebenswert, daß der große Mann ohne Tarnung und Heuchelei einen Abend lang seiner schieren Lust am Leben nachgab, in Gottes Namen mit einem Gänschen. Sollte er mit seinen Gespielinnen Spenglers »Untergang« lesen, Heidegger oder Sartres »Das Sein und das Nichts«? Schwer genug trug er an seinen Ehen, den Alimenten, seiner Zelebrität, den Büchern, die er geschrieben hatte, und – das schlimmste – an denen, die er zu schreiben gedachte. Die Szene (der Fremde maß ihr nur geringe Bedeutung bei), bestätigte aufs humanste, daß Bellows Rebellion gegen die bedrükkende Allianz des angelsächsischen und jüdischen Puritanismus, in deren Schatten er aufwuchs, nicht erfolglos war. Dieser Schriftsteller schüttelte das Joch früher und entschlossener ab als so viele seiner Kollegen. Die erotische Emanzipation war nicht seine drängendste Sorge und nicht sein wichtigstes Thema. Er hatte mehr im Kopf, zum Beispiel die soziale, die bürgerliche Befreiung des Kindes armer Einwanderer.

Sie vollzog sich mit dem Roman »The Adventures of Augie March«, an dessen Anfang der herausfordernde Satz steht: »Ich bin Amerikaner«. Dieser Feststellung folgte unverzüglich der Hinweis auf die Heimatstadt Chicago, in der Bellow von Kind auf lebte, mit den kurzen Unterbrechungen seiner Exkurse an die Universität von Wisconsin, nach New York, nach Paris und nach Princeton. In Montreal kam er zur Welt: der ersten Auswanderungsstation seiner russisch-jüdischen Eltern. Eine kleine Volte des Schicksals, die es dem Vater geraten hätte, sich in der französisch sprechenden Provinz Quebec anzusiedeln, statt nach Chicago weiterzuziehen – was dann? Wäre Bellow ein franko-amerikanischer Schriftsteller geworden? Frankreich zog ihn an, doch er begegnete den Abstraktionen Sartres und seines Anhangs voller Mißtrauen. Er verstrickte sich nicht in den ideologischen Netzen, in denen sich die Intellektuellen Europas geschützt glaubten. Er entschied sich, ein amerikanischer Intellektueller zu sein, das heißt: er setzte seine Ideen ohne den Schutz eines

Systems den Kämpfen, den Überraschungen, den Heimsuchungen, den Niederlagen und seltenen Siegen des Lebens aus.

Ein kluger Essay im »Harvard Guide to Contemporary American Writing« prüfte Bellows Werk unter der Rubrik »Jewish Writers«. Der Fremde hielt jene Kategorie für fragwürdig, zumal für Bellow. Die nennenswerten Schriftsteller, von denen in dem Harvard-Aufsatz die Rede war, ließen sich niemals ausschließlich aus ihrer Herkunft begreifen, den Sonderfall Singer ausgenommen, Saul Bellow gewiß am wenigsten. Auf ihn traf vermutlich nicht zu, was Irving Howe, der Verfasser des schönen Buches »The World of Our Fathers«, bemerkte: daß die jüdischen Intellektuellen der Generation zwischen den Kriegen in New York ihre Köpfe zuerst an den marxistischen Klassikern geübt hatten, ehe sie die Literatur Amerikas (und Großbritanniens) entdeckten. Alfred Kazin beschrieb jene Erfahrung mit dem robusteren Satz: »Ich war Sozialist, wie so viele Amerikaner ›Christen‹ waren.«

Bellow wehte aus der frühen Kindheit in Montreal vielleicht noch ein Hauch der spannungsreichen Internationalität einer zweisprachigen Stadt nach (die, auch darum, zu den schönsten Amerikas gehört). Chicago, die Metropole des Mittleren Westens, war niemals dem Einstrom europäischer Ideologien mit gleicher Heftigkeit ausgesetzt wie New York. Die Kinder der Einwanderer, ob jüdisch, polnisch oder deutsch, wurden von den herben Schulmeisterinnen, die korrektes Englisch in ihre Köpfchen walkten, im Landesinnern entschlossener an die Hand genommen als an der atlantischen Küste, wo die Generationen der Neuangekommenen noch lange Jahrzehnte eng und furchtsam in den Pferchen ihrer hergebrachten Folklore zusammengluckten. Die amerikanischen Volksschullehrerinnen – sie, wenn irgend jemand, haben das moderne Amerika geschaffen.

Trotzdem, auch Bellow trat, nach eigenem Bekunden, mit seinen ersten Büchern nicht selbstbewußt, sondern voller Angst in die Gesellschaft der angelsächsisch-protestantischen Kultur. Er empfand, es sei eine »unglaubliche Frechheit« gewesen, daß er sich in jener Welt als Schriftsteller und Künstler zu Wort zu melden wagte. Man ließ ihn sein Außenseitertum spüren. Er war darauf vorbereitet, daß man ihn zurückweisen könnte: »Als Sohn russischer Juden«, rief man ihn zur Ordnung, würde er »wahrscheinlich nie ein rechtes Gefühl für angelsächsische Traditionen und die englische Sprache« gewinnen. Doch, fügte er hinzu, wäre er an der Ostküste aufgewachsen und hätte er an einer Elite-Universität studiert, dann könnte sein Selbstbewußtsein tiefere Schäden davongetragen haben.

Das blieb ihm erspart. Seine Wachsamkeit sagte ihm auch, daß er sich einem unkalkulierbaren Risiko auslieferte, wenn er sich den linken Zirkeln und Sekten seiner Generationsgenossen in New York ohne Vorbehalt anschließe. Es war in mancher Hinsicht sein Glück, daß er nicht aus Brooklyn und der Bronx, sondern aus Chicago kam. Bei seinen Kollegen, unter den Redakteuren und Mitarbeitern der »Partisan Review«, suchte er die blitzenden Anregungen, die jene Kreise in ihren täglichen Illuminationsfesten produzierten, doch er weigerte sich, an ihren permanenten ideologischen Grabenkriegen teilzunehmen. Ihre Erregungen und ihre Intrigen hielt er sich stets zwei Schritte vom Leib.

Die Geister, die sich um jene Zeitschrift sammelten, waren gebildet, witzig, voll sprühender Gaben, aggressiv, allesamt links, dennoch erbitterte Gegner des Stalinismus. Vielleicht konnte man, nicht völlig wahrheitsgemäß, den Trotzkismus in dieser oder jener Variante als ihren gemeinsamen Nenner bezeichnen. Solche Verengung wurde den politisch-literarischen Disputen unter der konkurrierenden Direktion von Philipp Rahv, William Phillips und Dwight Macdonald keineswegs gerecht. Der »Getto-Kosmopolitismus«, von dem Mark Shechner (in dem »Harvard Guide«) sprach, stopfte »Trotzki und Kafka, Dialektik und Weltschmerz« unter einen großen Hut, den das explosive Gemisch gelegentlich in die Lüfte hob.

Welche Fülle von Talenten, die ihr sozialistisches, ihr jüdisches, ihr osteuropäisches oder deutsches Erbe einbrachten und in chronischen Konversationen mit den angelsächsisch-protestantischen Zunftbrüdern als machtvolle Hefe unter die geistigen Überlieferungen Amerikas mengten! Der Lyriker Delmore Schwartz – später leidender Held und bejammernswertes Opfer von Bellows Roman »Humboldts Vermächtnis« –, die Poeten Robert Lowell und Theodore Roethke, der Philosoph Sidney Hook – und neben ihnen Edmund Wilson, Mary McCarthy, Hannah Arendt, Elizabeth Hardwick: Sie bewirkten die intellektuelle Symbiose, die man das Wunder des modernen amerikanischen Geistes nennen kann.

Oder nur des Geistes von New York? Der Ostküste? Der Gegenküste Europas? Lionel Trilling, dieser Riese der Gelehrsamkeit, schrieb über E. M. Forster, Irving Howe über Thomas Hardy und William Faulkner, Philip Rahv über Henry James. Sie schlugen die Brücke zu D. H. Lawrence, zum Bloomsbury-Kreis um Virginia Woolf. Sie waren in der Kultur Frankreichs und Deutschlands halbwegs bewandert. Sie kannten Goethe, Hegel, die Romantik, Nietzsche, Rilke, den Expressionismus, Bert Brecht.

Ihre politische Wirkung schien auf ein enges Umfeld begrenzt, doch Grundwellen wirkten, durch die Vermittlung der »New York Times«, weit ins Land. Ihre kompromißlose Absage an den Stalinismus sollte Amerika die Alternative eines libertären, anti-totalitären und demokratischen Sozialismus vor Augen führen, vielleicht auch nur einer linksliberalen, undogmatischen Fortschrittlichkeit. Das war in gewisser Hinsicht ein Brückenschlag zu Europa. Er setzte seine Zeichen in Zeitschriften wie dem deutschen »Monat« unter Melvin Lasky, dem britischen »Encounter« unter Irving Kristol und Stephen Spender, dem italienischen »Tempo Presente« unter Ignazio Silone und den französischen »Preuves« unter François Bondy. Eine unversöhnliche Feindschaft mit den einstigen Avantgardisten der kommunistischen Orthodoxie, die noch die blutigsten Exzesse des Diktators im Kreml verteidigt hatte, verhärtete die geistig-moralischen Fronten. Die schwelende Auseinandersetzung verschärfte sich unter der Heimsuchung des Kommunistenjägers Joseph McCarthy, dieses alkoholischen Demagogen aus Wisconsin. Die bitteren Zerwürfnisse verheilten nicht. Noch heute brechen die Narben auf.

Die Protagonisten von damals sind, sofern sie noch leben, nahezu allesamt ins hohe Alter getreten. Doch es vergeht kein Jahr, in dem nicht die Anklagen von gestern und vorgestern wieder durch die Luft geschleudert werden, mit der üblichen Draufgabe von Schlamm und Dreck. Der Prozeß gegen den agilen Diplomaten Alger Hiss, angeblich Mitglied einer kommunistischen Zelle, wurde in polemischen Aufsätzen und Büchern dutzendfach aufs neue eröffnet, und selbst die angeblich unparteiischen Untersuchungen, die ganze Bibliotheken füllen, sahen sich sofort den heftigsten Attacken der einen oder anderen Seite ausgesetzt. Alger Hiss saß die lange Freiheitsstrafe wegen Landesverrats, zu der er aufgrund nicht völlig überzeugender

Beweise und kraft der Aussagen etwas windiger Zeugen verurteilt wurde, geduldig ab und verdiente sich danach sein Brot als teurer Vortragsreisender von Hochschule zu Hochschule. War er schuldig, war er es nicht? Die Debatte verebbte keinen Augenblick. Eine fatale Lage: Hiss beharrte darauf, niemals sei er Kommunist gewesen, also habe er dem Aberglauben auch nicht abschwören können. Dies wiederum hielt die Gewissenswächter der Nation davon ab, ihn mit einer grandiosen Geste der Versöhnung in die Arme zu schließen. In der Seele Amerikas aber herrscht, wie man wohl weiß, mehr Freude über einen bekehrten Sünder denn über tausend Gerechte. Was aber, wenn der Sünder keiner gewesen sein will? Dieses Dilemma ließ die Gemeinde der Intellektuellen, die keine Gemeinschaft der Seligen ist, nicht eine Minute zur Ruhe kommen.

An Konvertiten war selten Mangel. Ein jeder, der sich von der moskowitischen Konfession loszusagen vermochte, wurde als ein verlorener Sohn willkommen geheißen. Stereotyp blieben die Bekundungen der Reue die gleichen, seit einem halben Jahrhundert, doch sie machten stets Sensation. Niemand schien ihrer müde zu werden, so stumpf sie sich wiederholten. Vielleicht war dies ihr Reiz? Womöglich entsprach die hypnotische Langeweile, die von der marxistisch-leninistisch-stalinistisch-gerontisch-bürokratisch-geheimpolizistischen Rechtgläubigkeit seit Menschengedenken ausging, einer heimlichen Sehnsucht der Links-Liberalen, selbst der Alt- und Neu-Konservativen, die an der Unordnung und Systemlosigkeit unserer konfusen Wirklichkeit litten? Brauchten sie das Entzücken über die Bekehrungen, um bestätigt zu sehen, daß sie selber sich nicht irrten?

Erklärt sich damit auch der Nervenkrieg, den die einstigen Linken untereinander austragen? Sie zeigten weniger Nachsicht als die altbürgerlichen Anti-Kommunisten. Konversion hin oder her: für sie blieb noch immer die Frage nach dem »Wann«. Waren Stalins Säuberungen das letzte Signal, dem man hätte gehorchen müssen? Der Spanienkrieg? Die Berliner Blockade? Senator McCarthy? Durfte man vor dem »Komitee für die Untersuchung unamerikanischer Umtriebe« (das vordem die Nazis aufspüren sollte) eine Aussage machen, ohne sein Gesicht und sein Gewissen zu verlieren? Nur über sich selber? War man ein Verräter an der »gerechten Sache«

oder an seinen Freunden, wenn man Namen nannte? Wurde man zum Verräter an der Nation, wenn man die Genossen verschwieg?

Mehr als drei Jahrzehnte danach wogte die Bataille der Geister noch immer hin und her. Es hagelte Beleidigungen und Rechtfertigungen, und immer wieder wurden Skandälchen kreiert, zumal in literarischen Kreisen, die das Interesse an den Beteiligten zu fördern versprachen. Der Austausch von Infamien erregte oft eine starke Anteilnahme der Öffentlichkeit, die immer danach lechzte, das Vergnügen am Klatsch mit der tieferen Lust der Empörung zu verbinden. Zwei Autorinnen, beide durch Biographie und Werk der amerikanischen Linken zugehörig, nährten diese Wonnen vor nicht allzu langer Zeit durch eine gerichtliche Auseinandersetzung: Mary McCarthy, die gefeierte Verfasserin der »Clique«, nannte in einem Gespräch mit dem Fernsehconferencier Dick Cavett ihre Kollegin Lillian Hellman eine »unehrliche Schreiberin«, und sie fügte schnippisch hinzu, jedes Wort der Hellman sei eine Lüge, selbst wenn sie »und« oder »das« schreibe. Die betagte Bühnenautorin Hellman verlangte für die Kränkung 2,25 Millionen Dollar Schadenersatz. Sie erklärte, Mary McCarthy habe sie schon lange gehaßt, seit den Jahren des Spanischen Bürgerkriegs, in denen sie selber die Loyalisten gestützt, während es ihre Gegnerin mit einer Gruppe gehalten habe, die mit den Sowjets gemeinsame Sache machte. Diese Anspielung – auf wen: die Syndikalisten, die internationalen Brigaden? – war von einer Infamie, die mit solcher Virtuosität nur Theologen und Linksintellektuelle meistern. Lillian Hellman brauchte Jahrzehnte, wie sich der Leser ihrer Memoiren erinnert, um sich aus der Nachbarschaft der stalinistisch verseuchten KP zu lösen, während die einstige Trotzkistin Mary McCarthy die Moskau-Hörigkeit seit eh und je verachtet hat.

Ms. Hellman (die in erster Instanz siegte) aber sammelte alle Glorie charaktervoller Resistenz auf ihr störrisches Haupt, als sie in der unseligen Epoche, der Mary McCarthys Namensvetter seinen Namen gab, jede belastende Auskunft über Genossen und Sympathisanten verweigerte. Diese bewundernswerte Haltung kostete sie manche Einnahme am Broadway und in Hollywood, doch anders als ihrem Lebensgefährten Dashiell Hammett blieb ihr das Martyrium der Haft erspart. Die späteren Berichte über jene »Zeit der Lumpen« (»Scoundrel Time«) bescherte ihr stürmischen Beifall, obschon sie das Versagen ihrer nicht so standhaften Freunde ohne die Milde schilderte, mit der sie gern die eigenen Irrtümer zudeckte. Nichts scheint, wie man gelegentlich erfuhr, der Persönlichkeit abträglicher zu sein als die *eine* heroische Tat, mit der jemand »über sich selbst hinauswuchs«, denn es ließ sich nicht verhindern, daß Held oder Heldin danach ausschließlich an ihr gemessen wurden oder, was schlimmer war, sich selber an ihr maßen.

Die – angeblich – dokumentarische Erzählung vom antifaschistischen Heroismus von Ms. Hellmans Freundin »Julia« wurde in der Verfilmung mit Vanessa Redgrave und Jane Fonda zu einem Triumph, in dem sich Lillian Hellmans unbeugsame Moralität zur Legende verklärte: eine Erhöhung, die Menschen nur selten in den Tagen des eigenen Erdenwandels zuteil wird. Ein paar kritische Geister wagten es, nach der historischen Zuverlässigkeit jener Erinnerung zu fragen. Eine Prüfung der geschilderten Vorgänge, die für den »investigierenden Journalismus« Amerikas nicht schwierig hätte sein können, fand nicht statt. Lillian Hellman versuchte mit den seltsamsten Ausflüchten den Zugang zu den Quellen zu blockieren.

Mary McCarthy glaubte von diesen Heils- und Heiligengeschichten kein Wort. Da sie selbst manchen ironischen Einblick in die Realitäten des linken Sektenbetriebes vermittelt hatte, konnte ihr die sachliche Zuständigkeit nicht abgesprochen werden. Ihr Urteil war auch kaum vom nackten Neid diktiert. Im Talent zur Bosheit waren die Damen einander ebenbürtig.

Mary McCarthy gesellte sich dem Kreis um die »Partisan Review« als eine Art von Exotin zu: Tochter katholischer Eltern, bürgerlich, attraktiv, aus dem fernen Westen des Staates Washington nach New York entlaufen. Ihre enge Liaison mit Philip Rahv, einem schwierigen und anregenden Kopf, der sich gern mit der Aura des Geheimnisvollen umgab, sicherte ihr einen vorgeschobenen Beobachtungsstand. Nichts entging ihrem kühlen, ironischen Blick. Die natürliche Distanz, die sie wahrte, befähigte sie, das turbulente Treiben in Erzählungen und Romanen nachzuzeichnen, deren Meisterschaft sie später kaum mehr erreichte. Auch nicht in der »Clique«. Sie hatte unterdessen in dem großen Literaturkritiker Edmund Wilson einen Partner gefunden, der die strengsten literarischen Ellen anlegte. Die Ehe der beiden war nicht glücklich, doch sie war – zumindest für Mary McCarthy – produktiv.

Saul Bellow, obschon der Gruppe um die »Partisan Review« durch sein osteuropäisches Erbe enger verbunden als Mary McCarthy, hielt auf seine Weise nüchternen Abstand. Er war nicht bereit, seine Verwurzelung in Chicago zu lösen. Er war nicht Kommunist, war kein Trotzkist. Vielleicht war er das, was man später einen »Kulturradikalen« nannte. Er weigerte sich, von einer der gängigen Ideologien vereinnahmt oder einer der Sekten beschlagnahmt zu werden. Er beteiligte sich nicht am Gezeter der Glaubensschlachten. Er schrieb für die Zeitschrift und ergriff auch in den Disputen das Wort. Doch öfter hörte er zu, intensiv, interessiert und amüsiert.

Ihm entging nicht, daß im Getümmel jener talentierten Weggenossen eine soziale Formation sichtbar wurde: Nathan Glazer bemerkte später in der »New York Times Book Review«, daß sich damals eine »intellektuelle Schicht« zu bilden begann – ein gesellschaftliches Phänomen, das zuvor in der amerikanischen Geschichte nicht existierte. Natürlich, es gab Intellektuelle genug, und nicht alle lebten im selbstgewählten Exil wie Henry James, die »Ex-Patriates« der zwanziger und dreißiger Jahre, wie Gore Vidal oder Paul Bowles in der zweiten Nachkriegs-Epoche. Tocqueville – Glazer zitierte ihn – hatte darauf hingewiesen, daß die Intellektuellen der amerikanischen Kolonien sich in der Neige des achtzehnten Jahrhunderts mit Kopf, Leib und Seele für die Revolution und für die Architektur der Verfassung engagiert hatten, mit denen die Vereinigten Staaten in die Welt traten. Die Gründerväter repräsentierten das amerikanische Geistesleben. Sie waren, wie man hinzufügen sollte, die besten Schriftsteller ihrer Epoche. Glazer vergaß, die Theologen zu erwähnen, jene wortmächtigen Prediger, von denen auch die politische Sprache Amerikas geprägt wurde.

In gewisser Hinsicht fanden theologische und politische Leidenschaft bei den Intellektuellen von New York zusammen, obschon sie meist Atheisten waren. In ihren unablässigen Gesprächen trieb eine linke Scholastik die merkwürdigsten Blüten. Doch es kann nicht verschwiegen werden, daß die entscheidenden Fragen von außen in die feingesponnenen Konversationen hereinbrachen: durch George Orwell mit seinen Visionen einer totalitären Gesellschaft, durch

Hannah Arendt mit ihrem Bild vom Wesen des Totalitarismus und noch einmal durch Hannah Arendt, diese große und menschliche Frau, aus Anlaß des Eichmann-Prozesses, mit der Frage nach der banalen Wirklichkeit des Bösen.

Die Frage nach der Identität des Judentums stellte sich durch den millionenfachen Mord in Europa mit nie gekannter Schärfe. Bellow zog sich nicht mit der simplen These aus der Affäre, daß Religiosität und geistige Bestimmung der Menschen das Produkt ihrer sozialökonomischen Verhältnisse seien – punktum und weg vom Tisch. Für ihn war der Nazismus noch etwas anderes als die äußerste Perversion des Kapitalismus: nämlich die Organisation des Urbösen, das die Verständigungen der zivilisierten Gesellschaft zerbrechen konnte, ohne auf entschlossenen Widerstand zu stoßen.

Erst sechs Jahre nach dem »Herzog« legte er den nächsten Roman vor: »Mr. Sammler's Planet«, eine Hiob-Geschichte unserer Tage. Ein alter Mann, in Polen geboren und aufgewachsen, hatte schließlich in New York Asyl gefunden. Er ließ den bizarren Betrieb der Stadt, diese chronische Raritätenschau, an sich vorüberziehen, sich der Prüfungen des eigenen Lebens erinnernd: das deutsche Erschießungskommando am Massengrab, sein wunderbares und erniedrigendes Überleben, der Kampf im Untergrund, der absurde Ausbruch des polnischen Antisemitismus *nach* dem Abzug der Deutschen, ein Vertriebenenlager, die Ansiedlung in der Fremde, die zur Heimsuchung wurde, die wachsende Ferne von den Seinen, die das jüdische Erbe aufkündigten und wieder einholten, die Heimatlosigkeit, in der niemand und nichts eine bleibende Statt hatte, ja Mr. Sammler erfuhr in New York, daß die »bürgerlichen Werte«, die er aus den europäischen Katastrophen herübergerettet hatte, durch die Aggressivität der schwarzen Amerikaner bedroht wurden. War er nun selber ein »Rassist« geworden?

Von einem frommen Buch konnte man nicht reden. Aber es war auch kein gottloses Buch. Es demonstrierte vertrackt, fast verschämt, ja hinterhältig die Präsenz Gottes: keine absolute, eher eine äußerste Möglichkeit, eine letzte Instanz, die nicht geleugnet werden durfte, weil die Menschen sie anriefen, wenn ihnen die Verzweiflung an die Gurgel griff. Bellow fragte an anderer Stelle, ob »das, was wir (über den Menschen) nicht wissen, einen metaphysischen und (eben) nicht einen Freudschen oder naturalistischen Charakter« haben könne. Er sagte auch, er sei gewiß, daß es noch immer menschliche Qualitäten gebe, die auf eine Entdeckung warteten. Ein Biograph sprach davon, er sei, wie Dostojewski, »ein Romantiker in der Welt des Denkens«.

In seiner unmittelbaren Hinwendung zum jüdischen Geschick bewies Saul Bellow eine innere Freiheit, die anderen der sogenannten »jewish writers« versagt zu sein schien. Er war souverän genug, dem mächtigen Lebensstrom der Religiosität und der Gottesfrage nicht einfach den Rücken zu kehren, sondern sich mit seiner Dynamik auseinanderzusetzen.

Auf die Gefahr hin, daß er fromm geworden wäre? Das nicht. Er bekehrte sich nicht. Von was zu was auch? Sein Judentum war kein religiöses Bekenntnis, es war seine Person, Kern seines Wesens, den er nicht in Frage stellte. Diese unerschrockene Selbstverständlichkeit weckte eine Anteilnahme, die an den Grenzen jüdischer Betroffenheit nicht haltmachte. Die jüdische Frage nach Gott, die jüdische Erfahrung des Leidens forderten die Menschheit heraus, ob sie es wissen wollte oder nicht.

Die Menschheit? Vielmehr: jede einzelne unter Gottes menschlichen Kreaturen. Auschwitz ging zuerst die Opfer und die Täter an, die Juden und die Deutschen – aber durch sie auch alle Menschenseelen des Erdkreises. Darum bleibt der Name Auschwitz wie Golgatha im Gedächtnis der Welt: Richtplatz einer zweitausendjährigen Geschichte. Bellow verstand, daß dies so ist. Er vergaß es nicht, selbst wenn er lachte.

Solche Radikalität hatte sich weit von den modischen Polit- und Kultur-Radikalismen gelöst, die bei der »Partisan Review« und anderswo gehätschelt wurden, lang ist es her. Bellow sagte 1965 mit verächtlicher Skepsis von den radikalen Patent-Bohémiens, den Sentimental-Populisten und Sartre-Imitatoren, ihre Radikalität sei inhaltlos geworden. Sie beschränkten sich auf den bloßen Protest und die Neigung, »nicht nur jede Hand zu beißen, von der sie gefüttert werden, sondern womöglich jede Hand, die sich ihnen entgegenstreckt«. Radikalismus als bloßes Gebaren sei einfach und banal. Es brauche nun einen echten Radikalismus, der die Autoritäten in Frage stelle, und eine radikale Kritik, die Wissen verlange, keine Slogans, Fleiß, keinen Schwulst.

Wechselte Saul Bellow die Fronten? Wurde er konservativ? Während er jene Einsichten für die »Paris Review« formulierte, schrieb er wohl an »Mr. Sammler's Planet«. Vielleicht bereitete er gleichzeitig »Humboldts Vermächtnis« vor, den grotesken Schelmenroman, der auch ein »Bildungsroman« war – wie »Herzog«, dem der Autor ausdrücklich diesen »schweren deutschen Terminus« auflud.

»Humboldt« folgte »Mr. Sammler's Planet« im Abstand nur eines Jahres. Das neue Buch erzählte (unter anderem) von einem beunruhigenden Weggefährten aus den New Yorker Jahren: dem poetischen Mitarbeiter der »Partisan Review«, einem Geist von manisch-depressiver Unruhe, den der Autor unter anderem »Orpheus, Sohn von Greenhorn« nannte. Er sagte von ihm, er habe »Coney Island in die Ägäis« befördert und »Buffalo Bill mit Rasputin« vereint.

Der Name Humboldt ließ deutsche Leser aufhorchen. Vielleicht war es kein Zufall, daß jener Überheld der Geschichte, progressiver Lyriker der vierziger Jahre, Raconteur und philosophierender Universalunterhalter (nach Art des Dr. Samuel Johnson), vom Autor auf den seltsamen Namen »von Humboldt-Fleisher« getauft wurde. Oder doch eine Laune? Die Figur, die Bellow porträtierte, hieß in Wirklichkeit Delmore Schwartz. Bellow zog es vor, sein Über-Ich aus Cicago stammen zu lassen, und irgendwo in den fünfhundertachtzig Seiten des Romans versteckte er den Hinweis, die Mutter des Dichters sei von einer Statue im Humboldt-Park zur Namensnennung angeregt worden. So erzählte es Charlie Citrine, Unter-, in Wirklichkeit Hauptheld des Buches, sozusagen Saul Bellows Unter-Ich: wie der Autor russisch-jüdischen Ursprungs, Sohn der armen Immigrantenfamilie, die man aus Moses Herzogs Kindheit kannte.

Tatsächlich war »Humboldt« voller deutscher Bezüge: ein Mercedes 280 Coupé silbergrau, Marx' Lumpenproletariat, Nietzsche, Schopenhauer, Novalis, Grimms Märchen, Sigmund Freud oder die kleine intelligente Zwischenfreundin Doris Scheldt, Beethoven, Mozart, Haydn, natürlich Goethe, der Humboldt-Fleisher einfiel, als er vom Wahlsieg Adlai Stevensons träumte, Eisenhowers liberalem Konkurrenten, der Washington in ein amerikanisches »Weimar« verwandeln würde. (Es kam nicht dazu.) Paul Tillich, der sozialistische Theologe und Panerotiker, sagte guten Tag, Trenck sprengte vorüber, der preußische Abenteurer, der Charlie Citrine als Vorbild für ein triumphales Broadway-Stück und einen erfolgreichen Film diente. »Edel« muß der Mensch sein, wurde die Mutter auf deutsch zitiert, »gebildet und gelassen«. Schließlich Rudolf Steiner, der Anthroposoph-Theosoph, dem eine prominente Bedeutung zufiel.

Die deutschen Bezüge waren ein Seitenaspekt des Buches, dessen Beiläufigkeit sich bestätigte, da Bellow sich nicht die Mühe machte, dem Leser je zu erklären, was es zum Beispiel mit Trenck, dem Haudegen zwischen Friedrich dem Großen und Maria Theresia, realiter auf sich hatte, oder mit Humboldt, nämlich Alexander, dem Weltfahrer. Nur den kannte man in Amerika (vom Humboldt-Strom und seiner Visite bei Jefferson), kaum den pädagogischen Bruder Wilhelm mit seinem Ideal der universalistischen Bildung. Oder spielte Bellow auch auf den an, allzu heimlich? Wie immer sich das verhalten mochte: Die deutschen Leser waren gut beraten, davon nicht viel herzumachen. Bellow deutete an, daß für ihn – eher als für die meisten seiner schreibenden Landsleute – deutsche Geistesgeschichte gegenwärtig war (worüber er Hitler nicht vergaß, ohne von ihm besessen zu sein). Durch ihn erfuhr man, daß es in Chicago (wie in den anderen Zentren des Mittleren Westens) ein jüdisch-deutsches Bürgertum gab, das Gesellschaft und Kultur jener Stadtlandschaften tief geprägt hat, mehr als das Bier-und-Sauerkraut-Deutschtum der Schwaben- und Bayern-Vereine, auf das sich der Horizont der organisierten Amerika-Deutschen allzu oft reduzierte.

Die amerikanische Kritik nahm den »Humboldt« ohne Enthusiasmus auf. Die Geschöpfe seiner Phantasie »sorgten nicht für einen guten Roman«, weil sie nicht in die Handlung integriert seien, urteilte der gescheite Anatole Broyard in der »New York Times«. Webster Schott – Geschäftsmann und Schriftsteller aus Kansas – meinte auf der Buchseite der »Washington Post«, »Humboldt's Gift« sei ein witziger, trauriger, brillant geschriebener, langweiliger Roman.

Es gab Anlaß, anderer Meinung zu sein. Das Schreib-Spiel zwischen Handlung und Essay, von dem der Roman geprägt war, durfte nicht unerlaubt sein. Blickten die Rezensenten nicht verzückt gen Himmel, wenn Thomas Manns »Zauberberg« genannt wurde? Die beiden Bücher waren in ihrer ironischen Dialektik miteinander verwandt, auch in ihrem intellektuellen Humor. (»Der Zauberberg« ist in der Tat einer der wenigen humoristischen Romane der Deutschen.) Nach dem Nobelpreis las man ohnedies alles anders, auch den »Humboldt«. Nun applaudierte man seinen behenden Sprüngen durch die Licht- und Schattenwelt von Philosophie, Literatur und Kunst Europas. Nein, »Humboldt« war kein »amerikanisches« Buch wie der »Herzog« oder gar »Augie March« – und dennoch das bessere. »Herzog«, wie »Humboldt« stark autobiographisch geprägt, hatte den Vorteil, ein begrenzteres, engeres Milieu zu beschreiben: die Schwermut, Heimatlichkeit, Wärme und religiöse Sehnsucht der ostjüdischen Emigration, das in die Betonwildnis der großen amerikanischen Stadt verpflanzte »Schtetl« Galiziens oder der Ukraine. Aus jener beengenden Welt war Herzog ausgebrochen ins intellektuelle Abenteuer und in eine Wüste von Einsamkeit.

Auch Charlie Citrine, der versehrte Groß-Schriftsteller in »Humboldt«, an der Schwelle des Alters agierend, fühlte sich nicht ohne Heimat. Aus keinem anderen Motiv kehrte er nach Chicago zurück, wo das Grab seiner Eltern war. Doch seine Horizonte waren weiter. Die Welt, die er erfuhr, spannte sich von Manhattan über Madrid nach Berlin. Man durfte ihn einen intellektuellen Weltmann nennen. Einen Welträumer zugleich, einen Fliegenden Holländer, der von Buch zu Buch, von Erkenntnis zu Erkenntnis schweifte, rastlos und gehetzt: ein Schlemihl auf der Suche nach seinem Schatten, zugleich auf der Flucht *vor* den Schatten, ein Pechvogel mit Engelsflügeln, Hans im Unglück, Stolperer und Überflieger, ein Taugenichts, literarischer Goldgräber, leidender Don Juan unter der Fuchtel ehewütiger Schönheiten, ein verängstigter erotischer Partisan, ausgebeuteter Spielmacher, Don Quichotte unter Briganten, Gefangener und Regisseur eines endlosen Alptraums, von Freunden mehr als von Feinden verfolgt, Opfer seiner Tugenden mehr als seiner Laster – Opfer allemal.

Ein Intellektueller par excellence. Sein Roman war der eines Intellektuellen (für Intellektuelle?), mit all den Lastern befrachtet, von denen Leser belagert werden, seit Schriftsteller über Schriftsteller schreiben: das Groß-Ich auf dem Paradeplatz der Selbstbespiegelung, der sich oft als eine gloriose Sackgasse der Literatur erwies. Ein Buch auch voll intellektueller Larmoyanz, die durch ein spezifisches Selbstmitleid nicht geringer wurde (der deutschen Wehleidigkeit und

Weinerlichkeit verwandt, jedoch subtiler). »Weltschmerz« war eines der Lehnwörter aus dem Deutschen, die sich größter Beliebtheit erfreuten – wie »Angst« (dank Freud), »Realpolitik« (dank Kissinger), »Sturm und Drang« (dank Goethe), »Mensch« (dank dem Jiddischen).

Charlie Citrine betrachtete sich, darin Moses Herzog verwandt, als ein Opfer der Frauen. Seine erste Geliebte, zur Selbstzerstörung neigend, starb bei einem Flugzeugabsturz in den Urwäldern des Orinoco. Denise, seine geschiedene Frau, ließ ihn durch abgefeimte Anwälte finanziell ausbluten. Renata schließlich – die Sexgöttin, ein Geschöpf, in dem die Antike, die Renaissance und Hollywood ihre lustvollsten Träume verschmolzen zu haben schienen – ließ ihn mit ihrem Kind (das er ihr nicht gemacht hatte) in einer schäbigen Madrider Pension sitzen, während sie auf ihrer Hochzeitsreise mit einem reichen Beerdigungsunternehmer von Luxushotel zu Luxushotel eilte. Der Kaufmann, der aus dem Tod Geld schlug, war der angeblich frigiden Dame lieber als der schreibende Philosoph, der sich mit Rudolf Steiners schwebenden Einflüsterungen dem Tod zu entheben trachtete. Von Citrine war zu sagen, was Broyard in der »Times« bemerkte: daß er Sex weniger genoß als überstand.

Aber was hatte es mit von Humboldt-Fleisher auf sich? Hier stellte sich eine gewisse Ratlosigkeit ein. Der pillenschluckende, saufende, von Egoismus besessene Großstadt-Poet – vom Autor im Ansatz als zentrale Figur gedacht – entwich in seinen Olymp (der gleichwohl die Hölle war). Es bereitete Bellow bis zum famosen Ende zunehmende Schwierigkeiten, ihn in seine Erzählung zurückzuholen. Über weite Strecken unterschlug er ihn einfach. An Humboldt fand er keine Freude. Wie sollte er: eine Figur rabiater Verzweiflung, die sich dem treulos-treuen Freund und Schüler in wilder Melancholie und hemmungsloser Mitteilungssucht anvertraute?

Er war ein geistiger Rabenvater, dennoch Vaterfigur, Warnung vor universalistisch-intellektueller Gefräßigkeit, Symbol der Hilflosigkeit aller Poesie, Zeuge der »verbrauchten Ideen« der letzten Jahrhunderte, ein »grandioses Stück Pessimismus«, aus dem Grabe heraus als Bote des Glücks im Unglück dienend – das alles war Humboldt und noch mehr.

Die Titelfigur war trotzdem die schwächste des Romans, obschon als bindendes Element unentbehrlich. Es schien, daß Bellow des Schattens, den er beschwor, nicht Herr wurde. Der Dichter Delmore Schwartz, der als Humboldt durch den Roman spukte, machte seinem Freund Bellow (nicht nur ihm) das Leben zur Qual. Er verfolgte den Wohltäter, der Geld für ihn sammelte, mit grotesken Beschuldigungen. Die Diagnose war nicht zweifelhaft: Schizophrenie. Ehe ihn der Wahnsinn völlig übermannte, starb er, verarmt und heruntergekommen, in einem Hotel vierter Klasse den gnädigen Tod des versagenden Herzens.

Die Komposition des Buches verlangte Bewunderung. Wie Bellow aus den Monologen eine Handlung hervortrieb, wie er das Erzählerische ins Essayistische verstrickte, wie er – ein Zauberer – Perspektiven und Personal veränderte: das verlangte eine grandiose Regie. Die Kunst des Romans war von jeher die Kunst der Manipulation. Ein schmutziges Wort? Nichts dergleichen. Ob der Erzähler Gott spielt, sein Ich walten läßt oder sich in die neutrale Ecke setzt: er macht mit seinem Personal, was er will. Über die Glaubwürdigkeit entscheidet die Kraft seiner Gestaltung, sonst nichts. Von einem genialen Autor läßt man sich alles gefallen.

Auch Bellows »Humboldt« nahm man fast alles ab: selbst die Abhandlungen über Steiner, die mit halbem Ernst und halbem Spott vorgetragen wurden (vorzugsweise auf dem Bett, die Erlösung im Fleisch verzögernd). Man verstand den Wunsch Charlie Citrines, sich aus erotischem und monetärem Elend für vier Wochen ins Goetheanum zu Dornach bei Basel zurückzuziehen. Man folgte aufmerksam den Ansätzen zu einem großangelegten »Versuch über die Langeweile«, der sich auf das Expertentum von Stendhal, Kierkegaard und Baudelaire berief: eine Arbeit, die noch immer dringend geschrieben werden sollte, da die Welt zunehmend von Langweilern eingekreist zu werden droht, diesseits und jenseits des Atlantiks. Auch dies nur eine Variante des Grundthemas, das Alter, Tod und Versöhnung hieß. In solchen Zusammenhängen gewann von Humboldt-Fleishers schwammige Gestalt denn doch eine tiefere Bedeutung.

Bellow bereicherte seine großen Talente um das der Komik, wie er sich's in dem Interview mit der »Paris Review« zum Vorsatz gemacht hatte. Herzog lachte selten. Über Charlie Citrine, sogar über den gewaltigen und jämmerlichen Humboldt und schließlich über sich selber machte sich Saul Bellow lustig. Man lachte mit dem Autor Tränen. Er schrieb – was konnte man von »Humboldt« Schöneres sagen – einen intellektuellen Unterhaltungsroman von höchster Qualität.

Das letzte Buch des Nobelpreisträgers, »The Dean's December«, hielt den Standard des »Humboldt« nicht, der in so vieler Hinsicht ein Glücksfall war. Die besten Passagen im neuen Werk gerieten nicht zufällig zu einer etwas mürrischen Liebeserklärung an Chicago.

Man könnte von der heimlichen und schüchternen Treue Saul Bellows sprechen. Sie gilt der Stadt, die er als Heimat betrachtet. Sie gilt dem Judentum, das er – voller Skepsis, rechtend, höhnend – niemals preisgab, ja in seinen Wandlungen immer von neuem annahm, mit all seinem Leid und mit seiner Liebe. Sie gilt dem intellektuellen Auftrag, den er in der Konfrontation mit den Wirren und Drohungen der Epoche redlich und ironisch erfüllte. Sie gilt Amerika, in dem sich seine jüdische und intellektuelle Personalität zu erfüllen vermag. Der Kritiker Anatole Broyard sagte (lang nach der »Humboldt«-Rezension), Bellow habe »mit der Kultur Amerikas gerungen wie Jakob mit dem Engel«, und er zitierte den biblischen Ruf »Ich lasse dich nicht, du segnest mich denn«. Broyard ging mit diesen Worten nicht leichtfertig um. Er ist ein schwarzer Bürger Amerikas.

Die verborgene Stetigkeit des Lebens und des Werkes von Saul Bellow nährte sich aus der Kraft des Widerstands, die den Autor anwies, sich von den Ansprüchen des Starkults, des Public-Relations-Betriebs, all den geschäftigen Unternehmen des »Zeitgeistes« mit seinen Colloquien, Akademien und Seminaren entfernt zu halten. »Ich empfinde«, sagte Bellow, »daß Kunst mit dem Streben nach Stille inmitten des Chaos zu tun hat, eine Stille, die zum Gebet gehört und auch zum Auge des Sturmes.«

Die Gelassenheit, die sich in jenen Sätzen ausdrückte, stand in Bellows Gesicht, als ihn der Fremde zum letzten Mal sah, es ist ein gutes Jahrzehnt her: in Aspen, Colorado, dem Refugium der Eliten und Intellektuellen inmitten der grandiosen Bergwelt des Westens. Der Schriftsteller hielt sich in jener Kolonie als »writer in residence« auf. Irgendeine Stiftung bezahlte ihm einen »Arbeitsurlaub«, wie die bürokratische Formel geht. In den Frieden des Hochtales war ein deutscher Staatsmann mit Helikoptern, Sicherheitsbeamten und dem üblichen Troß eingebrochen (für den Aufwand war nicht er verantwortlich), um eine Ehrung zu empfangen. Saul Bellow betrachtete die Unruhe höflich, zurückhaltend, belustigt – wie ein Mann, den solche Aufregungen nicht länger angingen. Er hatte damit auch nichts mehr zu schaffen.

XIV

Arthur Miller
Die Bühne hat sich geleert

Ein Holzfäller, dachte der Fremde. Darf ein Dichter so aussehen? War man in Amerika den verfeinernden Energien des Geistes nicht die Grazie der Kränklichkeit schuldig? Keine aufgescheuchte, flatternde Nervosität? Keine leidende Schmalheit? Nicht einmal ein schmerzlich verstörtes Lächeln, an dem der Gast erkennt, daß sein Besuch die zarte Mühsal des schöpferischen Prozesses aufhalten wird, doch in Gottes Namen ...

Nichts davon. Breitbeinig stand Arthur Miller in der Tür: Cordhose, kariertes Hemd, eine aufragende Figur, kräftige Schultern, Arme wie ein Waldarbeiter, kein Bauch. »Come on in«, sagte er einfach und schob den Gast in die helle Wohnstube.

Vielleicht sind Dramatiker robustere Naturen, dachte der Fremde. Ihm fiel Carl Zuckmayer ein, der sich noch auf seine alten Tage so gern als Naturbursche gab, obschon das Gesicht ein wenig spitz geworden war. Bei ihren Unterhaltungen in seinem Haus in Saas-Fee trat er am Morgen gern im flauschigen Bademantel ins Zimmer, das Gewand locker geknüpft, den Blick auf die männlich gewölbte und stark behaarte Brust freigebend, zu Ehren der begleitenden Damen. Die dünne Luft des Bergnestes im Wallis setzte ihm zu, doch unverdrossen schwärmte er von den langen Wanderungen, die er täglich unternahm, von seiner Knechtsarbeit ums Haus, vom Enzian am Abend. Später am Tag zog er dann aus, in Loden und Kniestrümpfen, den Berglerhut keck überm Ohr, den knorrigen Stock in der Hand, das Gesicht entschlossen dem Wind darbietend, während Frau Alice, ein Gran wienerische Schärfe in der Stimme, Ermahnungen auf den Weg gab.

Der selige Zuck war untersetzt, geradezu kurz von Statur, Arthur Miller dagegen ein wahrer Mannsberg: Einer, mit dem man in den Krieg ziehen könnte, wie der Vater oft sagte (der des Fremden), einer, auf den man Häuser bauen mag, um es friedlicher auszudrücken, verläßlich, solide, ein älterer Bruder. In die großen Flächen des Gesichts waren harte Linien gezeichnet. Die Züge schienen nichts zu verbergen. Miller sprach ohne Krampf, ohne tastende Sicherung oder lauernde Rückzugsbereitschaft. Selbst wenn die Flächen und Falten auf der Stirn, um den Mund zweifelnd oder verärgert für einen Moment gefroren, zeigten sie an: Hier bin ich, ein Mensch, der sein Leben lebt, ohne Furcht vor der Trauer, ohne Angst vor der Vergeblichkeit, ohne Bitterkeit. Er hätte sie als disziplinlos betrachtet. Ein Mann, dachte der Fremde, der es sich nicht erlaubte, an Niederlagen zu verzagen.

Die Härten konnten sich plötzlich lösen. Dann überschwemmte ein Lachen die Augen, das nichts mit der landesüblichen Pflicht zu unbekümmerter Zuversicht zu schaffen hatte. Das ist ein Mensch, dachte der Fremde, der die Fähigkeit zur Freude nicht verlor. Sie wohnte in diesem Gesicht nicht weit von der empfindsamen Kenntnis der tragischen Bestimmung unserer Resistenz. Vielleicht macht dies, dachte der Gast, die Spannung dieses Mannes aus: die unmittelbare Konfrontation jener beiden Grunderfahrungen, die sich so präzis nur auf der Bühne, in einer Short Story, in der klassischen Novelle mitteilen lassen.

Man unterhielt sich über's Theater, worüber sonst, über die Dimension des Tragischen, auf die sich Amerika so ungern einließ. Miller sagte, er sei nicht der erste gewesen, der den Blick in die untilgbaren Dunkelheiten wagte: »Noch in den zwanziger Jahren, mitten im üppigsten Wohlstand, schritten die Dramatiker Eugene O'Neill und Maxwell Anderson voller Mut über die Grenze, und in der Depression der dreißiger Jahre überkam ganz Amerika ein Gefühl des Versagens – trotz Franklin D. Roosevelt und seiner optimistischen Botschaft.« Auch der habe nicht die Einsicht auslöschen können, daß etwas falsch sei an dem System, dem das Volk so blind vertraut hatte: »Der Mensch«, sagte Miller, »war damals nicht nur mit den Bedingungen seiner sozialen Umwelt konfrontiert, sondern mit seiner Haltung zu Gott, zum Schicksal und den chronischen

Fragen der menschlichen Rasse. Amerika ist in den zwanziger, dreißiger und vierziger Jahren reifer, erwachsener geworden. Es verwandelte sich aus einer unbegrenzt hoffnungsvollen und oberflächlich optimistischen in eine erwachsene Gesellschaft, in der Menschen versagen und sterben. Die Amerikaner wurden in einem gewissen Sinn Europäer. Es hat lang gedauert ... Scott Fitzgerald wies als erster darauf hin, daß nicht alles zum besten stehe. Hemingway ging seinen tragischen Visionen nach, dann Faulkner.«

Die wirtschaftliche Katastrophe der dreißiger Jahre habe tief in die Literatur gewirkt, sagte Miller. Danach, in den vierziger Jahren: der Zweite Weltkrieg, der große Mord. »In der Mitte der fünfziger Jahre«, fuhr er fort, »erlebten wir die Wirkung eines zerstörerischen Geistes – es gab ihn vermutlich in Europa auch, wenngleich aus anderen Gründen –, der die relative Einheit des Theaterpublikums und des lesenden Publikums zerbrach, eine Einheit, die es zuvor einem Mann wie mir erlaubt hatte, ein Stück im guten Glauben zu schreiben, es richte sich an alle Amerikaner, an Kommunisten und Konservative, die Alten, die Jungen, die Gebildeten und die Ungebildeten. Das mag eine Illusion gewesen sein. Dennoch: in den fünfziger Jahren fiel diese Einheit auseinander, und von da an existierten nur noch Fragmente eines Publikums: das Publikum der Jungen, das Publikum der Alten, das Publikum der Entfremdeten, das Publikum der Nichtentfremdeten, dem die musikalische Komödie des Broadways gehörte. Die Gesamtheit zersplitterte in Partikel. Die Qualität jedes dieser Partikel war notwendigerweise begrenzt.«

Nach einer Weile fügte er hinzu: »Wir verloren, was man das klassische Theater nennen könnte: klassisch im Sinn einer Handlung, einer Entwicklung und einer Schlußfolgerung. Klassisch im Sinn von Charakteren und einer erkennbaren Psychologie. Die Erklärung: Wir hatten jede erkennbare Kontinuität aus der Vergangenheit verloren.«

Was waren die Gründe? Erinnerung an den Holocaust? Die atomare Bedrohung? Der Kalte Krieg? Die Mobilisierung totalitärer Instinkte auch in Amerika? Schwierige Fragen, schwierige Antworten. All das traf zu. Es war nicht alles. Man hätte lange Tage reden müssen.

Arthur Millers Sprache war klar, einfach, ohne eitle Umständlichkeit. Natürlich formulierte er seine Gedanken tastender, wägender, als es das Protokoll der Unterhaltung hernach erkennen ließ. Da thronte kein Mann in seinem Sessel, der recht haben wollte, sondern einer, der mit Täuschungen und Selbsttäuschungen zu rechnen gelernt hatte, der Irrtümer immer für möglich hielt. Das hing, überlegte der Fremde, vielleicht mit dem Wesen des Dramas zusammen, das es dem Autor – anders als dem traditionellen Erzähler – nicht erlaubt, den lieben Gott zu spielen. Er braucht vom Anfang bis zum Ende die scharfe Spannung, den Konflikt, den Dialog, die Dialektik. Der Dramatiker darf nicht von Beginn an wissen, wer siegen oder recht behalten wird, wer Liebe erntet und wer Haß verdient. Es ist ihm nicht erlaubt, offen Partei zu ergreifen. Er hat vielmehr Partei eines jeden zu sein, auch des Bösen. Von ihm ist verlangt, daß er sich mit dem Geschick jeder seiner Figuren zu identifizieren vermag. Kunst, dachte er, ist ohne Sympathie nicht denkbar, aber der Dramatiker muß mit ihr reicher begabt sein als andere.

Sympathie sprach unverstellt aus Millers Gesicht: Mitleid, Mitfreude, Mit-Leidenschaft (die »compassion«, die oft zitierte, der Kennedys und Willy Brandts). Sympathie war – neben der handwerklichen Meisterschaft – der Schlüssel seiner Erfolge, die noch immer, im Abstand von Jahrzehnten, zum Staunen und Erstaunen Anlaß geben: Denn selten geschah es, daß soziales Theater, den Alltag von Kleinbürgern und Arbeitern beschreibend, vom breiten Publikum akzeptiert wurde, weit über Amerika hinaus. In Wirklichkeit war die Geschichte der »sozial engagierten« Literatur ein Marathon des guten Willens, der in der Regel ausgelaugt und überanstrengt auf der Strecke blieb. Zuschauer und Leser begegneten dem Alltäglichen in der Kunst von jeher mit schnödem Widerwillen. Davon hatten sie zuhaus genug. Sie sahen nicht gern in Spiegel, die ihnen eifernd vorgehalten wurden, da sie nicht zu Unrecht befürchteten, sie würden nichts Angenehmes erblicken.

Sie starrten auch eher gelangweilt auf Schilderungen der Arbeitswelt, deren Monotonie und deren Vertracktheit sie selber am besten kannten. Brüsk wandten sie sich von den Belehrern ab, die ihnen vorschrieben, was für sie gut oder schlecht sei. Schulmeister, ob sozialistisch oder nicht, gehörten nach ihrer Einsicht in die Schule, nicht auf die Bühne. Sie lobten und liebten, sofern mit dem Wort vertraut, das Theater als moralische Anstalt. Das Wiedererkennen des eigenen Geschickes aber suchten sie lieber bei Prinzen, Freifräuleins, Seeräubern, Kourtisanen, Spionen, Millionären, Primadonnen, Banditen, Tyrannen oder bei der Kleinen, die von der Ladenkasse zum Broadway strebt. So war es immer. Sie suchten sich selber im Fremden, das Ich in der Verwandlung, ihre Welt im fernen Milieu. Nur mit äußersten Schwierigkeiten konnte sich die Erschütterung in der Wohnküche vollziehen.

Draußen in der Wirklichkeit, der nächstbesten Kneipe oder im Supermarkt, hätte keine der Figuren, die im »Tod des Handlungsreisenden« auftreten, die Aufmerksamkeit der Nachbarn geweckt. Ihnen ließ sich nicht viel mehr als eine liebenswürdige Durchschnittlichkeit nachsagen: Alltagsgesichter, Alltagsmilieu, Alltagsgeschick. Der emphatischen Kraft Arthur Millers gelang es, das Interesse seiner Zuschauer, ihre Bereitschaft zum Mitleiden auf diese unscheinbaren Gestalten zu lenken. Er kreierte den Glücksfall des Wiedererkennens, wo er am wenigsten zu erwarten war – im Lebenskreis seiner Zuschauer, die mit dem elementaren Thema des Stückes bitter genug vertraut waren: dem Konflikt der Generationen (der die Stücke O'Neills beherrschte), der qualvollen Auflehnung der Söhne und Töchter, die ihre Persönlichkeit gegen die übermächtige Autorität der Mutter, gegen »Mom« und ihre erdrückende Liebe, gegen den schwächeren Vater zu behaupten versuchten – diese gutartigen Väter, diese vor Liebe triefenden Mütter, die darauf bestanden, ihre Träume von einer immer besseren Zukunft in die Seelen der Jungen zu pflanzen.

Miller brachte für das amerikanische Kleinbürgertum zuwege, was Ibsen in seinem bürgerlichen Drama für die europäische Bourgeoisie geleistet hatte: die Konfrontation einer sozialen Schicht mit ihren eigenen Problemen, Neurosen, Verletzungen. Er hielt sich, das war eine Erklärung seines Erfolgs, dabei alle Schulmeisterei vom Leib. Er stellte glaubwürdige Menschen auf die Bühne, keine sprechenden Thesen, keine wandelnden Traktate, keine gestikulierenden Symbole. Zum andern widerstand er jeder naturalistischen Banalisierung. In einem »Werkstattgespräch« wies er darauf hin, daß er »The Death of a Salesman« zunächst in Versen geschrieben hatte, die er bei der Revision des Textes wieder aufbrach. Das hieß aber, daß er die Handlung einem präzisen und »überhöhenden« Formwillen unterwarf – damit der produktiven Verfremdung, die kunstvollen Abstand und so die Voraussetzung für das Wunder des Wiedererkennens schafft.

Dies traf auch für das spätere Stück »Blick von der Brücke« zu, mit einem Vorbehalt: Die gefährliche Welt der Dockarbeiter demonstrierte ein Element des Exotischen, das nicht völlig dem üblichen Milieu der Arbeiterschaft entsprach. In diesem Milieu setzten sich illegale Einwanderer fest, bei denen der Generationskonflikt härter als irgendwo draußen im Land aufbrach. Er wurde auf Tod und Leben ausgetragen. Die Katastrophe vollzog sich, nach des Autors Vorsatz, mit der Konsequenz der klassischen Tragödie.

Für beide Stücke galt, daß Arthur Miller den sozialen und psychologischen Realismus des amerikanischen Theaters – er war nicht älter als eine Generation – zu einer beispielhaften, vielleicht unwiederholbaren Steigerung geführt hatte. Dann zerbrach, nach seinem eigenen Zeugnis, der ideologische Konsens, aus dem jene Dynamik stammte. Seine Dramen waren von einem solidarischen, brüderlichen Geist diktiert, der in einem (nicht exakt definierten) »Sozialismus« zuhause sein mochte: Doch plötzlich waren der Brüderlichkeit die Brüder abhanden gekommen. Es blieb die Idee der Solidarität, die sich auf keine Gemeinschaft mehr stützte, die Mitleidenschaft eines einzelnen, des einen Dichters, die ins Leere fiel.

Der schöne Glaube an die »fraternité« schien sein Leben ausgehaucht zu haben. Er hielt der Erfahrung von Auschwitz nicht stand. Die kalte Raserei der stalinistischen Säuberungen hatte ihn zerfetzt. Kein Tag verging – seit 1914, 1933, seit wann? –, an dem Freiheit und Gewissenhaftigkeit nicht in der einen oder anderen Region des Erdkreises unterdrückt, verfolgt, in den Boden gestampft wurden. Stets schien der Widerstand schwächer als die Gewalt zu sein, die das Heer der Opportunisten vorantrieb. Auch die Vereinigten Staaten mit den stolzen und gefestigten Institutionen ihrer Demokratie waren keine feste Burg. Durch den Senator McCarthy – weiß Gott nicht nur durch ihn – begann der totalitäre Anspruch auf die Gewissens- und Glaubenskontrolle, auch Amerika, diese Freistatt der Menschheit, zu unterminieren.

War Arthur Miller als junger Mensch Kommunist? Den Fremden kümmerte das nicht viel, doch man sprach über die sogenannten Konfessionsfragen jener Epoche. Der Partei gehörte der Dramatiker nicht an. Zum Propagandisten eignete er sich kaum. Er setzte, wie so viele Intellektuelle und Künstler seiner Generation, einen Kinderglauben auf sozialistische Ideale, die in der Sowjetunion, nicht erst durch Stalin, so bitter und folgerichtig verraten wurden. In Harlem kam er zur Welt, in Brooklyn wuchs er auf, sein Vater – Geschäftsmann wie der Großvater – nicht reich, auch nicht arm, wurde durch die große Depression ruiniert. Der Sohn absolvierte die Highschool, schlug sich mit den unterschiedlichsten Jobs durch, arbeitete in einem Warenhaus, sparte sich sein Studium zusammen. Der Sozialismus versprach einen besseren Weg.

Man zitierte Miller vor die Komitees der Gewissensprüfer in Washington. Er führte sich nicht als Held auf. Er war auch kein Feigling. Er wies darauf hin, daß seine politischen Überzeugungen jenseits des Kommunismus in den liberalen Traditionen der Vereinigten Staaten verwurzelt seien: von Jefferson über Wilson zu Roosevelt. Dies entsprach der Wahrheit. Lillian Hellman, die Weggenossin von einst, brachte es Jahrzehnte danach nicht über ihr altes Herz, ihm das liberale Bekenntnis, das sie als lau empfand, zu verzeihen: Böse zusammengeduckt saß sie in ihrem Apartment an der Park Avenue von New York hinter dem Schreibtisch, nichts als Verachtung in den verhärteten Zügen, als sie dem Fremden eines Tages in rauhen, abgehackten Sätzen von den Konflikten jener Tage berichtete. War es ein Bericht? Eher die Fortführung einer Polemik, die sie bis ans Grab schleppen würde.

Ihre eigene Reaktion auf die blutige Farce der Moskauer Schauprozesse, die Massenliquidationen in den dreißiger Jahren? Sie warf diese Stichworte wie schmutzige Lappen in eine Ecke: »Das interessierte uns nicht«, sagte sie, »das war weit weg. Wir konzentrierten uns auf die elenden Zustände in diesem Land.« So simpel. Geographische Abgrenzung der Gewissensfragen. Sie war, anders als ihr Lebenspartner Dashiell Hammett, Verfasser genialer Kriminalromane, kein eingeschriebenes Mitglied der Partei. Wen sollte das noch kümmern? Darauf kam es in der Tat nicht an. Sie war eine Heldin, Chapeau. Ihre Haltung vor der Kommission der Hexenjäger in Washington verdiente Bewunderung. Aber: sie wollte recht haben, noch immer, für ein und allemal. Sie ertrug es nicht, daß auch ihre Biographie von dem einen großen Irrtum zerrissen war.

Ihre unzuverlässigen Memoiren (in Wirklichkeit fragmentarische und oft fiktive Skizzen) wurden gerühmt. Der herrisch-knappe Stil stieß auf Zustimmung. Die Auflagen waren beträchtlich. »Julia«, ein eindrucksvoller Film, wurde in der halben Welt bejubelt. Doch ihre Stücke, die am Broadway so stürmische Triumphe gefeiert hatten, waren morsch geworden, nur durch Vermittlung notorischer Stars wie Elizabeth Taylor und Richard Burton (»The Little Foxes«) nachspielbar, zu flach, zu modisch, zu alert konstruiert, mit Ausnahme des ersten, »The Children's Hour«, das vielleicht eine Rückkehr auf die Bühne lohnte. An der Greisin, so heftig sie auf sich aufmerksam machte, war die Zeit vorübergegangen. Ihre schroffe Bosheit, die belfernden Ausbrüche der Ressentiments machten es dem Fremden schwer, ihre Bitterkeiten zu respektieren. Alt werden, dachte er, ist das schlimmste Examen des Lebens, das fast keiner besteht.

Es ist anzunehmen, daß Arthur Millers Stücke aufgeführt werden, solange es ein Theater gibt, das die Tradition des klassischen und bürgerlichen Dramas bewahrt. Mehr noch: er hatte seiner eigenen Konfrontation mit den Gesinnungsbütteln in Washington ein Werk vorausgeschickt, das die Realität der totalitären Demagogie nicht einfach in die historische Entfernung rückte, sondern in einer tieferen Dimension ausmaß: »The Crucible«, das Drama über die »Hexen von Salem«, handelte von der Besessenheit durch Wahn-Ideen, die absolute Macht über die Seelen und die völlige Unterwerfung des Gewissens fordern, weil die leiseste Spur des Zweifels, jede Frage, die kleinste Regung der Skepsis das Gefüge des »Glaubens« und die in ihm begründete Autorität in sich zusammenstürzen ließen. In keinem anderen Werk der dramatischen Literatur wurde die nahtlose Verwandtschaft von pathologischer Narrheit und Totalitätsdenken mit der gleichen Unerbittlichkeit aufgedeckt: die kollektive Flucht in die Unvernunft, ja die Widervernunft, die sich von keiner rationalen Kontrolle aufhalten läßt.

Miller wies nach, daß der puritanische Messianismus, den man den mächtigsten Antrieb demokratischer Moralität nennen könnte, sich über Nacht in eine Maschine gewalttätiger Gleichschaltung zu verwandeln vermochte, die alle Toleranz niederwalzte. Die Gottsucher machten sich an die Arbeit, die Teufel auszutreiben, die sich dem Reich des Heils widersetzten. In Wahrheit ließen sie die Teufel los.

Mit quälender Genauigkeit erkannte er die terroristische Versuchung, die Amerika in der Tarnung eines quasi religiösen Jakobinertums von Zeit zu Zeit überfiel. Die Schrecken der neu-englischen Hexenjagd waren nur ein Schatten der Heimsuchungen, die Europa unter dem Diktat der nazistischen Henker und der stalinistischen Säuberungskommissare durchlitt. Aber Takt und Wahrhaftigkeit wiesen den Autor an, die Fährten des Unheils nicht am Beispiel ferner Kontinente, sondern in der amerikanischen Erfahrung zu suchen.

Eine neue Theorie (sie mutet eher ironisch an) über die Ursachen des Hexensabbats in Neu-England konnte Millers Einsichten nicht widerlegen: Wissenschaftler stellten fest, daß feucht gelagertes Getreide gewisse Pilze entwickle, deren Gift ähnlich wie LSD wirke. So erklärten sie die Obsession der Bürger von Salem. In Wirklichkeit hat aller totalitäre Geist halluzinatorischen Charakter. Man konnte, ohne Spott, den McCarthyismus den schlechtesten »trip« nennen, den Amerika je unternahm. Er signalisierte, in Millers Worten, daß der »amerikanische Traum« gescheitert sei – wenigstens in seiner »alten Gewandung«.

»Die Naivität ging verloren«, sagte der Autor. Doch er fragte sich, nach einem kleinen Zögern, ob der Traum wirklich ein für allemal ausgeträumt sei. Glaube Amerika nicht noch immer, daß es schließlich alles verändern könne: die Konstellation der Sterne, den Mond, die Gezeiten des Ozeans? Das gelte für andere Völker nicht in gleicher Weise. Dies, sagte er, sei die Verfehlung Amerikas, seine Katastrophe – und seine große Stärke. Nein, der Traum sei nicht tot. Die Amerikaner warteten nur, daß der Funke wieder zünde. Sie seien ganz davon überzeugt, daß *sie* das Paradies auf Erden schaffen könnten.

Als Arthur Miller diese Feststellung traf, hatten die Vereinigten Staaten in Vietnam ihre erste Niederlage seit dem Jahr 1814 hinnehmen müssen. Der Rückzug aus Südostasien war nicht glorreich zu nennen. Die Krise von Watergate saß ihnen im Nacken, in der die Widerstandsfähigkeit der institutionellen Demokratie einer so deprimierenden Prüfung ausgesetzt wurde. Die Erinnerung an die Ermordung der Kennedy-Brüder und Martin Luther Kings war nicht erloschen. Die Nation fühlte sich gedemütigt. Es gab keinen Anlaß zu hoffen, daß sie sich rasch wieder in jenen strahlenden Optimismus retten würde, von dem Miller mit solchen Skrupeln sprach. Die produktiven Energien waren matt geworden, auch in der Welt des Theaters, die der Gesellschaft und ihren Grundstimmungen stets näher zu sein schien als jede andere Kunst. »Ich glaube«, sagte Miller, »daß unsere Dramatiker sich davor fürchten, dem Publikum zu sagen, wie böse und wie gut das Leben ist. Sie greifen auf Beckett oder absurde Formen zurück, die unserer Erfahrung nicht entsprechen ...«

Die wichtigen, ernsten, spielbaren Stücke kamen nahezu alle aus England, die besten Komödien außerdem. Die letzte große Demonstration des eigenständigen amerikanischen Theaters lag damals ein gutes Jahrzehnt zurück: Edward Albees »Who is afraid of Virginia Woolf?«. Den Titel hatte der Autor als Gekritzel auf dem Klo einer Bar gefunden – Variante des Kinderreims »Who is afraid of the big, big wolfe?«, ein hübscher Kalauer, mehr nicht. Tiefsinnige Bezüge auf die große englische Schriftstellerin wurden zu Unrecht vermutet. Das Psychodrama war eine brillante Parforcejagd durch das morastige Gelände, auf dem der sogenannte Kampf der Geschlechter ausgetragen wird, Schlachtgemälde der »Ehekrise«, des wankenden Ideals der Kleinfamilie, des Aufstands der Frauen und der (schwachen) Resistenz der Männer. In Wirklichkeit trugen die hysterisch-gehetzten Dialoge nur durch den ersten Akt. In ihm legte der Psychochirurg sämtliche Neurosen frei. Danach waren die Seelen ausgeblutet. Der Haß reduzierte sich zum Ressentiment. Die Pointe des imaginären Sohnes erwies sich als dürftig und dünn. Die Liebe, was immer von ihr blieb, verkroch sich in die Fettpolster der Sentimentalität.

Man hielt Albee vor, er habe in Wahrheit kein Stück über die Beziehungen von männlichen und weiblichen Partnern, sondern über die entnervte Koexistenz zweier homosexueller Paare geschrieben. Dies wies er scharf zurück, vermutlich zu Recht. Aber vergebens suchte man bei ihm eine Szene, in der sich eine unverkrampfte Sympathie für Frauen ausdrücken würde. Der Autor wäre um keinen Preis bereit, dies zu bestätigen. Der Fremde hätte ihn gern danach gefragt, doch Albee verkroch sich in ihrer beiläufigen Unterhaltung in seinen defensiven Zynismus, ohne Charme, ohne Witz, auf ängstliche Sicherungen bedacht. Ihn zu einem knappen Interview zu überreden, war annähernd so schwierig wie Herbert von Karajan zu einem

Hauskonzert zu bitten. Agenten und Sekretäre blockierten den Zugang mit jener Betriebsamkeit, die so oft Mißerfolge zu überspielen versucht. Der Star bedurfte der Protektion. Aber war er noch einer?

Albee erwies sich in jeder Hinsicht als schutzbedürftig. Die frühen Triumphe waren nahezu vergessen. Seine neueren Produktionen fanden bei der Kritik und beim Publikum kein enthusiastisches Echo. Der Autor, zierlich, angespannt, nervös, hatte dem Theater einige bravouröse Rollen geliefert. Dann verirrte er sich in parodistische Flirts mit dem Boulevardstück, das ihm nicht halb so geläufig war wie Neil Simon, der pünktlich, Jahr für Jahr, seine gut geschmierten Trivialitäten präsentierte. Er versuchte sich im Lehrstück, verstrickte sich im Gestrüpp des absurden Theaters. Die intellektuelle Kälte Brechts und die Vitalität Ionescos waren seine Sache nicht. Es ergab sich, daß nicht jeder Beckett ist, der Tiefsinn stapelt.

Arthur Miller stand über jenem Treiben, dem sich Albee erfolglos auslieferte. Er erwartete vom experimentellen Theater wenig Heil. Doch er warf sich für die jungen Dramatiker ins Zeug, die neue Formen zu erproben wagten. Seine Skepsis wollte er nicht verbergen. Wenn die Gesellschaft, sagte er, kein vibrierendes und vitales Leben beweise, dann könne man kaum erwarten, daß Stücke geschrieben würden, die vor Vitalität vibrierten. Die Wurzel des Unglücks: »Es gibt das eine große Publikum nicht mehr.« Fast leitmotivisch kehrte jene Klage wieder. In den bedeutendsten Epochen des westlichen Theaters, sagte er, im antiken Griechenland und im elisabethanischen England, hier wie dort, habe das ganze Volk am Theater teilgenommen. »Dieses Theater war nicht für die Reichen, nicht für die Unwissenden, nicht für die Studenten, nicht für die Alten, nicht für die Jungen – dies war das Theater für die Gesamtheit. Daraus bezogen die Dramatiker ihre Stärke, ihre Weite, ihre Tiefe, ihre fundamentalen Einsichten. Es handelte sich sozusagen um eine Kirche, in der sich alle Menschen zusammenfanden. Wenn sich das Publikum verengt, wenn es Fragmente des Theaters für die Bourgeoisie gibt und Fragmente ›off-Broadway‹ nur für einige Studenten – dann fällt alles in sich zusammen. Das Theater wird schwach. Nur noch eine Clique versteht die Signale von der Bühne – differenzierte Signale, die anzeigen, wann man zu weinen, zu lachen hat. An der Parzellierung zerbricht alles ...«

Er täuschte sich nicht. Der Fremde hatte viele Stücke angeschaut und oft beobachtet, daß die Artikulation durch einen pompösen Aufwand an Symbolik, durch Turbulenz, ungezähmte Phantastik, leere Provokation oder die sprachlose Geste ersetzt wurde. Es gab bemerkenswerte Ausnahmen: Die junge schwarze Lyrikerin Ntozake Shange zum Beispiel zelebrierte auf der Bühne die Monologe von sieben Frauen, deren Elend nicht ihre Hautfarbe, sondern die Versklavung an maskuline Schwäche und Verantwortungslosigkeit war. Mit Theater im traditionellen Verständnis hatten diese Rezitationen, von eurhythmischen oder folkloristischen Tänzen begleitet, wenig zu schaffen. Die Szenen, sofern davon die Rede sein durfte, verkürzten sich auf Predigt, Dichterlesung, gesprochene Arien, Plädoyers, Zeugenschaft. Nur das Wort war wichtig: Slang und Poesie, Vulgarität und Kitsch, Eruptionen von Haß und Versöhnung.

Trotzdem: der Vorstoß zum Broadway gelang. Das Thema der Anklage war gängig, aber das erklärte den Erfolg nicht. Eher ließ sich vermuten, daß ein aufmerksames Publikum der Sprachlosigkeit (die so exakt der generellen Redseligkeit entsprach) müde war und sich mit wahrem Hunger auf jene Explosion des Wortes stürzte. Lang konnte sich das begabte Un-Stück nicht behaupten.

Die Kommerzialisierung ebnete die Landschaft des Theaters, trotz jener seltenen Konzessionen an Ansprüche von höherer Qualität, rücksichtslos ein. Eine Repertoirebühne, die europäischen Vorbildern entsprach (auch Miller war an ihrer Gründung beteiligt), scheiterte an den Schauspielern, die es nicht mehr gewohnt waren, jeden Abend in eine andere Rolle zu schlüpfen. Ein mit staatlich-städtischen Mitteln subventioniertes Sprechtheater im Lincoln Center ging an den täglich steigenden Kosten zugrunde. Der Direktor, Joseph Papp – ein quirliger und hochmütiger Herr –, zog sich mit seiner Truppe ins »off-Broadway«-Revier zurück. Miller fürchtete, der Ausverkauf an den Kommerz könnte das Ende des amerikanischen Theaters sein. Eine Produktion kostete, ehe sich der Vorhang öffnet, viele hunderttausend Dollar (Musicals mehr als eine Million). Damit sich das Stück lohnte, mußte das Theater über lange Monate jeden Tag bis zum letzten Platz gefüllt sein. Das könne, sagte Miller, kein ernsthafter Autor zuwege bringen. So flüchteten sich die Produzenten in das populärste Entertainment, am liebsten in »remakes«, die Neuauflagen sicherer Erfolge. Über Gedeih und Verderb jedes Stückes aber entscheide *ein* Mann: der Theaterkritiker der »New York Times« – ein absurder Zustand.

Die Kritiker des Fernsehens, der Magazine oder der beiden anderen Tageszeitungen New Yorks übten kaum einen Einfluß auf Gunst oder Ungunst des Publikums aus. Der Redaktion der »Times« war dieser Zustand nicht behaglich, doch sie wollte und konnte ihn nicht ändern. Jahrzehntelang hatte ein Rezensent von Statur die Aufgabe taktvoll gemeistert, der alte Walter Kerr, dessen Geschmack nicht sublim war, doch er besaß ein sicheres Auge fürs Handwerk. Sein Erbe trat der Engländer Clive Barnes an, in seiner Heimat ein geschätzter Experte für das Ballett. In einem Gespräch mit dem Fremden, über einem Teller zerkochter Spaghetti bei »Sardi's«, dem traditionellen Premierenrestaurant (ebenso teuer wie schlecht), bestritt er roten Kopfes, daß ausschließlich die »New York Times« und damit er selber über Leben und Tod einer Produktion befände. Er nannte Beispiele, die das Gegenteil beweisen sollten. Es half nichts. Arthur Miller hatte recht. Barnes, dem die Bürde zu schwer wurde, kehrte zum Tanztheater zurück. Ihn löste ein junger Mann ab, der Produzenten, Regisseure und Schauspieler mit seiner Bildung belästigte und überdies allzu scharf ins Zeug ging. So schickte ihn seine Zeitung bald nach Paris, wo er sich vergebens mühte, seine Leser über die Intrigen der französischen Politik ins Bild zu setzen. Keiner seiner Nachfolger bewies das Format, das dem Rang der Aufgabe gemäß wäre (zumal der Kritiker für das Sprechtheater *und* das Musical zuständig ist). Die Macht der Zeitung litt daran nicht. »Das ist komplett verrückt«, sagte Miller, »es ist der Gipfel der Absurdität.«

Das Experimentiertheater der sogenannten Avantgarde fand in der Presse stets nur eine beiläufige Beachtung. Dafür gab es eine nüchterne Erklärung: Man zählte »off«-Broadway an die fünfzig Bühnen, »off-off«-Broadway gut einhundertsiebzig: Wer sollte sich um die Fülle all der Vorstellungen kümmern? Die Unterscheidung war weniger topographisch als durch die Anzahl der Sitzplätze bedingt: Das Parkett von »off-off«-Broadway mußte sich auf einhundertfünfundzwanzig Plätze beschränken. Wurde diese Zahl überschritten, unterlagen die Theater der gewerkschaftlichen Aufsicht. Das hieß, das gesamte Personal mußte »organisiert« sein. Diese starre Regelung, einst zum Segen der Schauspieler, Musiker und Bühnenarbeiter ausgehandelt, erwies sich als eine kaum erträgliche Last. Die kleinen Theater konnten nicht expandieren, und die größeren wurden von unerträglichen Kosten bedroht. Die Gewerkschaften diktierten Löhne und Gagen – für die wenigen, die Beschäftigung fanden. Die Zulassung zur Arbeit aber war (und ist) strikt von der Zugehörigkeit zur Gewerkschaft abhängig. »Equity«, die größte Bühnengewerkschaft, hatte an die zwanzigtausend Mitglieder – achtzehntausend waren in der Regel arbeitslos. Der Schutz vor Ausbeutung versagte an dieser Relation. Die Absurdität der Theater-Wirklichkeit ließ jedes absurde Theater-Stück verblassen. Die gut siebenhundert nicht organisierten Bühnen Amerikas (der Universitäten, der Clubs, der Kirchen, der Gemeinden) bewiesen oft eine bewundernswerte Lebenskraft. Doch sie befanden sich außerhalb des Spannungsfeldes, in dem Produktivität durch Kritik und Konkurrenz gereizt wurde.

Arthur Miller hielt sich, nicht nur aus freien Stücken, lange Jahre vom Broadway fern. Auch Tennessee Williams glückte kaum mehr ein Durchbruch. Seine schöpferischen Energien waren versandet: keine großen Premieren mehr, keine Triumphe, kein kritischer Aufruhr, nichts. Halbherzig stellte er einige Arbeiten vor, die eher dramatischen Skizzen glichen. Sie verrieten nichts von der lauernden, zielgewissen Psychologie, mit der er sein Publikum einst behext hatte. Von Drogen zermürbt, verfiel er in ein redseliges Schweigen. Leere Trauer. In den Memoiren, mit denen er Geld einzutreiben versuchte, blitzte selten ein Funke auf. Sie zeigten, alles in allem, wortreich an, daß er nichts mehr sagen wollte und nichts mehr zu sagen hatte. Bald danach starb er.

Tennessee Williams war, anders als Arthur Miller, kein Kämpfer. Er brauchte den Erfolg, das Publikum, den Ruhm. Er lebte, immer einsamer, meist in Hotels, keinen schäbigen und ärmlichen. Ein Rückzug aufs Land war für ihn nicht denkbar. Miller aber bezog, nach der fatalen Ehe mit Marilyn Monroe, ein altes Landhaus in Connecticut. Auf dem Farmland (immerhin einhundertsechzig Hektar), das zu seinem Besitz gehört, legte er eine Baumschule an: neun Sorten Laubholz und sechstausend Tannen, die sich auf dem Weihnachtsmarkt und an Gartenarchitekten verkaufen ließen. »Der Literat als Gentleman-Farmer – der erste seit Voltaire«, sagte der Fremde spottend. Er dachte wieder an Zuckmayer, der sich während des Krieges in Vermont als Waldbauer durchzuschlagen versuchte, mit harter Arbeit. Den Gentleman konnte sich der Emigrant nicht leisten.

Dort droben, im rauhen Bergland, schrieb Miller (wenn die Erinnerung nicht trügt) »After the Fall«, sein schwierigstes Stück, von dem er sagte, es enthalte die Summe eines ganzen Lebens. Es wurde kein Mißerfolg, auch kein Erfolg. Das Publikum mühte sich vergebens, die Metaphorik zu enträtseln. Es hatte sich, mit einer starken Portion Sensationslust, ganz darauf eingerichtet, daß es unmittelbar mit der Monroe-Tragödie konfrontiert werde. Die New Yorker Inszenierung kam dieser Erwartung entgegen, doch der Inhalt des Dramas bot nicht viele Aufschlüsse, die das Verlangen nach Indiskretionen befriedigt hätten. Dem Autor wurde die Enttäuschung mit einem Aufruhr der Entrüstung heimgezahlt. Niemand schleuderte Miller eine wildere Anklage ins Gesicht als Lillian Hellman: »Man stellt also«, rief sie, »seine Exfrau, die an Selbstmord starb, auf die Bühne, kostümiert sie so, daß kein Irrtum entstehen kann. Sie heißt Marilyn Monroe, ein Name, der an jeder Kasse zieht – ›so you cash in on her and cash in on yourself, which is maybe even worse‹.«

Soviel war sicher: Das Stück ließ Mißverständnisse zu. Miller hätte gut daran getan, diesen Versuch zurückzuhalten. Man warf ihm nicht zu Unrecht vor, daß er die Grenzen des Taktes nicht streng genug respektierte. Überdies griff das Drama zu weit aus. Miller wandte sich – wie in späteren Stücken – an »die Menschheit«, statt Menschen zu zeigen. Die Menschheit aber, das vergaß er zuweilen, ist für den Menschen zu groß, auch für den Dramatiker.

Waren es die eigenen Verletzungen, die Miller vor jenen Gefahren die Augen verschlossen? Das Unbehagen, das die verführerische und schreckliche Symbolik jener Ehe bei ihm selber hinterlassen hatte: die Verbindung des intellektuellen Stars mit dem Sex-Star, die Vermählung von Geist und Erotik, die Allianz zweier Geschöpfe dieses Jahrhunderts, die beide das Märchen von Aschenbrödel gelebt hatten?

Der Autor wehrte sich mit gezähmtem Zorn: »Ich habe Marilyn Monroe nie als ein Symbol betrachtet«, sagte er barsch. »Das ist eine Vorstellung, die in anderen Köpfen als dem meinen entstanden ist.

Ich betrachte meine Beziehung zu ihr als völlig individuell und persönlich. Menschen werden Symbole durch die Gehirne anderer, die über sie schreiben und über sie reden. Das war bei mir nicht der Fall.«

Aber mußte er nicht damit rechnen, daß man jene Ehe so betrachtete? Beide, die Schauspielerin und der Dichter, waren auf ihre Weise das, was man »öffentliche Personen« nannte. Er sagte heftig: »Das ging mir auf die Nerven. Ich habe das niemals akzeptiert. Je näher man einem Symbol kommt, um so weniger ist es ein Symbol. Die persönliche Gestalt tritt in den Vordergrund. Ich konnte nicht als Symbol leben, das mit einem Symbol verheiratet ist. Das haben andere erfunden, nicht ich. Mein Leben wurde dadurch nicht berührt.«

Mehr war dazu nicht zu sagen. Miller hatte die Heimsuchungen des Starkultes überlebt, darauf kam es an, zäh, fleißig, gewissenhaft, zur Bescheidung fähig. Auf ein »öffentliches Glück« war er nicht angewiesen. Er nahm die Niederlagen seiner Stücke hin, ohne die Zähne verkrampft aufeinanderzubeißen. Er trank nicht (wie sein großer Vorgänger O'Neill). Er brauchte keine Drogen (wie Tennessee Williams). Er schmollte nicht (wie Edward Albee). Er verbohrte sich nicht in Zänkereien (wie Lillian Hellman). Er schrieb unermüdlich weiter. Seine Stücke präsentierte er, ohne großen Aufwand, an den Universitätstheatern. In seinem Engagement für die Unantastbarkeit der Freiheit der Kunst ließ er nicht nach. Er stemmte sich Rechtlosigkeiten entgegen, wann immer er es für notwendig hielt. Er reiste in die Sowjetunion. Er nahm Verbindung mit den tschechoslowakischen Schriftstellern auf, die so bitteren Unterdrückungen ausgesetzt waren (und sind). Er sagte das Seine über die blutigen Schrecken der lateinamerikanischen Diktaturen. Er sah sich gründlich in China um. Mit Dustin Hoffman kehrte sein Hauptwerk, »Der Tod des Handlungsreisenden«, an den Broadway zurück.

Zu dem Fremden sagte er: »Die modernen Dramatiker schinden sich nicht mehr mit den alten, einfachen Begriffen von ›gut‹ und ›böse‹, ›Recht‹ und ›Unrecht‹. Sie ziehen sich auf ihre Ironie zurück.« Damit wolle er sich nicht zufriedengeben. »Wie kann gutes Theater entstehen, wenn man sich nicht den fundamentalen Fragen stellt: den moralischen Fragen unserer Zeit?«

Arthur Miller wich keinen Fragen aus. Er gab das Theater als »moralische Anstalt« nicht preis. Es lebt in seinen drei großen Stücken fort. Seit er sie schrieb, gingen Jahrzehnte dahin. Doch des Fragens wurde er nicht müde. Mit der Passion und der beharrlichen Leidenschaft des Fragens wahrte er seine Integrität, seine Würde. Nichts hat diesen Mann gebrochen, kein Mißerfolg, kein Erfolg.

XV

Leonard Bernstein
Kein Mozart für Amerika?

Lange Nacht über dem Atlantik zwischen Wachen und Schlafen. Lektüre. Musik aus dem Kopfhörer. Auf den Flügen nach Europa fand der Fremde selten zu der heiteren Ruhe, die ihn erfüllte, wenn er in der umgekehrten Richtung von Ost nach West unterwegs war. Er dachte, daß seine Seele noch irgendwo in den Schären von Neufundland hänge, wenn die irische Küste längst passiert war.

Wie oft hatte er den Ozean überquert? Sein müder Kopf scheiterte an der Rechnung. Manchmal erkannte er das Gesicht einer Stewardeß. Selten sagte eine der Damen »nice to have you back«. Sie leisteten harte Arbeit, diese Damen, die sich, mit einem Anflug von Selbstironie, gelegentlich »fliegende Dienstmädchen« oder »Jet-Gouvernanten« nannten. Wenn die Plastiktabletts mit den Plastikspeisen abgeräumt waren und endlich der Film lief, hatten sie eine kleine Pause. Sie rauchten. Sie tauschten den letzten Klatsch. Sie streckten sich.

Eine erinnerte sich an ihn: Österreicherin, eine Täuschung war unmöglich, im Dienst einer amerikanischen Gesellschaft unterwegs. Ihr Englisch konnte die Wiener Melodie nicht völlig unterdrücken. Bei den Ansagen über den Lautsprecher schepperte leicht der Dreivierteltakt mit. Ein großes Mädchen, dunkel, kühne Züge. Sie setzte sich, gelangweilt, neben ihn, wies auf die Schaltknöpfe an den Sitzen: Es lohne sich, den klassischen Kanal des Musikprogramms zu hören, sagte sie, Bernstein dirigiere Brahms. Der Fremde war überrascht. Sie besitze, sagte sie, jede Aufnahme mit Bernstein, nicht eine fehle. – Andere Dirigenten hätten auch Hörenswertes gespielt, wandte der Fremde vorsichtig ein: Karajan, Böhm, Giulini, Zubin Mehta, nein?

Ihre Augen funkelten: Von Karajan komme ihr nichts ins Haus. Sie teile ihre Flüge, wenn es angehe, mit Hilfe wohlgesonnener Freunde im Betriebsbüro immer so ein, daß sie kein Bernstein-Konzert versäume, ob in Amerika, ob in Europa.

Ob sie dem Meister begegnet sei, erkundigte sich der Fremde. Noch nicht, sagte sie, richtete sich auf und schaute ihn triumphierend an: Für Montag in drei Wochen habe er bei dieser Airline von New York nach Frankfurt gebucht. Sie werde an Bord sein.

Dann sank sie ein wenig zusammen und fügte leiser hinzu, mit einem unsicheren Lächeln, sie werde es wohl nicht wagen, den großen Mann anzusprechen. Der Fremde wußte Rat. Er schrieb ein Kärtchen für den Manager des Verehrten, einen klugen, aufgeräumten und – das versteht sich – wohlorganisierten Herrn: dem möge sie das Billett in die Hand drücken. Sie seufzte.

Es war unvermeidlich, daß der Fremde diesen fliegenden Engel aus Wien einige Monate danach im Foyer der Carnegie Hall wiedersah. Er spähte nicht nach ihr aus. Sie würde zur Stelle sein, er wußte es. Bernstein dirigierte Beethoven.

»Haben Sie ihm die Hand geschüttelt?« fragte er, als sie ihm während der Pause über den Weg lief. »Schrieb er eine Widmung in sein Buch, das Sie gewiß nicht vergaßen?« Sie schüttelte traurig die schwarzen Locken. Bernstein habe den Flug im letzten Augenblick abgesagt. Keine Traurigkeit, rief der Fremde, am Schluß des Konzerts möge sie sich an dieser Säule einfinden. Er werde sie zum Künstlerzimmer geleiten und, des Managers Segen gewiß, dem Meister zuführen. Sie lächelte furchtsam und dankbar.

Vor der Garderobe drängten sich Freunde und Anhänger, die Bernstein ihre Huldigungen darzubringen gedachten. Der Fremde hielt das Mädchen fest an der Hand. Der Meister hat viele Freunde, hunderte, vielleicht tausende. Lenny sei, sagte man, ein Genie der Freundschaft. Dem Fremden fiel Rostropowitsch ein, der sich, so oft von russischen Rührungen überwältigt, mit nahezu jedermann duzte – ein wahrer Freund der Menschheit. Zuckmayer, dachte der Fremde, auch der war der Freund aller Freunde und im Kern seiner Seele kalt wie die beliebte Hundeschnauze. Eine Art von Kindergemüt brauchte es für das Talent, die ganze Welt zu umarmen, die Fähigkeit zu spontanem Entzücken, ein überbordendes Ich, das sich zu nichts verpflichtet. So besehen, dachte der Fremde, dürfte auch er sich, einer unter den zahllosen, vielleicht als Freund des Meisters betrachten.

Sie hatten sich, das Mädchen fest an seiner Hand, im Defilé schließlich über die Schwelle des Dirigentenzimmers gedrängt. Bernstein saß beseligt und erschöpft auf einem Stühlchen, sprang auf, setzte sich wieder, der Schweiß tropfte ihm von der Stirn in den Kimono, der ihn umhüllte. Erkennendes Lächeln, die üblichen Küsse, bei denen der Fremde – wie sollte er anders? – die Hand des Mädchens freigab. Als er sich umwandte – »Hier ist eine junge Dame . . .« –, sah er, wie die Pracht der schwarzen Locken in der Menge verschwand. Die Dame hatte die Flucht ergriffen.

Bernstein hob hilflos die Arme, als er von der Schwärmerin hörte. Der Fall war nicht ungewöhnlich. Es ist die Funktion des Stars, unerlöste Träume auf sich zu ziehen: der Preis des sogenannten Charismas, dessen Energien durch die Vermittlung der Medien nun den hintersten Winkel der Welt erreichen. Das Verlangen, verehren zu können, scheint unermeßlich zu sein. Was für ein unersättlicher Hunger nach Liebe, von keinem Nächsten gestillt, zieht irrend und schweifend durch die Welt, auf der Suche nach einem Idealbild, an das sich die heimatlosen Passionen verschwenden können! So viele Jünglinge und Jünger, so viele Marien und Magdalenen: Gott schütze, dachte der Fremde, wenn sie ihre Heilands ein anderes Mal unter den politischen Demagogen fänden. Die »Charismatiker« weckten sein Unbehagen. Die sensuelle Bewunderung, die sich auf John F. Kennedy stürzte, verstand er wohl, doch sie ließ ihn frösteln. Das devote Gewisper, die Glorifizierung so vieler Banalitäten, gemischt mit hartem Hochmut, hatten ihn manchmal verdrossen. Mit einem Künstler wie Bernstein, dachte er, verhält es sich anders: Eitel war der gewiß, doch ohne eine Spur von Arroganz; nach Größe strebte der wohl, doch auf eine fast unschuldige Weise, naiv und gerissen zugleich, intelligent seine Wirkung berechnend und voll kindlicher Freude am Effekt, den er machte.

Warum sollte man sich seinem Zauber entziehen? Weil er gelegentlich Schaum schlug? Das gehörte zum Handwerk. An der ekstatischen Aufführung des Dirigenten vor den Orchestern, wenn er den Steigerungen der Musik tanzend und stampfend nachhüpfte, nahm der Fremde keinen Anstoß. Die Exaltierung war kein Kotau vor dem

Showbusiness, dem der Dirigenten-, Sänger- und Solistenkult ohne Zweifel zugehört, wenigstens mit einem Teil seiner Umtriebe. Für den kleinen, untersetzten Mann dort droben, dachte der Fremde, war die Musik niemals nur »Vergeistigung« und »Verklärung«, sondern ein Appell an all seine Sinne, an die hellwachen Nerven, an den Körper mit den so kurzen Beinen und den blockig-breiten Schultern, an diesen Leib, der springen und tanzen wollte, wie es den Vorfahren irgendwo im weiten Rußland einst so natürlich gewesen sein mag. Der Dirigent konnte seine Musik ohne Skrupel als sensuelle Erfahrung vermitteln, *weil* er sie mit einer intellektuellen Präsenz durchdrang, die unter den Interpreten beispiellos war (den stilleren Pianisten Alfred Brendel ausgenommen).

Musiker, so verhält es sich leider, lesen in der Regel nicht viel und kümmern sich wenig um Kunst, Philosophie oder die Fragen der Menschheit. Das haben sie mit den Medizinern gemein, die wiederum so oft ein musikalisches Talent an den Tag legen. Bernstein unterschied sich von den meisten der gefeierten Konkurrenten durch seine sprungbereite Neugier auf die Dinge der Welt, ob Politik oder Naturwissenschaften, sein ausgeprägtes Interesse an Malerei, an Skulpturen, vor allem durch eine literarische Bildung, die den Vergleich mit Robert Schumann oder Felix Mendelssohn-Bartholdy bestehen konnte, auch den mit Richard Wagner, der am liebsten las, was seine Ansichten bestätigte, oder den mit der eklektischen und gerissenen Intellektualität Igor Strawinskys.

Zuhaus in Virginia saß der Fremde viele Abendstunden am Radio und hörte den Vorlesungen zu, die Bernstein in den siebziger Jahren an der Universität von Harvard gehalten hatte. Sie beeindruckten ihn tiefer als die Begegnungen mit dem leibhaftigen Mann, meist auf Parties, deren Wesen die Ablenkung ist. Jene Kollegs wurden wenig später auch vom öffentlichen Fernsehen übertragen, doch die sichtbaren Aktionen am Pult und am Flügel störten die Konzentration. Die Stimme allein trug weiter: voll, sonor, grundmusikalisch – es sei denn, Bernstein versuchte zu singen –, von jenem rundichen und ein wenig vibrierenden Akzent geprägt, der in Brooklyn zuhaus ist (der Dirigent stammte aber aus einem Nest in Massachusetts, nicht fern von Boston).

Der hätte, dachte der Fremde, sein Brot auch als Schriftsteller verdienen können, in Gottes Namen als Professor. Seine Sprache war reich und lebhaft, oft dichterisch beschwingt. Es hatte seine Logik, daß ihm Harvard für jene Vorstellungen den offiziellen Lehrstuhl für Poesie eingeräumt hatte, ein Semester lang. Das Thema »Whither Music?« lieh er von dem amerikanischen Komponisten Charles Ives aus, diesem genialen Amateur, der zu Anfang des Jahrhunderts gefragt hatte, wohin die Musik unterwegs sei.

Wohin? Bernstein gelangte zu keiner eindeutigen Antwort. Er wollte sie nicht. Vielmehr schilderte er die Entwicklung der Musik – von den ersten, einfachsten Tonfolgen und Harmoniebildungen bis zu Schönberg und darüber hinaus – als eine unendliche Kette von Fragen und Antworten, die zu immer neuen Fragen und neuen Antworten führten. Die Vorlesungen, die hernach als Buch (mit beigelegten Platten) erschienen, überschrieb er »The Unanswered Question«. Den unerschöpflichen Reichtum der Musik aber ließ er – dies war das andere Stichwort – durch ihre »Ambiguität« aufscheinen, ihre Mehr- und Vieldeutigkeit, die das Kennzeichen eines Prozesses ist, der sich niemals abschließt. Bernstein setzte *vor* der Musik an – oder kam die Musik zuerst? –, als er auf Noam Chomskys Theorien über die Formung der Ursprache hinwies, von der niemand weiß, ob sie gesprochen oder gesungen wurde. Er ahmte die Kinderlaute des Menschen nach, der seine Stimme gefunden hat, übersetzte sie in die einfachsten Melodien – oder er nahm ein Stück Trivialmusik und versah es mit Worten, die sich aus den Tönen von selber zu ergeben schienen.

Es ging in jenen Vorträgen nicht lang so simpel zu. Hernach definierte Bernstein Merkwürdigkeiten und Spannungen in den Grundelementen der Harmonik. Er spürte ihnen durch die Folklore aller Rassen und quer durch die Musikgeschichte des Westens nach, fand sie bei Bach, bei Schubert, bei Alban Berg. Das war seine zentrale These: »Alle Musik – ob Volksmusik, ob Populärmusik, symphonische Musik, Dur-Moll-Musik, tonale, atonale, polytonale, mikrotonale, wohltemperierte oder schlechttemperierte Musik, von der entferntesten Vergangenheit bis zur unmittelbaren Zukunft – jede Musik hat einen gemeinsamen Ursprung im universalen Phänomen der harmonischen Reihen.« Das war der Ausgang, und zu ihm kehrte er immer wieder zurück. Die generelle Gültigkeit der harmonischen

Serie demonstrierte er an ältesten und neuesten Kompositionen, an Bach (immer wieder), Schumann, Wagner, Richard Strauss, und je tiefer er ins Detail eines Werkes vordrang, um so heller leuchtete es auf. Seine Analyse von Mozarts später g-Moll-Symphonie Nr. 40 verfolgte der Fremde mit äußerster Spannung. Hier scheute der Musiker vor dem bildhaften (also musikfremden) Beispiel nicht mehr zurück.

Selten läßt sich Musik ins Literarische übersetzen. Noch seltener, das weiß man, geschieht es auf glückliche Weise. Die Grundschwierigkeit, an der fast jeder Versuch scheitert, ist offensichtlich: Der wissenschaftlich faßbare Gehalt der musikalischen Substanz abstrahiert sich rasch in jene Mathematik, um die es sich in Wahrheit handelt (um nur an die Arithmetik von Bachs Fugenkunst zu denken). Die Stimmungen und Empfindungen, die geistigen Mitteilungen aber, die intellektuellen Ansprüche des Musikalischen lassen sich nur in einer fragwürdigen Metaphorik fassen. So waren die Erfahrungen literarischer Verarbeitung der Musik oft eher leidvoll als reizvoll, ein Abenteuer, das man ängstlich und entzückt verfolgte: bei Nietzsche, Romain Rolland, Thomas Mann, Adorno, um einige Lichtpunkte zu nennen, oder in bürgerlich-konservativer und romantischer Verklärung bei dem fast vergessenen Kulturhistoriker Richard Benz, der das Verdienst erwarb, die Geschichte der Musik gleichberechtigt neben die allgemeinen Geistes- und Kulturgeschichte zu stellen.

Bernstein war kein Purist, und so schloß er das Metaphorische von der Essenz des Musikalischen nicht aus. Er ließ, wenn er es für angebracht hielt, die Engel singen und die Liebenden schmachten. Musik war, in seinen Worten, die stärkste Macht des Ausdrucks: »Jedermann«, rief er, »stimmt damit überein – selbst William James (der pragmatische Psychologe), der unsere Reaktion auf Musik nur als einen nervösen Tick betrachtete.« Bernstein unterschied zwischen dem, *was* die Musik ausdrückt und *wie* sie es ausdrückt. Er sagte zu Recht, das »Was« sei schwer zu ergründen, doch über das »Wie« wisse man Bescheid. Auf dieses »Wie« kam es ihm an. Das Metaphorische, das Beethovens Pastorale an den Rand der »Programm-Musik« drängte, führte er bei jenem Werk auf das entscheidende »Wie« zurück.

Am Ende der Kollegs legte er eine Konfession ab, indem er aus einem älteren Buch die resignierte Feststellung zitierte, die Popmusik sei heutzutage »der einzige Bereich, in dem furchtlose Vitalität, das Vergnügen an der Erfindung und das Gefühl frischer Luft« gefunden werden könne. Das war der Bernstein des Musical. Nun korrigierte er sich: Ein Stil könne den anderen nähren, eine Technik die andere bereichern. Im Austausch der Schulen erkannte er ein neues Konzept. Ob »tonal« oder »atonal«, elektronisch oder seriell: alles mündete für ihn am Ende in eine totale Tonalität. Er sagte: »Ich glaube, daß aus dieser Erde eine musikalische Poesie hervorgeht, die durch ihre Natur und durch ihre Quellen tonal ist« – die Universalsprache, die sich nach seiner Einsicht in der Musik klarer als im gesprochenen oder geschriebenen Wort zu einer universalen Grammatik mit einer universalen Syntax fügt.

Reizvolle Spekulationen, anregend, aufregend, vermutlich unbeweisbar. Aber war das wichtig? Bernstein verkündete seine Wahrheit, die er – in Toleranz geübt – als eine unter vielen möglichen Wahrheiten betrachtete, ein Glaubensbekenntnis. Es kam auf die Wahrhaftigkeit an.

Seine Hoffnung auf eine Synthese von Moderne und Tradition in einer neuen »allgemeingültigen« oder auch nur allgemein verständlichen Tonalität bestätigte sich kaum, auch nicht in seinen eigenen Werken, die der Gefahr des Eklektischen niemals Herr zu werden schienen. Dirigentenschicksal? Der Vergleich mit dem gequälten Epigonentum Wilhelm Furtwänglers schien dem Fremden unzulässig. Bernstein gebot stets über einen unermeßlichen Reichtum gelebter Musik, von der chassidischen Folklore zu puertoricanischen Rhythmen, von slawisch-schwermütigen Tänzen bis zum Jazz, von Barock und Klassizismus bis zur Elektronik.

So bewundernswert und faszinierend seine symphonischen Versuche sein mochten: die eigene Sprache schien er vor allem im Musical gefunden zu haben, die vitalste in der »Westside Story«, die geistreichste in »Candide«. Mit »1600 Pennsylvania Avenue«, einem Stück über das Weiße Haus und seine Doppelexistenz im »Oben« der Präsidentenfamilie und »Unten« der Dienerschaft – man konnte von einer Schizophrenie zwischen Beletage und Souterrain sprechen –, hatte er kein Glück. Der schöne Einfall ließ sich nicht in eine bühnengerechte Form zwingen. Eine Oper, Vollendung eines früher begonnenen Werkes, fiel durch. Sie gelangte nie nach New York. Die »Mass«, ein wildes und attraktives Oratorium, geriet merkwürdig rasch in Vergessenheit, obschon sie bei den ersten Aufführungen stürmisch bejubelt worden war.

Widerlegte sich so durch ihn selber die optimistische Vermutung, daß aus dem Musical, diesem einzigartigen amerikanischen Phänomen, das neue Musiktheater gleichsam von selber herauswachse? »Wir haben keine großen amerikanischen Opern wie die von Puccini oder Strauss, Mozart, Wagner oder Verdi«, sagte er dem Fremden. »Wir haben ›Porgy and Bess‹ – das ist unsere äußerste Annäherung . . .«

»Ich dachte«, fuhr er fort, »daß wir schließlich zur großen amerikanischen Oper durch das Broadway-Musical gelangen würden, das seine Wurzel in der amerikanischen Soul- und Popmusik hat, die immer ernsthafter geworden ist, immer ausgefeilter.« In einem seiner Bücher, in einem Kapitel, das er »Die amerikanische Musikkomödie« überschrieb, habe er – noch vor »Westside Story« und »Candide« – deutlich zu machen versucht, daß im amerikanischen Musical eine Station des Fortschritts erreicht sei, die sich mit dem deutschen »Singspiel« des 18. Jahrhunderts vergleichen lasse – »dem Augenblick der europäischen Musikgeschichte, in dem Mozart erschien. Wir waren für einen Mozart bereit.«

Er lachte mit einem Anflug von Melancholie. »Alles, was wir brauchten«, sagte er, »war eben dieser Mozart – dann hätten wir eine ›Zauberflöte‹. Von dort hätten wir dann weiterschreiten können zu einer Entsprechung des ›Freischütz‹, von dort zu ›Rienzi‹, zur ›Götterdämmerung‹, zum ›Rosenkavalier‹, zu ›Wozzeck‹ – das alles gehört in eine Linie.«

»Warum konnte es hier nicht geschehen? Wir verfügen über alle Möglichkeiten, über alles Talent. Aber jener Mozart kam eben nicht – das ist das Problem.« Er sagte lächelnd und etwas verlegen: »Ich habe mir keinen Augenblick lang eingebildet und niemals vorgegeben, daß ich dieser Mozart sei. Ich wünschte, ich könnte es sein, aber ich bin es nicht . . . Ich habe mit der ›Westside Story‹ einen wichtigen Schritt vorwärts gemacht – wie ›South Pacific‹, ›Pal Joey‹, ›On Your Toes‹ oder ›Oklahoma‹. Ich dachte, es gäbe viele junge Leute, die dort ansetzen könnten, dachte, neue Talente würden im Dutzend auf den

Plan treten, um von hier aus weiterzugehen ... Statt dessen passierte zweierlei: zum einen das Hereinbrechen der Rockmusik in den sechziger Jahren – eine neue Art des musikalischen Theaters mit ›Hair‹ und ›Jesus Christ Superstar‹. Für mich begründete das keinen Fortschritt, der auf eine seriöse Richtung hinwies. Das zweite: die Broadway-Szene und die Herrschaften, die dort kommandieren, wurden kommerzieller als jemals zuvor. Statt Mut zum Experiment und zum Abenteuer zu zeigen, wandte man sich zurück zum sicheren Geschäft.«

Bernstein teilte die Trauer Arthur Millers, des Kollegen vom Sprechtheater, über den Verfall der Broadway-Kultur. »Manches Experiment und Abenteuer«, sagte er, »das ›off‹ Broadway erprobt wurde, gelangte schließlich zum Broadway. So ›Chorus Line‹, eine fabelhafte Show, die manche für einen Fortschritt im Musical hielten. Sie konnte es nicht sein, weil die Musik in ihr nur eine untergeordnete Funktion hat« (und übrigens auf einem einzigen musikalischen Einfall basierte: nicht genug für eine Entwicklung).

Der Fremde erinnerte Bernstein an seine Erwartung, daß aus der populären Musik der Spaß an der Erfindung, die Lust am Öffnen der Fenster, das Verlangen nach frischer Luft in die sogenannte ernste Musik zurückkehren werde. Er meinte, daß viele gegen den akademischen Sauerstoffmangel rebellierten. Aber was half es? Ein anderes Mal warb er für die Mischung der Elemente, warf sich für die Chance einer Assortierung aller nur denkbaren Stile, für eine bewußte Eklektik ins Zeug.

Ihm selber gelang sie vielleicht in einigen Momenten eines Zyklus, den er amerikanischer Lyrik widmete. Auf dem Flügel schlug er eine einfache Melodie an, die er ursprünglich für das Musical über das Weiße Haus geschrieben und dann beiseitegelegt hatte: »Middle-C« nannte er das Stück, in dem Celli einen Grundton der Harmonik in ruhigen Phrasen umschrieben, Courage zur Klassizität. Schumann hätte das komponieren können, Brahms, vielleicht auch Max Reger. Nostalgie oder nicht: der Fremde dachte, daß diese Komposition so sicher überleben werde wie Samuel Barbers »Adagio für Streichorchester«.

Am Ende der kleinen Séance sprang Lenny Bernstein mit der Behendigkeit des Harlekins auf, um zu einer Probe mit den Israelischen Philharmonikern zu eilen. Beethovens Fünfte stand auf dem Programm. »Freunde«, rief er nach den obligaten Umarmungen, »ich habe diese Symphonie zum letzten Mal vor fünfzehn Jahren dirigiert. Gestern abend hörte ich mir die Platte an. Ich war schockiert. Ich spielte sie damals wie einen schlechten Brahms. Jetzt werden wir Beethoven neu fassen. Die Freiheit dieser Musik ist schwer, aber sie ist Freiheit. Ihr müßt dafür so frei sein, wie es menschenmöglich ist . . .«

Er redete englisch, jiddisch, deutsch auf die Musiker ein. Sie ließen, abgebrüht wie alle Orchester-Musikanten, die Irritationen zunächst eher stumpf an sich ablaufen. Dann steigerte sich die Aufmerksamkeit. Sie nickten, lachten, erkannten, was der Meister im Sinn hatte, warfen sich in die Musik. Sie spielten in der kalkblauen Kargheit des Probenraums schließlich mit einer Hingabe, als ginge es nicht nur um Bernsteins Interpretation, um seine musikalische Einsicht, sein Bild von Beethoven, sondern um die Musik schlechthin: in der Tat um ihre Freiheit.

Wäre dieser Mensch Bernstein nicht in Amerika, sondern in Radom oder Breslau zur Welt gekommen, dachte der Fremde, dann würde er nicht Beethoven spielen und würde er keine Konzerte für Amnesty International geben. Er könnte seine Musik nicht als Dankbarkeit fürs Überleben Tag für Tag aufs neue erschaffen. Vielleicht ist dies das Geheimnis seiner Vitalität, dachte der Gast, der in einer halbdunklen Ecke des Saales zuhörte. Dies unterschied ihn von seinem bedeutendsten Konkurrenten, Herbert von Karajan, für den sich diese Fragen nicht stellten.

Ein entlegener Gedanke? Wußten jene jungen Leute aus Israel, mit denen Bernstein arbeitete, nicht mehr von der schwierigen Aufgabe des Überlebens als andere? Vielleicht gehörte der Vater, die Mutter des einen oder anderen dem Auschwitz-Orchester an, das im Lager täglich um Kopf und Kragen spielte: Musik oder die Gaskammer.

Bernstein waren solche Überlegungen nicht fremd. Er musizierte oft, als gehe es um Tod und Leben. Er spielte immer für seine Freiheit, die aller anderen, die Freiheit der Musik. Weil dies so war, zögerte er lang, mit den Berliner Philharmonikern zu konzertieren. Vielleicht stand Karajan einer Begegnung seines Orchesters mit dem Rivalen im Weg. Der Fremde weiß es nicht. Es ist ihm auch gleichgültig. Als Bernstein zu Anfang der achtziger Jahre endlich mit jenem Orchester vor das Berliner Publikum trat, spürten die Zuhörer, daß dies eines der wichtigen Konzerte seines Lebens sei. Er dirigierte Mahler. Das war ein Appell. Die Musiker verstanden, Deutsche in der Mehrzahl, daß sie *mit* diesem Mann dieses eine Mal für das geistige und moralische Überleben musizierten. Alle Routine fiel von ihnen ab. Keiner sprach am Ende von Bernsteins Show. Man beobachtete eine Erschütterung, wie sie die Menschen in den ersten Konzerten nach 1945, mitten in den Trümmern, erfahren hatten.

Der Zeitgenosse Leonard Bernstein hatte sich von jeher den bequemen Rückzug auf ein angeblich »unpolitisches« Künstlertum verwehrt. Niemals verbarrikadierte er sich in der bequemen Fluchtburg der »Innerlichkeit«. Dies wollte und konnte er nicht. Begriffe wie »intellektuelle Verantwortlichkeit« waren ihm nicht fremd. Er schüttelte die jüdische Solidarität nicht ab, die notwendige Antwort auf Hitler und den Nazismus: die Frage des Überlebens.

Überdies war er ein Mann der Gesellschaft, der nie vergaß, daß die Kunst ein soziales und politisches Schicksal hat, ja daß sie manchmal den Völkern diese und jene Wege weist. Tom Wolfe, damals ein talentierter Journalist mit den Allüren eines jung-konservativen Dandy, schrieb in den sechziger Jahren eine brillante Reportage über eine Party in Bernsteins Wohnung, bei der Musiker und studentische Rebellen, Literaten und Apostel der »Black Power«, reiche Snobs und trotzkistische Kleinrevolutionäre bunt durcheinandergewirbelt miteinander stritten, sich amüsierten, lachten, brüllten, tranken und ihre Joints rauchten. Eine Demonstration des »radical chic« nannte der Schreiber jene bizarre Aufführung im Dakota-Haus am Central Park West, in dem Bernstein residierte (der Film »Rosemary's Baby« wurde in jenem riesenhaften victorianischen Hexenhaus gedreht).

Die atemlose, jagende Sprache Wolfes, Slang und virtuose Verbalartistik, wurde zur Ouvertüre des »Neuen Journalismus«, der ein paar Jahre lang als ein mondäner Trend aufblühte und dann rasch wieder verwelkte. Reizvolle Lektüre, indiskret, böse, nicht ohne Charme – doch der Autor machte es sich mit seinem Spott über das linke Allotria im Dakota-Haus zu einfach. Die Liberalität à la mode war damals vielleicht verludert. Sie kletterte zu behende an Bord aller Narrenschiffe, auf denen der Zeitgeist um Manhattan kreuzte. Sie unterschied nicht sorgsam genug zwischen Scharlatanen und Idealisten, Feuer- und Querköpfen, Rabauken und Reformern. Doch zum andern: das alles war quirlendes Leben, schuf Nachbarschaften, räumte Hemmnisse beiseite, die einer Versöhnung der Generationen, der Rassen entgegenstanden. Man übte, inmitten des babylonischen Sprachengewirrs, eine gewisse Großmut. Man erprobte Toleranz, die eine Voraussetzung der späteren Brückenschläge war. Damals befand sich Amerika im tiefen Unfrieden mit sich selber. Konservative Verkrampfungen halfen der zerrissenen Gesellschaft nicht auf. Bernsteins Wohnung war eine Art von Freistatt.

Natürlich gefiel ihm der Umtrieb. Er hatte seine Lust am Aufsehen. Er genoß das Theater, das sich in seinen vier Wänden von selbst inszenierte. Sein Vergnügen an der Show – das zu seiner Natur gehörte – ließ ihn nicht übersehen, daß der zerbrochene Konsens, von dem Arthur Miller sprach, eine tödliche Gefahr für Amerika war. Er konnte ernst sein, dieser Dionys von Manhattan, in sich gekehrt, schüchtern, bis der Fetzen eines Gesprächs ihn aus der Reserve lockte. Dann war er präsent, makellos in seinen Argumenten, nüchtern, bedächtig, konsequent, gewissenhaft und darum kompetent: Künstler und Bürger.

Spät nach dem Konzert in der Carnegie Hall, als die Wiener Stewardeß mit der schwarzen Fahne ihrer Locken längst in die Nacht geflohen war, hockten einige Dutzend Freunde des Meisters im Dakota-Haus beieinander, bekannte, unbekannte Gesichter. Man aß. Man trank. Man lachte. Man tauschte die üblichen Scherze. Bernstein hielt sich beiseite. Er war still. Erschöpfung hatte sich in seine Züge gegraben. Er rauchte. Dann begann ein Herr in mittleren Jahren, das Blond auf dem Kopf etwas schütter, ohne warnende Ankündigung eine Arie aus »Eugen Onegin« zu schmettern. Bernstein horchte auf. Langsam ging er zum Flügel, eine Spur von müdem Widerwillen in den Augen. Zögernd nahm er die Begleitung auf, vermutlich aus reiner Höflichkeit, ein Freundschaftsdienst. Dann fuhr die Lust an den Melodien in seine Hände. Er sang und krächzte mit, trieb die Dramatik der Szene voran, warf Regieanweisungen in den Raum, deutete heiser, eher bellend als singend, die Gegenparts an. Eine exzentrische junge Frau fing an zu tanzen. Man achtete nicht weiter auf sie. Die Gäste standen in weitem Kreis um den Flügel: einige, die »man kannte«, unbekannte, junge Schönheiten, die weiß der Himmel woher zugelaufen waren, bleichsüchtige Knaben, nicht frisch gewaschen, in allzu engen Jeans.

Das Telefon schrillte. Es war Lauren Bacall, eine Nachbarin, die sich über den Lärm beschwerte. Lenny Bernstein schrie, sie solle herüberkommen. (Sie kam nicht.) Sein Blick fiel auf ein Notenbuch: ein Album mit Salonstücken des neunzehnten Jahrhunderts. Er blätterte, lachte, klimperte, spielte: Sinding, Grieg, Tschaikowsky ... Nach ein paar Minuten hatte er sich in den Lichtungen und Laubengängen der schwelgerischen Empfindungen jener Epoche verloren. Seit Kindertagen habe er das nicht mehr gespielt, rief er begeistert und ließ den »Hummelflug« aufschwirren. Bei einem schleppend-traurigen Walzer, vielleicht von Rachmaninow, hielt er ein, wiederholte einige Takte, forderte die Zuhörer auf, genauer hinzuhören. Er variierte das Thema. Es glänzte in einer Fassung Strawinskys auf. Der Spieler deutete, in einer nächsten Wandlung, auf eine Verwandtschaft bei Liszt. Er geriet zu Schubert, zog eine Linie zu Beethoven, sprang über ein Jahrhundert hinweg zu Webern.

Das war kein musikhistorisches Mitternachtskolleg: vielmehr eine Beschwörung von Geistern, die, je weiter die Nacht voranschritt, erkennbarer aus ihrer Blässe heraustraten, Gestalt und Leben gewannen. Geschichte floß in die Gegenwart ein, Gegenwart trat suchend in die Geschichte zurück. Es ging nicht mehr um Formen und Stile, sondern um Musik, aus der Musik entstand, einem vitalen Befehl gehorsam, Kunst, die Kunst zeugte, Leben, das sich aus Leben ergab.

Das ist es, dachte der Fremde, die Beschwörung von Leben. Dafür schlug sich dieser Zauberer die Nacht um die Ohren, verbrannte seine Energien, trank Whisky, lachte, spielte und sang mit seiner hundertfach gebrochenen Stimme. Beschwörung des Lebens. Feier des Überlebens.

Gegen vier Uhr ging der Fremde fort. Bernstein spielte noch immer.

XVI

Joyce Carol Oates
Eine Dame fürs Feuer

Dem Fremden, es ist lang her, lag es am Herzen, seine deutschen Freunde darauf hinzuweisen, daß die schreibenden Frauen in der Literatur Amerikas einen Rang einnahmen, der jenem ihrer männlichen Kollegen nicht mehr nachstand. Joyce Carol Oates betrachtete er als eine entscheidende Zeugin für diese Einsicht. Er war dieser Autorin zuerst in einer Sammlung von Kurzgeschichten (»By the North Gate«) begegnet, die ihm durch einen Zufall in die Hände geriet. Die Sprache unterschied sich vom ersten Satz der ersten Erzählung an von den Konsumfabrikaten, auch den besseren, die damals den Markt beherrschten (es ist heute nicht anders). Sie setzte ihre Worte exakt, mit einem nüchternen, fast bäuerlichen Respekt vor der Realität. Zugleich öffnete sie, eher beiläufig, Türen nach innen, hinter denen sich eine dunklere Welt der Sehnsüchte, der Ängste, der Leidenschaften und Trostlosigkeiten verbarg. Er las mehr: die frühen Romane, deren Titel nichtssagend und dennoch von einer seltsamen Magie waren – »Garden of Earthly Delights«, »Wonderland« oder »Them«. Der Eindruck bestätigte sich, daß mit diesen Büchern eine ungewöhnliche Energie ins Leben drängte – eine Unruhe, die sich niemals erschöpfte, aber auch niemals atemlos wirkte.

Auf einem der Umschläge sah er das Bild einer grazilen Frau: dunkel, verwundbar, scheu, die Lippen ein wenig geschürzt, eigensinniges Kinn, große fragende Augen, die alles wahrzunehmen und sich auf nichts einzulassen schienen. Eine herrische Frau, dachte der Fremde. Sie sucht die Nähe und gibt nicht einen Millimeter ihres Abstands preis. Das Foto schien zu bestätigen, was ihre Bücher anzeigten, eines um das andere: Die Schreiberin bemächtigte sich jeder menschlichen Passion, die unter dem Himmel wuchs, schilderte sie voller Anteilnahme, in allen Seelengeflechten zuhaus; nichts schien ihr fremd, kein Traum, kein Verlangen, kein Verbrechen, keine Regung der Sinne, die sie nicht auf der eigenen Haut spürte. Sie verurteilte nichts und niemanden. Manchmal kehrte sie ihren Geschöpfen am Ende kommentarlos den Rücken, ohne Geste, ohne einen traurigen oder lächelnden Gruß, nicht kalt oder gleichgültig, eher einem Fatalismus gehorsam, der ihr sagte, es bleibe nun nichts anderes, als jene armen Kreaturen sich selber zu überlassen, sie könne nichts mehr für sie tun. Eine moralische Nachricht für den Leser gab sie nicht weiter. Sie sprach kein »Schuldig« oder »Unschuldig«. Auch der Ironie, die ihr zu Gebote stand, untersagte sie die übliche Moralisierung. Sie berichtete, was sich zutrug: außen und im Innern. Sie machte aufmerksam. Sie ging als eine Chronistin der amerikanischen Psyche zu Werk, unerschrocken und unbestechlich, ohne Verwirrung, oft mit einem schier entnervenden Gleichmut.

Die harte und zugleich so zarte Unerbittlichkeit ihrer Prosa entging den Kritikern nicht. Für den Roman »Them«, der im Deutschen unter dem wörtlich übersetzten, doch irreführenden Titel »Jene« publiziert wurde, erhielt sie 1970, ein gutes Jahrzehnt nach ihren ersten Veröffentlichungen, den »National Book Award«, der lang als der wichtigste Literaturpreis Amerikas galt. Das lapidare »Them« meinte in Wahrheit ein verächtliches »die dort«: Nachbarn, mit denen man nichts zu tun haben mag, Geschmeiß, das man besser meiden, Menschenpack, dem man lieber aus dem Weg gehen sollte. Die Autorin erzählte von einer Familie, die man früher als »asozial« bezeichnet hätte, Leute, die in den Slums von Detroit zwischen Kriminalität, nackter Not und der Hoffnung auf eine bessere Existenz ein wahres Hundeleben führten. In einer Art Vorwort stellte die Verfasserin fest, sie habe, gleichsam unter Diktat, ein »geschichtliches Werk« in Romanform geschrieben: die Lebensbeichte einer Studentin, Maureen Wendall hieß sie, für die ihre Konfession vielleicht von therapeutischem Nutzen gewesen sei. Sie, die Autorin, aber habe die Schilderungen als eine gespenstische Qual empfunden, ja sie habe angefangen, von der Welt der Wendalls zu träumen. Weil ihre Welt ihr so fern gewesen sei, notierte sie, sei sie mit ungeheurer Macht in sie eingedrungen. Nichts habe sie in diesem Roman übertrieben, um die Dramatik zu steigern, vielmehr die »düsteren und erschreckenden Ereignisse des Lebens im Slum« eher gemildert, aus Furcht, zuviel Wirklichkeit könne unerträglich werden.

Diese Einweisung deutete darauf hin, daß Joyce Carol Oates der prägenden Überlieferung des amerikanischen Realismus verpflichtet ist. Aber das sagt nicht viel. Mit Stilmitteln, die man realistisch nennen mag, riß sie eine brüchige Welt auf, die von Dämonen besetzt schien. Mord und Selbstmord, Notzucht, Verzweiflung, Wahnsinn: sie schleppte ihre Leser in Alpträume, die dem Anspruch eines »historischen Werkes« dennoch nicht widersprachen. Was als Nachzeichnung privater Katastrophen in den dreißiger Jahren und im Milieu der großen Depression begann, endete konsequent mit dem Aufstand des Detroiter Gettos im Jahre 1967, in dem alle Furien des Hasses von Schwarz und Weiß, Arm und Reich entfesselt waren.

Die Liebesnacht eines jungen Mädchens und ein Mord sind die makabre Ouvertüre des Buches. Loretta, die Mutter der Studentin, heiratet ihren Retter, einen schwachen Helden, der eine Polizeiuniform trägt. Drei Kinder wachsen in Krieg und Nachkrieg heran, zuerst in der Wildnis ländlicher Armut, danach im Dschungel städtischer Elendsviertel. Die Tochter Maureen, strebsame Schülerin katholischer Schwestern, steht eines Nachmittags am Autostrich – eher gelangweilt, gewiß nicht von Lust, kaum von Neugier, vom Reiz des Abenteuers oder der Lockung des großen Geldes getrieben. Eher ist es die Erfahrung totaler Fremdheit, die sie lockt. Ihr Stiefvater, ein launischer Säufer, erwischt und prügelt sie halbtot. Länger als ein Jahr dämmert sie, am Rand des Verrücktseins, in einer Art Trance dahin, von der glückenhaften Nervosität der Mutter mehr gefährdet als geschützt. Eine Schwester zieht sich aus dem Dunstkreis der Familie in eine Jugendbande zurück, in der Rauschgift, Diebereien, Raub und Prostitution alltäglich sind. Der Bruder Jules rückt ins Zentrum der Aufmerksamkeit. Der Name deutet (vielleicht) auf eine gewisse Verwandtschaft mit Julien Sorel aus Stendhals »Rot und Schwarz« hin, und in der Tat scheint in diesem hübschen, unsteten, verschlossenen jungen Mann, der sich angstvoll und trotzdem mit kühler List durchs Dickicht der großen Stadt schlägt, ein Element jenes romantischen Heroismus präsent zu sein, der den sozialen und erotischen Ehrgeiz des rebellischen Liebhabers der Madame de Rênal vorantrieb.

In Grosse Pointe, dem Vorort der Reichen, begegnet Jules einer höheren Tochter, die ihm fast willenlos auf der Flucht durch den Kontinent folgt, ihn verläßt, nach Jahren wieder zu ihm findet. Sie schießt den Geliebten nach der ersten Nacht in der neuen Gemeinschaft wie eine Traumwandlerin nieder. Jules überlebt. Er gerät in den Umkreis aufgeregter Sozialrevolutionäre, und mit ihnen wird er vom Aufstand der Schwarzen überwältigt. Er tötet einen Polizisten, entkommt, zieht nach Californien, um dort sein Glück zu machen. Auch die Schwester Maureen bleibt am Leben. Sie überredet einen bläßlichen Dozenten, Frau und Kinder zu verlassen, um sie zu heiraten. Die Spur der anderen Schwester verliert sich.

Als der Roman erschien, waren in den Städten Amerikas die Ruinen der großen Brandnächte aus den »heißen« Sommern von 1967 und 1968 noch nicht fortgeräumt. Die Angst vor dem Aufstand der Unterdrückten saß der Nation im Nacken. Die Erinnerung an die Rebellion der Studenten war nicht verblaßt. Die Märtyrer der Kent University, von der Nationalgarde erschossen, lasteten auf dem Gewissen der Elite. Politiker und Bürger quälten sich mit dem schrecklichen, vernunftlosen, ungerechten Krieg in Vietnam, dessen Ende sich nicht absehen ließ. Die Leser erkannten in Joyce Carol Oates' Roman den bösen Spiegel einer böseren Wirklichkeit. Sie machten, damals, keine Anstalten, das gespenstische Bild auszulöschen oder gar den Spiegel zu zerschlagen. Die Kritiker belohnten die Autorin – das eine Mal – mit einem Preis.

Vermutlich erhofften sie sich vom nächsten Buch die Schilderung mildernder Umstände: ein Signal der Versöhnung. Es blieb aus. Joyce Carol Oates saß auch künftig über niemanden zu Gericht. Sie blieb den verborgenen Wirklichkeiten auf der Spur, nachsichtig und unbeirrbar, eine Detektivin der Zweifel und Verzweiflungen, Denunziatorin der Leidenschaften, die in der Seele ihrer Landsleute umgehen, Protokollantin einer »comédie humaine«, die so oft ins Tragische abstürzte.

Man konnte sie ein Genie der Situation nennen. Ihre Kunst verdichtete sich auf unvergleichbare Weise in der Beschreibung des Augenblicks, der einen entscheidenden Minute, in der über Leben und Tod, über eine Liebe, ein Schicksal entschieden wird. Ihre Short Stories drängten oft das Material langer Romane in einige Momente zusammen (falls die Erzählungen nicht, wie in den »Grenzüberschreitungen« oder in dem Band »The Poisoned Kiss« – den sie nach dem Diktat eines imaginären portugiesischen Autors schrieb – zu heimlichen Romanen ineinander verwoben wurden).

Zum Beispiel die Tochter, die ihrer Familie in die Stadt, in die Sünde entlaufen war; nun ist sie müde, verletzt, will heimkehren; der Vater holt sie an der Busstation ab. Sie hocken rastend an der Böschung des Flusses, auf jenem Erdenfleck, wo der Vater so oft gefischt hatte. Er fragt, warum sie zurückgekommen sei. Sie weiß keine Antwort, sieht in seiner Hand ein Messer, er sticht zu. Warum? Rächte sich sein Puritanismus? Eifersucht? Verdrängte Begierde? Die Autorin urteilte nicht.

Oder: Warum folgt das Mädchen Conny den Drohungen und Lockungen eines fremden Mannes in so angstvoller Trance? Um ihn zu lieben? Um von ihm getötet zu werden? Ist er ein Wahnsinniger? Ihr Erlöser? Joyce Carol Oates sagte es nicht. Sie merkt nur an, sein Blick sei von einem sonnenbeglänzten Land aufgesogen worden – »einem so großen Land, wie es Conny nie zuvor gesehen hatte, wie sie kein anderes kannte und von dem sie nur wußte, daß sie dorthin gehen werde«. »Where Are You Going, Where Have You Been?« heißt die Geschichte, die Bob Dylan gewidmet ist (aus dem Band »The Wheel of Love«).

Der Fremde hatte sich sagen lassen, ein früher Roman (»Der Garten irdischer Freuden«) sei irgendwann ins Deutsche übersetzt worden, ohne weitere Beachtung zu finden. Um so dringender wünschte er, daß man von dieser außerordentlichen Frau nun Kenntnis nehme, stellvertretend für die Autorinnen, die nach seiner Einsicht die wichtigsten Stimmen waren, mit denen Amerika zu sich selber und zur Welt sprach: so oft intensiver, inniger, passionierter und vor allem wahrhaftiger als die Männer, deren Namen die Bestsellerlisten besetzten. Er dachte an Flannery O'Connor, die südliche Schwester von Carson McCullers (und wie diese früh gestorben). Er dachte an Eudora Welty, die nach William Faulkner die literarische Präsenz der Südstaaten mit stetiger Kraft weiterführte, sensibel, hellhörig, gewissenhaft, immer auf Horchposten in dem alten Haus in

Jackson, Mississippi, in dem sie seit ihrer Kindheit wohnte und arbeitete, nun längst eine alte Dame. Er dachte an Elizabeth Hardwick, die Mary McCarthy an intellektueller Brillanz nicht nachstand, sich in ideologischem Gezerf nicht verlor und das Bild ihrer elitären Umwelt in feinen Linien zeichnete, zu jener distanzierten Ironie fähig, mit der Mary McCarthy in ihren ersten Kurzgeschichten (»The Company She Keeps«) und frühen Romanen glänzte. Joan Didion rückte mit ihren poetischen Reportagen ins Blickfeld, nach ihr Diane Johnson mit einem behutsamen und zugleich vehementen Roman über den amerikanischen Untergrund, die kluge schwarze Autorin Toni Morrison, ihre eigenwilligere Nachbarin Alice Walker, die junge Mary Gordon mit ihren Beobachtungen aus dem irisch-katholischen Milieu, die hochtalentierte Neu-Engländerin Rosellen Brown, an Maxine Hong Kingston, die Californierin chinesischer Herkunft, Maxine Kumin, die das deutsch-jüdische Erbe hinter sich herschleppt. Er dachte an die Canadierin Margaret Atwood oder ihre französisch schreibende Kollegin in Montreal, die hellsichtige Marie Claire Blais, die aus ihrem nervösen Hunger nach Leben so erstaunliche und sensible Energien bezieht.

Unter ihnen allen ragte Joyce Carol Oates durch den Reichtum ihrer Arbeit hervor. Im Jahre 1972, als der Band »Marriages and Infidelities« erschien (»Lieben, verlieren, lieben« – warum durfte er nicht »Ehen und Treulosigkeiten« heißen?), verzeichnete das Titelregister bereits fünf Romane, zwei Bände mit Short Stories, zwei Gedichtbände, eine Sammlung literarischer Essays. Sie war vierunddreißig Jahre alt. Die Kritiker fingen an, sie als ein Phänomen zu bezeichnen und der Unerschöpflichkeit ihrer Produktivität zu mißtrauen. Man beklagte, hinter vorgehaltener Hand, daß sie sich von allen öffentlichen Umtrieben der Intellektuellen fernhielt, selten Aufrufe unterschrieb, sich keiner Schule und keiner Gruppe zurechnen ließ, kaum in Diskussionen auftrat, keine Interviews gab, sich im Fernsehen nicht blicken ließ. Sie unternahm keine Public-Relations-Touren für ihre Bücher. Der kleine Verlag, in dem sie publizierte, warf sich für sie mit keinen aufwendigen Werbekampagnen ins Zeug. Man wußte von ihr, daß sie an der kleinen Universität von Windsor, Canada, – einem Nachbarstädtchen von Detroit – englische Literatur unterrichtete, mehr nicht.

Trotzdem schrieb ihr der Fremde einen Brief, in dem er darzulegen versuchte, daß es an der Zeit sei, sie und ihre Bücher im deutschen Fernsehen vorzustellen. Sie hatte sich, wie er in Erfahrung brachte, allen amerikanischen TV-Programmen kompromißlos verweigert. So war er auf eine Absage vorbereitet. Zu seiner Überraschung teilte sie mit, sie sei bereit, sich auf das Abenteuer einzulassen.

Als er ihr gegenübertrat, bestätigte sich der Eindruck der Bilder: eine zarte Person, doch größer, als er gedacht hatte, schlank, nicht schmächtig, keine verwehende Erscheinung, die Gott in einem zu leisen Augenblick ins Leben gehaucht hatte, kein sterbender Schwan, trotz des schönen langen Halses, vielmehr entschlossen in ihren Bewegungen, kräftig ausschreitend, als sie ein einfaches Restaurant im Städtchen aufsuchten. Die verhaltene Spannung in ihrer Erscheinung ließ ahnen, wieviel zähe Resistenz in dieser jungen Person zuhaus war. Sie aß einen großen Salat, trank keinen Wein, nur einen Schluck Wasser, hinterher dünnen Tee. Sie rauchte nicht. Sie führte die Unterhaltung höflich, reserviert, die Stimme leise, etwas brüchig, nicht kraftlos und nicht melodisch. Von sich selber sprach sie nicht, wenig von ihren Büchern. Sie erzählte von ihren Studenten und von den Reisen, die sie in den langen Sommerferien unternahm, die Vereinigten Staaten von Ost nach West, von Nord nach Süd durchkreuzend, stets mit dem Auto unterwegs, da eine Phobie ihr das Fliegen verbot: Patrouille-Fahrten, auf denen sie, ganz Auge, ganz Ohr, das Leben Amerikas ausspähte.

Vor der Kamera sprach sie unbefangen von Literatur, von Leseeindrücken, von den Geistern, die sie als verwandt empfand: Dostojewski und Kafka, Melville, aber auch die Franzosen des neunzehnten Jahrhunderts. Sie lächelte zustimmend, als der Fremde davon sprach, daß Stendhal seinen Beruf den eines »observateur du cœur humain« genannt hatte – Beobachter des menschlichen Herzens. Das war hoch gegriffen. Zu hoch? Der Fremde hatte gelernt, daß man den Mut zur Bewunderung nicht unterdrücken sollte, da er der kritischen Vernunft nicht im Weg stehen muß. Er wies auf Balzac hin: Wie jener das Panorama einer Gesellschaft beschrieb, schien sie bestrebt, das Panorama der Psyche Amerikas auszuleuchten, eher von innen her kommend, oft mit vermeintlicher Willkür bei einer zufälligen Szene oder einer beiläufigen Person ansetzend, den Handlungsbogen am Anfang vorsichtig spannend, bis er sich allemal straffte, federte und in der Aktion ein Stück des permanenten Dramas aufriß.

Aus dem Garten ihres hübschen Häuschens schaute man über den Fluß hinüber zu den Türmen von Detroit. Dort, am anderen Ufer, begannen die Vereinigten Staaten. Die Autorin hatte sich auf der Grenze angesiedelt. Was sich an ihren Augen ablesen ließ, galt auch für ihre äußere Existenz: Sie wollte die Nähe und brauchte den Abstand. Das Wort vom freiwilligen Exil war nicht angebracht. Es mag sein, daß ihr vor allem der Lehrauftrag geraten hatte, sich in Canada niederzulassen. Zum anderen war die Vermutung erlaubt, daß sich diese Autorin absichtsvoll von dem Land entfernt hielt, das sich so qualvoll in die Konflikte um Vietnam und Watergate verstrickt hatte. Der Garten und ihr freundliches Haus (im traditionell klassizistischen Stil) waren die Insel, auf der sie sich verschanzte: helle Räume, hübsche, unaufdringliche Möbel, klassische Platten (Bach und Mozart), ein Piano, penible Ordnung, selbst auf dem Schreibtisch, die kein Zugeständnis an die Gäste war, eine altmodische Schreibmaschine. Dort also arbeitete sie, schrieb unablässig, oft an zwei Romanen zugleich, und fand doch, wie sie einem Gesprächspartner später sagte, Zeit fürs Klavierspiel, für Hausarbeit und Küche (mit Vergnügen), für lange Tagträumerei.

In diesem Idyll, in dem jede Störung der Harmonie eine Versündigung gewesen wäre, wurden die bedrohlichen, die beschwerenden, die wilden und oft mörderischen Passionen ihrer Bücher erdacht. Die große Stadt Detroit, nur einen Sprung entfernt (und dennoch schirmte eine Grenze ihre allzu aufdringliche Nähe ab), war der Schauplatz so vieler ihrer Geschichten, Schlachtfeld ihrer Tragödien. Sie kannte jeden Winkel. Durchstreifte sie die gefährlichen Straßen allein – oder in Begleitung ihres Mannes? Sie sagte davon nichts. Mr. Raymond Smith, ein ruhiger und verschlossener Mann, auch er Literaturprofessor, hatte die Gäste nur knapp begrüßt. Er zog sich eilig zurück. Später erfuhr der Fremde, daß Ms. Oates mit ihrem Partner eine merkwürdige Übereinkunft getroffen hatte, die weise sein mochte: Der Professor las ihre Bücher nicht, weder im Manuskript noch gedruckt, hielt sich später auch von ihren öffentlichen Auftritten fern; sie wiederum ließ ihn mit seiner Arbeit (Spezialinteresse: achtzehntes Jahrhundert) konsequent allein.

Die Ehe: auch die eine Insel, deren Friede nicht von einer Diskussion über Vorzüge oder Schwächen dieses oder jenes Kapitels bedroht werden sollte.

Sprachen die beiden wenigstens über ihre Essays, Studien von prägnantem Scharfsinn und einer sensuellen Lust an der Bildung, differenziert, psychologisch fast überwach, immer neue Fenster nach innen öffnend – in die Welt Shakespeares oder Tschechows, Yeats', Thomas Manns und Ionescos, die Welt James Joyce's vor allem, von dem sie bemerkte, er werfe einen solch »erschreckenden und langen Schatten«? Sie zitierte (laut »Paris Review«) Flauberts schönes Wort, daß die Künstler einander in ihrer Kunst lieben sollten, wie die Mystiker einander in Gott liebten. Transzendenzen aus der Kunst in die Kunst, aus der Kunst ins Leben, aus dem Leben in die Kunst. »Leben ist Energie«, sagte sie, »und Energie ist Kreativität«. Mit ihrem Mann gab sie die Zeitschrift »Ontario Review« heraus, von Professor Smith redigiert, die jungen Talenten eine Plattform bot. Exil oder nicht: Joyce Carol Oates ließ die zeitgenössischen Autoren Amerikas nicht aus dem Auge. Sie schrieb Kritiken, die ein generöses Vergnügen an unverbrauchten und unbekannten Begabungen sichtbar machten. Ihre Korrespondenz erledigte sie auf Postkarten, auf die sie Verse ihrer Kollegen drucken ließ.

Die Autostadt Detroit, ihre Slums, die Quartiere der Reichen, das ländliche Umfeld: sie schien das Zentrum ihres imaginären Universums zu sein, wie sich William Faulkner sein Reich der Yoknapatawpha County in Mississippi erschuf. Nach Joyce Carol Oates' Erzählungen ließ sich kein Stadtplan rekonstruieren, doch der Fremde meinte Gesichter und Häuser zu erkennen: zum Beispiel das schäbige Motel in einer unsicheren Gegend, Fluchtburg heimlicher Rendezvous'. Assoziation aus einer der Short Stories? Oder aus dem merkwürdigen Roman »Do With Me What You Will«, der sich als die Geschichte einer Befreiung begreifen läßt?

Um die Topographie jenes Buches zu erkunden, hatte man sich in die stillen Straßen der Finanz-Elite mit ihren prangenden Gärten und den grauen schmiedeeisernen Toren, den majestätischen Auffahrten zu begeben (sie schrieb das Buch übrigens in London): Dort, im sicheren Wohlstand residierte Elena, eine junge Frau von puppenhafter Schönheit, an die Olympia aus »Hoffmanns Erzählungen« erinnernd, keine undankbare Gefangene des goldenen Käfigs, in dem sie ihr Mann, der Anwalt Marvin Howe, besorgt und herrisch aushielt. Die Mutter hatte das schöne Mädchen, voll bester Absichten, an den mächtigen Herrn verkuppelt, der nicht ohne Großmut und Güte war. Ein junger, aufsässiger Kollege des Gatten zog sie in seinen Bann, zog sie in seine Liebe und in die Leidenschaft, mit der er sich für die Bürgerrechtsbewegung der Schwarzen engagierte, sprengte ihr Gefängnis, nahm sie mit. Die schließliche Trennung von ihrem Mann war schmerzhaft. »I'm not a thing«, sagte sie schlicht. Sein Geld wollte sie nicht. Sie wählte eine unsichere Welt. Sie war auch nicht der Liebe des anderen sicher. Sie fing ihr Leben an.

Im Porträt des reichen Advokaten entdeckten kluge Analytiker Joyce Carol Oates' Interesse an den Machtstrukturen Amerikas, und es ist wahr: auch in der Beletage der Gesellschaft unter den gesitteten Bürgern erkannte sie, in geschliffenen Spiegeln, die Präsenz der Gewalt, die soviel brutaler in die Häuser der Armen einbrach, des städtischen und ländlichen Proletariats. Man konnte sie, unter anderem, eine politische Autorin nennen.

Sie wollte wissen, was Amerika umtrieb. Ihr durchdringender Blick machte vor den Toren der Privilegierten nicht halt. Sie schilderte ihr Dasein ohne Ressentiments, die sich auf ihre bescheidene Herkunft und die Mühsal des eigenen Weges hätten berufen können. Bitterkeit ließ sie nicht zu. Ironie gebrauchte sie mit Vorsicht; sie nahm ironische Distanz nur einmal als Stilmittel für einen Roman in Anspruch, in beinahe parodistischer Zuspitzung, der wiederum in Grosse Pointe, dieser luxuriösen Exklave, zu orten war: »Expensive People« (»Teure Leute«) nannte sie das Buch. Mit kühler Feder malte sie Eisblumen auf die Fenster, durch die ein frühreifer und altkluger Knabe auf das Treiben der Leute schaut. Das Urmotiv des gekränkten Zwerges, des Greises auf Kinderbeinen mag ihr durch Grass' Trommlerbuben Oskar Matzerath in den Sinn gekommen sein – das steht dahin.

Ihr kleiner Richard klagt sich des Mordes an seiner Mutter an. Sorgsam zeichnet er, an der Schwelle einer erwachsenen Existenz, die Vorgeschichte seines Verbrechens auf. Er hat die feste Absicht, sich am Ende der Chronik selbst zu entleiben. Eine Neigung zur Weinerlichkeit, die man dem Einzelkind glaubt, balanciert sich durch eine

Distanz aus, die über die intellektuellen Verhältnisse des Knaben ginge, billigte man einem so jungen Menschen am Rand des selbstgewählten Grabes nicht eine gewisse Maturität zu. Man lernt durch ihn das Milieu der »upper middle class« gründlich kennen. Daddy ist ein erfolgreicher Manager, gutartig, ein wenig jungenhaft, naiv und tüchtig. Die Mama, Natashya heißt sie, führt ein großes Haus, doch zugleich läßt sie sich auf eine verdächtige Doppelexistenz ein: Sie schreibt, und sie erlaubt sich, mit ihrem Künstlertum und einer aufgedonnerten russischen Emigrantenherkunft kokettierend, Launen und Exzentritäten, die Vater und Sohn zur Qual werden. Von Zeit zu Zeit kehrt sie der Kleinfamilie den Rücken und flüchtet zur Bohème nach New York; was sie dort treibt, bleibt verborgen. Zuhaus lädt sie oft düstere und abenteuerliche Existenzen zu Gast. Soviel ist sicher: Den liebenswürdigen Familienvorstand betrügt sie nach Strich und Faden.

Klein Richard widerfährt das Unglück, in ihrem Kleiderschrank versteckt, Ohrenzeuge ihrer Ausschweifungen zu werden. Schlimmer: der Papa gesteht ihm eines Abends im Rausch, die Mama habe sich nur mit Mühe davon abhalten lassen, ihn abzutreiben. Dies verstört seine kleine Seele. So wäre das Drama, das sich in seiner schmalen Brust vollzieht, zunächst die Tragödie des unerwünschten Kindes, dem die mütterliche Liebe versagt ist und dem die Sympathie des Vaters nur in kleinen Raten zuteil wird. Das ist nicht alles: Der Kleine ist in die Mutter qualvoll verliebt. Der bekannte Komplex befiehlt ihm, sich per Post eine Jagdflinte mit Zielfernrohr zu bestellen (man darf annehmen, daß er dies von Kennedys Mörder Lee Harvey Oswald gelernt hat). Mit seiner Waffe erschreckt er zunächst nur Bankiers und andere honorige Bürger des Vororts. Er schießt gern, doch absichtsvoll daneben. Die Polizei steht vor Rätseln.

Als sich die Mama zu einer ihrer plötzlichen Abreisen anschickt, macht Richard Ernst: Er legt sie auf dem Weg von der Haustür zum Auto kurzerhand um. Die Spuren verwischt er. Sein Vater, dem er sich schließlich offenbart, schenkt dem Geständnis keinen Glauben – oder er will die Wahrheit nicht wahrhaben. Er läßt sich nicht lang davon abhalten, eine zweite Ehe mit einer der erreichbaren Damen von Suburbia zu schließen. Die Psychiater murmeln, über den verstörten Buben gebeugt, etwas von Halluzinationen. Was bleibt ihm anderes, als das Gericht mit eigener Hand zu vollziehen?

Für Joyce Carol Oates war die Geschichte des Muttermordes ein Vorwand, um mit einigen Klischees der amerikanischen Gesellschaft und ihren intellektuellen Formeln zu spielen. Nebenbei wurde das kleine Buch zu einem Vexierspiegel zeitgenössischer Literatur: Die russischen Angebereien der Mama konnte man als respektvoll-spöttischen Gruß an Vladimir Nabokov verstehen. Ein verkrachter Verlagslektor erinnerte von fern an Norman Mailer. Eine Missionarin sexueller Frühaufklärung nannte sie Dr. Mudderidge: eine lange Nase für den großen britischen Essayisten, der sich damals, auf seine alten Tage fromm und prüde geworden, vor den Fernsehkameras in vielen Talkshows an grotesken Schilderungen amerikanischer Sittenlosigkeit belustigte und zugleich erzürnte.

Norman Mailer übrigens widmete die Autorin eine höfliche und subtile Studie, allerdings lang vor dem Verfall seines Talents. Auf den sogenannten Literaturbetrieb ließ sie sich dennoch nicht ein. Sie nahm ihn zur Kenntnis. Bei den seltenen Ausflügen nach New York schien sich ihre Schüchternheit wie ein Mantel um sie zu schließen. Sie duldete bei den Gängen durch die Stadt und den Central Park, wie es verabredet war, die Gegenwart der Kamera, doch sie bewegte sich wie unter einem Glassturz, den Mann sichernd an der Seite, ein mürrischer Leibgardist, dem der wachsende Ruhm seiner Frau lästiger zu sein schien als ihr selber. Bei einem Mittagessen aus Anlaß einer Preisverleihung trat sie unter vielen blumigen Damen in leichten Kleidern und schwerem Schmuck wie eine Schlafwandlerin auf. Sie beantwortete Fragen, die nicht alle töricht waren, geduldig, höflich, abwehrend. Ihre Spannung milderte sich nur, wenn sie wie im Seminar an der heimischen Universität von Formen der Literatur reden konnte. Niemals bot sie einen Zugang zu sich selber oder gar zur öffentlichen Identität ihrer Figuren.

Die heimliche Aktualität, von der so viele ihrer Bücher bestimmt waren, leugnete sie nicht. Doch so heftig die Gesprächspartner mit den Schlüsseln rasseln mochten: sie ließ es nicht zu, daß man unmittelbar von ihren Themen und Gestalten auf Ereignisse und Persönlichkeiten der amerikanischen Gegenwart deutete. In dem Roman »The Assassins« beschrieb sie einen politischen Mord. Ihren

Lesern waren die tödlichen Anschläge auf John und Robert Kennedy, auf Martin Luther King so gegenwärtig wie ihr selber, sie hatten die Attentate auf George Wallace, den populistischen Gouverneur von Alabama, und auf Präsident Gerald Ford lebhaft im Gedächtnis. Joyce Carol Oates »arbeitete« keine dieser Tragödien »auf«, um es neudeutsch zu sagen. Sie schuf ihren eigenen Fall, der das Phänomen der politischen Violenz exemplifizierte, freilich mit einer halb versteckten Pointe: Das Opfer hatte den Anschlag auf sein Leben selber arrangiert, zynisch und vielleicht dennoch einem heimlichen Verlangen nach dem Martyrium gehorchend – eine äußerste und zynische Steigerung der Gewalt.

Später mag sie der Predigergeist des »wiedergeborenen« Christen Jimmy Carter zu ihrem Roman über die Tragödie eines Evangelisten inspiriert haben (»Son Of The Morning«), doch auch in jenem Buch ließ sie sich auf keine unmittelbaren Parallelen ein, sondern stellte dem Geist der Erweckungsbewegungen nach, die Amerika in zyklischen Wellen heimsuchen. Sinclair Lewis hatte die Exaltationen der dürstenden Seelen und ihre zynische Ausbeutung in seinem Roman »Elmer Gantry« zu vordergründig persifliert. Joyce Carol Oates begegnete der frommen Leidenschaft mit Respekt. Sie war auf den Wegen des Glaubens bewandert und mit manchen Pfaden mystischer Ergriffenheit vertraut. In gewisser Hinsicht schien das Buch ihre eigene religiöse Krise zu beschreiben. Sie bezeichnete es als ein »einziges großes Gebet«. Indes behauptete sie eine rationale Resistenz. »Der Glaube kommt und geht«, sagte sie später. Immer schien sie von drinnen nach draußen und zugleich von außen nach innen zu schreiben. Identifikation und Abstand erlaubten der Autorin die riskantesten Abenteuer – wie die grausam-intime Schilderung des Universitätsmilieus, seiner Intrigen, seiner Eitelkeiten, seiner verdrängten Begierden (in »Unholy Loves«), durch das ein zynischer Dichtergreis tapst, eigensüchtig und senil, gefeierter Ehrengast aus dem bewunderten England, in dem man W. H. Auden zu erkennen glaubt, eines Dementis der Verfasserin gewiß.

Als jener Roman erschien, sagte sie der Wahlheimat Windsor in Canada adieu und übernahm einen Lehrauftrag an der Elite-Universität von Princeton in New Jersey, vor den Toren New Yorks. Der Ortswechsel bedeutete eine Zäsur. Sie zeigte sich nun williger, aus ihrer Isolierung herauszutreten. Sie begab sich gelegentlich in Gesellschaft. Sie trug sogar das eine oder andere ihrer schwierigen Gedichte öffentlich vor. Ein Dichterbruder nannte sie bei einer ihrer Lesungen die vierte der Brontë-Schwestern, Talent, romantische Vision und Gespensterei der drei anderen in sich zusammenfassend. Der Fremde beobachtete bei jener Anmerkung winzige Signale einer ärgerlichen Verlegenheit in ihrem Gesicht. Aber wirkte ihre Erscheinung nicht, als sei sie aus einem Bild des vergangenen Jahrhunderts herausgetreten? Trug sie nicht die romantische Rebellion der großen Ahnfrauen in unsere Epoche: in der Tat der Brontë-Schwestern, der Mary Wollstonecraft Shelley, der Emily Dickinson, der Günderode? Legte sie nicht Wert darauf, ihr Werk – trotz der heimlichen Aktualitäten – der bloßen Zeitgenossenschaft zu entziehen? War sie darum, obschon auf ruhige Weise alert, dem Publikum der literarischen Debattierclubs stets ein wenig entrückt? Auf internationalen Colloquien lauschte sie den Argumenten der schwerblütigen und so radikalen Vernunft von Günter Grass voller Achtung. Sie verstand, daß es dieser Schriftsteller mit Amerika nicht leicht haben konnte: Repräsentant einer geistigen Opposition, die der Welt einige Rätsel aufgibt, barock, voll aggressiver Friedenslust, vor Phantasie berstend und phantastisch spintisierend, auf kauzig-geistreiche Weise logisch, vertrackt, liebenswert und grunddeutsch – Thomas Mann mit dem Schnauzbart eines Kosakenoffiziers oder eines mexicanischen Trompeters.

Ihm mag man, vielleicht in Jahrzehnten, in einer Geschichte von Joyce Carol Oates wiederbegegnen, vielleicht auch dem anderen Deutschen, der sich in jener Unterhaltung zu Wort meldete: ein professoraler Irrwisch, aufgeregt und pathetisch, ein gelehrter Leichtfuß, frech, servil, sich durch Exaltation um die Wirkung betrügend, die er so heftig suchte: der akademische Scharlatan in Aktion. Alles, nahezu alles saugt diese Autorin ein. Sie wußte, längst ehe sie Deutschland besuchte, daß das Orchester von Baden-Baden sich auf die Propagierung moderner Musik spezialisierte, und sie verwandte die Information in einer knappen Erzählung über den heftigen Flirt zwischen einer Musikstudentin im Mittleren Westen und einem genialisch schwadronierenden Komponisten deutscher Herkunft. Sie sah die Berliner Mauer und schrieb eine Short Story, in der die

Ungeheuerlichkeit des Bauwerks in grausamer Zartheit präsent wird: Diese Amerikanerin, wenn irgendjemand, begriff das Wesen des Monstrums.

Sie ist, unterdessen sechsundvierzig geworden, eine große Dame der amerikanischen Literatur. Sie schickte wenigstens fünfunddreißig Bücher in die Welt, und die Kritik beginnt sich, zähneknirschend, der schieren Wucht ihres Werkes zu beugen.

»Grand Lady« hin oder her: sie blieb auch die Hexenmeisterin, die besessen von einem Buch zum nächsten voranschreibt, jede freie Minute zur Arbeit nutzend, als zwinge sie eine übermächtige Pflicht, der Frist des Lebens das äußerste Maß an Produktivität abzufordern. Der gesicherte Ruhm schien ihr lediglich ein Ansporn zu sein, den literarischen Ehrgeiz höher und kompromißloser anzusetzen. Mit »Bellefleur« schuf sie eine bizarre, grandiose Saga, vielschichtig, vielgestaltig, Märchen und Spiegel amerikanischer Entwicklungsgeschichte, aus der Tradition des phantastischen Romans, der »Gothic Novel« genährt. Im nächsten Buch trieb sie die virtuosen Etüden weiter. Sie wob in victorianischer Manier und mit raffinierten Stilmitteln drei Kriminalgeschichten zu den »Mysteries of Winterthurn« ineinander. Man ahnt die Patenschaft Edgar Allan Poes und, in der ironischen Brillanz der Sprache, Thomas Manns.

Wahlverwandtschaften, die sie akzeptiert oder nicht. Sie rücken ihre eigene Person nicht deutlicher ins Licht. Sie macht kein Geheimnis aus sich. Sie zelebriert sich nicht, weder durch Geschwätz noch durch vielsagendes Schweigen. Sie sieht von sich selber ab. Ihr Selbstbewußtsein ist in ihren Büchern und nirgendwo sonst verankert.

Man weiß, wann und wo sie geboren ist: im Jahre 1938 in einem neu-englischen Dorf, weit hinter der Welt, Millersport heißt das Nest, am Erie-Kanal gelegen, nicht allzu weit von Buffalo. Sie studierte an den Universitäten von Syracuse in Upstate New York und Madison im schönen und kalten Wisconsin: die erste ihrer Familie, wie sie sagte, die Oberschule und College absolvierte. In den Schul-, den Universitätsjahren schrieb sie (wie in der »Paris Review« zu lesen war) »als Training« Roman um Roman, einen wie den anderen für den Papierkorb. Sie schrieb, auch wenn sie erschöpft war und ihre »Seele so dünn wie ein Blatt Papier«, schrieb, wenn sie meinte, »die Welt nicht mehr länger als fünf Minuten ertragen« zu können. Mit anderen Worten: sie lernte, daß Schreiben Disziplin heißt. »Man muß«, sagte sie, »gegenüber den Launen erbarmungslos sein.«

Zurückschauend schilderte sie sich selber als ein schmächtiges Kind, Handschriften nachahmend, ehe sie das Alphabet gelernt hatte, eingeschüchtert von den rüden Energien des ländlichen Proletariats, unter dem sie aufwuchs, der Vater ein Werkzeugmacher, liebenswert, mit einem Schuß Abenteuer im Blut, Sportflieger. Eine aufragende Figur war der Großvater: Er schenkte ihr die erste Schreibmaschine, als sie vierzehn war. Sie wurde katholisch erzogen, in der knarrenden Enge der irisch geprägten Kirche Amerikas, die dem Puritanismus der Protestanten nicht nachsteht. Die Kindheit bezeichnete sie als »die Provinz der Imagination«. Sie kehrte, auch von Detroit aus, immer zu ihr zurück.

In keinem ihrer Bücher sind ihre Jungendjahre, ist sie selber gegenwärtiger als in dem Roman »Childwold« (1976), der in Deutschland unter dem angemessenen Titel »Im Dickicht der Kindheit« erschien. Es ist nicht erstaunlich, daß die deutsche Kritik jenen Roman mit gemischten Gefühlen aufnahm, sich in Äußerungen gutartigen oder ironischen Befremdens zurückziehend. Kein Wunder, dachte der Fremde: Was konnte einer Literatur, die sich vor allem klaustrophober und klaustrophiler Lebensangst, Esoterik oder buchhalterischer Grämlichkeit hingibt, autistisch und larmoyant – was könnte dieser bleichen Weltschmerzlichkeit verdächtiger sein als ein Buch, das vor schierer Vitalität zu bersten scheint? Seine Autorin stürzte sich mit einem nahezu rasenden Hunger nach Wirklichkeit auf ein Stück Amerika, das Teil ihres Lebens ist: Childwold, der verkommene Weiler im Norden Neu-Englands, eine lärmende, chaotische, kinderreiche und vaterlose Sippe, Landproletarier, die unbesiegbare Mutter, strotzend in ihrem schönen Fleisch, die fragwürdigen Galans, die Tochter Laney, mitten in der Pubertät, intelligent und trotzig, ungezähmt, von wilden Traurigkeiten gequält, in ihrem Gesicht ein verletzlicher Zauber, dem Kasch, ein vierzigjähriger Mann – oder ist er älter? – mit einer lebensgierigen und todessüchtigen Passion verfällt.

Oft verlieren sich die Spuren der Handlung in einer Flut von

Worten, die wie reißende Katarakte über die Seiten jagen. »Zuviel!« stöhnt man gelegentlich, »genug! Laß es gut sein!« Es hilft nichts. Man muß sich dem Strom dieser Sprache ergeben, die zarter und gewalttätiger, härter und poetischer ist als nahezu alle Prosa, die in dieser Generation geschrieben wurde, gleichviel ob in Amerika oder Europa (den Grass der »Blechtrommel« ausgenommen und den Glücksfall Gabriel García Márquez). Ein »Gedicht in Form eines Romans, ein Roman in Form eines Gedichts« nannte Joyce Carol Oates dieses Werk.

Die Atemlosigkeit täuscht. Die Autorin wurde keineswegs ein Opfer ihres Wortrausches. Sie zwang die Energien ihrer Sprache kühlen Kopfes in eine kunstvolle Komposition. Jede Figur des Romans hat eine eigene Stimme. Die Geschichte bricht sich von einer zur anderen Bahn, oft unvermittelt, von Kaschs inneren Monologen zu den lautlosen Selbstgesprächen der kleinen Laney springend, zu denen der Mutter Arlene, des verstörten Vietnam-Bruders Vale, oder des Großvaters, der den Verfall seines Hofs klaglos hinnimmt, solange er in dem warmen und wabernden Leben der Seinen geborgen ist: »Ach, die Kinder, die Kinder! Das Haus voll tobender Kinder! Mama sagt, es gab einen Vater, immer gab es einen Vater, wir alle haben einen Vater. Aber es ist ein Rätselspiel: Wer ist er? Wo ist er? ... Vor langer Zeit, als wir noch in die Kirche gingen ..., da war Papa nicht weit weg, er lag auf dem Friedhof ... Er hieß Lyle Bartlett.«

Er ist lange tot, dieser Mann. Ihre späteren Kinder holte sich Arlene von den verschiedensten Vätern. Wieviele Kinder, wieviele Väter? Das steht dahin, aber sie alle finden Platz in ihrem Haus, dem sich Kasch furchtsam nähert, jenem Universum von Abfall und Leben, von Schutt und Schönheit: »... ein großes, ungeschlachtes Holzhaus mit einem giebeligen Dach und veralteten Blitzableitern und einer breiten, durchhängenden Veranda, die um das ganze Haus lief. Jetzt voller Gerümpel – Stühle, ein ausgedientes Sofa, Fahrräder, Kinderspielzeug, Kartons, Blumentöpfe. Abblätternder Anstrich. Kaputte Rollos und Schindeln ... In einer Ecke ein alter Traktor und ein paar ausgediente landwirtschaftliche Geräte, vergessen, umstanden von hohem Senfgras. Rechts ein völlig abgetragenes Stück Land, rötlich schimmernde Tonerde, darauf wildblühende Steckrosen und Sonnenblumen und Tigerlilien. Eruptionen wilder Farbenpracht ... Wie groß dieses Haus war! Wie ein kleines Hotel oder ein Landhaus, fast so weitläufig wie mein ehemaliges Elternhaus. Nun ganz verfallen ... Die Schindeln morsch, der Schornstein würde den nächsten Winter nicht überleben. Im zweiten Stock ein zerbrochenes Fenster, mit Sperrholz und schwarzem Klebestreifen provisorisch repariert ... So viele Fenster, so viele Gesichter ...«

Kasch, der »Sohn von Kasch«, Erbe der einst reichsten Leute jener Region: am Leben ermüdet, lang schon geschieden, Doktorand von Harvard, in seinen jüngeren Jahren eine schüchterne Hoffnung der sogenannten gebildeten Welt, Verfasser feinsinniger Bücher. Er kehrte in die kleinstädtische Heimat zurück, um seine Existenz »in Ordnung zu bringen. Um mit der Einsamkeit zu experimentieren. Der negative Weg. Askese. Alternative zum Selbstmord.«

Die Ordnung findet er nicht, Kasch läßt sich gehen. Er säuft. Er treibt sich herum. Er späht den Burschen und Mädchen nach, der »seltsamen, verrücktmachenden, wunderbaren Verdorbenheit der Jungen: diese Mädchen, die ich spätabends auf der Straße beobachte, die in den Türeingängen zu den Kneipen herumlungern ... die mir Blicke zuwerfen und mich dabei nicht wahrnehmen«. Er schleicht hinter den Liebespaaren her, betrunken, ein Spanner, der sich mit fremdem Leben vollsaugen will. Als unten am Fluß eine Bande räudiger Knaben über ein schmales Mädchen herfällt, tritt er aus dem Gebüsch, ein verzagter Retter, jagt die Kerle zum Teufel, nimmt die verstockte Kleine nach Haus, tröstet sie, gibt ihr zu trinken: Laney, ein »ernst dreinblickendes, verängstigtes, abgebrühtes kleines Mädchen«.

Sie ist nicht liebenswert. Oder doch? Sie hat, außer den Jahren, so gut wie nichts mit Nabokovs »Lolita« gemein, dem strahlenden, ruchlosen Schuld- und Unschuldsengel aus der gepflegten »suburb«, nichts als die schwierigen Jahre und den gefährlichen Reiz des Doppelwesens von Kind und Frau. »›Childwold‹ hat das Mädchen gesagt. Ein Kind. Ihr Kopf auf meiner Schulter, der Körper schmächtig, leicht, die Knochen herzzerbrechend, so dünn. Sie hatte ihr Gesicht gewaschen und war zurückgekommen, zitternd. Auf ihren Schultern und an den Beinen entzündete Mückenstiche, auf ihrer Kehle ein großer geschwollener Stich. Frühreif, verschmutzt, gebraucht, erfahren. Diese kehlige Stimme. Diese klaren grauen Augen. Ihr Kopf lehnte an meiner Schulter, sie war so zierlich; ein Kind. ›Childwold‹ hat sie gesagt.«

Sie war nicht erfahren. Sie forderte Kasch trotzig und mürrisch heraus, das Herz voller Angst. Sie weicht ihm aus, kehrt sich ab, wünscht ihn zur Hölle, kommt wieder. Kasch träumt sich in eine böse, unkontrollierbare Leidenschaft. In seinen Träumen nahm er die Kleine, »riß an ihrem Mund ..., ihren winzigen Brüsten, ihren Schenkeln. Sie wehrte sich – nicht sehr.«

Oder träumte er nicht? Ging es so zu? Wagte er denn eine Berührung? Er streunt ihr nach. Manchmal sieht sie ihn nicht: »Laney in einer braunen Cordjacke ..., die Hände in den Taschen, mit tanzenden Locken und einem perfekten Engelsgesicht, den Zigarettenrauch wegzwinkernd; ein robustes, zusammengeflicktes, unterernährtes, verwahrlostes Stück Kreatur.«

Sie sah ihn doch, sie »nickte ganz leicht und bewegte die Lippen zu einem Gruß, aber sie lächelte nicht, und ich lächelte nicht zurück. Sie ging vorbei, ich ging vorbei. Ein paar Sekunden später kam sie mir nachgerannt, packte mich am Arm und sagte: Du spionierst mir nach! Du folgst mir! Das dritte Mal diese Woche! – Gib mir fünf Dollar, Kasch, sagte sie und hielt mich noch immer am Arm fest, auf den Zehen stehend, höhnisch, verängstigt, das tapfere Gesicht eines Babys; und hinter ihr, beobachtend, ihre Freunde auf dem Gehsteig, jetzt waren es drei Jungen und das große blonde Mädchen, sie starrten und starrten. Ich brauche fünf Dollar, sagte sie, bitte gib mir fünf Dollar, ich zahl' sie auch zurück.«

Liebt Kasch dieses armselige, häßlich-schöne Geschöpf mit seinen unfertigen und zerstörenden Spannungen? Oder liebt er das Bild, das er sich von ihm macht? »Als ich mich nach ihr umdrehte, stand sie da, entschlossen, die Arme verschränkt, und beobachtete mich mit ihrem kühlen, grauen, abschätzenden Blick. Kleine Brüste zeichneten sich ab. Billiger Orlonpulli, dunkelblau, die üblichen Jeans, verwaschen und verdreckt. Rosa umrandete Nasenflügel; sie war stark erkältet. Lippen, die sich nicht zum Lächeln bereit fanden, obwohl ich vor lauter Liebe lächelte.«

»Ich werde sie verändern: Ich werde sie erfinden. Ich werde mit Hingabe über sie schreiben, ich werde gewisse Eigenschaften, die sie besitzt, betonen und andere, die ich vulgär finde, weglassen. Da ist ihre unleugbare Schönheit, ihr frühreifer Zynismus, ihr schmaler, knabenhafter Körper, der in ein paar Jahren vielleicht nur noch mager und zäh sein wird. Aber sie hat einen zu starken Willen. Sie ist grausam. Raucht, trinkt, streift mit anderen durch die Straßen ..., manchmal untergehakt mit einem oder zweien. Ich werde dir nicht wehtun, Laney, sagte ich leise. Du wirst keine Gelegenheit dazu haben, sagte sie ohne ein Lächeln.«

Was weiß er von ihrer Verwundbarkeit, von ihrer Beschämung über das bißchen Blut, das sie verliert, von ihrer Weigerung, genügend zu essen, damit sie die Bluterei unterdrücken kann, von ihrer gewaltsamen, störrischen Schwäche? Was weiß er von ihrer Furcht, die bei den Zotereien der anderen in ihr aufsteigt, obschon sie pflichtschuldig mitlacht?

Aber Kasch schenkt ihr Bücher, in die sie sich, verwirrt und gebannt, mit einer Besessenheit vergräbt, die ihre Mutter Arlene allzu genau erkennt: Die Mutter ahnt, daß dieses Mädchen Laney ihr nun entwachsen ist, entrückt in eine unerreichbare Welt. Sie durchschaut fast alles, diese Mutter in ihrem fröhlich-prangenden Fleisch. Sie fragte nicht einmal, wo sie sich herumtrieb, als Kasch ihr die große Stadt am See, eine Galerie voller faszinierender und nobler Photographien zeigte: Landschaften, Menschengesichter, Licht über Bergen und Bäumen. Schöneres hat sie nie gesehen. Die Gäste der Galerie reden höflich und freundlich miteinander. Die Dekoration ist festlich – wie das Essen im teuren Restaurant, das Hotelzimmer mit dem großen französischen Bett, in dem sie Rast suchen. Sie liegen, halb ausgezogen, nebeneinander, die Kleine und der alternde Mann. Kasch rührt sie kaum an. Er fürchtet sich, er ist scheu. Er liebt sie. Er ist außerdem betrunken. Er schläft ein.

Die Mutter Arlene sucht Kasch in seiner Behausung auf. Mit ihrer Ankunft stürzt eine andere Liebe auf ihn ein, aus dem prangenden, fruchtbaren Fleisch dieser Frau und aus ihrem großen, fröhlichen, unbesiegbaren Herzen. Kasch kauft die verkommene Farm, und er will alles Land dazukaufen, das der Großvater in den bitteren Jahren verlor. Ehe es dahin kommt, ist alles zu Ende. Earl steht, besoffen, vor dem Hof, einer von Arlenes einstigen Galans, ein Mannsberg, großzügig und verrückt. Er schlug sie in seiner Eifersucht schon einmal halb tot. Kasch wirft sich dazwischen. Er greift, in seiner Todesangst, nach einem Stein. Er schlägt Earl die Gehirnschale ein. Notwehr. Der Richter spricht ihn frei. In einem Irrenhaus dämmert er vor sich hin. Er will niemand sehen, nicht Arlene und nicht Laney.

Die Mutter hat Trost bei einem fröhlichen Polizisten gefunden. Das Mädchen lebt bei einer Tante in der Stadt, vergräbt sich in Bücher: »... es gibt so viele ... So viele Bücher, die nur darauf warten, von dir gelesen zu werden. Du willst alles wissen. Du wirst alles wissen.« Laney ist anders geworden, anders als die verlotterten Landkinder, »deformierte Erwachsene, übergroße Kinder, eine Bedrohung ... und doch eigenartig anziehend, beneidenswert, obwohl sie mit sechzehn oder noch früher von der Schule abgehen mußten und von den Hügeln verschluckt wurden, dieser schlummernden Weite, aus der sie gekommen waren.« Laney schließt sich die Welt auf, lesend und träumend.

Nach seiner Entlassung aus der Heilanstalt hat sich Kasch in dem baufälligen Farmhaus verkrochen. Laney fährt hinaus. Sie steht im mannshohen, wuchernden Unkraut, sieht hinauf: »Es ist Laney ...« ruft sie. »Erinnerst du dich ...? Er ist wieder vom Fenster verschwunden ... Er ist am Fenster gewesen, aber er hat sich weggewandt, ist verschwunden. Du hast ihn verloren, was sollst du jetzt tun? Dein Rock voller Kletten. Die Augen brennen. War er es wirklich, dort im Haus, war er es wirklich ...? Nein, das Haus steht leer ... Kasch, bist du es wirklich? Hier? Nach so langer Zeit? Aber warum? Bin ich es, die dich ruft, die hier steht? Warte ich auf dich? Kasch? Mein Geliebter? ... Kasch? Bärtig, hager, krankhaft blaß, mit farblosem Haar wie das eines Toten, die Augen im Schatten, trockener, bitterer Mund im Schatten, ist es Kasch, hier, ist es Laney, hier, die ihre Augen abschirmt, die auf ein Zeichen wartet? Ein Zeichen, ein Zeichen ...?«

Dies ist das Ende – oder ist es keines? Vielleicht für Kasch. Für Laney der Beginn ihres Wegs in die Welt, die Welt der Menschen, der Bücher, der Bilder, der Bildung. Es ist zugleich der Augenblick des Verlustes, dem sie ein Leben lang nachhängt. Es ist der Augenblick, in dem die Violenz gebannt ist, wenigstens für das Mädchen Laney. Doch für die Autorin kehrt die lauernde Gegenwart der Gewalt immer wieder zurück. Den Landsleuten von Joyce Carol Oates, zumal den sensiblen, ist diese permanente Konfrontation nicht angenehm. Es nützt nichts: Sie ist ein Grundphänomen Amerikas, wie die organisierte, die geordnete und verwaltete Brutalität ein Grundphänomen der Deutschen war (und in mancher Hinsicht, in mancher Himmelsrichtung noch ist).

Joyce Carol Oates rückte die Gewalt mit gleicher Konsequenz ins Bewußtsein wie die schäumende Liebe zum Leben, die wuchernde Vitalität der Familien, der Sippen, die in Amerika – anders als in Deutschland – noch immer existieren, wie die berstende Natur, die sich aus den Vororten mit den manikürten Rasen verdrängen, doch niemals unterdrücken läßt, wie die plötzliche, durchdringende Stille, die Schwermut, die Einsamkeit in den Städten und in der Weite der Landschaft. »Hier gibt's keine Religion«, sagte in »Childwold« der Großvater, als Kind aus Irland in die Emigration geschickt, »hier gibt es nur Land. Wiesen und Wälder und Berge und Flüsse und Seen«. Die Religion gibt es in Wirklichkeit schon, leidenschaftlicher geglaubt und gelebt als in der Alten Welt, aus der sie kam, aber der Mythos des Landes, der wie ein tiefer nagender Hunger in so vielen amerikanischen Seelen wach ist, übt zugleich die Macht einer Naturreligion aus.

Joyce Carol Oates hat die erotische Magie der Landschaft in ihren Büchern mit einer Sensualität wahrnehmbar gemacht, wie dies vor ihr nur William Faulkner gelang. Sie beschwor den zauberischen Glanz des amerikanischen Idylls mit einer Sehnsucht, die singt und jauchzt und heult – und sprengte sie allemal auf, mit dem entsetzlichen, doch unabwendbaren Eintritt der Gewalt. So teilt sie ihren Lesern mit, daß die Tragödie kein unamerikanischer Umtrieb, sondern amerikanische Wirklichkeit ist, Erblast der Zivilisation, von den Vorfahren aus der europäischen Herkunft in die Wälder und Prärien gekarrt. Sie verachtet das amerikanische Glück nicht, aber sie mißtraut seiner Machbarkeit, zumal im Geflecht der schönsten, der gefährlichsten Begegnung der Menschen: im Bannkreis der Erotik. Sexualität und Gewalt sind für sie unlösbar miteinander verschmolzen und in einer (fast immer) tödlichen Umarmung verstrickt.

Ist es das, fragte sich der Fremde oft, was ihre Kritiker und ihr Publikum irritiert? Signalisiert sie nur ein andermal den Aufstand von Leslie Fiedlers »bleicher protestantischer Jungfrau«? Nichts davon. Sie zeigt lediglich an, daß ein Glück des Geschlechts nicht herstellbar ist: Eros und Tod bleiben einander verschwistert, Lust und Zerstörung einander benachbart. Aus dieser Nähe wächst ihre angstvolle Herrlichkeit. Freilich gibt es eine Liebe, die beides in sich aufnimmt – wie das Mädchen Laney am Ende die Liebe des Kasch.

Es ist nicht zufällig, daß junge Mädchen zwischen Kindsein und Reife so oft durch Joyce Carol Oates' Geschichten streunen: als seien nur sie noch imstande, in ihrer Furcht und ihrer Sehnsucht, ihrem Widerstand und Begehren die ungeheuerliche Macht des Eros sichtbar werden zu lassen. Die Autorin faßte das Lolita-Tabu unerschrokkener ins Auge als der große ironische Nabokov. Sie beförderte es in eine andere Dimension. Sie stellte es als eine der letzten Inseln des Geheimnisses unserer Menschennatur ins Licht. Sie weiß mehr von ihm als Nabokov. Sie ist eine Frau.

Hier, fast nur hier, läßt sich die feminine Herkunft eines Werkes bestimmen, das ebenso viele »männliche« wie »frauliche« Züge trägt. Die »geschlechtsspezifischen« Elemente der Literatur scheren diese Schriftstellerin wenig. Den Emanzipationsproblemen ist sie entwachsen. Sie nimmt in ihren Büchern maskuline und feminine Gestalt an, mit der gleichen Selbstverständlichkeit, die sie befähigt, so virtuos die Formen und Stile zu wechseln. Es interessiert sie wenig, ob Leser oder Kritiker ihre Stimme wiedererkennen. Es scheint ihr auch nahezu gleichgültig zu sein, ob das eine Buch gnädiger, ungnädiger beurteilt wird als das andere. Sie nimmt die Anklage der Vielschreiberei ungerührt hin. Sie will ein Werk. Sie hat es erschrieben, diese Frau mit den großen, wachsamen, kühlen Augen.

In den Zeiten der amerikanischen Anfänge, im puritanischen Salem der Pilgerväter, hätte man sie als Hexe verbrannt. Mit jedem Buch geht die Dame durchs Feuer.

XVII

Asche

Der alte Herr hatte unser Land vor beinahe sieben Jahrzehnten, am Vorabend des Ersten Weltkrieges, verlassen. Die Sprache seines Umgangs und die seiner Bücher war amerikanisch, doch bis zum Ende seiner Tage bewahrte er ein Deutsch, wie es unserere Groß- und Urgroßeltern in ihren schöneren Briefen schrieben: melodisch, klar und von jener Reinheit, die auf unschuldige Weise dem vergangenen Jahrhundert getreu war. Dem wilhelminischen Bombast entging er, die Barbareien des Nazi-Jargons erreichten ihn nicht, von den bundesdeutschen Verquastheiten nahm er keine Kenntnis. Neu-deutsche Manierismen verstand er nicht. Er wischte sie, wenn sie ihm begegneten, mit heiterer Ungeduld fort und forschte lieber nach dem Zustand der Kunst, den Absichten unserer Staatsleute und dem Gemüt der neuen Generation, der er die Courage wünschte, sich für unsere großen und kleinen Freiheiten gegen die Hoffahrt der Mächtigen ins Zeug zu legen. Darin war er jünger als die meisten Jungen. Er vergaß nicht, daß die Todesmaschine des Dritten Reiches viele Mitglieder seiner Familie vertilgt hatte, aber er redete davon nicht oft.

Mit ihm hatte es Amerika gut gemeint. Er kam zu Ansehen. Er machte ein Vermögen, wurde es in der Depression wieder los, hatte oft nicht mehr die Pfennige für die *Subway* und eine Zeitung in seiner Tasche, fing von vorn an und begründete ein zweites Mal bescheidenen Wohlstand. Drei Jahre vor seinem Tod, er war über Neunzig, schrieb er sein letztes Buch. Manchmal lief nun ein Schatten der Erschöpfung über seine lebhaften, immer forschenden, immer neugierigen Züge. Die Portiers und die Nachbarn im Hochhaus am Hudson-River grüßten den zarten Greis bei seinen Ausgängen mit liebevollem Respekt und nannten ihn zuweilen auf deutsch den »Herrn Doktor«. Dann blitzte in seinen dunklen Augen ein amüsiertes Lachen auf.

An einem späten Nachmittag, aus dem sich langsam das Licht eines noch ängstlichen Frühlings zurückzog, sprach der alte Herr seinem Gast von Dichtung und von Musik. Er sagte, daß er immer gern gesungen habe, in Chören und allein am Klavier. Nach einer Weile sang er, mit einer schütteren, dünnen Stimme. Unten vom Boulevard über dem Fluß dröhnte gedämpft der Verkehr zu den Fenstern des kleinen Apartments im 19. Stock herauf, doch nicht eine Linie des Brahmschen Liedes, kein Wort der Heineschen Verse ging im fernen Lärm verloren:

»Der Tod, das ist die kühle Nacht.
Das Leben ist der schwüle Tag.
Es dunkelt schon, mich schläfert,
der Tag hat mich müde gemacht.«

In seinen Augen wich die Melancholie rasch einem ironisch-tapferen Lächeln. Den Fremden aber hielt der Zauber dieser Stunde noch lang gefangen: Er dachte: Das ist Heimat. Er dachte auch: In diesem alten Mann ist eine »gewisse Idee« von Deutschland zu Haus, mitten in Manhattan, die deutscher ist, als die Deutschen es je wieder sein werden. Sie können es nicht. Sie wollen's auch nicht. Die Welt, aus der er kam, ist vertan. Nun ist der alte Herr gestorben. Die Leiche wurde verbrannt. Er wollte Asche sein wie seine Brüder.

XVIII

Schwester Ruth

Nach dem Frühstück, der Fremde packte seine Tasche, war sie hinuntergelaufen zum Wasser. Als er fertig war, ging er ihr nach, um adieu zu sagen. Sie saß, mit untergeschlagenen Beinen, auf dem Bootssteg und schaute über den See. Es war still. Sie schien seine Schritte nicht gehört zu haben. Über dem Wasser lag, sanft und leicht, der Morgennebel. Das gefilterte Licht der frühen Sonne berührte die dunklen Bäume und ihre unsicheren Spiegelungen im See. Schwere Blätter, wuchernde Farne, spanisches Moos, das wie lange schwarz-graue Trauerfahnen an den Ästen hing. Süden.

Sie saß ruhig, die Schultern ein wenig nach vorn gebeugt, schmaler, als er sich erinnerte, verletzlich. »Sit with me for a minute«, sagte sie. Dann wandte sie sich ihm zu: »I knew it was you.« Ihre Stimme sang die Sätze breit und südlich aus. Sie habe ein bißchen meditiert, sagte sie, wie jeden Morgen. Dann lächelte sie vorsichtig: Meditation ... Sie habe halt nachgedacht, vielleicht nicht einmal das, sondern Bilder und Träume an sich vorbeigleiten lassen. Die großen Worte wolle sie loswerden. Sie taugten nichts.

»Was wirst du machen?« fragte er. »Ich bleibe eine Weile bei Bob«, sagte sie. »Er war zuviel allein.«

Der Mann hatte sich in der Garage zu schaffen gemacht, als der Fremde sein Gepäck zum Auto trug, ein starker und großer Mensch, gutartig, voll ruhiger Energie, Sommersprossen, ein kleiner Schnauz, überraschend helle Stimme. In der Gesäßtasche dieses Riesen steckte eine Pistole. »Wozu brauchst du die?« hatte der Fremde voller Verwirrung gefragt. »Oh«, sagte er, »für nichts und alles.« Hier draußen sei es einsam, und viel Gesindel streune durch die Welt.

Gelegentlich schieße er auf Ratten und Schlangen. Sumpfiges Gelände. »I'm an old redneck, you know.« Einem Menschen habe er, sein Lebtag lang, noch kein Haar gekrümmt. So war es wohl. Dennoch, er würde ihm nicht gern im Zorn begegnen, dachte der Fremde. Die Leidenschaften des Südens sind jäh. »You go on and kiss Ruth goodbye«, sagte Bob.

Sie hatten ihr Haus in der Stadt verkauft. Der Mann gab seine Veterinärpraxis auf. Die Kinder waren lang aus dem Haus. Das Cottage am See mußte den beiden genügen. Sie suche auch einen Käufer für die texanische Ranch, sagte Ruth. Ein schönes Anwesen, nicht weit von Dallas, zwanzig oder dreißig Meilen vom Stadtrand entfernt. Nur das kleine Gästehaus wolle sie für sich behalten.

»Ich bin müde«, sagte sie. Sie wolle Zeit für sich selber. Alltag. Familie. Freunde. Schreiben. Dann und wann eine Reise. »Im nächsten Jahr Frankreich«, rief sie, und die Augen lachten wie früher. »Paris, die Kathedralen, die Schlösser, die Weinberge, die köstlichsten Restaurants ...«, sie wolle alles sehen. Das sei verabredet.

Ihre Freunde, ihre Klienten, ihre Schützlinge – der Fremde fand das rechte Wort nicht –, die Heilung und Trost bei ihr suchten?

Seelsorge, dachte der Fremde, hätte sein Vater, der Pfarrer, ihre Arbeit genannt. Sie korrigierte: »Seel- und Leibsorge.« Sie legte ihre kräftige kleine Hand auf seinen Arm. »Wenn der liebe Gott der ist, den ich gepredigt habe, dann wird er sich um sie kümmern. Er hat mich für eine Weile gebraucht. Nun braucht er mich nicht mehr so dringend.« In ihren großen, hellblauen Augen schimmerte der Rest eines Lächelns.

»Du glaubst nicht an Gott?« fragte sie. Sie kannten einander fast ein Jahrzehnt. Zwei- oder dreimal hatte sie ihn nach Gott gefragt, niemals drängend. Er scheute religiöse Gespräche, und sie achtete seine Zurückhaltung. Niemals bestand sie auf einer Antwort. Sie wäre ihm schwierig geworden.

Er blickte aufs Wasser. »Doch«, sagte er, »auf meine Weise.« Sie schwiegen. »Du fühlst dich wohl in deiner Haut?« fragte sie. »Nicht immer«, sagte er. »In guten Augenblicken.« Man müsse das Leben wohl auch in den unguten zu lieben versuchen.

Ja, sagte sie, Lebensliebe, Menschenliebe, davon gebe es nicht genug, nicht unter den Christen, nicht unter den Juden, nicht unter den Heiden. Sie wolle versuchen, das Leben mehr zu lieben, solang ihr die Zeit bleibe. Manchmal sei sie nicht sicher, ob sie sich noch als Christin betrachte. »Kann man glücklich sein ohne Gott?« fragte sie. Der Fremde sagte, er wisse es nicht.

Sie umarmten einander. Sie sagten »I love you«, wie es in Amerika so einfach geschieht. Dann ging er zu seinem Wagen. Als er zurückblickte, saß sie wieder am Wasser, den Rücken zum Ufer gekehrt, still, schmaler als in der Umarmung. Er sah sie nicht wieder.

Er war ihrem Namen begegnet, als er einen Filmbericht über die Religiosität der Amerikaner vorbereitete. Kenner der geistlichen Verhältnisse des Landes wiesen ihn darauf hin, eine Schwester des einstigen Gouverneurs von Georgia sei eine der talentiertesten »Evangelistinnen« des Südens, modern, von großer Ausstrahlung, die interessanteste Erscheinung unter den abertausend Missionaren, die Tag um Tag die große Erweckungsbewegung anfeuerten. Zeitungen meldeten, der Evangelismus habe, laut Umfragen, mehr als dreißig Millionen Menschen ergriffen. Wellen solcher Inbrunst suchten Amerika in zyklischen Abständen von den ersten Tagen der Kolonialisierung an heim. Niemals zuvor aber hatte man registriert, daß nahezu ein Viertel aller erwachsenen Bürger, ob Protestanten oder Katholiken, die »Wiedergeburt in Christus« bezeugte (während sich Europa einer wachsenden Gleichgültigkeit gegenüber Kirchen und Glauben hingab).

Was erwartete der Fremde, als er nach Fayetteville flog, dieser kleinen Stadt in North Carolina, die er nur nach einiger Mühe auf der Karte entdeckte? Eine lodernde Prophetin, die Feuer und Schwefel und das nahende Gericht Gottes ankündigte? Oder eine jener rundlich-heiteren Damen, die unablässig die sanfte Liebe Jesu in bonbonfarbenen Wölkchen auf die Seelen der Frommen herniederschweben ließen? Ein in sich gekehrtes, hager-entsagungsvolles Medium des Heiligen Geistes?

Die Stimme der Dame sei heiter und menschlich, tröstete ihn eine Assistentin, die mit Ruth Carter Stapleton telefonische Verbindung aufgenommen hatte; sie rede wie eine Cousine der Scarlett O'Hara: den »drawl« der Südstaaten.

Ohne Schwierigkeit fanden sie zu der angegebenen Adresse. Ein großzügiges Haus, dunkles Holz, nicht aufwendig, ein üppiger Garten. Der Mann kam ihnen entgegen, im gestreiften Leinenanzug, Gesten von südlicher Courtoisie, breites Lachen. Man suchte ein Schattenplätzchen für das Gespräch. Die Gottesfrau erschien nach einer Viertelstunde, strahlend, ein wenig zerstreut. Sie trug ein Sommerkostüm in leichten Farben, elegant, nicht zu bürgerlich und nicht zu gewagt, modische Frisur, blond mit grauen Strähnen, das Haar halblang geschnitten, zu sorgfältig geplanter Unordnung gekämmt.

Sie nahm die Assistentin einen Schritt beiseite und erkundigte sich, den Taschenspiegel prüfend, ob ihr Make-up für die Kamera gut genug sei. Sie zog ein paar Linien nach. Der Fremde hatte Muße, ihr Gesicht anzuschauen: regelmäßig und großflächig, die Nase eine Spur zu grob: das, was man in Suburbia »a goodlooking lady« nennt, dachte er. In einer Zeitung fand er später die Anmerkung »ein Hauch von Doris Day«. Sie war nicht unzutreffend.

Aber der Mund war außerhalb der hübschen Norm: volle Lippen, die mit sensuellem Behagen lachten. Sie tauschte mit der Assistentin offensichtlich kleine Geheimnisse aus. Die beiden steckten die Köpfe zusammen, tuschelten dies und das, kicherten mit einem Unterton von Verschwörung. Dann klappte sie die Puderdose zusammen, steckte den Spiegel fort, strich noch einmal über die dressierte Unordnung ihrer Locken, schaute den Fremden mit großen blauen Augen an und fragte mit einem verschlagenen Lächeln: »Womit kann die Betschwester dienen?«

Er war verlegen. Eine Frau wie sie, sagte er, habe er in Deutschland auf keiner Kanzel und selten in einer Gemeindeversammlung gesehen. Das entsprach der Wahrheit. Ein wenig stockend fuhr er fort, die Religiosität Amerikas sei offensichtlich zu anderen Formen der Selbstdarstellung fähig: das gelte es zu erklären. Sie hob die Hände. Er irre sich, sagte sie, wenn er vermutete, eine Frau ihrer Art werde in den Kirchen Amerikas stets willkommen geheißen. Sie nahm kein Blatt vor den Mund: Bei den konservativen Pastoren stoße sie auf verbissenen Widerstand. Man habe ihr mehr als einmal die Tür gewiesen.

Mit welcher Begründung? Weil sie geschminkt sei und, alles in allem, wie eine Person dieser Welt auftrete? Das sei vordergründig, sagte sie, dennoch nicht nebensächlich. Deprimierte Frauen ermahne sie oft, sich zunächst um ihr Äußeres zu kümmern: beim Friseur, bei der Kosmetikerin. Das habe eine erstaunliche Wirkung. In der Bibel stehe nirgendwo geschrieben, daß Christen häßlich sein müßten. Der tiefere Argwohn der Pastoren richte sich freilich gegen Inhalt und Methode ihrer Verkündung. Sie predige nicht Feuer und Schwert, sondern Versöhnung. Sie urteile und verdamme nicht, das stehe ihr nicht zu. Sie versuche zu heilen.

Auch körperliche Gebrechen, fragte er, nach Art der Wunderheiler, die in den Evangelisationszelten in ekstatischem Gebet, angetrieben von dröhnender Musik, die Krüppel aufriefen, ihre Krücken von sich zu werfen?

Sie schaute ihn belustigt an. Nein, das nicht. Es sei zwar geschehen, daß einige Menschen durch das gemeinsame Gebet dieses und jenes physische Leiden loswurden, doch gewiß nur, wenn es psychisch bedingt war. Im Zweifelsfall schicke sie die Leute zum Arzt. Ihre Aufgabe sei es, den einzelnen mit sich selber zu versöhnen.

Wie das? Durch die Liebe Christi, sagte sie. So einfach? Sie schüttelte den unordentlich-ordentlichen Kopf. Sie bemühe sich, ihre Patienten – sie sagte Patienten – behutsam in ihre Kindheit zurückzuführen, in die Bereiche des Unbewußten, manchmal bis an die Schwelle der Geburt. Sie wolle zum Ursprung des Unfriedens vordringen. Sie bitte die Verkrampften und Verstockten, sich aller Verletzungen und Bitterkeiten zu erinnern, die sie erlitten, der tiefsten Demütigungen, der Wurzel ihrer Ressentiments und ihres Hasses. Sie hole das Bild der Väter, der Mütter, der Geschwister herauf, der ersten Liebeserfahrung, die nicht immer eine glückliche sei. Dann bete sie mit den Menschen, um ihnen zu helfen, in der Liebe Jesu jenen zu vergeben, von denen sie die schmerzlichsten Verletzungen erlitten. Das sei der Anfang.

Der Fremde warf ein, ihr Konzept weise auf den Erzvater Freud hin, in Andeutungen. Sie nickte: Als junge Frau sei sie durch viele Therapien gegangen: Freud, Jung, Adler – »the lot«.

Also stießen sich ihre strengeren Brüder daran, daß sie die sexuelle Begründung so vieler Neurosen für möglich halte? Ja, sagte sie, ihre Unbefangenheit sei ein Ärgernis. Sie habe gelernt, Sexualität als eine der bestimmenden Mächte unserer Existenz zu betrachten, die wie alles Leben von Gott stamme. Man müsse mit dieser Gabe ins reine kommen. Das sei nicht leicht, doch durch ihre Verneinung sei nicht das geringste gewonnen.

Das sei nicht alles: Man halte sich daran auf, daß sie sich keiner Menschenseele versage. Sie rede mit Huren nicht anders als mit Pfarrfrauen, sie suche Kriminelle und Mörder in den Gefängnissen auf, wenn sie gebraucht werde. Sie stehe Bankpräsidenten, Arbeitern oder Politikern gleichermaßen zur Verfügung. Der Zugang zu Menschen aller möglichen Schichten werde ihr nicht schwer. So sei vielleicht bei diesem und jenem offiziellen Diener der Kirche ein wenig Eifersucht im Spiel.

In ihren Augen ließ sich eine Prise vergnügter Bosheit erkennen. Sie habe sich an die Resistenz gewöhnt, rief sie energisch. Hier in Fayetteville sei ihr, vor mehr als einem Jahrzehnt, die Mitgliedschaft in der baptistischen Gemeinde gekündigt worden – wegen ihrer Aufsässigkeit gegen Konventionen, die nichts als Heuchelei produzierten. Inzwischen habe man sie wieder in Gnaden aufgenommen. Man beginne zu verstehen, daß ihre Therapie niemand von Christus entferne. Im Gegenteil: sie wolle die Liebe, die sich in Jesus ausdrükke, in den Alltag tragen, »in unser tägliches, normales oder« – ein winziger Blitz in den Pupillen – »nicht so normales Tun«. Dazu gehöre Zärtlichkeit und Mut zu Gefühlen. Nichts sei so befreiend und wohltätig wie eine herzliche Umarmung. Es gebe eine puritanische Disziplin, an der die Seelen verdursteten.

Wer unser nächster Gesprächspartner sei, fragte sie. Billy Graham? »Grüßen Sie ihn«, sagte sie. Sie würde gern wissen, was er von ihrer Arbeit halte. Wenn sie einander begegneten, zöge er sich hinter einen Vorhang von unverbindlicher Höflichkeit zurück. »Ich wünschte«, sagte sie seufzend, »ich hätte für mein Werk auch nur einen Bruchteil seiner Mittel.«

Der Millionenapostel hatte in der Tat eine Art frommes Imperium begründet, das er von seinem Haus auf dem Berg überblickte. Vermutlich war er stolz auf das missionarische Kraftwerk, das er geschaffen hatte, doch er zeigte keine Regung des Hochmuts. Seine Rede war klug, bescheiden, herzlich. Das Gesicht schien dem Fremden feiner geprägt, als es die Fotos und das Fernsehen erkennen ließen, ruhiger, nachdenklicher. Eine ferne Ähnlichkeit mit Richard Nixon? Die Nase, die tiefliegenden Augen? Die enge Korrespondenz zwischen dem

Präsidenten und dem Prediger, auch in der Krise von Watergate, entsprach vielleicht der Verwandtschaft zweier brütender Seelen, deren Wege von Ängsten umstellt waren. Die Grüße von Ruth Carter Stapleton nahm er freundlich auf. »Eine bemerkenswerte Frau«, sagte er. Über ihre Arbeit äußerte er sich nicht.

Ihr Bruder, Jimmy Carter, bemerkte er diskret, strebe entschlossen ins Weiße Haus. Das werde ihm auch gelingen. Reverend Grahams Sympathien, das war erkennbar, gehörten Gerald Ford.

Als der Wahlkampf voranschritt und »Jimmy who?« Konturen gewann, sah der Fremde den Namen der Schwester gelegentlich in der Zeitung. Die Reporter berichteten – was für eine »human interest story«! –, daß sie ihn nach der ersten vergeblichen Kandidatur für das Gouverneursamt seiner Heimat aus einer Krise geführt habe, von der Jimmy sagte, sie sei eine der härtesten seiner Karriere gewesen. Auf einem Spazierweg durch den Wald forderte sie ihn auf, neben ihr niederzuknien und sich im Gebet völlig dem Willen Gottes anheimzugeben. So lernte er, sich in seine Niederlage zu fügen. Danach zog er im Norden einige Monate lang als baptistischer Missionar von Tür zu Tür.

In seinen Reden berief er sich oft auf Christus, auf Gott, auf die Bibel, den Glauben, die Liebe. Seine Landsleute in New York und Washington beobachteten den öffentlichen Umgang mit dem Heiligen Geist voller Unbehagen und Zweifel. Sie verstanden nicht, daß jene demonstrative Frömmigkeit dem Südstaatler von Kind auf natürlich war – ein Grundelement der Kultur seiner Heimat, die nach dem Bürgerkrieg so lang in den Schatten der Nation verbannt war. Die innere Freiheit aber, mit der seine Schwester von ihrer Religiosität sprach, schien sich ihm nur von fern her mitgeteilt zu haben, doch er respektierte ihre Libertät. Ihr Angebot, während des Wahlkampfes stillzuhalten und auf ihre gewohnten Therapie- und Gebetsversammlungen zu verzichten, damit ihm Ungelegenheiten erspart blieben, wies er zurück. Die Geschwister und Kinder, sagte er, hätten keinen Anlaß, ihre Unabhängigkeit seinem Ehrgeiz und seinem Amt zu opfern. Er änderte diese Haltung nicht, als Bruder Billy mit seinen Clownerien ungutes Aufsehen erregte und schließlich in alkoholische Depressionen fiel.

Der Fremde hatte Ruth nach dem Interview seine Adresse und

Telefonnummer hinterlassen. Er war überrascht, als sie anrief. Von Zeit zu Zeit schaute sie bei ihm und seiner Frau in Washington vorbei, allein, gelegentlich auch, um sich mit deutschen und amerikanischen Gästen zu Tisch zu setzen. Über Politik sprach man wenig, mehr von den Hoffnungen und den Ängsten, die Menschen in die Politik trugen, von den Motiven, die sie vorantrieben. Sie schaute hinter die Gesichter, voller Neugier und Sympathie. Ihre Urteile waren von feminin gelassener Vernunft. Sie ergötzte sich an kleinem Klatsch. Manchmal lachte sie den bohrend-verbissenen Ernst der Männer einfach unter den Tisch. Niemals täuschte sie Wissen vor, das sie nicht hatte. Wenn sich die Unterhaltung ihrem Begreifen entzog, bat sie um Erklärungen. Sie gab nicht an.

Einmal ließ sie dem Fremden die Nachricht zukommen, er möge sie am Nachmittag im Weißen Haus abholen. Er fand sie in einem hellen Salon von grün-weißen Farben. Sie bat um Geduld: Ihre Schwägerin wolle ein Wort mit ihm wechseln. Es wurde Tee serviert. Als Roselynn Carter kam, betrachtete der Fremde sacht irritiert die disziplinierten und harten Züge der First Lady, die das Pressecorps die »Eiserne Magnolie« nannte. Der Titel schien nicht unverdient. Mit einer leisen, doch angespannten Stimme erkundigte sie sich nach einer Frage, die damals zwischen Bonn und Washington anstand, kein Problem von Belang. Der Fremde dachte, daß ihre Kühle vielleicht nur Schüchternheit anzeige. Sie hatten einander nicht viel zu sagen. Er bewunderte ihre beherrschte Sicherheit: Ein Mädchen aus Plains, dachte er, diesem Drecknest in Georgia, in dem sich nur die kleinsten Füchse gute Nacht sagten – dort, in jenem Kaff, wuchs diese Frau auf, »auf der falschen Seite des Bahndamms«, nicht in den schwarzen Quartieren, Gott behüte, aber im ärmeren Viertel der Weißen. Zwergschule, Highschool, Friseurlehre.

Woher, fragte er sich, nehmen diese Frauen bescheiden-ländlicher Herkunft die Souveränität, die es ihnen erlaubt, sich in jeder internationalen Gesellschaft ohne Makel zu behaupten, ja eine Attraktivität auszustrahlen, die unter den Staats-Gattinnen und Bundesmuttis zu Bonn am Rhein so selten gedeiht? Erzieht Amerika seine Kinder besser? Gibt es ihnen ein Selbstbewußtsein auf den Weg, das bei uns beharrlich unterdrückt wurde, ob liebevoll oder brutal? Warum flüchten sich die Amerikanerinnen nur selten in die herrisch trampelnde Flottheit, die bei uns als Ausweis der Emanzipation gilt?

Im Gang der Jahre erzählte Ruth Erinnerungen an die Kindheit in Plains, skizzenhaft, oft mit ironischer Grazie, manchmal eruptiv, auf kaum vernarbte Verwundungen deutend. Die Carters waren die reichste und prominenteste Sippe im Dorf, was immer das in jenem vergessenen Winkel heißen mochte. Der Vater ein nüchterner Patriarch, streng, nicht ungütig, die Mutter die stärkere Persönlichkeit, unabhängig, rebellisch, dominant. Sie verwöhnte die Kinder nicht mit herzlicher Wärme. Bis ins hohe Alter ließ sie sich »Miss Lillian« nennen, als habe sie sich nur auf Widerruf an die Familie gebunden. In ihrem achtundsechzigsten Lebensjahr meldete sie sich zum »Friedenscorps« und diente knapp zwei Jahre als Entwicklungshelferin in Indien.

Den Spießerkonventionen beugte sich diese Frau mit den kühnen und schönen Zügen nicht. Aufsässigkeit diktierte ihr eine natürliche Liberalität. Sie hielt sich nicht an die ungeschriebene Regel, daß schwarze Dorfgenossen stets nur durch die Hintertür ins Haus gelassen würden und keinesfalls den Salon betreten dürften (es sei denn als Dienstboten). Von ihr stammten die Impulse, die Sohn Jimmy zu seiner Allianz mit der Bürgerrechtsbewegung ermutigten. Eine seiner ersten Amtshandlungen als Gouverneur von Georgia: er enthüllte ein Porträt Martin Luther Kings in der Galerie der verdienten Bürger des Staates. Das war, man entsinnt sich dessen kaum, in jenen Zeitläuften eine Tat.

Vielleicht meldete die Mutter durch den freien Umgang mit den schwarzen Nachbarn ihren Protest gegen die doppelte Moral des Landes an. Obschon die Weißen strikt auf einer Trennung der Lebensbereiche bestanden, schien es sich fast jeder der Männer – Ausweis ihrer Maskulinität – schuldig zu sein, ein »girlfriend« in den schwarzen Quartieren zu unterhalten. Ruth berichtete, jede Illusion sei ihr, was dies angehe, im zarten Alter ausgetrieben worden.

Woher wußte sie so genau Bescheid? Sie lachte ein Kleinmädchen-Lachen: Telefone, sagte sie, seien in jener ländlichen Öde rar gewesen. An jeder Nummer hing ein Dutzend Anschlüsse. Im chronischen Kampf gegen die Langeweile habe sich kein schönerer Zeitvertreib geboten, als die Gespräche anderer Leute mitzuhören, zuhaus oder bei einer Freundin. Nichts sei ihr verborgen geblieben: Psychologie an der Basis. Ihr Lachen war frech. Jene Studien hätten sie gewissermaßen auf die Seelsorge vorbereitet. Als blutjunges Ding sei sie nahezu allen Problemen begegnet, die eine Gesellschaft in der Nußschale umtrieben.

Und Jimmy, der große Bruder? Sie hob, mit einer Geste ironischer Entrüstung, die Hände: Der habe sich von solch liederlichem Amüsement ferngehalten, sei fleißig und tugendhaft gewesen, seine Karriere im Kopf, Augen höchstens für die adrette Roselynn Smith, die er nach der Beförderung zum Leutnant bei der Flotte ohne Zögern geheiratet habe.

Aber sie selber? Keine Dorfliebe? Doch, sagte sie, während des Krieges habe sie sich in einen deutschen Kriegsgefangenen verknallt, der aus einem nahen Lager zur Arbeit auf den Erdnußfeldern des Vaters abkommandiert wurde. Sie drängte sich danach, ihm so oft wie möglich eine frische Flasche Trinkwasser auf den Acker zu bringen. Ein großer, blonder, schöner Mann, das verstand sich, Hans habe er geheißen, was sonst. Es entging ihr nicht, daß die deutschen Gefangenen mehr Rechte genossen als die schwarzen Mitbürger.

Zwei Jahre in einem kleinen College, gesegnete vierzig Meilen von Plains entfernt, empfand sie als eine Erlösung. Die Militär-Akademie von Georgia, ein Stall von rastlosen Jünglingen, war nicht weit. Sie flirtete quer durch die Kompanien, einer der populärsten »dates«. Der Fremde glaubte es gern. Die Flirts hatten, dem amerikanischen Sittenkodex gemäß, klare Grenzen. So heiratete sie, noch keine zwanzig, den stattlichen jungen Tierarzt Dr. Robert Stapleton, zog mit ihm nach Fayetteville, brachte vier Kinder zur Welt, machte in den Frauenvereinen, in der Kirche und im Country-Club gute Figur. Am Ende fiel sie in Depressionen. Sie schrieb sich noch einmal im College ein, legte Prüfungen ab, unterrichtete Englisch. Das Experiment scheiterte rasch. Die Schulbehörde schätzte es nicht, daß sie sich zu eng mit den Zöglingen befreundete, statt ihnen die Grundbegriffe der Grammatik in die ländlichen Köpfe zu kneten. Sie rebellierte. Hausfrauenkater. Auflehnung gegen die Mutterpflichten. Ehekrise. Protest gegen das Normgeschick der grünen Witwe, die Country-Club-Fassade, die Sonntagsfrömmigkeit, die von Kirche und Gemeinde erwartet wurde. Tiefere Schwermut. Psychiatrische Behandlung. Verlangen nach religiöser Erleuchtung, die vielleicht, vielleicht den Weg zu einer friedlichen Emanzipation weisen könnte, an der die Koexistenz mit der Familie nicht zugrunde gehe.

Sie hatte Glück. Der Mann war ein geduldiger Partner. In seiner Not überkam ihn schließlich selber die Ergriffenheit durch den Heiligen Geist. Ruth aber übersetzte ihre Verzweiflung entschlossen in eine Mission: Sie begann ein Verkündigungswerk. Die Leute liefen ihr zu. Die weiblichen Vorzüge, die sie nicht verbarg, halfen mehr, als sie schadeten. Etwas schnippisch bemerkte sie, viele der verkarsteten Pastoren litten, ohne es sich eingestehen zu können, an der Unterdrückung ihrer heimlichen Homosexualität. Die Verdrängung äußere sich in einer latenten Furcht vor den Frauen.

Sie lernte, ihre Erotik wie ein Präzisionsinstrument zu gebrauchen, mit dem sich die verstockten Herzen rascher öffnen ließen. Voller Genugtuung zitierte sie einen Herrn aus der alten Südstaaten-Aristokratie, der ihr entzückt erklärt hatte: »I do declare, you are the prettiest thing I ever saw« und sich unverzüglich auf die Knie warf, um unter Tränen von den Verfinsterungen seiner Seele zu reden.

Ihr Ansehen gewann durch die Präsidentschaft des Bruders einen lebhaften Aufschwung. Der Andrang zu den gruppentherapeutischen Séancen nahm überhand. Die Termine wurden gedrängt. Der Ruhm, sagte sie, sei für ihr Werk kein Nachteil, doch er fordere seinen Preis. Der Widerstand im Umkreis reaktionär-fundamentalistischer Kirchen – wie der »moral majority« des Pastors Falwell – gegen die liberale Politik ihres Bruders verhärte sich von Tag zu Tag. Sie büße nicht zu gering für den Haß, vor dem Jimmy durch die Glorie des Weißen Hauses halbwegs geschützt sei. (Er traf ihn im Wahlkampf von 1980 mit tödlicher Exaktheit, als die konservativen Kirchen ihre brillant funktionierenden Propaganda-Maschinen in den Dienst Ronald Reagans und seines eher lauen Hollywood-Christentums stellten.) Ruth erzählte, es sei ihr widerfahren, daß der Pfarrer einer Gemeinde in Alabama lodernde Worte der Verdammung in ihre Gebetsgruppe geschleudert habe: »Im Namen Jesu Christi und unter seiner Autorität erkläre ich, daß diese Frau eine Hexe im Gewand eines Lichtengels ist.« Die Zuhörerinnen seien – eine ausgenommen – eingeschüchtert aus der Kirche geflüchtet. Sie trug es mit Fassung.

Geschwisterliche Loyalität machte sie nicht blind gegenüber den offensichtlichen Schwächen des großen Bruders. Der Fremde saß, an einem frühen Nachmittag, mit einigen Kollegen beim Kaffee im Restaurant seines New Yorker Hotels: Zeitungsleute, im Beruf erfahren, intelligent, kritisch, respektlos. Man sprach über Carter. Keiner machte eine Mördergrube aus seinem Herzen. Einer rief, vom Cognac befeuert, der Prediger aus Plains sei das schiere Desaster, eine entwürdigende Katastrophe, die schlimmste, die Amerika seit dem dikken und schwachen Präsidenten Harding in den zwanziger Jahren widerfahren sei. Zitierte er das Hamburger Wochenblatt, das rüde von Stümperei sprach? Oder Kanzler Schmidt, dessen hochmütige Zensuren quer durch die Vereinigten Staaten kolportiert wurden?

Dem Fremden, der dem Lokal den Rücken zukehrte, legten sich – mitten in der Debatte – zwei Hände über die Augen, kräftige, fraglos weibliche Hände. »Guess who?« Ruth hatte durch einen Anruf bei ihm zuhaus erfahren, daß er in New York sei. Er stellte die Kollegen vor. Keiner schien die Frau zu erkennen. Sie trank ein Glas Weißwein. Man solle sich nicht stören lassen, sagte sie. Habe man nicht über Carter gesprochen? Ja, räusperte sich einer der Journalisten, das Thema sei nicht erfreulich. »Go right on«, sagte sie maliziös. Ohne rechten Elan – die Dame schien ihm interessanter – wiederholte der Reporter sein Verdikt über den Präsidenten. Sie hörte aufmerksam zu und forschte nach Begründungen. Dann sagte sie mit glitzernden Augen, sie sei Jimmys Schwester.

Den abgebrühten Herren von der Presse schoß das Blut ins Gesicht. Die Blicke senkten sich. Die Ohren blühten. Sie murmelten halblaute Entschuldigungen. »Never mind«, sagte sie, Politik sei nicht ihre Sache. Sie beobachte die Aktionen ihres Bruders nicht kritiklos, obschon mancher Ärger aus Mißverständnissen zu stammen scheine. Aber auch dafür sei er verantwortlich. Sie habe ihm ins Gesicht gesagt, er sei vielleicht ein guter Staatsmann, aber ganz gewiß der unbegabteste Vermittler seiner Handlungen und Ideen – »the worst communicator in the whole world«.

Die Kollegen atmeten auf. Alle Peinlichkeit war fortgeblasen. Einer dankte Ruth für die Fairneß. Ein anderer faßte Mut und lud sie zu einem Redaktionsjubiläum ein. Sie gab sich geschmeichelt: Ganz gewiß werde sie kommen. (Sie kam.) Dann fragte sie den Fremden, ob er Lust habe, mit ihr bei Andy Warhol vorbeizuschauen. Der Künstler wolle ihr Porträt fertigen. Sie sei neugierig auf den seltsamen Mann. Der Fremde war es auch. So fuhren sie mit einem Taxi zu Andys »Fabrik« in SoHo. Durch die Flure und Treppenhäuser des alten Gebäudes wirbelten junge Leute, betriebsame Mädchen in Jeans und alten Pullovern, geschäftige Jünglinge, die sich von den Mädchen kaum unterschieden, nicht in der Kleidung, nicht durch die Frisuren, kaum in den Gesichtern: sein werktätiges Volk. Modelle schwebten – ein scharfer Kontrast – wie Botinnen aus Bereichen luxuriöser Unwirklichkeit durch die Studios. Photographen bellten Kommandos.

Der Meister verzog keine Miene. Mit gepreßter Stimme, mürrisch und gelangweilt, bat er die Gäste in sein Büro. Die Konversation schleppte sich von Floskel zu Floskel. Mr. Warhol fiel nichts ein. Oder hatte er keine Lust, sich zu äußern? Von Zeit zu Zeit strich er die weiße Strähne, die unablässig in seine Stirn fiel, in die Perücke zurück. Schließlich holte er die Polaroid-Kamera. Der Fremde, der glaubte, in ein Loch der Schöpfung gefallen zu sein, in dem das große Gähnen zuhaus war, tauschte mit Ruth Belanglosigkeiten aus. Ein Blitz. Andy hatte geschossen. Man wartete drei Minuten, um zu prüfen, ob die Aufnahme brauchbar sei. Das war's. Der Meister oder einer der Gehilfen würde mit Tusche und Spritzpistole hantieren: eintausend Dollar Minimum für das Produkt, handsigniert dreitausend, vielleicht mehr.

Das also, dachte der Fremde, war eine der sogenannten Schlüsselfiguren der Epoche, Verkörperung des Zeitgeistes, Star des Kunstbetriebs zwischen Kassel, New York und San Francisco. Immerhin hatte dieser linkisch-hochmütige Mensch mit seinen Porträts von Konservendosen, Marilyn Monroe und anderen Symbolen unserer Generation kein Gesicht, doch ein paar Markenzeichen vermittelt.

Nicht lang danach stieß der Fremde auf ein Interview, das Andy einer Reporterin in Washington gab. Angestrengt schien er um Worte und zusammenhängende Sätze zu ringen. Wovon die junge Frau auch sprach, von Leuten, Ereignissen oder vom Geist der Zeit, für den Photo-plus-Artisten war alles »beautiful« oder »great«. Groß und schön versprach ihm das angebrochene Jahrzehnt zu werden (doch man erfuhr nicht warum), groß und schön die Jugend, denn alle jungen Leute könnten künftig, ausnahmslos, Schauspieler oder Modemädchen werden (man erfuhr nicht warum). Groß und schön waren für ihn Margaret Trudeau und Bianca Jagger (man konnte sich denken warum).

Die Reporterin in ihrer Not lenkte das Gespräch auf Sex und Liebe, wie es ihr der Manager des berühmten Mannes im voraus geraten hatte. Andy, über fünfzig kein Jüngling mehr, fand daran nichts groß und schön. »Sex-life« habe er nicht, sagte er spröde. Sex mache zuviel Umstand und Ärger. Liebe? Seinen Freunden rate er, sich niemals zu verlieben. Liebe sei zu hart. Man müsse sich dabei mit Menschen einlassen. Es lohne sich nicht ... Habe er nie geliebt? Nein. Man versäume nichts. Die Liebe, fügte er hinzu, könne man im Kino genießen, das sei leichter.

Die Reporterin berichtete nicht, ob die Züge des einsilbigen Gurus von einem Anflug der Ironie oder Selbstironie gestreift wurden. Vermutlich schaute er wächsern und starr unter der Albino-Perücke hervor, die auch ein Markenzeichen war. Mit der Absage an die Liebe war es ihm ernst: »Too much bother and too hard.« Sich mit Menschen einzulassen, schien diesem Interpreten des Jahrhunderts lästig zu sein. Die »Ich-Generation«, die sich in seinen Produkten wiedererkannte, brauchte den anderen Menschen nicht, oder doch nur als Gegenstand kühler Faszination, »great and beautiful«. So, dachte der Fremde, ließ er seine Partner wie das Mädchen Eddie zugrunde gehen, das ihm aus einer der alten Familien Neu-Englands zugelaufen war. Er machte es zum Starlet seiner öden Filme, verschaffte sich mit seiner Hilfe Zugang zu den exklusiv-konservativen Kreisen an der Park Avenue und schaute ungerührt zu, wie jene junge Frau an Drogen zugrunde ging. Er habe sie kaum gekannt, sagte er, als sie starb, nicht »great« und nicht »beautiful«.

Andys Armut an Worten, dachte der Fremde, entsprach einer Armut an Gefühl, Denkfähigkeit, Phantasie – an Persönlichkeit. Leben und Liebe auf Leinwand und Bildschirm verbannt. Perfekte Ersatzwelt. Freude, Trauer, Leidenschaft waren überflüssig geworden. In komfortabler Trostlosigkeit konnte das Ich sich selber genug sein. Groß und schön? Im Spiegel ein weißliches Wesen, der fahle Halbgott von Manhattan, dessen Konturen zerflossen: von nichts kam da auch nichts mehr.

Ruth sagte, als sie wieder stadtaufwärts fuhren, der sei ein armer

Hund. Dann schüttelte sie die Begegnung ab. Ihr Konterfei, Polaroid plus Spritztusche, sah der Fremde nie. Als er sie auf ihrer Ranch »Holovita«, nicht weit von Dallas, besuchte, kramte sie in einem Schrank. Sie meinte, das Bild müsse bei Bob in Fayetteville sein. Ob sie sich wiedererkannt habe, ihre Person, sozusagen ihren Geist? Sie hob die Schultern: Nett anzusehen sei das Ding.

Für die gesellschaftlichen Attraktionen der sogenannten großen Welt war sie nicht völlig unempfänglich. Mit Lust warf sie sich in Abendkleider, crémefarben oder schwarz, teuer und schlicht, streifte auch ein paar Ringe über die Finger, verachtete ein Glas Champagner nicht. Sie fühlte sich keineswegs belästigt, wenn Botschafter bei den Vereinten Nationen, ausländische Potentaten oder notorische Salon-Habitués wie Truman Capote oder Norman Mailer ihre Gesellschaft suchten.

Nach zwei Tagen New York hatte sie für gewöhnlich genug. Die Ranch wurde ihr Refugium, Zentrum der Einkehr für seelisch Kranke, die bei ihr Heilung oder auch nur ein Gespräch suchten. Der Fremde mied die Tagungen, die rege besucht wurden. Er ließ sich von Experten sagen, Ruths doppelter Ansatz, Elemente der Psychoanalyse und religiös gestimmte Emotionalität ergäbe eine explosive Mixtur, die sehr wohl geeignet sei, rascher in psychische Schichten vorzustoßen, als es dem professionellen Therapeuten gelinge. Ob die erlebten Genesungen andauerten, wisse niemand. Aber das könne auch die klassische Therapie nicht garantieren.

Nach den Problemen des Fremden fragte sie nie. Sie waren Freunde. Sie kochte ihm »grits« zum Frühstück, den Hirsebrei, der für die Südstaaten so typisch ist wie die Baguette für Frankreich. Am Abend gingen sie aus und tranken Wein. Ihre Gespräche berührten von Zeit zu Zeit religiöse Zonen. Sie erkundigte sich nach seiner Beziehung zu Gott – das wohl, doch ohne die erkennbare Absicht, ihn zu bekehren oder in Christus zu neuem Leben zu erwecken. Sie lud ihn nie zum Gebet ein. Manchmal meinte er zu spüren, daß sie eher die Grenzen der eigenen Glaubensfähigkeit zu erproben versuchte. Sie war neugierig. Sie war taktvoll.

Um konfessionelle Verengungen kümmerte sie sich nicht. Sie hielt sich öfter in katholischen als in protestantischen Gemeinden auf, seit die »charismatische Bewegung« in die römische Kirche Amerikas

Einzug gehalten hatte, samt Halleluja, Umarmungen und pfingstlichen Reden in fremden Zungen, von denen sie annahm, daß sie aus einer Ursprache stammten. Sie verzichtete darauf, in New York vor einem Kreis konvertierter Juden zu predigen, den »Jews for Jesus«, die zelotisch für ihren neu verpolten Glauben missionierten. Dieses eine Mal intervenierte das Weiße Haus. Berater des Präsidenten fürchteten Proteste. Sie sagte aus eigener Einsicht ab: Sie wolle sich auf nichts einlassen, erklärte sie, das für das Überleben des jüdischen Volkes als eine religiös-ethnische Gruppe schädlich sein könne. Sie diene nicht der Trennung, sondern der Versöhnung zwischen Christen und Nicht-Christen. Bald darauf führte sie einen Pilgerzug ins Heilige Land, in dem sich Juden und Nichtjuden in frommer Koexistenz vereinten. Als sie auf dem Rückweg bei dem Fremden in Frankreich Station machte, trug sie, die Hausherrin ehrend, den Davidstern neben dem Kreuz. Sie sagte gelegentlich auch, es sei für sie nicht undenkbar, daß Gott gleichermaßen in Buddha wie in Jesus gelebt habe.

Der Fremde dachte, diese Frau sollte deutschen Kirchenmenschen und den Politikern in Bonn einen Begriff von der Freiheit und Wärme ihrer Religiosität vermitteln. Eine Einladung ließ sich arrangieren. Sie kannte Willy Brandt, mit dem sie sich ohne Krampf und Umstand, oft lachend zu unterhalten wußte. Bundeskanzler Schmidt zeigte Interesse an einer Unterhaltung.

Fröhlich und gelassen betrachtete sie, als sie schließlich herüberkam, die Geschäftigkeit der kleinen westdeutschen Hauptstadt: Annapolis fiel ihr ein, die altmodisch-adrette Residenz von Parlament und Gouverneur des Staates Maryland. Sie verwarf den Vergleich: Eher Madison in Wisconsin, sagte sie, das sei moderner und ein bißchen größer, oder Sacramento, die verschlafene und ganz anmutige Regierungsstadt Californiens. Angeregte Abendgesellschaft bei Ehmke, der seiner schweren ostdeutschen Natur leichte Füße zu machen verstand, fast amerikanisch, und unter seiner intellektuellen Schärfe ein Sensorium für die sensibleren Prozesse von Kunst oder Religiosität nicht hatte erstarren lassen.

Anderntags brachte sie der Fremde zum Bungalow des Palais Schaumburg: Frau Schmidt hatte zum Tee gebeten. Er ließ die beiden Damen allein. Hernach, auf dem Weg zum schwarzen Kanzlerbau, dieser kalten Festung neudeutscher Phantasielosigkeit, effizient und abweisend, nahm ihn Loki beiseite und flüsterte: »Was für eine entzückend naive Frau.« Der Fremde nickte. In gewisser Hinsicht treffe das wohl zu, sagte er, ein wenig ratlos. Er dachte, daß er den Kranz für liebenswürdig-kluge Unschuld doch eher der Gattin des Kanzlers zuerkennen würde. Sie möge den Engel aus Amerika nicht unterschätzen, sagte er schließlich. Ruths Blick für die Menschen sei genau und illusionslos. Sie sei auf ihre Weise gerissen.

Die kräftig-flotten Herren von der Sicherheit, vielleicht auch ein gut gebügelter Referent, geleiteten sie nach oben. Als sie das Kanzlerzimmer betraten, verharrte der deutsche Regierungschef noch zehn oder fünfzehn Sekunden am Schreibtisch, eine Entschuldigung murmelnd, um eine Unterschrift zu vollziehen. Das, dachte der Fremde, mochte bei einem Ministerialrat angebracht sein, nicht bei einem Gast aus einem fernen Land. Man setzte sich an den hellen Konferenztisch, auf den das Bild August Bebels milde herabsah. Höflich erkundigte sich der Kanzler nach dem Programm. Der Fremde erwähnte, man sei bei Ehmke gewesen, werde in München dem Kardinal und dem evangelischen Oberkirchenrat guten Tag sagen, in Stuttgart lade Eppler einen Kreis interessanter Leute ein.

Eppler war der falsche Name. Im Gesicht des Kanzlers zuckte ein verletzter Nerv. »Schwäbischer Querkopf«, murrte er. »Eigenbrötler. Weltfremd. Pietistisch. Ein bornierter Schulmeister.«

Ruth, mit den komplizierteren Ausprägungen der landsmannschaftlichen und geistigen Merkwürdigkeiten der Bundesrepublik wenig vertraut, strahlte den Kanzler aus großen blauen Augen an. Sie nutzte eine kleine Pause, um die herzlichen Grüße ihres Bruders zu bestellen. Der Kanzler nahm sie zur Kenntnis und trug eine Erwiderung auf. Doch Eppler ging ihm so rasch nicht aus dem Kopf. Diese Idealisten, murrte er, die ihre religiösen Inspirationen in die Politik trügen, stifteten nichts als Unheil.

Die Amerikanerin strahlte ihn an und sagte nichts. Religion und Politik sollten gefälligst getrennt gehalten werden, bemerkte der Kanzler schnarrend. Für das eine sei der Staat, für das andere seien die Kirchen zuständig. So müsse es bleiben. Das klang streng und alt-lutheranisch. Mrs. Carter Stapleton sah ihn aufmerksam an. Es entging ihr nicht, daß in der Seele dieses Mannes keine rechte Fröhlichkeit wohnte, nicht in jener Stunde. Sie rührte sich nicht.

Diese Idealisten, setzte der Kanzler von neuem an: Sein Vorgänger Brandt ... Für die Wirtschaftskrise könne er nicht verantwortlich gemacht werden, doch er, Helmut Schmidt, habe alle Hände voll zu tun, in dieser Republik wieder Ordnung zu schaffen. Die blauen Augen strahlten ihn an.

Diese Idealisten, fuhr er fort: die Kennedys mit ihrer »compassion« ... Was hätten die zuwege gebracht? Den Vietnamkrieg. Die großen Augen strahlten.

Ihr Bruder, die Hand fiel auf den Tisch, der möge sich vorsehen. Die schweren Zeiten kämen erst. Die Augen strahlten auch jetzt.

Dann lächelte Ruth. Ob der Kanzler nicht glaube, daß aus religiöser Inspiration Energien zu beziehen seien, die in der Politik segensreich wirkten?

Der Chef der Bundesregierung räumte dies ein. Aber Religiosität gehöre in die Sphäre des Privaten. Dort möge sie bleiben. Er halte nichts von einem geistigen oder moralischen Führungsauftrag der Politiker. Der sei Sache der Philosophen und Theologen.

Wenn die an dem Auftrag versagten? – wandte Ruth ein. Die blauen Augen strahlten.

Aus dem Gesicht des Kanzlers begann die Starrheit zu weichen. Tastend breitete er seine Einsichten aus, von Satz zu Satz bedächtiger, sensibler, toleranter. Sein Englisch war exakt und flexibel. Manchmal suchte er nach einer Vokabel. Der Fremde bot ein Wort an, das ihm passend erschien, doch der Gastgeber ging lieber hinüber zu einem Regal, in dem seine Handbücher griffbereit lagen, und blätterte im Lexikon nach. Der Krampf war abgefallen. Er breitete angeregt, oft mit vehementer Logik, seine Sicht auf die Probleme der Welt aus. Er ließ Raum für einige Fragen. Er überhörte Einwürfe nicht.

Nach einer guten Stunde mahnte der Fremde zum Aufbruch. Der Kanzler gab Mrs. Carter Stapleton diverse Nachrichten für den Bruder mit. Sie versprach, alles pünktlich auszurichten. Der Abschied geriet beinahe herzlich. Der Regierungschef begleitete die

Amerikanerin ein paar Schritte Richtung Fahrstuhl. Dann kehrte er an seine Arbeit zurück.

Der Vorgänger, dachte der Fremde, hätte sie zum Auto gebracht. Der Nachfolger – hatte er diese Frau denn zur Kenntnis genommen – als Person, nicht nur als Störfaktor, wie in der ersten Viertelstunde, Reizfläche seines Ärgers, und hernach als die Schwester eines Präsidenten, dem er niemals verzieh, daß er sich trotz seiner, des Kanzler Schmidts, ernster Sorge um die welt- und wirtschaftspolitischen Folgen, ins Weiße Haus wählen ließ – gegen den gelehrigen Gerald Ford?

Ruth war still. Der Fremde schwieg. Sie stiegen in die Limousine, die dem Gast generös zur Verfügung gestellt worden war. Beide sagten nichts, als sie die schwarze Festung hinter sich ließen, dieses polierte Monument des deutschen Glaubens an die Verwaltbarkeit von Politik und Leben, Hochsicherungstrakt der Demokratie. Sie schwiegen, als sie in die Koblenzer Straße einbogen und über die Reuter-Brücke dem Venusberg zurollten, wo sie im Gästehaus der Regierung untergebracht war.

Auf halber Höhe stieß sie ihn sacht mit dem Ellbogen an. »Dein Kanzler«, sagte sie, »ist ein eindrucksvoller Mann.« Er nickte. »Ein scharfer Kopf. Dynamisch. Brillant.« Das sei wahr, sagte er leise. Dann schwiegen sie. Nach einer Weile stieß sie ihn ein zweites Mal an. »But isn't he a little insecure?« fragte sie, die hauchzarte Andeutung eines Lächelns in der Stimme. Was sollte er sagen? Er versprach, sich mit ihr im Gästehaus unverzüglich an einen Tisch zu setzen, um die Mitteilungen für Bruder Jimmy zu notieren.

Droben im Kiefernweg überkam ihn ein kleiner Anflug von Melancholie. Das Haus war adrett möbliert, teuer, gesichtslos, gediegene Modernität. Es sah aus wie bei feinen Leuten, die auf honorige Weise zu Geld gekommen waren und keinesfalls als neureich gelten wollten. Er dachte an den anderen Kanzler, der in jenem Haus gewohnt hatte, weil ihm der Bungalow zu ungemütlich war, zu kalt, zu unpersönlich, auch zu unpraktisch, zu isoliert. Die Bilder fielen ihm ein, die damals an den Wänden hingen, die antiken und neueren Möbel, mit denen es sich leben ließ, die Spuren der Söhne, deren Anwesenheit nicht unterdrückt wurde, der brave Hund Bastian, diese schöne Mißgeburt von Dackel und Bernhardiner, das Lachen der anderen Rut.

Anderntags fuhren sie nach Stuttgart. Müdes Licht hing über dem Rhein. Die amerikanische Freundin schaute voller Andacht auf die Silhouetten der Burgen und Schlösser, über die spitzen Giebel der Städtchen mit ihren alten schwarzroten Ziegeln, die Weinberge, die weißen Schiffe und die romantisch zerklüfteten Abstürze der Berge zum Fluß. Hinter der Loreley stöhnte sie auf. »My God«, rief sie, blaß geworden, und bedeckte ihr Gesicht. Der Fremde war verstört. »Was ist?« fragte er, »bist du krank?« Als sie nach einer Minute die Hände sinken ließ, lachte sie hell auf. »Ich sehe das Gesicht des Butlers im Gästehaus«, lachte sie, »dieses noblen Menschen mit seiner stoischen Miene.« Der Fremde verstand nichts. Sie lachte Tränen.

Erinnere er sich, fragte sie, zu Atem kommend, daß sie sich in den vergangenen Wochen um das Seelenheil von Larry Flynt gekümmert habe, dem Porno-Verleger? Die Affäre habe Skandal gemacht. Die Wahrheit sei, daß ihr dieser Mensch durch halb Amerika nachreiste, immer mit dem gelben Privatjet, um mit ihr über seine unplanmäßige Bekehrung zu christlichem Lebenswandel zu reden. Tatsächlich habe sich ihr in jenen Unterhaltungen ein Gefäß von Neurosen geöffnet, ein wahres Treibhaus.

Dem traue sie über den Weg?, fragte der Fremde. Sie schüttelte den Kopf. Darauf komme es nicht an. Wenn jemand sie um Hilfe bitte, wer immer es sei, habe sie kein Recht, ihren Beistand zu verweigern, Skandal oder nicht. (Flynt wurde nicht lang danach – ein Racheakt der Mafia des Zeitschriftenvertriebs – zum Krüppel geschossen.)

Und? Vor dem Abflug in New York habe sie einige Hefte seines Magazins gekauft, um endlich zu sehen, was der Kerl veranstalte. Sie sei nicht prüde, aber für den »Hustler« gebe es nur ein Wort: »disgusting«.

Und? Die Hefte habe sie im Gästehaus der Bundesregierung vergessen. »Stell' dir das Gesicht des Butlers vor, wenn er die Hinterlassenschaft findet: Porno-Magazine im Gepäck der Evangelistin, der frommen Schwester des frommen Präsidenten der Vereinigten Staaten!«

Sie lachten beide bis Stuttgart fort. Ob man über Bonn zurückkomme, erkundigte sie sich, in einem nüchternen Augenblick. Man könne die Hefte vielleicht wieder einsammeln? Er empfahl dies nicht. Ohnedies hätten sie längst die Runde in der Protokollabteilung des

Auswärtigen Amts gemacht, unter feixenden Herren und ein wenig betretenen Damen. Vielleicht befänden sie sich schon auf der Reise nach Pullach, dem Hauptquartier des Bundesnachrichtendienstes, dieser nicht ganz geglückten Klein-Kopie der CIA.

Erzählte sie Erhard Eppler davon? Wie immer es zuging: sie brachte auch diesen ernsten Genossen und ernsteren Protestanten zum Lachen (es war lang vor der Flucht in den Bart). Nie zuvor und nie hernach sah der Fremde den strengen schwäbischen Landsmann so entspannt, ja heiter. Er präsidierte einer kleinen Versammlung kluger Köpfe aus der Neckar-Metropole, auch aus Tübingen und Umgebung. Sie forschten den exotischen Gast mit angenehmer Neugier aus, bereit, sich in ein unbekanntes Gelände religiöser Erfahrungen führen zu lassen. Eppler schlug vor, die Amerikanerin möge eines ihrer therapeutischen Gebete demonstrieren.

Die Stille war ängstlich, als sie sich langsam erhob und leise zu reden begann, konzentriert, nach innen blickend. Eine kleine Befangenheit hielt sie auf. Die andere Sprache: Distanz, die sich nur mühsam überbrücken ließ. Dann achtete sie nicht mehr darauf, ob ihre Sätze im Wortsinn verstanden wurden. Sie überließ sich der Melodie der eigenen Stimme, die kraftvoll und musikalisch war, beschwor (wie der Fremde es kannte) die Gestalten der Kindheit, die Ängste, die Hoffnungen, das Leid. Sie sprach von Liebe, von Versöhnung, von der Wärme des Lebens.

Der Fremde sah, wie sich die Züge der Zuhörer lösten. Die Schultern neigten sich aus der korrekten Haltung aufrechter deutscher Bürger zu jener Rundung, die anzeigte, daß Widerstände sacht in sich zerfielen. Aus den Gesichtern glitt der angespannte Wille fort. Keine mühselige, ringende Konfrontation mit Gott. Die Hände, ineinandergelegt oder nicht, schienen entkrampft. Sie drückten ein Nachgeben aus. Manche Stirnen neigten sich, unter der Musik der Worte, diesen Händen entgegen, an denen kein Knöchel mehr weiß war. Aus der Stimme der Frau strömten elektrische Energien in den Kreis, die kraftvoller, härter wurden. Sie sprach schneller. Die Männer, einige Frauen ließen es geschehen, daß etwas mit ihnen geschah. Sie gaben sich einer fremden Strömung anheim und wurden fortgetragen, irgendwohin. Sie brauchten, für diese Minuten, kein Ziel. Sie mußten nichts erreichen und nirgendwo ankommen.

Begriffen sie, daß von ihren Müttern, ihren Vätern, ihren Geliebten, von der Liebe Christi die Rede war? Es kam nicht darauf an. Sie schienen – einer um den anderen – die Fenster ihrer Seelen zu öffnen. Wann war ihnen das zum letzten Mal widerfahren? In einer Liebesnacht? Am Bett eines sterbenden Menschen? In einer Krise ihrer Ehen? An einem Bruch ihrer Karrieren? In einem Konzert? Beim Lesen eines Gedichtes? In der Kirche? In dieser strengen, liturgisch straff organisierten deutschen Kirche, ob evangelisch oder katholisch? Unter der Macht einer sorgsam durchdachten, makellos logischen Predigt?

Sie wehrten sich nicht. Sie nahmen die Stimme an wie ein Geschenk. Der Fremde sah Tränen in einigen Augen. Ruth endete ruhig. Sie war erschöpft.

Nein, keine Umarmungen, so weit ging man in Schwaben nicht. Ein Hauch von Verlegenheit hing im Raum, als sie wieder Platz nahm. Die Amerikanerin wischte die Unsicherheit fort, mit einigen fröhlich-nüchternen Sätzen. Es gab nicht mehr viel zu sagen. Eppler dankte, von Herzen. Man ging auseinander.

Am Abend bei Hajek, dem Bildhauer, der keine Umarmung ausließ, überbordend in seinem Enthusiasmus. Er holte die besten Weine aus seinem Keller. Er redete, deutsch auf böhmisch und englisch auf böhmisch, sprudelnd und gestikulierend: Ihre Pflicht sei es, setzte er der Amerikanerin zu, ihrem Präsidenten-Bruder zu sagen, daß Karl IV., König von Böhmen und deutscher Kaiser, Gründer der Universität von Prag, Baumeister des Abendlandes, wahrer Europäer: daß, zum Teufel, das Andenken dieses Fürsten vor aller Welt hoch aufgerichtet werden müsse, damit Europa, das Abendland, der Westen sich an ihm erhebe, denn, nicht wahr, Europa ende nicht an der deutsch-tschechischen Grenze, dort fange Mitteleuropa so recht erst an, dort sei europäischer, westlicher Geist womöglich wacher, vitaler, gewissenhafter als im saumseligen Bonn, im eigensüchtigen Paris und auch in Washington, das eine schöne Stadt sei, die den Steinmetzen gewaltige Aufträge verschafft habe, für gewaltige Skulpturen, nicht alle gut, in Wahrheit die wenigsten, das tue nicht das geringste zur Sache, denn Washington sei, genau besehen, europäischer als Europa, in gewisser Hinsicht also der Ort, die Erinnerung an Karl IV., zu dessen Reich Böhmen, die Mark Brandenburg, Posen *und* Burgund – Burgund! – gehörten, darum sei es die Pflicht ihres Bruders . . .

Welche? Warum? Was war der Anlaß? Die Amerikanerin verstand kein Wort. Sie folgte der Einladung dieses machtvollen Temperaments mit ihren großen, staunenden Augen, belustigt und ein wenig ergriffen. Am Schluß schenkte ihr der Bildhauer, hinter dem Rücken der Frau, ein schweres, einfaches Kreuz aus Bronze. (Sie hielt es in Ehren.)

Dieser Mensch sei ein Wunder an Vitalität, sagte sie hernach dem Fremden, der sie selten so aufgeräumt und so heiter gesehen hatte. Zwei Tage später, beim Oktoberfest, zu dem sie ein herzhafter und herzlicher Bayern-Genosse geleitete – sie hatte sich, Traum jeder Amerikanerin, ein elegantes Kostüm aus Edelloden erstanden –, sang sie mit der Blaskapelle, stemmte den Maßkrug und aß die Riesenbratwurst glatt auf. Deutschland, sagte sie, habe sie sich seriöser gedacht, reservierter, sozusagen preußischer. Es habe seine entspannten Möglichkeiten, sagte der Fremde.

Die strenge Furcht des Landes erlebte sie anderntags, als Seine Eminenz, der Kardinal, sie in seinem schönen Palais empfing. Prälaten an der elegant geschwungenen Treppe. In der Mitte des riesigen Audienz-Saales – schlicht dressiertes Barock – ein Sessel (für den Erzhirten) und zwei Stühlchen (für die Gäste). Die Monsignori hielten respektvoll Abstand. Man sprach über die »Charismatiker« in der katholischen Kirche Amerikas. Es war deutlich, daß Eminenz jene Entwicklung nicht ohne Sorgen verfolgte. Der weißhaarige Herr mit den geordneten Zügen wählte die Worte bedachtsam, freundlich, nicht ohne Hoheit. Ruth sagte, nach der huldvollen Entlassung, sie verstehe zum ersten Mal, was es mit der Formel von »Kirchenfürsten« auf sich habe. Das war er, dachte der Fremde, jeder Zoll ein Fürst der Kirche, exakt, wie ihn der Bauernbub sich in seinen Kinderträumen vorgestellt haben mochte. Der Kanzler hatte es nicht zuwege gebracht, das Selbstbewußtsein dieser Amerikanerin zu berühren: Der Kardinal ließ es ein wenig erheben. Sie sagte, die römischen Bischöfe in den Vereinigten Staaten seien, wenn sie einen Vergleich wagen dürfe, geradezu gemütliche Brüder, mit denen sich ohne Umstand reden lasse. Im Münchener Palais habe sie gespürt, daß es eine uralte Geschichte der Kirche gebe.

Aber vom Heiligen Geist wüßten diese Statthalter Christi nicht allzu viel, rief sie triumphierend. Der wehe – ohne Rücksicht auf

Geschichte und fürstliche Titel – noch immer woher und wohin er wolle.

»Von wannen«, hatte Luther übersetzt, entsann sich der Fremde, als hätte der Reformator das Rauschen des Geistes in Worten nachmalen wollen. Ja, sagte der Oberkirchenrat im feierlichen Luther-Rock, der über dem Bauch ein wenig spannte: was den Heiligen Geist angehe, könnten die evangelischen Christen von ihren amerikanischen Brüdern – gekräuseltes Lächeln auf dünnen Lippen – und *Schwestern* so mancherlei lernen. Jedoch, fügte er hinzu, seine Sätze schritten auf kleinen Stelzen einher, jedoch müsse man vor den Schwarmgeistern auf der Hut sein, wie sie es – Baptistin, nicht wahr? – aus eigener Erfahrung am besten wisse. Fromme Begeisterung trage erregbare Seelen rasch davon. Aber wohin? Es dünke ihm ratsam, nach der Anweisung des Dr. Martin Luther, der gewissermaßen ein gebranntes Kind gewesen sei, sich immer wieder nüchtern auf die Schrift zu besinnen, auf das unverfälschte Wort und den evangelischen Katechismus dazu. Auch der Glaube brauche seine Ordnung.

Das könnte so sein, sagte die Amerikanerin still. Der Abschied war förmlich. »He wouldn't vote for Jimmy«, bemerkte sie vor der Tür und holte Atem. Nein, für Carter würde der nicht stimmen. Schlimmer, dachte der Fremde, er würde diese Frau, damit die Ordnung gewahrt bleibe, höflich ersuchen, sich aus seiner Kirche zu entfernen.

Sie hatten beide genug. Beim Rückflug nach Bonn warf man sie aus der ersten Klasse der Lufthansa-Maschine, die ein allzu bemühter Reise-Marschall für sie gebucht hatte. Die Hansa-Dirigenten bedauerten unendlich, doch Sicherheit und Protokoll ... Der bayerische Ministerpräsident, noch nicht Franz Josef Strauß, beanspruchte das Luxusabteil für sich und seinen Troß. »Governor of Bavaria«, stellte er sich vor, Serenissimus als jovialer Demokrat, und begrüßte die Präsidentenschwester mit altfränkisch-aufwendiger Artigkeit. Einen Platz in seiner ersten Klasse bot er ihr nicht an. Keiner der beflissenen Referenten offerierte einen diskreten Tausch. Sie starrten diese so weltliche Dame, der die Zeitungen eine geistliche Tätigkeit nachsagten, mit kalt abschätzenden Blicken an und beugten sich entschlossen, erster Klasse, über die Akten.

Ruth scherte sich nicht weiter um die Peinlichkeit, die ihr nicht entgangen war. »Ordnung muß sein«, sagte der Fremde tröstend und übte mit ihr das deutsche Grundwort. Bei der Zwischenlandung in Bonn beherrschte sie es perfekt. Im Flugzeug nach New York langten sie beim Rotwein zu.

Übers Jahr kam sie in das kleine südfranzösische Dorf, in dem der Fremde und seine Frau eine Heimat gefunden hatten. Der Zufall richtete es ein – Zufall, was sonst? –, daß ihm am Tag nach ihrer Ankunft einer der härtesten Schläge seiner professionellen Existenz verpaßt wurde, exakt in den Urlaub gezielt, unfehlbar berechnet, deutsche Hochleistungstechnik, perfekt. Einige Minuten war er erstarrt. Ruth sagte trocken: »Das gibt dir Gelegenheit, das zu tun, was du ohnehin tun solltest – setz' dich auf deinen Hintern und schreib'. Fang' morgen an, am besten ein Buch, eines über Amerika.« Er folgte dem Rat. Überdies, hatte sie mit einem Gran List bemerkt, gewinne er die Chance, sich wieder öfter in den Vereinigten Staaten aufzuhalten. Ihr Land sei für ihn vielleicht bekömmlicher als sein eigenes. Das war nicht falsch, obschon ...

Sie sahen einander da und dort, seltener, als sie beide es wünschten. Sie wechselten einige Briefe. Sie telefonierten. Die verheerende Wahlniederlage des Bruders gegen Ronald Reagan schien sie nur am Rand zu berühren. Sie reiste weniger. Sie war stiller.

Einige Monate nach dem Abschiedsmorgen am See erfuhr er durch ihren ältesten Sohn, Arzt in North Carolina, daß sie krank sei: Krebs. Der Anruf des Fremden erreichte sie in einem Sanatorium auf den Bahamas. Ihre Stimme war schwach. »Du mußtest kämpfen«, sagte er. »Ja«, antwortete sie mühsam. »Im Hospital gab man mir sechs Wochen. Nun kämpfe ich seit vier Monaten.« Sie müsse Gewicht gewinnen. Ein halbes Pfund habe sie zugenommen, ein halbes Pfund.

Beim nächsten Anruf fragte sie, ob er sich ihrer Verabredung entsinne: Sie wollten miteinander durch Frankreich reisen – zu den Kathedralen, den Schlössern, den südlichen Städtchen mit ihren Katzen, den rotgrauen Dächern und buckligen Straßen. Er hatte es nicht vergessen. »Im nächsten Jahr«, sagte sie, »vielleicht«. »Du mußt dich darauf freuen«, rief er. »Du mußt das Leben lieben«, das sei wichtiger als alles andere. Ja, sagte sie leise, sie liebe das Leben so sehr, daß sie zäh an ihm festgehalten habe, bis jetzt, obwohl ihr sterbenselend sei. Sie lasse nicht los.

Einige Tage später, als er wieder im Sanatorium anrief, teilte man ihm mit, Mrs. Carter Stapleton sei abgereist. Im Cottage am See meldete sich Bob. Er gab an Ruth weiter. Sie habe sich auf der Insel nicht mehr wohl gefühlt, sagte sie. Zu Haus sei es besser. Vielleicht versuche man noch einmal eine Bestrahlung.

Ihre Stimme war müde. Sie sei so dünn, sagte sie. Ihre Augen hätten keinen Glanz mehr. Er biß auf die Lippen. Er denke an sie, sagte er, er denke an sie voller Liebe. »I know«, antwortete sie schwach, »I know.«

Als er wieder nach ihr fragte, antwortete ein Unbekannter, vielleicht der Arzt. Sie könne nicht mehr sprechen. Es gehe zu Ende.

Fünf Tage später meldeten die Zeitungen ihren Tod. Sie begnügten sich mit knappen Nachrufen. Ruth Carter Stapleton wurde nicht länger als eine Person öffentlichen Interesses betrachtet.

Der Fremde fragte niemanden, ob sie im Glauben gestorben sei. Sie war eine Schwester, war es durch ihr Lachen geworden, ihre Grazie, ihre verborgene Schwermut, ihre Lebensliebe, ihre Liebe.

XIX

Statt eines Nachworts
Herr H., wo bleibt das Negative?

Der Teufel weiß schon, wo das bleibt, ließe sich, den melancholischen Kästner variierend, mit dem Blick auf die amerikanischen Begegnungen in diesem Buch sagen. Der Autor leugnet nicht, daß sich seine Erinnerung vor allem Menschen zuwandte, die er als liebenswert betrachtet. Muß er sich nun vorwerfen, er habe seine Erfahrungen mit Amerika in ein allzu rosiges Licht gerückt? Er habe, um seine Liebe zum andern Land nicht zu schmälern, die Unfreundlichkeiten, die Verstörungen, seinen Ärger, seine Kritik bedenkenlos verdrängt?

Aber könnte er denn behaupten, daß er Amerika liebe? Liebt man ein Land? Einen Staat? Eine Nation? Gustav Heinemann fand, mit seinem nüchternen Humor, die schlüssige Antwort: Er liebe seine Frau, stellte er fest. Vielleicht darf man jenen herben Humanisten sacht korrigieren: Es ist denkbar, sich der Idee eines Landes, eines Staates, einer Nation mit einer Art von Liebe anzunähern. Die Liebe zu Abstraktionen übersetzt sich allerdings rasch in ein unverbindliches Pathos. Empathie wäre vielleicht der rechte Begriff, für den der Autor keine deutsche Entsprechung fand.

Liebe, die den Namen verdient, wendet sich in der Tat nur einigen Menschen zu, deren Bilder man mit sich fortträgt. Lohnt es sich, das Gedächtnis mit den anderen zu beschweren, den lästigen Schatten der Mißverständnisse? Zänkereien? Ressentiments?

Klare Feindschaften, das ist wahr, haben ihre eigene Qualität. Sie kann eine moralische sein, doch mit dieser Feststellung sollte man zögern. Sie verläßt sich in der Regel nur auf *eine* Moral, die eigene. Der Haß, auch das ist wahr, mag produktiv sein. Er verführt zur

Polemik und damit zu einer Brillanz, die der Sympathie selten zuteil wird. Haß demonstriert gelegentlich eine gewisse Ästhetik. Öfter ist er nur, wie der Name sagt, häßlich.

Es hätte nicht zuviel Umstände gemacht, wahre Prachtexemplare des »häßlichen Amerikaners« durch die Kapitel paradieren zu lassen, zumal die Inspiration von mancher Wesensverwandtschaft mit dem »häßlichen Deutschen« beflügelt worden wäre. Darf man sie allesamt glattweg unterschlagen, die unliebenswerten Zeitgenossen unter den Amis? Manche Visagen regten die Lust an der Beschreibung heftig an.

Nun, da der Autor sich, für einen Augenblick, mit den Schatten einläßt, erkennt er in der Dunkelheit zunächst keine Gesichter, sondern Massen wogenden Fleisches: an den Stränden von Miami Beach, in den Vorstädten von Los Angeles, transpirierendes Spießertum, Busengebirge, in Bikinis gezwängt, die in gewaltigen Explosionen gesprengt würden, hielte Furcht vor der Polizei nicht die Nähte knapp zusammen (denn das »Oben ohne« ist der Landesgesinnung nach wie vor unerträglich). Busen und Ärsche. Das deutsche Bier wuchtet die Bäuche aus, das amerikanische lagert seine Nährstoffe aus unerfindlichen Gründen lieber in den Rückfronten ab. Es geht das Gerücht, CIA-Agenten seien öfter durch einen unverkennbaren Amerikanismus ihrer Männerärsche entlarvt worden als durch falsche Handhabung von Messer und Gabel oder einen verräterischen Akzent.

Anders als das Bier verteilt sich das Rindfleisch gleichmäßig über sämtliche Regionen des maskulinen Leibes, und es gibt jungen Männern ein Aussehen von solch strotzender Kraft, daß Europäer bei ihrem Anblick unverzüglich und schuldbewußt der eigenen schwächlichen Dekadenz nur allzu gewahr werden. Es ist unmöglich, angesichts dieser Heldengestalten nicht zugleich an die zehn Ochsen zu denken, die sie jährlich verschlingen. Jene Athleten äußern sich übrigens fast immer in tenoralen Tönen, meist mit trompetenhafter Gewalt. In Augenblicken der Erregung oder Rührung geraten die Stimmen auch schnell ins Falsett. Einer der Nachbarn des Autors, gestählter Beamter des FBI, krähte wie ein italienischer Opernsänger, wenn er am Samstagnachmittag voller Stolz seine Söhne antreten ließ. Eine prachtvolle Truppe: Kleinpatrioten, die Köpfe militärisch geschoren, tadellose Manieren. Wie sollte man nicht über diese wohlgeratenen Produkte eigener Erzeugung gerührt sein? Nach der Inspektion, bei der auch plötzlicher Zorn schwoll, wurden die Sprößlinge zur Arbeit kommandiert: Rasen mähen, Auto waschen, Garage auskehren, zackzack, 'ran. Preußisches Amerika, Disziplin der Kadettenanstalt. Am Morgen des Sonntag Flaggenhissung und Kirchgang. Die Mutter saß in der Küche und soff.

Schatten. Der Bürstenkopf des resoluten Christen in einem südstaatlichen Nest, bis auf zehn Zentimeter schob er den Schädel ans Gesicht des Autors, sah ihm starr in die Augen und forderte Auskunft: »Do you believe in Jesus?« »This is none of your business«, sagte der Autor knapp, jenes eine Mal halbwegs geistesgegenwärtig. Der Bürstenkopf zuckte zurück und ging seiner Wege.

Schatten. Die Erinnerung wendet sich, es liegt nahe, Bull O'Connor zu, dem Polizeichef von Birmingham in Alabama, der rotgesichtig aus dem Fenster seines Kommandowagens starrte, als er die Wolfshunde auf die Kinderbataillone Dr. Martin Luther Kings hetzte. »Get out of here«, brüllte er uns an, »the sooner the better.« Sein Landsmann, der sich vor unserer Kamera aufbaute, breitbeinig und drohend, schrie mit böser Fratze: »You must be Jews. Or Yankees. Or both.«

Schatten. Der pralle und, der Autor schwört es, rote Nacken des Plantagenverwalters, nicht weit von Charleston in South Carolina, der die schwarzen Pflückerinnen auf den Feldern scheuchte, als sei die Sklaverei erst gestern aufgehoben worden. Vor einem »pick-up truck«, der im Straßengraben lag, hielt er an und grinste, auf den schwarzen Fahrer deutend: »I bet this goddamned nigger doesn't even know how to drive.« (Aber dann stieg er aus und holte das Abschleppseil.)

Aus dem Schatten tritt der drahtige Herr im Hotel von New Orleans, Tweed und grauer Flanell, der neben ihm auf den Fahrstuhl wartete, ihn vom Kopf bis zu den Füßen musternd. »Very smart«, räusperte er sich, »marineblauer Blazer, schwarzer Rollkragenpullover, ungewöhnlich smart.« Der Autor, in Kleidungsfragen kein Experte, murmelte ein scheues »Thank you«. »Immer sind es die Briten, die uns zeigen, was schick ist«, knarrte der Herr mit einer verrosteten Stimme. »Thank you«, sagte der Autor wieder, er sei freilich Deutscher. Der Herr schaute betroffen auf. »I beg your pardon«, krächzte er, in höchster Verlegenheit. Dann fügte er hinzu: »A very nice country, too, and very brave soldiers. Good day.«

Schatten. Die Hallen der alten Hotels mit den Heerscharen der Matronen, stereotyp in Bonbonfarben getaucht. Die dämmernden Greisinnen mit den eisblauen Haaren. Das Callgirl vom Dienst an der Bar, das Service in allen denkbaren Variationen mit dem Charme einer abgehärteten Operationsschwester anbot: Gymnastikstunde nach der Sexfibel. Der betrunkene Volkswagenhändler, der sich ihm entgegenbeugte, eine Wolke von Whisky, und geradezu schluchzte: »I just love to think.«

Die Bürokratin im State Department, schwarz und dick, die das Niederdrücken jeder Taste auf ihrer Schreibmaschine so gründlich bedachte, daß man sich fragte, ob sie es jemals auf hundert Anschläge pro Stunde bringen würde.

Das abgefeimte Grinsen des Dealers an der Ecke Lexington Avenue und einhundertsechste Straße Ost, der zur Beschaffenheit seines Stoffes sagte, das Leben sei voller Risiken, und so sei der Tod.

Schatten. Die pferdigen Züge des Harvard-Professors, ein hagerer Riese, Snob vom Scheitel bis zur Zehenspitze – ein weiter Weg –, der in seinem reifen Alter jeder linken und gerechten Sache nachlief, voll eitel-edlen Mitleids über die Heere der Armen, Elenden, Schwachen gebeugt – sofern er nicht in Reminiszenzen an seine Botschafterjahre unter Kennedy schwelgte (unter wem sonst?), eine seiner glattmäuligen Weltwirtschaftsanalysen verfaßte oder in Gstaad zwischen ausgestopften Prinzen und progressiven Millionären Après-Ski feierte. Allemal traf er auf helvetischen Höhen seinen Urfreund, den Kolumnisten und Verleger aus Connecticut, Erbe eines alten Vermögens, der den Snobismus des Professors leicht übertraf. Die Nasalität des pseudo-britischen Akzents, den jener Reaktionär so gründlich geübt hatte, wäre bei der BBC nicht zugelassen, weil zum Klassenhaß aufreizend.

Der Umgang mit Briten, dachte der Autor oft, ist für Amerikaner fast so fragwürdig wie für Deutsche, da sie sich (alle beide) über Nacht die Manierismen der Inselgesellschaft aneignen, doch selten einen Hauch von britischer Zivilität. Gern stülpen sie sich die Sherlock-Holmes-Mütze aufs schüttere Haupt, wenn sie von der Park Avenue zum Century Club eilen, auch ohne Wetter und Wind, und sie bellen über ihre Drinks ein so uralt-englisches Herrenlachen hinweg, als stammten sie nicht aus Brooklyn, sondern geradewegs von Heinrich VIII. ab.

Die Wirkung Frankreichs ist anders: Es schüchtert ein. Schon beim Betreten eines französischen Restaurants mittlerer Güte schüttelt sie der Kulturschock so heftig, daß sie weder englisch noch französisch zu reden wagen, aber dafür um so höhere Trinkgelder entrichten, die entgegengenommen werden, als lieferten sie Bußgelder ab. Ihre Landsleute aus dem Mittleren Westen gleichen das in »gay Paris« durch die Weigerung aus, sich eine einzige französische Vokabel außer »merci« einzuprägen. Wie so viele Deutsche reden sie mit dem Eingeborenen nur langsamer und sehr viel lauter in ihrem angestammten Idiom, völlig gewiß, daß nur Idioten oder Feinde Amerikas nicht verstünden, was sie zu sagen haben. Außerdem sind sie davon überzeugt, daß alles Trinkwasser außerhalb der amerikanischen Grenzen von lebensgefährlichen Bakterien verseucht sei. Sie gehen auch davon aus, daß die Amerikaner das einzige Volk sind, das sich mit Seife wäscht.

Schatten. Kein Zweifel, in der Arche Amerika fand alles mögliche Platz. Nichts einfacher, als eine Karikaturen-Sammlung von Amerikanern Revue passieren zu lassen. Man könnte dabei, nur gering übertreibend, nach dem Leben zeichnen.

Nur trifft dies für jedes Land zu, selbst für die Bundesrepublik Deutschland. Unser Ordnungssinn und das homogene Bild unserer Gesellschaft kaschieren Wahrheiten, die Amerika jedem Touristen in den ersten zwei Stunden seines Aufenthalts geradezu aufdrängt. Ein Buch über den Alptraum Amerika wäre im Handumdrehen geschrieben: nackte Not und tiefgefrorener Luxus, gigantomanische Prachtentfaltung und verfallende Slums, bettelnde »bagladies«, halb erfroren vor den Auslagen sündhaft teurer Pelzgeschäfte kauernd, Hungerbabies im ländlichen Süden und angeknabberte Steaks in der Mülltonne, Halleluja-Hysterie und martialische »marines«, darbende Arbeitslose und vollgefressene Gewerkschaftsbosse, rattenhafte Teenager mit lockeren Messern und wohlerzogene rotwangige Knaben in den Eliteschulen Neu-Englands, prüde Sexgöttinnen und ausgemergelte Huren, Wahlzirkus in den Parteitags-Arenen und das leise Ticken der Fernschreiber in den stillen Büros der Mächtigen von Wall Street, melancholisch-verfettete Indianer in ihren kargen Reservaten und dröhnende Cowboys, die manchmal schießen und seltener treffen, idyllische Bergtäler in den Rocky Mountains und zwanzig Meilen entfernt die Giftküchen der Nuklearindustrie, verreckte Schafe in den Zäunen hängend ... Was noch?

Für ein Buch von solcher Beschaffenheit brauchte es einen Mietwagen, maximal zwei Monate streunender Umschau, den frischen Reporterblick, minimale Kenntnisse der englischen Sprache, keinen Presseausweis. Die Notstands- und Niedergangs-Statistiken würden von der Kongreßbibliothek in Washington und dem Archiv der »New York Times« geliefert. Dort ist alle amerikanische Schande sorgsam registriert und jedermann zugänglich. Kritik frei Haus, Auswertung ohne weitere Kosten.

Fremdländische Journalisten (oder Wissenschaftler) entdeckten kaum je amerikanische Wahrheiten, die sich die Amerikaner nicht längst selber ins Gesicht sagten. Niemand geht mit Amerika schonungsloser ins Gericht als die Amerikaner. Der Umgang der deutschen Presse mit den deutschen Realitäten, die nicht alle glänzen, ist – im Vergleich mit der Erbarmungslosigkeit amerikanischer Medien – zimperlich und diskret, es sei denn, das ganze »System« werde, kraft höherer ideologischer Einsicht, rundweg »in Frage gestellt«. (»System« sagt man neuerdings wieder und denkt sich nichts dabei – oder doch? –, als hätte es keinen gegeben, der die Demokratie von Weimar grundsätzlich als »System« denunzierte.) Unsere Neigung ist groß, mit ausgestrecktem Zeigefinger auf auswärtige Mißstände zu deuten. Besagtes Amerika-Buch könnte man, halbwegs redlich, *nur* nach drei Monaten aufs Papier werfen. Nach drei Jahren ginge es nicht so flugs von der Hand. Nicht, weil der frische Reporterblick erlahmte. Nicht, wie ein junger Kollege so zierlich schrieb, weil »das Leben eines Korrespondenten zwischen Pressekonferenzen, Stehparties, Zeitungslektüre und dem Abfassen von Berichten (kaum) noch genügend Zeit läßt, sich einerseits um tiefergehende politische Analysen, andererseits um die Alltagsrealität des Landes zu kümmern«. Auch nicht, weil man sich der CIA verdingte. Sondern weil die Realität, exakt die des Alltags, komplizierter ist, als sie sich dem frischen Reporterblick darbietet. Weil ein großes Land, auch wenn es sich den

Fremden unbefangen aufschließt, viele Wahrheiten in sich birgt (nicht anders als die kleinere, überschaubarere Bundesrepublik), die geduldig Schicht um Schicht bloßgelegt werden müssen. Weil im Gang der Jahre die handlichen Vorurteile abgetragen werden, die der frische Reporterblick und einige Zufallslektüre zunächst so präzis zu bestätigen schienen.

Amerika wird auf Anhieb jedem Vorurteil gerecht. Doch dies ließe sich, ohne große Schwierigkeiten, auch von der Bundesrepublik Deutschland feststellen, obwohl wir, was uns selber angeht, darauf bestehen, die Vorurteile als solche zurückzuweisen. Gesellschaften, die sich den prüfenden Augen der Korrespondenten gar nicht erst öffnen, ersparen sich manche Probleme, ersparen sie auch, was nicht nebensächlich ist, den Korrespondenten und mehr noch den eiligen Besuchern.

In einem anderen Amerika-Buch, das der Autor vor zwei Jahren publizierte, stand ein Brief an eine deutsche Freundin, der die behutsame Bitte enthielt, sich auf den frischen, ersten Blick nicht zu verlassen: Man müsse es sich schwer machen mit anderen Ländern; zunächst sollte man ihre Fremdheit und ihr Anderssein respektieren; das Verstehen beginne danach.

Vergeblicher Wunsch. Die antiamerikanischen Ressentiments, die bei Teilen der jungen Generation (und nicht nur bei ihr) ins Kraut schießen, werden vermutlich nicht abnehmen. Ihre klischierten Meinungen schnappen, in der Art Pawlowscher Hunde, nach jeder Bestätigung, die sich ihnen anzubieten scheint. Sie sieht das, was sie sehen will, wie es der üblichen Unvernunft der Menschen entspricht. Wer mit einem positiven Bild nach Amerika fährt, kehrt mit freundlichen Bildern zurück. Wer die Vereinigten Staaten als Alptraum betrachtet, wird lediglich Alpträumen begegnen.

Die Sympathien, die sich nach dem Zweiten Weltkrieg Amerika stärker als jeder anderen Sieger-Nation zuwandten, beginnen zu erlöschen. Opportunistische Anpassung der Besiegten sorgte damals für eine Verklärung, die gewiß manche unguten Realitäten tarnte. Nun, da die Bundesrepublik und ihre westeuropäischen Nachbarn zu Partnern der amerikanischen Probleme mit dieser Welt wurden, auch der Torheiten, Verfehlungen und Schwächen, setzt ein Prozeß der Ablösung ein. Einstige Servilität und Kritiklosigkeit schlagen in Mißtrauen, ja manchmal in offene Anfeindung um.

Fromme Beschwörungen in Bonn richten wenig aus. Die amerikanische Epoche der deutschen Nachkriegsgeschichte neigt sich zum Ende. Die Fortdauer der vertraglichen Bindungen, die loyale Erfüllung der gegenseitigen Pflichten, die Anwesenheit amerikanischer Truppen, tausend Gesten des Wohlwollens, selbst der weitere Vormarsch einer oberflächlichen Amerikanisierung in den Gewohnheiten des Alltags, in der Musik, durch die Unterhaltungsmaschinerie des Fernsehens – dies alles ändert nichts: Ein Bann ist gebrochen. Der naive Zauber, der einige Jahrzehnte so wirksam war, hebt sich auf. Die moralische und geistige Autorität, die den Vereinigten Staaten nach der Katastrophe des Dritten Reiches so selbstverständlich zuerkannt wurde, scheint dahin zu sein, unwiederbringlich.

Wie es Menschenart ist, suchen wir die Ursachen für die Wandlung nicht bei uns, sondern ausschließlich bei den anderen. Die Stichworte sind bekannt: Vietnam und Watergate, der unglückselige Carter und sein Debakel im Iran, schließlich Ronald Reagan.

Der Californier ist in der Tat eine geradezu ideale Zielscheibe allen Ärgers an den Vereinigten Staaten, ob er berechtigt ist oder nicht. Der greise Politiker bietet sich als bizarre Karikatur aller Zerrbilder an. Wären die greisen Chefs im Kreml nur halb so zynisch, wie es ihnen Ronald Reagan in seinen missionarisch-unbedachten Reden nachsagte, dann gäbe es für sie nicht den geringsten Grund, eine Wiederwahl des alten Herrn zu bedauern. Ein amerikanischer Freund bemerkte ungerecht, doch nicht ohne Witz, Reagan könnte auch als ein Produkt der raffinierten Desinformations-Strategie betrachtet werden, mit der die Sowjets nach verbreiteter Ansicht das Bündnis beharrlich unterminieren.

Zur Kritik am Regime des Republikaners gab es Anlaß genug. Selbst die brave Regierung in Bonn äußerte unter der Hand manche Bedenken. Den deutschen Einwänden entsprachen, wie immer, härtere Einsprüche der amerikanischen Presse. Ob El Salvador und Nicaragua oder die Vereisung der Kontakte mit Moskau, ob strategische Konfusionen oder der Zusammenbruch des Minimalconsensus zwischen West und Ost, ob Libanon oder die grausam reduzierte Entwicklungshilfe, ob Rekorddefizit oder Zinsüberhöhung als Geißel der Weltfinanzen: die Differenzen zwischen den Verbündeten und den Vereinigten Staaten, aber auch (wenn nicht vor allem) zwischen Bonn und Washington sind offensichtlich, sie sind tief, und sie wachsen.

Es gibt eine Gegenrechnung: Ronald Reagan kann, zur Überraschung selbst seiner Freunde, eindrucksvolle Erfolge vorweisen: die Bändigung der Inflation, die nur eine vorläufige sein mag, den Aufschwung der Konjunktur, der noch nicht ausdauernd gefestigt sein könnte, die drastische Verminderung der Arbeitslosigkeit, von der nur verbohrte Gegner leugnen können, daß sie eine soziale Leistung ist – das alles schlägt nicht gering zu Buche.

Vielleicht fielen dem Präsidenten jene Triumphe in den Schoß. Es wäre denkbar, daß sie auch der unglückselige Carter geerntet hätte, wäre ihm eine zweite Amtszeit beschert worden. Danach fragen die Wähler nicht. Die Geschichte verliert über solche Erwägungen kein Wort. Sie wird nicht im Konjunktiv geschrieben.

Ronald Reagan gab Anlaß, eine nicht ganz nebensächliche Frage zu stellen: Muß ein Präsident gebildet, geistesgegenwärtig, nachdenklich, voller Energie und von gewissenhafter Intelligenz sein, um als Kommandeur einer Weltmacht bestehen zu können? Oder sind eine Handvoll schlichter Maximen und ihre unermüdliche Wiederholung, solides Selbstbewußtsein, Beharrungsvermögen, das stets parate »Showman«-Lächeln und eine Prise Humor genug, um der Mehrheit der Bürger ein Gefühl der Sicherheit und des Behagens zu vermitteln? Reicht ein hemdsärmeliger Optimismus aus, die Wirtschaft auf die Beine zu bringen?

Es geht, offensichtlich, auch so. Die amerikanischen Medien, trotz der Schärfe ihres Spottes, erschütterten das freundliche Bild des großen Vaters nicht, der als ein Über-Großvater der Nation in die Historie eingehen mag. Er kriegte die Kurve. Er wurschtelte sich, wie der Kaiser Franz Joseph von Kakanien, mit geduldiger Schläue durch.

Henry Adams, Enkel und Urenkel zweier bedeutender Präsidenten, der ein halbes Leben lang aus seiner patrizischen Residenz am Jackson Square zum Weißen Haus hinüberschaute, sagte am Ende seiner Tage, es sei völlig gleichgültig, wer dort drüben regiere: die Geschichte nehme ihren Lauf. Die Skepsis dieses großen Schriftstellers war eher europäisch als amerikanisch geprägt. Ihn trieb die Furcht um, daß sich die moderne Zivilisation vor der Neige dieses Jahrhunderts in die Luft sprengen werde. Er hielt die Katastrophe für unvermeidlich. Sein ceterum censeo: Rußland müsse eine Verankerung im Lebenskreis der westlichen Politik und Kultur finden. Es kam anders.

Hing der alte Mann den bösen Geistern nach, die Europa von Station zu Station, von Tragödie zu Tragödie durch seine Geschichte begleitet hatten? War die äußerste Grenze nicht mit dem Zweiten Weltkrieg und seinen fünfzig Millionen Toten, dem Versuch der systematischen Ausrottung eines Volkes, mit den ersten Atombomben längst erreicht? Vergaßen die Nachbarn im Weißen Haus, mit denen Henry Adams' Schatten Zwiesprache hält, daß es keine neue Grenze gibt, sondern nur noch den kollektiven Untergang, in dem alles Leben erlischt, das lebenswert wäre? Steht die Drohung den Greisen im Kreml klar genug vor Augen, oder verlassen sie sich darauf, daß sie ohnedies sterben werden, ehe das Schlimmste geschieht?

Adams' prophetische Verzweiflung war unamerikanisch. Aber vielleicht treibt der amerikanische Optimismus mit seinem idealistischen Elan und dem tief verwurzelten Glauben an die Güte der Menschheit die Welt rascher dem Abgrund zu als die pessimistische Resistenz der Europäer oder die knöcherne und ängstliche Phantasielosigkeit der Altrevolutionäre in Moskau, die ihre ausgebleichte Ideologie hüten?

Der Autor weiß es nicht. Er fürchtet, daß Europa manches zu sagen und nichts zu entscheiden hat, solange es seine Energien und Erfahrungen nicht endlich zusammenzufassen vermag. Weinerliche Ohnmacht, das ist gewiß, richtet gegen die Imperien nichts aus. Die Hellenen, die von ihren Narrenpossen kleinlicher Konkurrenz, von Neid, Intrigen und zynischen Schlauheiten nicht lassen wollten, hatten zwischen West- und Ost-Rom nicht mehr viel zu bestellen. Sie durften lediglich ihre brillantesten Köpfe als Geheimsekretäre an die Cäsaren verdingen.

Europa. Noch immer führt es voller Genugtuung die Vielfalt seiner Kultur, seinen Lebenszauber und den Reichtum seiner Künste vor, von denen sich Amerika manches anzueignen vermochte, um es mit unbefangener Vitalität zu verwandeln.

Blüten der Ohnmacht und ein Aufgebot von Hilfstruppen: Ist das alles, was Europa der Menschheit an der Schwelle der letzten Katastrophe zu geben hat, vor der wir alle hocken, von der eigenen Hilflosigkeit zu Boden gedrückt?

Die Macht gehört den anderen, trotz Bundeswehr und Force de frappe. Freundliche Macht, feindliche Macht. Verwandte Macht, fremde Macht. Europa, solange es nur die eigene Ohnmacht organisiert, ist Beute und Geisel, Bündnisse hin oder her, dem Willen oder der Willkür der Großmächte ausgeliefert, auf Gedeih und Verderb, auf Leben und Tod.

Darüber täuschen die so furchtsam und eitel behaupteten Souveränitäten nicht hinweg. Sie sind Abstraktionen. Wunschträume. Gespenstereien. Nachhall einer Vergangenheit, die längst begraben ist. Am Tage X würden sie keinen Pfennig und keinen Centime mehr wert sein. Sie taugen auch für den Ernstfall des Kalten Friedens nicht. Die Realität hob sie auf, obschon dies zu wenige zur Kenntnis nahmen. Die Supermächte ließen uns das gefährliche Kinderspielzeug aus den alten Tagen der Nationalstaatlichkeit, weil das entrüstete Geplärr zu schlimm wäre, wenigstens im Westen, räumten sie die Illusionen kurzerhand fort.

Sie können sich die Mühe sparen. »Nuisance-Value«: ein Ding, mit dem sich Unfug stiften und Ärger anrichten läßt, mehr nicht. Tieferen Schaden fügt sich Europa damit nur selber zu. Sein Geschick ist die Leihgabe der anderen, die einander in Schach halten. Ein gefährdetes Lehen, ohne Sicherheit und Würde.

Dieser Zustand ist nicht einmal ganz unbequem, denn er fordert wenig Verantwortung. Manchmal könnte man ihn geradezu heiter nennen (wären die Deutschen nur besser gelaunt). Er läßt Geist und Grazie, Lust und Allotria zu. Doch er wird auch mit tiefen Ängsten bezahlt, von denen die jungen Menschen – und nicht nur sie – umgetrieben sind. Die Ängste könnten außer Kontrolle geraten. Ohnmacht schlägt rasch in Ressentiment um. Schwäche drängt es danach, sich an den Starken durch Verachtung zu rächen.

Das ist die Wurzel des Antiamerikanismus. Je klarer die Differenzen der Interessen zutage treten, um so schärfer wird sich der Unmut ausprägen. Europa gleicht nichts aus, weil es nur als eine blasse, umständliche und kraftlose Skizze existiert, ja weil nicht einmal ausgemacht ist, ob die Europäer Europa wollen.

Die Mehrheit der Völker zwar wäre für Europa bereit. So sagen es die französischen Umfragen – für Frankreich. Es ist nicht ausgemacht, ob dies auch noch für die Deutschen gilt, die zwischen Nabelschau, Hochmut und den landesüblichen Depressionen auf eine beklemmende Weise wieder selbstgenügsam wurden, ihrer alten destruktiven Passion des Kulturpessimismus hingegeben, die radikal und konservativ ist, links und zugleich rechts.

Vielleicht wären die Bürger, auch die deutschen, noch immer für Europa zu mobilisieren, machten die Politiker nur damit Ernst und ihrer starren, auf die überkommenen Privilegien bedachten Bürokratie endlich Beine. Die Völker sind, wie der Franzose Rocard es sagte, den Politikern voraus, die ihre Bedenken in Phrasen und ihre Phrasen in Bedenken verwandeln.

Soviel ist sicher: Die Einheit Europas könnte nur zwischen Frankreich und Deutschland wachsen. Frankreich aber wird sich, wenn die Deutschen Abstand von Amerika nehmen, um so enger an die Vormacht des Westens schließen: wie es zum andern einst, in der Ära de Gaulle, eine allzu enge Bindung der Bundesrepublik an die Vereinigten Staaten und damit ein amerikanisiertes Europa fürchtete.

Aber ist Amerika an der Einheit Europas noch interessiert? (Die Moskowiter sind es nicht, um ihren Besitz in Osteuropa fürchtend, das ist klar genug.) Circulus vitiosus – beißt sich die atlantische Seeschlange in den Schwanz? Erkennen die Weltgeister in Washington D. C., was selbst Henry Kissinger nur ungern (wenn überhaupt) zur Kenntnis nehmen wollte: daß ein selbständiges, über die eigenen Kräfte verfügendes Europa ein unbequemer Partner für die Vereinigten Staaten wäre, doch – endlich – ein Partner und damit auf lange Sicht eine zuverlässigere Stütze des täglich bedrohten Gleichgewichts zwischen Ost und West und Nord und Süd?

Europa kann, das weiß man, nicht gegen die Vereinigten Staaten geschaffen werden, sondern nur in der sorgfältigen Balance der gemeinsamen und getrennten Interessen. So bleibt alles in der Schwebe? Nichts geschieht?

Europa ist eine Frage des Willens. Der europäische Wille ist schwach. Doch die Alternative ist böser: Die Deutschen könnten sich auf ihre unsichere und geteilte Nation zurückgeworfen sehen. Was sollte aus ihr werden? Eine Friedensinsel, ökologisch sauber, wie sie sich die Grünen erträumen? Ein Niemandsland? Spielball der fremden Interessen? Ein Gewächshaus wirrer Experimente? Eine heimliche Großmacht? Oder vor allem eine Zuchtanstalt gefährlicher Neurosen, chronische Einladung des Debakels?

Solange es dahin nicht kommt, bleibt Amerika der Partner – bliebe es auch für Europa. Also ist es nüchterne Pflicht, uns über das rätselhafte Imperium im Westen immer von neuem ins Bild zu setzen. Also muß man beharrlich versuchen, den Medienvorhang der Klischees und die Barrieren der Vorurteile beiseite zu schieben, Tag um Tag. Das ist nicht leicht. Die Mythen verstellen den Blick. Sie erklären manches und verdunkeln viel.

Die Vereinigten Staaten sind, jenseits der Mythen, die Amerikaner. Gesichter, die wir zu erkennen vermögen. Menschen, mit denen wir vertraut werden, die wir begreifen, wenn wir uns mit ihnen Mühe genug geben, die wir vielleicht sogar lieben können, falls wir für die Menschenliebe nicht zu kraftlos, kalt und feige würden. Fangen wir bei denen an.

Postscriptum

Es mag einige Schwierigkeiten bereiten, dieses Buch in einer der üblichen Kategorien zu plazieren, die für die Ordnung der Bibliothekare, der Rezensenten, der Professoren so wichtig sind. (Die Leser, darf man hoffen, interessiert dies nur am Rand.) Die Kapitel handeln von Persönlichkeiten, Freunden und Fremden, von Politik, Literatur, Gesellschaft. In der kleinen Galerie stehen Porträt, Essay, Reportage nebeneinander. Ein Element geht ins andere über.

Der Autor hält die in Deutschland übliche Trennung von Literatur und Journalismus für unnötig, artifiziell, ja schädlich. Journalismus, der etwas taugte, galt in Frankreich, auch in Amerika immer als Literatur. Und Literaten, die in die Zeit wirken wollten, waren sich dort für den Journalismus selten zu gut. Die zopfig-deutsche Unterscheidung von Politik und Geist, »Kultur« und »Zivilisation«? Die war von jeher künstlich und gefährlich. Sie hätte niemals gelten dürfen.

Der Autor ist auch der altmodischen Ansicht, daß ein Zeitungs- oder Fernsehkorrespondent nur ein oberflächliches Bild seines Gastlandes gewinnt, wenn er nicht bereit ist, Bücher zu lesen – nicht nur die politischen und soziologischen, sondern genau so oder mehr die historischen und die sogenannte Belletristik. Dort, in den Romanen und Biographien, im Theater, durch die Vermittlung der Filme und gelegentlich auch des Fernsehens, öffnen sich Zugänge zu den geistigen Energien und zum seelischen Gefüge des anderen Volkes, auch zu seiner Politik, wie sie sich in gleicher Intimität nur durch die Glücksfälle menschlicher Begegnungen aufschließen.

In diesen Band wurden (in veränderter Form) fünf Manuskripte eingearbeitet, die für GEO geschrieben wurden, eines, das im »manager magazin«, ein anderes, das in »Titel« erschien; ferner finden sich die Spuren einiger kürzerer Arbeiten für die ZEIT, die Zürcher »Weltwoche« und die »Deutsche Zeitung«. Den Chefredakteuren Rolf Winter, Dr. Werner Funk, Hans O. Staub, Heidi Steinhaus und Dr. Gerhard Beckmann schuldet der Autor Dank.

Rainer Heumann von »Mohrbooks« erwies sich bei dieser Arbeit, wie seit so vielen Jahren, als ein kluger Berater und guter Freund.

Thea Schwarz ertrug nicht nur die Mühe von Diktat und Abschrift des Manuskripts, sondern nahm an der Formulierung des Textes kritischen Anteil.

Dank, wie immer, Renate Lasker-Harpprecht für Geduld, Einspruch, Ermutigung und ihre (meist fröhliche) Liebe.

La Croix-Valmer Frühjahr 1984

Peter Scholl-Latour
Mord am großen Fluß
Afrikas Kampf um seine Unabhängigkeit
Peter Scholl-Latour
Mord am großen Fluß
Ein Vierteljahrhundert afrikanische Unabhängigkeit
544 Seiten
mit 2 Karten
Gebunden
mit Schutzumschlag
PETER SCHOLL-LATOUR
Mord am großen Fluß
Ein Vierteljahrhundert afrikanische Unabhängigkeit
DVA
DVA
Deutsche Verlags-Anstalt